HISTÓRIA CONCISA
DA
LITERATURA BRASILEIRA

Alfredo Bosi
(Da Universidade de S. Paulo)

HISTÓRIA CONCISA DA LITERATURA BRASILEIRA

EDITORA CULTRIX
SÃO PAULO

Copyright © 1994 Alfredo Bosi.

Capa: Montagem de Fred Jordan, sobre o desenho *Abapuru*, de Tarsila.

Edição	O primeiro número à esquerda indica a edição, ou reedição, desta obra. A primeira dezena à direita indica o ano em que esta edição, ou reedição, foi publicada.	Ano
41-42-43-44-45-46		03-04-05-06-07-08

Direitos reservados
EDITORA PENSAMENTO-CULTRIX LTDA.
Rua Dr. Mário Vicente, 368 – 04270-000 – São Paulo, SP
Fone: 272-1399 – Fax: 272-4770
E-mail: pensamento@cultrix.com.br
http://www.pensamento-cultrix.com.br

Impresso em nossas oficinas gráficas.

ÍNDICE

Para
Otto Maria Carpeaux,
mestre de cultura
e de vida

Para
Ecléa,
dimidium animae meae.

I

A CONDIÇÃO COLONIAL

o avesso: contrário a

Literatura e situação

O problema das *origens* da nossa literatura não pode formular-se em termos de Europa, onde foi a maturação das grandes nações modernas que condicionou toda a história cultural, mas nos mesmos termos das outras literaturas americanas, isto é, a partir da afirmação de um *complexo colonial* de vida e de pensamento.

A Colônia é, de início, o objeto de uma cultura, o "outro" em relação à metrópole: em nosso caso, foi a terra a ser ocupada, o pau-brasil a ser explorado, a cana-de-açúcar a ser cultivada, o ouro a ser extraído; numa palavra, a matéria-prima a ser carreada para o mercado externo (1). A colônia só deixa de o ser quando passa a sujeito da sua história. Mas essa passagem fez-se no Brasil por um lento processo de aculturação do português e do negro à terra e às raças nativas; e fez-se com naturais crises e desequilíbrios. Acompanhar este processo na esfera de nossa consciência histórica é pontilhar o direito e o avesso do fenômeno nativista, complemento necessário de todo complexo colonial (2).

Importa conhecer alguns dados desse complexo, pois foram ricos de conseqüências econômicas e culturais que transcenderam os limites cronológicos da fase colonial.

Nos primeiros séculos, os ciclos de *ocupação* e de *exploração* formaram ilhas sociais (Bahia, Pernambuco, Minas, Rio de Janeiro, São Paulo), que deram à Colônia a fisionomia de um arquipélago cultural. E não só no *facies* geográfico: as ilhas devem ser vistas também na dimensão temporal, momentos sucessivos que foram do nosso passado desde o século XVI até a Independência.

---

(1) Para a análise em profundidade do fenômeno colonial, recomendo a leitura dos ensaios de J. P. Sartre ("Le colonialisme est un système", in *Les Temps Modernes*, nº 123) e de Georges Balandier ("Sociologie de la dépendance", in *Cahiers Internationaux de Sociologie*, vol. XII, 1952). V. a Bibliografia final deste volume onde são arrolados alguns estudos brasileiros já "clássicos", merecendo destaque os de Caio Prado Jr., Fernando Novais e Jacob Gorender.

(2) V. Afrânio Coutinho, A *Tradição Afortunada*, José Olympio Ed., 1968, onde o crítico estuda o fator "nacionalidade" em vários momentos da crítica brasileira.

Assim, de um lado houve a dispersão do país em subsistemas regionais, até hoje relevantes para a história literária (*); de outro, a seqüência de influxos da Europa, responsável pelo paralelo que se estabeleceu entre os momentos de além-Atlântico e as esparsas manifestações literárias e artísticas do Brasil-Colônia: Barroco, Arcádia, Ilustração, Pré-Romantismo...

Acresce que o paralelismo não podia ser rigoroso pela óbvia razão de estarem fora os centros primeiros de irradiação mental. De onde, certos descompassos que causariam espécie a um estudioso habituado às constelações da cultura européia: coexistem, por exemplo, com o barroco do ouro das igrejas mineiras e baianas a poesia arcádica e a ideologia dos ilustrados que dá cor doutrinária às revoltas nativistas do século XVIII. Códigos literários europeus *mais* mensagens ou conteúdos já coloniais conferem aos três primeiros séculos de nossa vida espiritual um caráter híbrido, de tal sorte que parece uma solução aceitável de compromisso chamá-lo *luso-brasileiro*, como o fez Antônio Soares Amora na *História da Literatura Brasileira* (**).

Convém lembrar, por outro lado, que Portugal, perdendo a autonomia política entre 1580 e 1640, e decaindo verticalmente nos séculos XVII e XVIII, também passou para a categoria de nação periférica no contexto europeu; e a sua literatura, depois do clímax da épica quinhentista, entrou a girar em torno de outras culturas: a Espanha do Barroco, a Itália da Arcádia, a França do Iluminismo. A situação afetou em cheio as incipientes letras coloniais que, já no limiar do século XVII, refletiriam correntes de gosto recebidas "de segunda mão". O Brasil reduzia-se à condição de subcolônia...

A rigor, só laivos de nativismo, pitoresco no século XVII e já reivindicatório no século seguinte, podem considerar-se o divisor de águas entre um gongórico português e o baiano Botelho de Oliveira, ou entre um árcade coimbrão e um lírico mineiro. E é sempre necessário distinguir um nativismo estático, que se exaure na menção da paisagem, de um nativismo dinâmico, que integra o ambiente e o homem na fantasia poética (Basílio da Gama, Silva Alvarenga, Sousa Caldas).

O limite da consciência nativista é a ideologia dos inconfidentes de Minas, do Rio de Janeiro, da Bahia e do Recife. Mas, ainda nessas pontas-de-lança da dialética entre Metrópole e Colônia, a última pediu de empréstimo à França as formas de pensar burguesas e liberais para interpretar a sua própria realidade. De qualquer modo, a busca de fontes ideológicas não-portuguesas ou não-ibéricas, em geral, já era uma ruptura consciente com o passado e um caminho

---

(*) No ensaio *Uma Interpretação da Literatura Brasileira*, Viana Moog dá ênfase ao ilhamento cultural das várias regiões brasileiras; descontados certos exageros, a tese é plenamente sustentável (V. o estudo, datado de 1942, agora incluído em *Temas Brasileiros* de diversos autores, Rio, Casa do Estudante do Brasil, 1968).

(**) S. Paulo, Ed. Saraiva, 1955.

para modos de assimilação mais dinâmicos, e propriamente brasileiros, da cultura européia, como se deu no período romântico.

Resta, porém, o dado preliminar de um *processo colonial*, que se desenvolveu nos três primeiros séculos da vida brasileira e condicionou, como nenhum outro, a totalidade de nossas reações de ordem intelectual: e se se prescindir da sua análise, creio que não poderá ser compreendido na sua inteira dinâmica nem o próprio fenômeno da mestiçagem, núcleo do nosso mais fecundo ensaísmo social de Sílvio Romero a Euclides, de Oliveira Viana a Gilberto Freyre (*).

Textos de informação

Os primeiros escritos da nossa vida documentam precisamente a instauração do processo: são *informações* que viajantes e missionários europeus colheram sobre a natureza e o homem brasileiro. Enquanto informação, não pertencem à categoria do literário, mas à pura crônica histórica e, por isso, há quem as omita por escrúpulo estético (José Veríssimo, por exemplo, na sua *História da Literatura Brasileira*). No entanto, a pré-história das nossas letras interessa como reflexo da visão do mundo e da linguagem que nos legaram os primeiros observadores do país. É graças a essas tomadas diretas da paisagem, do índio e dos grupos sociais nascentes, que captamos as condições primitivas de uma cultura que só mais tarde poderia contar com o fenômeno da palavra-arte.

E não é só como testemunhos do tempo que valem tais documentos: também como sugestões temáticas e formais. Em mais de um momento a inteligência brasileira, reagindo contra certos processos agudos de europeização, procurou nas raízes da terra e do nativo imagens para se afirmar em face do estrangeiro: então, os cronistas voltaram a ser lidos, e até glosados, tanto por um Alencar romântico e saudosista como por um Mário ou um Oswald de Andrade modernistas. Daí o interesse obliquamente estético da "literatura" de informação.

Dos textos de origem portuguesa merecem destaque:

a) a *Carta* de Pero Vaz de Caminha a el-rei D. Manuel, referindo o descobrimento de uma nova terra e as primeiras impressões da natureza e do aborígene;

b) o *Diário de Navegação* de Pero Lopes e Sousa, escrivão do primeiro grupo colonizador, o de Martim Afonso de Sousa (1530);

(*) Procurei rever alguns aspectos desse processo em *Dialética da Colonização*, S. Paulo, Cia. das Letras, 1992.

c) o *Tratado da Terra do Brasil* e a *História da Província de Santa Cruz a que Vulgarmente Chamamos Brasil* de Pero Magalhães Gândavo (1576);

d) a *Narrativa Epistolar* e os *Tratados da Terra e da Gente do Brasil* do jesuíta Fernão Cardim (a primeira certamente de 1583);

e) o *Tratado Descritivo do Brasil* de Gabriel Soares de Sousa (1587);

f) os *Diálogos das Grandezas do Brasil* de Ambrósio Fernandes Brandão (1618).

g) as *Cartas* dos missionários jesuítas escritas nos dois primeiros séculos de catequese ([3]);

h) o *Diálogo sobre a Conversão dos Gentios* do Pe. Manuel da Nóbrega;

i) a *História do Brasil* de Fr. Vicente do Salvador (1627).

A Carta de Caminha

O que para a nossa história significou uma autêntica certidão de nascimento, a *Carta* de Caminha a D. Manuel, dando notícia da terra achada, insere-se em um gênero copiosamente representado durante o século XV em Portugal e Espanha: a literatura de viagens ([4]). Espírito observador, ingenuidade (no sentido de um realismo sem pregas) e uma transparente ideologia mercantilista batizada pelo zelo missionário de uma cristandade ainda medieval: eis os caracteres que saltam à primeira leitura da Carta e dão sua medida como documento histórico. Descrevendo os índios:

> A feição deles é serem pardos maneiras d'avermelhados de bons rostros e bons narizes bem feitos. Andam nus sem nenhuma cobertura, nem estimam nenhuma cousa cobrir nem mostrar suas vergonhas e estão acerca disso com tanta inocência como têm de mostra o rosto.

Em relevo, a postura solene de Cabral:

> O capitão quando eles vieram estava assentado em uma cadeira e uma alcatifa aos pés por estrado e bem vestido com um colar d'ouro mui grande ao pescoço.

([3]) Há volumes antológicos preparados pelo Pe. Serafim Leite S. J.: *Cartas Jesuíticas*, 3 vols., Rio, 1933; *Novas Cartas Jesuíticas*, S. Paulo, Cia. Ed. Nacional, 1940. V. também: Nóbrega — *Cartas do Brasil e Mais Escritos*, ed. org. por Serafim Leite, Coimbra, 1953.

([4]) Duas boas edições do documento são: *A Carta de P. V. de Caminha*, com um estudo de Jayme Cortesão, Rio, Livros de Portugal, 1943, e *A Carta*, estudo crítico de J. F. de Almeida Prado; texto e glossário de Maria Beatriz Nizza da Silva, Rio, Agir, 1965.

Atenuando a impressão de selvageria que certas descrições poderiam dar:

> Eles porém contudo andam muito bem curados e muito limpos e naquilo me parece ainda mais que são como aves ou alimárias monteses que lhes faz o ar melhor pena e melhor cabelo que as mansas, porque os corpos seus são tão limpos e tão gordos e tão fremosos que não pode mais ser.

A conclusão é edificante:

> De ponta a ponta é toda praia... muito chã e muito fremosa. (...) Nela até agora não pudemos saber que haja ouro nem prata... porém a terra em si é de muito bons ares assim frios e temperados como os de Entre-Doiro-e-Minho. Águas são muitas e infindas. E em tal maneira é graciosa que querendo-a aproveitar, dar-se-á nela tudo por bem das águas que tem, porém o melhor fruto que nela se pode fazer me parece que será salvar esta gente e esta deve ser a principal semente que vossa alteza em ela deve lançar.

Gândavo

Quanto a Pero de Magalhães Gândavo, português, de origem flamenga (o nome deriva de Gand), professor de Humanidades e amigo de Camões, devem-se-lhe os primeiros informes sistemáticos sobre o Brasil. A sua estada aqui parece ter coincidido com o governo de Mem de Sá. O *Tratado* foi redigido por volta de 1570, mas não se publicou em vida do autor, vindo à luz só em 1826, por obra da Academia Real das Ciências de História de Portugal; quanto à *História*, saiu em Lisboa, em 1576, com o título completo de *História da Província de Santa Cruz a que Vulgarmente Chamamos Brasil.* Ambos os textos são, no dizer de Capistrano de Abreu, "uma propaganda da imigração", pois cifram-se em arrolar os bens e o clima da colônia, encarecendo a possibilidade de os reinóis ("especialmente aqueles que vivem em pobreza") virem a desfrutá-la.

Gândavo estava ciente de seu papel de pioneiro

> A causa principal que me obrigou a lançar mão da presente história, e sair com ela à luz, foi por não haver até agora pessoa que a empreendesse, havendo já setenta e tantos anos que esta Província é descoberta (Prólogo)

e procurou cumpri-lo com diligência, o que lhe valeu os encômios de Camões nos *Tercetos* com que o poeta apresenta a *História*:

> Tem claro estilo, engenho curioso.

Trata-se naturalmente de uma objetividade relativa ao universo do autor: humanista, católico, interessado no proveito do Reino. Assim, lamenta que ao nome de Santa Cruz tenha o "vulgo mal considerado" preferido o de Brasil, "depois que o pau da tinta começou de vir a estes Reinos ao qual chamaram brasil por ser vermelho, e ter semelhança de brasa". Quem fala é o letrado medieval português. A sua atitude íntima, na esteira de Camões, e que se rastreará até os épicos mineiros, consiste em louvar a terra enquanto ocasião de glória para a metrópole. Por isso, não devemos enxergar nos seus gabos ao clima e ao solo nada além de uma curiosidade solerte a serviço do bem português. O *nativismo*, aqui como em outros cronistas, situa-se no nível descritivo e não tem qualquer conotação subjetiva ou polêmica.

Isto posto, pode-se entrever certo otimismo (que em viajantes não portugueses chega a ser visionário) quanto às potencialidades da colônia: e quem respingou os louvores desses cronistas, ainda imersos em uma credulidade pré-renascentista, pôde falar sem rebuços em "visão do paraíso" como *leitmotiv* das descrições: Eldorado, Éden recuperado, fonte da eterna juventude, mundo sem mal, volta à Idade de Ouro ([5]).

Mas o tom predominante é sóbrio e a sua simpleza vem de um espírito franco e atento ao que se lhe depara, sem apelo fácil a construções imaginárias.

Gândavo dá notícia geográfica da terra em geral e das capitanias em particular. Lendo-o aprende-se, por exemplo, que a escravidão começou cedo a suportar o ônus da vida colonial:

> E a primeira coisa que [os moradores] pretendem adquirir são escravos para lhes fazerem suas fazendas, e se uma pessoa chega na terra a alcançar dous pares, ou meia dúzia deles (ainda que outra coisa não tenha de seu), logo tem remédio para poder honradamente sustentar sua família: porque um lhe pesca e outro lhe caça, os outros lhe cultivam e grangeiam suas roças e desta maneira não fazem os homens despensa em mantimentos com seus escravos nem com suas pessoas (cap. IV).

Há na obra descrições breves mas vivas de costumes indígenas: a poligamia, a "couvade", as guerras e os ritos de vingança, a antropofagia. Nem faltam passagens pinturescas; no capítulo "Das plantas, mantimentos e fruitos que há nesta Província", fazem-nos sorrir certos símiles do cronista maravilhado com a flora tropical:

> Uma planta se dá também nesta Província, que foi da ilha de São Tomé, com a fruita da qual se ajudam muitas pessoas a sustentar na terra. Esta planta é mui tenra e não muito alta, não tem ramos senão umas folhas que serão seis ou sete palmos de comprido. A fruita dela se chama banana. Parecem-se na feição com pepinos e criam-se em cachos. (...) Esta fruita é mui sabrosa, e das boas, que há na terra: tem uma pele como de figo (ainda que mais dura) a qual lhe lançam fora

---

([5]) Cf. Sérgio Buarque de Holanda — *Visão do Paraíso. Os Motivos Edênicos no Descobrimento e Colonização do Brasil*, Rio, José Olympio, 1959. Uma excelente revisão do mito do bom selvagem e de suas fontes quinhentistas encontra-se no ensaio de Giuliano Gliozzi, "Il mito del buon selvaggio, nella storiografia tra Ottocento e Novecento", in *Rivista di Filosofia*, Turim, set. 1967, pp. 288-335.

qdo. a querem comer: mas faz dano à saúde e causa fevre a quem se desmanda nela (cap. V).

Dos ananases diz que "nascem como alcachofres" e do caju que "é de feição de peros repinaldos e muito amarelo".

Sua atitude em face do índio prende-se aos comuns padrões culturais de português e católico-medieval; e vai da observação curiosa ao juízo moral negativo, como se vê neste comentário entre sério e jocoso sobre a língua tupi:

> Esta é mui branda, e a qualquer nação fácil de tomar. Alguns vocábulos há nela de que não usam senão as fêmeas, e outros que não servem senão para os machos: carece de três letras, convém a saber, não se acha nela F, nem L, nem R, coisa digna de espanto porque assim não têm Fé, nem Lei, nem Rei, e desta maneira vivem desordenadamente sem terem além disso conta, nem peso, nem medido (cap. X).

A *História* termina com uma das tônicas da literatura informativa: a preocupação com o ouro e as pedras preciosas que se esperava existissem em grande quantidade nas terras do Brasil, à semelhança das peruanas e mexicanas. E, espelho de toda a mentalidade colonizadora da época, afirma ter sido, sem dúvida, a Providência a atrair os homens com a tentação das riquezas, desde o âmbar do mar até as pedrarias do sertão,

> como o interesse seja o que mais leva os homens trás si que outra nenhuma coisa que haja na vida, parece manifesto querer entretê-los na terra com esta riqueza do mar, até chegarem a descobrir aquelas grandes minas que a mesma terra promete, pera que assi desta maneira tragam ainda toda aquela cega e bárbara gente que habita nestas partes, ao lume e conhecimento da nossa Santa Fé Católica, que será descobrir-lhe outras maiores no céu, o qual nosso Senhor permite que assim seja pela glória sua e salvação de tantas almas (cap. VIII).

No mesmo parágrafo, e em tranqüilo convívio, o móvel econômico e a cândida justificação ideológica.

O "Tratado" de Gabriel Soares

Quanto a Gabriel Soares de Sousa (1540?-1591), a crítica histórica tem apontado o seu *Tratado Descritivo do Brasil em 1587* (6) como a fonte mais rica de informações sobre a colônia no século XVI.

Notícias de Varnhagen sobre o autor dão-no como português, senhor de engenho e vereador na Câmara da Bahia, onde registrou suas observações du-

---

(6) Edição aconselhável, a incluída na Col. Brasiliana, vol. 117, Cia. Ed. Nacional, 1938.

rante os dezessete anos em que lá morou (1567-1584). Tendo herdado do irmão um roteiro de minas de prata que se encontrariam junto às vertentes do Rio São Francisco, foi à Espanha pedir uma carta-régia que lhe concedesse o direito de capitanear uma entrada pelos sertões mineiros; obteve-a, mas a expedição malogrou, vindo ele a perecer em 1591.

O *Tratado* consta de duas partes: "Roteiro Geral com Largas Informações de Toda a Costa do Brasil", de caráter geo-histórico e bastante minucioso; e o "Memorial e Declaração das Grandezas da Bahia de Todos os Santos, de sua Fertilidade e das Outras Partes que Tem".

Partilha com Gândavo o objetivo de informar os poderes da Metrópole sobre as perspectivas que a colônia oferecia, acenando igualmente, ao cabo do livro, com as minas de ouro, prata e esmeralda, por certo aquela mítica Vupabuçu ("alagoa grande") em cuja procura acharia a morte. Mas é muito mais vário e sugestivo que o autor da *História da Província de Santa Cruz*; com um zelo de naturalista que espantaria um antropólogo moderno da altura de Alfred Métraux ([7]), Gabriel Soares de Sousa percorre toda a fauna e a flora da Bahia fazendo um inventário de quem vê tudo entre atento e encantado. Os capítulos sobre o gentio acercam-se do relatório etnográfico, pois não só cobrem a informação básica, da cultura material à religiosa, como sublinham traços peculiares: são de ler as descrições vivas da "couvade", dos suicidas comedores de terra, dos exibicionistas e dos feiticeiros chamadores da morte.

A informação dos jesuítas

Paralelamente à crônica leiga, aparece a dos jesuítas, tão rica de informações e com um *plus* de intenção pedagógica e moral. Os nomes mais significativos do século XVI são os de Manuel da Nóbrega e Fernão Cardim, merecendo um lugar à parte, pela relevância literária, o de José de Anchieta.

De Nóbrega, além do epistolário, cujo valor histórico não se faz mister encarecer, temos o *Diálogo sobre a Conversão do Gentio* (1558?), documento notável pelo equilíbrio com que o sensato jesuíta apresentava os aspectos "negativos" e "positivos" do índio, do ponto de vista da sua abertura à conversão. E vale a pena citar um trecho em que, com agudeza rara para o tempo, mostra desprezar argumentos de ordem racial:

> Terem os romanos e outros mais gentios mais polícia [= civilização, urbanidade] que estes não lhes veio de terem naturalmente melhor entendimento, mas de terem melhor criação e criarem-se mais politicamente (*Diálogo*, 93).

([7]) "Soares de Sousa a un esprit scientifique étonnant pour son époque", em *La Civilisation matérielle des tribus tupi-guarani*. Paris, 1928.

Igual realismo, mas menor perspicácia, encontra-se nas relações que o Pe. Fernão Cardim, na qualidade de Provincial, enviava a seus superiores europeus; relações que circulam enfaixadas sob o título de *Tratado da Terra e da Gente do Brasil* (8).

Anchieta. Assim como os cronistas se debruçaram sobre a terra e o nativo com um espírito ao mesmo tempo ingênuo e prático, os missionários da Companhia de Jesus, aqui chegados nem bem criada a ordem, uniram à sua fé (neles ainda de todo ibérica e medieval) um zelo constante pela conversão do gentio, de que os escritos catequéticos são cabal documento. E, se um Nóbrega exprime em cartas incisivas e no *Diálogo* o traço pragmático do administrador; ou, se um Fernão Cardim lembra Gândavo e Gabriel Soares pela cópia de informes que sabe recolher nas capitanias que percorre, só em José de Anchieta (9) é que acharemos exemplos daquele veio místico que toda obra religiosa, em última análise, deve pressupor.

Há um Anchieta diligente anotador dos sucessos de uma vida acidentada de apóstolo e mestre; para conhecê-lo precisamos ler as *Cartas, Informações, Fragmentos Históricos e Sermões* que a Academia Brasileira de Letras publicou em 1933. Mas é o Anchieta poeta e dramaturgo que interessa ao estudioso da incipiente literatura colonial. E se os seus autos são definitivamente pastorais (no sentido eclesial da palavra), destinados à edificação do índio e do branco em certas cerimônias litúrgicas (*Auto Representado na Festa de São Lourenço, Na Vila de Vitória* e *Na Visitação de Sta. Isabel*), o mesmo não ocorre com os seus poemas que valem em si mesmos como estruturas literárias.

A linguagem de "A Santa Inês", "Do Santíssimo Sacramento" e "Em Deus, meu Criador" molda-se na tradição medieval espanhola e portuguesa; em me-

---

(8) Edição aconselhável, a da Brasiliana (Cia. Ed. Nacional, 1939), com introdução de Rodolfo Garcia e notas de Capistrano de Abreu e Batista Caetano.

(9) José de Anchieta. Nasceu na ilha de Tenerife, uma das Canárias, em 1534 e faleceu em Reritiba (Espírito Santo) em 1597. Veio para o Brasil ainda noviço em 1553; logo fez sentir sua ação apostólica fundando com Nóbrega um colégio em Piratininga, núcleo da cidade de S. Paulo. Pelo zelo religioso e pela sensibilidade humana, Anchieta ficou na história da colônia como exemplo de vida espiritual particularmente heróica nas condições adversas em que se exerceu. Suas *Poesias* em português, castelhano, tupi e latim foram transcritas e traduzidas por M. de Lourdes de Paula Martins, S. Paulo, Comissão do IV Centenário, 1954. Há edição fac-similar, Itatiaia-Edusp, 1989. O *De Beata Virgine* foi traduzido pelo Pe. Armando Cardoso S. J. (Rio, Arquivo Nacional, 1940). Para a prosa, ver *Cartas Jesuíticas*, III, Rio, Acad. Bras. de Letras, 1933; e *Textos Históricos*, S. Paulo, Loyola, 1990. Cf. Domingos Carvalho da Silva, "As origens da poesia", in *A Lit. no Brasil*, vol. I, t. 1, Rio, 1956; Leodegário de Azevedo Filho, *Anchieta, a Idade Média e o Barroco*, Rio, Gernasa, 1966; A. Bosi, "Anchieta ou as flechas opostas do sagrado", em *Dialética da Colonização*, cit.

tros breves, da "medida velha", Anchieta traduz a sua visão do mundo ainda alheia ao Renascimento e, portanto, arredia em relação aos bens terrenos.

Não há coisa segura.
Tudo quanto se vê
se vai passando.
A vida não tem dura.
O bem se vai gastando.
Toda criatura
passa voando.
. . . .
Contente assim, minh'alma,
do doce amor de Deus
toda ferida,
o mundo deixa em calma,
buscando a outra vida,
na qual deseja ser
absorvida.

(*Em Deus, meu Criador*)

Os fragmentos que nos chegaram transpõem o tópico do "desengaño" do mundo, constante do *Cancioneiro Geral* de Garcia de Resende e em Gil Vicente. Mas em Anchieta o traço ascético, dominante nos *Exercícios Espirituais* do seu mestre Inácio de Loyola, não ocupa toda a área de seu pensamento; ao contrário, está subordinado a valores positivos de esperança e alegria. Pode-se dizer mesmo que o vetor afetivo de Anchieta é a consolação pelo amor divino. Assim, no poema citado acima:

Do pé do sacro monte
meus olhos levantando
ao alto cume,
vi estar aberta a fonte
do verdadeiro lume,
que as trevas do meu peito
todas consume.

Correm doces licores
das grandes aberturas
do penedo.
Levantam-se os errores,
levanta-se o degredo
e tira-se a amargura
do fruto azedo.

Uma análise mais detida das imagens que se reiteram nos melhores poemas, "Do Santíssimo Sacramento" e "A Santa Inês" mostra que aqueles traços de mortificação (exasperados mais tarde pelo jesuitismo barroco) neles servem de contraponto ao motivo mais abrangente do alimento sagrado, símbolo da união com Deus:

Ó que pão, ó que comida,
ó que divino manjar
se nos dá no santo altar
cada dia!
. . . .
Este dá vida imortal,
este mata toda fome,
porque nele Deus e homem
se contêm.
. . . .
qu'este manjar tudo gaste,
porque é fogo gastador
que com seu divino amor
tudo abrasa.
(*Do Santíssimo Sacramento*)

Como ocorre na melhor tradição popular anterior à Renascença, são os símiles mais correntes, tomados às necessidades materiais, como a nutrição, o calor e o medicamento, que o poeta prefere para concretizar a emoção religiosa:

Cordeirinha linda,
como folga o povo
porque vossa vinda
lhe dá lume novo!
. . . .
Santa padeirinha,
morta com cutelo
sem nenhum farelo
é vossa farinha.

Ela é mezinha
com que sara o povo,
que com vossa vinda
terá trigo novo.

O pão que amassastes
dentro em vosso peito
é o amor perfeito
com que a Deus amastes.

E, ao lado desse veio, outro, igualmente religioso, mas tirante a um cômico simples, quase simplório no trato das comparações, como é o caso da glosa "O Pelote Domingueiro" que Anchieta compôs para o mote: "Já furtaram ao moleiro o pelote domingueiro", onde o moleiro é figura de Adão a quem as manhas de Satanás surripiaram a graça divina (o pelote domingueiro), deserdando assim toda a sua geração:

> Os pobretes cachopinhos
> ficaram mortos de frio,
> quando o pai, com desvario,
> deu na lama de focinhos.
> Cercou todos os caminhos
> o ladrão, com seu bicheiro,
> e rapou-lhe o domingueiro.

Na segunda parte passa o mote para "Já tomaram ao moleiro o pelote domingueiro", glosado como a redenção que Jesus, "neto do moleiro", trouxe ao homem:

> Trinta e três anos andou,
> sem temer nenhum perigo,
> moendo-se como trigo,
> até que o desempenhou.
> Com o seu sangue resgatou
> para o pobre do moleiro
> o pelote domingueiro.

Quanto aos autos atribuídos a Anchieta ([10]), deve-se insistir na sua menor autonomia estética: são obra pedagógica, que chega a empregar ora o português, ora o tupi, conforme o interesse ou o grau de compreensão do público a doutrinar. Formalmente, o teatro jesuítico, nessa fase missionária inicial, está preso à tradição ibérica dos *vilancicos*, que se cantavam por ocasião das festas religiosas mais importantes. A documentação do teatro medieval português é, como se sabe, escassíssima; Leite de Vasconcelos refere-se a uns "arremedilhos" do período trovadoresco e a uma farsa incluída no Cancioneiro Geral (*). Assim, é na tradição oral que mergulha raízes o teatro de Gil Vicente, cujo *Monólogo do Vaqueiro* é o primeiro documento, sem dúvida tardio, do teatro português ([11]).

Os autos de Anchieta, como os *mistérios* e as *moralidades* da Idade Média, que estendiam até o adro da igreja o rito litúrgico, materializam nas figuras fixas dos anjos e dos demônios os pólos do Bem e do Mal, da Virtude e do Vício, entre os quais oscilaria o cristão; daí, o seu realismo, que à primeira vista parece

---

([10]) Ver *Teatro* de Anchieta, S. Paulo, Ed. Loyola, 1977. Há um excelente estudo sobre o auto Na Vila de Vitória: é *O Auto da Ingratidão* de Edith Pimentel Pinto, São Paulo, Conselho Estadual de Artes e Ciências Humanas, 1978.

(*) *Textos Arcaicos*, 4ª ed., Lisboa, Livraria Clássica, Ed., 1959, p. 212.

([11]) O *Monólogo* (1502) foi escrito em espanhol, com notas cênicas em português. Segundo palavras do próprio G. Vicente ("e por ser coisa nova em Portugal..."), infere-se que o A. foi o primeiro a levar para fora do espaço religioso uma declamação teatral (Ob. Compl., Lisboa, Sá da Costa, 1959, vol. I, p. 7).

direto e óbvio, ser, no fundo, alegoria. Dos oito autos que se costuma atribuir a Anchieta o mais importante é o intitulado *Na Festa de São Lourenço*, representado pela primeira vez em Niterói, em 1583. Consta de quatro atos e uma dança cantada em procissão final. A maior parte dos versos está redigida em tupi, e o restante em espanhol e português. "Teatro de revista indígena", chamou-lhe um leitor moderno, não oferece, de fato, unidade de ação ou de tempo: cenas nativas, lutas contra os franceses, corridas, escorribandas diabólicas e fragmentos de prédica mística superpõem-se nessa rapsódia e visam a converter recreando ([12]). Os versos em português, em número de quarenta, trazem a fala do Anjo que apresenta as figuras simbólicas do Amor e Temor, fogos, segundo ele, que o Senhor manda para abrasar as almas, como o fogo material abrasara a de São Lourenço:

> Deixa-vos dele queimar
> como o mártir São Lourenço
> e sereis um vivo incenso,
> que sempre haveis de cheirar
> na corte de Deus imenso.

Mas Anchieta, homem culto, educado em colégios da Companhia na Coimbra humanística dos meados do século XVI, é também destro versejador latino no poema *De Beata Virgine Dei Matre Maria*, composto em 1563, na praia de Iperoig, onde se encontrava como refém dos Tamoios.

A obra, que narra a vida e as glórias de Nossa Senhora, apesar de vazada em corretos dísticos ovidianos, está impregnada da linguagem bíblica e litúrgica, e de glosas de Santo Ambrósio e São Bernardo. Trata-se de um livro de devoção marial a que o verso latino deu apenas uma pátina renascentista. Em Anchieta, esse enxerto clássico numa substância ingenuamente medieval não produz nenhum conflito, dado o caráter ainda epidérmico do contato entre ambas as culturas. Só no século XVII, quando a Contra-Reforma já tiver formado mais de uma geração em luta com a Renascença e a Reforma, é que nascerá um estilo feito de contradições entre a mente feudal (que sobrevive em nível polêmico) e as formas do "Cinquecento", que vicejam e se multiplicam por sua própria força: esse estilo será a retórica do barroco jesuítico. Mas para o apóstolo dos tupis, o "maneirismo" ainda não ultrapassou o plano escolar e o seu verso é apenas o de um zeloso leitor de Virgílio e de Ovídio (*).

([12]) Cf. Claude-Henri Frèches, "Le théâtre du P. Anchieta; contenu et structure", in *Annali*, Instituto Orientale, Nápoles, 1961, vol. III, nº 1.

(*) A Anchieta atribui-se também a composição do poema épico *De Gestis Mendi de Saa*, em que se narram as lutas do 3º Governador-Geral contra os franceses. Edição recomendável, a cuidada pelo Pe. Armando Cardoso S. J., que também traduziu e comentou o texto (S. Paulo, S. e., 1970).

Os "Diálogos das Grandezas do Brasil"

Nos primeiros decênios do século XVII, com a decadência da extração de pau-brasil e o malogro das "entradas", firmou-se a economia do açúcar como a base material da Colônia ([13]): era, portanto, de esperar que insistissem nessa tônica os escritos de informação e de louvor.

O documento mais representativo, no caso, são os *Diálogos das Grandezas do Brasil*, datados de 1618 e atribuídos ao cristão-novo português Ambrósio Fernandes Brandão ([14]). A obra compõe-se de seis diálogos entre *Brandônio*, que faz as vezes do colonizador bem informado, e *Alviano*, recém-vindo da Metrópole e sequioso de notícias sobre as riquezas da terra. E o quadro destas já vem na abertura do livro:

> Brandônio — (...) Pelo que, começando, digo que as riquezas do Brasil consistem em seis coisas, com as quais seus povoadores se fazem ricos, que são estas: a primeira a lavoura do açúcar, a segunda a mercancia, a terceira o pau a que chamam do Brasil, a quarta os algodões e madeiras, a quinta a lavoura de mantimentos, a sexta e última a criação de gados. De todas estas coisas o principal nervo e substância da riqueza da terra é a lavoura dos açúcares.

Os *Diálogos* continuam nesse diapasão justapondo mil e um informes úteis para o futuro povoador da terra.

Seria, talvez, precoce, nesta altura, tomar os elogios do reinol cúpido por fatores nativistas em nossa literatura. Mas a insistência em descrever a natureza, arrolar os seus bens e historiar a vida ainda breve da Colônia indica um primeiro passo da consciência do colono, enquanto homem que *já não vive* na Metrópole e, por isso, deve enfrentar coordenadas naturais diferentes, que o obrigam a aceitar e, nos casos melhores, a repensar diferentes estilos de vida.

E à medida que o mero conhecimento geográfico vai sendo dominado, abre-se caminho para sentir o tempo que correu, condição primeira de toda historiografia.

Da crônica à história: Frei Vicente, Antonil

Nem sempre é fácil distinguir a *crônica* da *história* quando se lida com textos coloniais. Entretanto, se é um fato que as páginas de Gândavo e de Gabriel Soares de Sousa sabem antes a relatório que a reflexão sobre aconte-

---

([13]) Cf. Von Lippmann, *História do Açúcar*, 2 vols., 1941-42; Celso Furtado, *História Econômica do Brasil*, Rio, 1954.

([14]) Ver *Diálogos das Grandezas do Brasil*, S. Paulo, Ed. Melhoramentos, 1977.

cimentos, já na *História do Brasil* de Frei Vicente do Salvador ([15]) reponta o cuidado de inserir a experiência do colono em um projeto histórico luso-brasileiro. O que explica as críticas de Fr. Vicente à relutância do português em deixar o litoral seguro (onde vive "como caranguejo") e o conseqüente desleixo em face da riqueza potencial da terra. A sua narrativa detém-se nos sucessos da invasão holandesa na Bahia de que foi testemunha.

Pela vinculação constante que o historiador estabelece entre *informação* e *poder*, lembra de perto o autor dos *Diálogos*. A atitude atravessará, de resto, todo o período colonial, que transcorreu sob o signo da política mercantilista do Antigo Regime: bom exemplo dela seria, no princípio do século XVIII, a obra do jesuíta italiano Antonil (pseudônimo de João Antônio Andreoni, 1650-1716?), *Cultura e Opulência do Brasil*, quase toda centrada na economia e na política açucareira (já então em crise), mas já dando notícias exatas das rotas do ouro recém-descoberto, motivo, ao que parece, da sua apreensão e destruição pelo governo luso. É prova que, na condição colonial, a informação é útil até certo ponto... ([16])

Um balanço da prosa do primeiro século e meio da vida colonial dá-nos elementos para dizer que o puro caráter informativo e referencial predomina e pouco se altera até o advento do estilo barroco. É só com a presença deste na cultura européia, e sobretudo ibérica, que surgirá entre nós uma organização estética da prosa: os sermões de Vieira, a historiografia gongórica de Rocha Pita e mesmo a alegoria moral de Nuno Marques Pereira (apesar do didatismo que a marca) já serão exemplos de textos literários, isto é, de mensagens que não se esgotam no mero registro de conteúdos objetivos, o que lhes acresce igualmente o peso ideológico.

([15]) FREI VICENTE DO SALVADOR (no século, Vicente Rodrigues Palha). Nasceu em Matoim, Bahia, em 1564 e morreu na mesma capitania entre 1636 e 1639. A *História do Brasil* foi concluída em 1627, mas só veio a ser publicada em 1889 por obra de Capistrano de Abreu. Edição recomendada: Itatiaia-Edusp, 1982.

([16]) Do texto de Antonil há uma edição prefaciada por Afonso de Taunay (S. Paulo, Ed. Melhoramentos, 1923) e outra pela Profa. Alice Canabrava, Cia. Ed. Nacional, 1967. Cf. José Paulo Paes, "A Alma do Negócio", in *Mistério em Casa*, S. Paulo, Comissão de Literatura, 1961.

II

ECOS DO BARROCO

O Barroco: espírito e estilo

Seja qual for a interpretação que se dê ao Barroco ([17]), é sempre útil refletir sobre a sua situação de estilo pós-renascentista e, nos países germânicos, pós-reformista.

A Renascença, fruto maduro da cultura urbana em alguns centros italianos desde o princípio do século XV, foi assumindo configurações especiais à medida que penetrava em nações ainda marcadas por uma poderosa presença do espírito medieval. No caso português e espanhol, os descobrimentos marítimos levaram ao ápice uma concepção triunfalista e messiânica da Coroa e da nobreza (rural e mercantil), concepção mais próxima de certos ideais césaro-papistas da alta Idade Média que da doutrina do príncipe burguês de Maquiavel. E durante todo o século XVI vincaram a cultura ibérica fortes traços arcaizantes, que a Contra-Reforma, a Companhia de Jesus e o malogro de Alcácer-Quibir viriam carregar ainda mais ([18]).

Ora, o estilo barroco se enraizou com mais vigor e resistiu mais tempo nas esferas da Europa neolatina que sofreram o impacto vitorioso dos novos estados mercantis. É na estufa da nobreza e do clero espanhol, português e romano que se incuba a *maneira* barroco-jesuítica: trata-se de um mundo já em defensiva, organicamente preso à Contra-Reforma e ao Império filipino, e em luta com as áreas liberais do Protestantismo e do racionalismo crescente na Inglaterra, na Holanda e na França.

É instrutivo observar que o *barroco-jesuítico* não tem nítidas fronteiras espaciais, mas ideológicas. Floresce tanto na Áustria como na Espanha, no Brasil como no México, mas já não se reconhece nas sóbrias estruturas da arte coetânea da Suécia e da Alemanha cujo "barroco" luterano (que enforma a música de Bach) é infenso a extremos gongóricos da imagem e do som. Há, portanto, um nexo entre o barroco hispânico-romano e toda uma realidade social e cultural que se inflecte sobre si mesma ante a agressão da modernidade burguesa, científica e leiga.

([17]) V. Bibliografia, *in fine.*

([18]) O século XVI foi o período áureo da Escolástica em Coimbra e em Salamanca. Na literatura, a "medida velha", o teatro vicentino com sua descendência espanhola, a novela de cavalaria, a crônica de viagens e a prosa ascética e devota ilustram a permanência das formas medievais.

Tal inflexão não poderia ser, e não foi, um mero retorno ao medieval, ao gótico, à mente feudal da Europa pré-humanística. A atmosfera do Barroco está saturada pela experiência do Renascimento e herda as suas formas de elocução maduras e crepusculares: o classicismo e o maneirismo. No entanto, a vida social é outra; outra a retórica em que se traduzem as relações quotidianas. Decaída a *virtù* renascimental em *discrición* astuta quando não hipócrita, mortificados os anseios humanísticos, de que eram alto e belo exemplo a filosofia de Pico della Mirandola, a pintura de Leonardo, o riso sem pregas de Ariosto e Rabelais, ensombra-se de melancolia o contato entre o artista e o mundo: Tasso e Camões, Cervantes e o último Shakespeare já são mestres de *desengaño*.

Mas o esfriamento da antiga euforia não destrói os andaimes de uma linguagem construída desde Giotto e Petrarca; ao contrário, são os puros esquemas que restam e sustentam, não raro solitariamente, a vontade-de-estilo dos artistas. O código sobreleva a mensagem: triunfa o maneirismo.

A apreciação do Barroco tem oscilado entre a seca recusa, comum aos críticos da mensagem (De Sanctis, Taine, Croce) e a quente apologia, peculiar aos anatomistas do estilo (Woelfflin, Balet, Spitzer, Dámaso Alonso). As lacunas de ambas as perspectivas não são difíceis de apontar: a negação da arte barroca pela sua "carência de conteúdo" é cega, pois é claro que o alheamento da realidade, a fuga ao senso comum, enfim o descompromisso histórico *é também conteúdo*. Quanto à atitude formalista, resume-se em atribuir *a priori* um valor ao que se tomará por objeto preferencial, os esquemas, herdados pela tradição clássica e apenas transfigurados por força de um complexo ideológico. Em suma, desvalorizar um poema barroco porque "vazio" ou mitizá-lo porque rebuscadamente estilizado é, ainda e sempre, cometer o pecado de isolar espírito e forma, e não atingir o plano da síntese estética que deve nortear, em última instância, o julgamento de uma obra. A tentação, de resto, parece fatal, e não sei de homem culto, por equilibrado que se professe, que não tenha alguma vez caído nela; mas o importante é vigiar-se para que o dogmatismo de uma opção não nos faça mergulhar na ininteligência de uma das poucas atividades que resgatam a estupidez: a arte.

Suposto no artista barroco um distanciamento da práxis (e do saber positivo), entende-se que a natureza e o homem se constelassem na sua fantasia como quadros fenomênicos instáveis. Imagens e sons se mutuavam de vários modos sem que pudesse determinar com rigor o peso do idêntico, do *ipse idem*.

A paisagem e os objetos afetam-no pela multiplicidade dos seus aspectos mais aparentes, logo cambiantes, com os quais a imaginação estética vai compondo a obra em função de analogias sensoriais. O orvalho e a pele clara podem valer pelo cristal; o sangue pelo cravo ou pelo rubi; o espelho pela água pura e pelo metal polido. No mundo dos afetos, a "semelhança" envolve os contrastes, de modo a camuflar toda percepção nítida das diferenças objetivas:

> Incêndio em mares d'água disfarçado,
> Rio de neve em fogo convertido.
>
> (*Gregório de Matos*)

Igual processo de identificação (ilusória, sensorial-não racional) opera nos jogos de palavras, nos trocadilhos e nos enigmas, fundados na similitude da imagem sonora de termos semanticamente díspares:

> Jaz a ilha chamada Itaparica
> A qual no nome tem também ser rica.
>
> (*Fr. Manuel Itaparica*)

O labirinto dos significantes remete quase sempre a conceitos comuns que interessam ao poeta não pelo seu peso conteudístico, mas pelo fato de estarem ocultos. É o princípio mesmo do *conceptismo* usar "de palavra peregrina que velozmente indique um objeto por meio de outro" (Gracián, *Arte de Ingenio*). O que importa, pois, é não nomear plebeiamente o objeto, mas envolvê-lo em *agudezas* e torneios de *engenho*, critérios básicos de valor na arte seiscentista. Os teóricos da época são, nesse ponto, concordes:

> Esta é a Argúcia, grande mãe de todo conceito engenhoso, claríssimo lume da Oratória e Poética Elocução, espírito vital das mortas páginas; prazerosíssimo condimento da Civil Conversação; último esforço do Intelecto, vestígio da Divindade na Alma Humana. O falar dos Homens Engenhosos tanto se diferencia dos Plebeus, quanto o falar dos Anjos do dos Homens (*Emmanuele Tesauro*) ([19]).

Baltasar Gracián define a agudeza como "esplêndida concordância, correlação harmoniosa entre dois ou três extremos expressos em um único ato de entendimento" ([20]).

A obsessão do *novo* a qualquer preço é contraponto de uma retórica já repetida à saciedade. Valoriza-se naturalmente o que não se tem: é mister "procurar coisas novas para que o mundo resulte mais rico e nós mais gloriosos", diz o maior estilista barroco italiano, Daniele Bartoli ([21]).

A poética da novidade tanto no plano das idéias (conceptismo) como no das palavras (cultismo) deságua no efeito retórico-psicológico e na exploração do bizarro:

([19]) *Apud* Anceschi, *Del Barocco e altre prove*, Florença, Vallecchi, 1953, p. 10.
([20]) *Apud* R. Wellek, *História da Crítica Moderna*, São Paulo, Herder, vol. I, p. 3.
([21]) *Apud* Anceschi, *op. cit.*, p. 15.

E del poeta il fin la maraviglia,
chi non sa far stupir vada alla striglia

(*Giambattista Marino*)

O limite inferior dessa arte é o cerebrino. Como diz Octavio Paz: "Góngora não é obscuro: é complicado" ([22]). E foi esse o limite dos imitadores de Góngora e de Marino, como um certo Claudio Achillini que, apostrofando o fogo no trabalho da forja, clamava:

Sudate o fochi a preparar metalli.

O rebuscamento em abstrato é sem dúvida o lado estéril do Barroco e o seu estiolar-se em barroquismo. Contra essa deterioração do espírito criador iriam reagir em Portugal e Espanha, nos meados do século XVIII (e meio século antes, na Itália) os poetas árcades, já imbuídos de neoquinhentismo e do "bom gosto" francês. E o *Rococó* do século XVIII pode-se explicar como um Barroco menor, mais adelgaçado e polido pelo consenso de uma sociedade que já se liberou do absolutismo por direito divino e começa a praticar um misto de Ilustração e galante libertinagem.

E na acepção estrita de "retórica pela retórica" Benedetto Croce esconjurou o Barroco definindo-o "forma prática e não estética do espírito" (isto é, da vontade e não da intuição) e, como tal, "varietà del brutto" ([23]).

Seja como for, a rejeição de uma certa poética do Barroco não dispensa o crítico de esmiuçar os traços de estilo dos poemas da época nem de sondar-lhes a gênese cultural e afetiva.

O primeiro passo para o deslinde da morfologia barroca foi dado pelo historiador de arte Heinrich Woelfflin, cujo texto *Renaissance und Barock* (1888) abriu uma nova problemática que ainda hoje preocupa os estudiosos da forma. Mas só nos *Conceitos Fundamentais de História da Arte* (*Kunstgeschichtliche Gründbegriffe*) definiria a passagem ideal do *clássico* ao *barroco* em termos de uma passagem

do linear ao pictórico,
da visão de superfície à visão de profundidade,
da forma fechada à forma aberta,
da multiplicidade à unidade,
da clareza absoluta dos objetos à clareza relativa.

Pictórico inclui "pitoresco" e "colorido"; *profundo* implica desdobramento de planos e de massas; *aberto* denota perspectivas múltiplas do observador; *uno* subordina, por sua vez, os vários aspectos a um sentido; *clareza relativa*

---

(22) Em *Corriente Alterna*, México, Siglo XXI, 1965, p. 6.
(23) Em *Storia dell'età barocca in Italia*, Bari, Laterza, 1929.

sugere a possibilidade de formas de expressão esfumadas, ambíguas, não-finitas.

Na mesma esteira de análise interna, e contrapondo Classicismo e Barroco, de forma supratemporal, como duas categorias eternas da arte, Eugenio D'Ors (*Du Baroque*, 1913) inclui na primeira "as formas que pesam" e na segunda "as formas que voam".

Todos esses caracteres quadram bem a um estilo voltado para a *alusão* (e não para a cópia) e para a *ilusão* enquanto fuga da realidade convencional.

Pela riqueza de pormenores que encerra, transcrevo abaixo uma descrição da arquitetura barroca feita pelo crítico de arte Leo Balet, que acentua a volúpia do movimento:

> Na arquitetura o movimento já aparece nas plantas baixas que em plena expansão rompem com as formas geométricas fundamentais e por meio de curvas e dobras caprichosas, saliências e reentrâncias abrandam toda a rigidez. As fachadas de igrejas, divididas muitas vezes em cinco partes, os muros que se torcem como serpentes, os tetos que se arqueiam e as torres que se alargam e se afinam, saltam e se precipitam para cima sempre com novos arremessos e, quando pensamos que a sua indocilidade vai finalmente acalmar-se, atiram ainda, atrevidamente, por cima das massas arquitetônicas algumas pontas semelhantes a foguetes em direção à imensidade do céu. Nas igrejas e castelos, onde estes eram de certo modo acessíveis, antepunha-se um sistema de escadarias que, como cascatas de pedra, pareciam irromper do interior e larga e pesadamente precipitar-se sobre o terreno. Até mesmo a coluna de suporte, o mais estático dos elementos construtivos, foi animada. Torciam-se em espirais pelo altares acima. Tudo o que era áspero se abrandava. Frisas bojudas saíam das superfícies planas, encurvavam-se os ângulos, as volutas volteavam-se sobre si mesmas e rolavam como vagas. O interior dos edifícios era atapetado de ornamentos em forma de folhas e ramos e, depois, de rocalhas, que se esgueiravam pelas molduras. Nenhum móvel permanecia, afinal, estável. Tudo oscilava e dançava sobre pernas recurvadas, através das salas que palpitavam de uma vida misteriosa, e que, com as paredes de espelhos, eram inatingíveis, ilimitadas e infinitas. Tudo era construído sobre luz e sombras para assim completar a ilusão dos edifícios que se moviam e respiravam em todas as suas partes ([24]).

É de esperar que os recursos dessa visão do mundo sejam, na poesia, as *figuras*: sonoras (aliteração, assonância, eco, onomatopéia...), sintáticas (elipse, inversão, anacoluto, silepse...) e sobretudo semânticas (metáfora, metonímia, sinédoque, antítese, clímax...), enfim todos os processos que reorganizam a linguagem comum em função de uma nova realidade: a obra, o texto, a composição.

([24]) *Apud* Hannah Levy, *A Propósito de Três Teorias sobre o Barroco*, Publ. do Grêmio da Faculdade de Arquitetura e Urbanismo da Univ. de S. Paulo, 1955, p. 18.

Se partirmos da exegese do estilo barroco em termos de crise defensiva da Europa pré-industrial, aristocrática e jesuítica, perante o avanço do racionalismo burguês, então entenderemos o quanto de angústia, de desejo de fuga e de ilimitado subjetivismo havia nessas formas. Aos espíritos racionalistas do século XVIII pareceram de desvairado mau gosto, como já pareciam perversões do Classicismo a um Galileo, última voz da inteligência florentina, e aos cartesianos da corte de Luís XVI (25). E entenderemos também a imagem barroca da vida como um sonho (*La vida es sueño*, de Calderón), como uma comédia (*El gran teatro del mundo*), como um labirinto, um jogo de espelhos, uma festa, na lírica de Góngora, de Marino, de Lope. Em suma, entenderemos o *triunfo da ilusão* que um desenganado moralista napolitano, Torquato Accetto, louvou sob o nome de "dissimulazione onesta" e o seu contemporâneo Gracián estimava como o "dom de parecer".

O Barroco no Brasil

No Brasil houve ecos do Barroco europeu durante os séculos XVII e XVIII: Gregório de Matos, Botelho de Oliveira, Frei Itaparica e as primeiras academias repetiram motivos e formas do barroquismo ibérico e italiano.

Na segunda metade do século XVIII, porém, o ciclo do ouro já daria um substrato material à arquitetura, à escultura e à vida musical, de sorte que parece lícito falar de um "Barroco brasileiro" e, até mesmo, "mineiro", cujos exemplos mais significativos foram alguns trabalhos do Aleijadinho, de Manuel da Costa Ataíde e composições sacras de Lobo de Mesquita, Marcos Coelho e outros ainda mal identificados (26). Sem entrar no mérito destas obras, pois só a análise interna poderia informar sobre o seu grau de originalidade, importa lembrar que a poesia coetânea delas já não é, senão residualmente, barroca, mas rococó, arcádica e neoclássica, havendo portanto uma discronia entre as formas expressivas, fenômeno que pode ser variamente explicado. Acho razoável a hipótese de que o nível de consciência dos produtores da literatura arcádica se achava muito mais próximo da Ilustração burguesa européia do que o dos mestres-de-obra e compositores religiosos de Minas e Bahia (cujos modelos remontam ao Barroco seis-setecentista). Assim, o Aleijadinho, que

(25) Galileo rejeita o cultismo e declara preferir a clareza de Ariosto às sombras de um Tasso pré-barroco (*Considerazioni intorno alla Gerusalemme Liberata*). Na França cai logo em ridículo a "préciosité" e, no plano ético, um Pascal jansenista satiriza o laxismo dos jesuítas tão grato à nobreza (*Les Provinciales*; cf. a bela análise de L. Goldmann, *Le Dieu caché*, Gallimard, 1956).

(26) Cf. Fernando Correia Dias, "Para uma sociologia do Barroco mineiro", *in Barroco*, Revista de Ensaio e Pesquisa, ano 1, nº 1, 1969, pp. 63-74.

esculpe e constrói nos fins do século XVIII, ignora o Neoclassicismo; e a música de Lobo de Mesquita e de Marcos Coelho Neto lembra Vivaldi e Pergolese e quando nos sugere cadências de Haydn, trata-se antes do Haydn sacro, melódico e italianizante (logo, ainda barroco) do que do mestre da sinfonia clássica ([27]).

De qualquer modo, é possível distinguir: *a*) ecos da poesia barroca na vida colonial (Gregório, Botelho, as academias) e *b*) um estilo colonial-barroco nas artes plásticas e na música, que só se tornou uma realidade cultural quando a exploração das minas permitiu o florescimento de núcleos como Vila Rica, Sabará, Mariana, São João d'El Rei, Diamantina, ou deu vida nova a velhas cidades quinhentistas como Salvador, Recife, Olinda e Rio de Janeiro.

([27]) Cf. Curt Lange, "La música en Minas Gerais durante el siglo XVIII", *in* Revista S.O.D.R.E., Montevidéu, 1957. Idem — "A Organização musical durante o período colonial brasileiro", nas *Actas* do V Colóquio Internacional de Estudos Luso-Brasileiros, Universidade de Coimbra, 1966, vol. IV.

AUTORES E OBRAS

A "Prosopopéia" de Bento Teixeira

Na esteira do Camões épico e das epopéias menores dos fins do século XVI, o poemeto em oitavas heróicas *Prosopopéia*, de Bento Teixeira ([28]), publicado em 1601, pode ser considerado um primeiro e canhestro exemplo de *maneirismo* nas letras da colônia ([29]).

A intenção é encomiástica e o objeto do louvor Jorge de Albuquerque Coelho, donatário da capitania de Pernambuco, que encetava a sua carreira de prosperidade graças à cana-de-açúcar. A imitação de *Os Lusíadas* é assídua, desde a estrutura até o uso dos chavões da mitologia e dos torneios sintáticos. O que há de não-português (mas não diria: de brasileiro) no poemeto, como a "Descrição do Recife de Pernambuco", "Olinda Celebrada" e o canto dos feitos de Albuquerque Coelho, entra a título de louvação da terra enquanto colônia, parecendo precoce a atribuição de um sentimento nativista a qualquer dos passos citados.

([28]) Bento Teixeira (Porto, 1561 — Lisboa, 1600). Cristão-novo, primeiro caso de intelectual leigo na história do Brasil: formou-se no Colégio da Bahia onde ensinou até fugir para Pernambuco, aí se homiziando por ter assassinado a esposa. A redação da *Prosopopéia* data desse período e terá sido ditada pela urgência de assegurar o beneplácito dos poderosos. Processado e preso pela Inquisição, que o acusa de práticas judaizantes, confessa e abjura pouco antes de morrer. Edição recomendada: *Prosopopéia*, S. Paulo, Melhoramentos, 1977. Ver Galante de Sousa, *Em torno do poeta Bento Teixeira*. S. Paulo, Instituto de Estudos Brasileiros, Univ. de S. Paulo, 1973; Luiz Roberto Alves, *Confissão, Poesia e Inquisição*, S. Paulo, Ática, 1982.

([29]) O termo entende-se aqui: a) na sua acepção mais pobre de estilo *à maneira de* um autor já consagrado, no caso, à maneira de Camões; b) na acepção de pré-barroco, só enquanto ilustra a tendência literária, própria dos fins do século XVI, de retomar como valores em si modos de expressão do Renascimento tardio (Cf. Fidelino de Figueiredo, *A Épica Portuguesa no Século XVI*, S. Paulo, Faculdade de Filosofia, Ciências e Letras da Universidade de São Paulo, 1938).

Gregório de Matos

Poesia muito mais rica, a do baiano Gregório de Matos Guerra (1636-1696), que interessa não só como documento da vida social dos Seiscentos, mas também pelo nível artístico que atingiu ([30]).

Gregório de Matos era homem de boa formação humanística, doutor *in utroque jure* pela Universidade de Coimbra: mazelas e azares tangeram-no de Lisboa para a Bahia quando já se abeirava dos cinqüent'anos; mas entre nós não perdeu, antes espicaçou o vezo de satirizar os desafetos pessoais e políticos, motivo de sua deportação para Angola de onde voltou, um ano antes de morrer, indo parar em Recife que foi a sua última morada.

Têm-se acentuado os contrastes da produção literária de Gregório de Matos: a sátira mais irreverente alterna com a contrição do poeta devoto; a obscenidade do "capadócio" (José Veríssimo) mal se casa com a pose idealista de alguns sonetos petrarquizantes. Mas essas contradições não devem intrigar quem conhece a ambigüidade da vida moral que servia de fundo à educação ibérico-jesuítica. O desejo de gozo e de riqueza são mascarados formalmente por uma retórica nobre e moralizante, mas afloram com toda brutalidade nas relações com as classes servis que delas saem mais aviltadas. Daí, o "populismo" chulo que irrompe às vezes e, longe de significar uma atitude antiaristocrática, nada mais é que válvula de escape para velhas obsessões sexuais ou arma para ferir os poderosos invejados. Conhecem-se as diatribes de Gregório contra algumas autoridades da colônia, mas também palavras de desprezo pelos mestiços e de cobiça pelas mulatas. A situação de "intelectual" branco não bastante prestigiado pelos maiores da terra ainda mais lhe pungia o amor-próprio e o levava a estiletar às cegas todas as classes da nova sociedade:

A cada canto um grande conselheiro,
Que nos quer governar cabana e vinha;
Não sabem governar sua cozinha,
E podem governar o mundo inteiro.
Em cada porta um bem freqüente olheiro,
Que a vida do vizinho e da vizinha
Pesquisa, escuta, espreita e esquadrinha,
Para o levar à praça e ao terreiro.

([30]) Cf. a edição mais completa de suas poesias, em 7 vols., pela Editora Janaína, Bahia, 1968. Sobre o poeta: S. Spina, *Gregório de Matos*, em *A Literatura no Brasil* (dir. de Afrânio Coutinho), Rio, Ed. Sul-Americana, 1955, vol. I, t. 1, pp. 363-376; José Miguel Wisnik, *Gregório de Matos — Poemas Escolhidos*, S. Paulo, Cultrix, 1977; Antônio Dimas, *Gregório de Matos, Poesias*, S. Paulo, Abril, 1982; Fernando da Rocha Peres, *Gregório de Matos e Guerra: uma Re-visão Biográfica*, Salvador, Ed. Macunaíma, 1983; João Carlos Teixeira Gomes, *Gregório de Matos, o Boca de Brasa*, Rio, Vozes, 1985; João Adolfo Hansen, *A Sátira e o Engenho, Gregório de Matos e a Bahia do século XVII*, S. Paulo, Cia. das Letras, 1989.

Muitos mulatos desavergonhados,
Trazidos sob os pés de homens nobres,
Postas nas palmas toda a picardia,
Estupendas usuras nos mercados,
Todos os que não furtam muito pobres:
E eis aqui a cidade da Bahia.

("*Descreve o que era naquele tempo a cidade da Bahia*")

As suas farpas dirigiam-se de preferência contra os fidalgos "caramurus" em que já acusa a presença de sangue índio:

Que é fidalgo nos ossos cremos nós,
Pois nisso consistia o mor brasão
Daqueles que comiam seus avós.

E como isso lhe vem por geração,
Lhe ficou por costume em seus teirós
Morder os que provêm de outra nação.

("*A certo fidalgo caramuru*")

Gregório moteja aqueles senhores de engenho que, já mestiçados de português e tupi, presumiam igualar-se em prosápia com a velha nobreza branca que formaria o "antigo estado" da Bahia. E é com olhos de saudade e culpa que o poeta vê o novo mercador lusitano e os associados deste na Colônia ávidos de lucro e interessados em trocar por ninharias o ouro doce das moendas. No forte e bem travado soneto "Triste Bahia", Gregório se identifica com a sua terra espoliada pelo negociante de fora, o "sagaz Brichote", e impreca a Deus que faça tornar o velho tempo da austeridade e da contensão:

Triste Bahia! Ó quão dessemelhante
Estás e estou do nosso antigo estado!
Pobre te vejo a ti, tu a mi empenhado,
Rica te vi eu já, tu a mi abundante.

A ti trocou-te a máquina mercante,
Que em tua larga barra tem entrado,
A mim foi-me trocando, e tem trocado,
Tanto negócio e tanto negociante.

Deste em dar tanto açúcar excelente
Pelas drogas inúteis, que abelhuda
Simples aceitas do sagaz Brichote.

Oh se quisera Deus que de repente
Um dia amanheceras tão sisuda
Que fora de algodão o teu capote!

Araripe Júnior, no estudo que dedicou a Gregório, deixou claro que o tipo de comicidade peculiar ao sátiro baiano é o oposto da "alegria gaulesa" de

Rabelais, tolerante no seu descansado epicurismo. "Nada disso se encontra em Gregório de Matos. Pessimismo objetivo, alma maligna, caráter rancoroso, relaxado por temperamento e costumes, o poeta do 'marinícolas' verte fel em todas as suas sátiras; e, apesar de produto imediato do meio em que viveu, desconhece a sua cumplicidade, pensa reagir quando apenas o traduz, cuida moralizar quando apenas se enlameia" ([31]).

A truculência do juiz é a outra face do trovador obsceno: contraste primário que, dada a mediania humana e artística de Gregório, não deságua no eros religioso atingido pela alta poesia barroca de Tasso e Donne, Silesius e Sor Juana Inés de la Cruz.

Resta ver a força artesanal, que é patente em um versejador hábil como Gregório. Alguns de seus sonetos sacros e amorosos transpõem com brilho esquemas de Góngora e de Quevedo e valem como exemplo do gosto seiscentista de compor símiles e contrastes para enfunar imagens e destrinçar conceitos.

Concretizando, por exemplo, a intuição do tempo fugaz, assim fecha um soneto quase-plágio de Góngora:

> Ó não aguardes, que a madura idade
> Te converta essa flor, essa beleza,
> Em terra, em cinza, em pó, em sombra, em nada.

Ou, moralizando sobre a vaidade da vida terrena, motivo barroco por excelência, distribui sabiamente as imagens da *rosa*, da *planta* e da *nau* para reuni-las enfim no último terceto:

> É a vaidade, Fábio, nesta vida,
> Rosa, que da manhã lisonjeada,
> Púrpuras mil, com ambição dourada,
> Airosa rompe, arrasta presumida.
>
> É planta, que de abril favorecida
> Por mares de soberba desatada,
> Florida galeota empavesada,
> Sulca ufana, navega destemida.
>
> É nau enfim, que em breve ligeireza.
> Com a presunção de Fênix generosa,
> Galhardias apresta, alentos preza:
>
> Mas ser planta, ser rosa, nau vistosa
> De que importa, se aguarda sem defesa
> Penha a nau, ferro a planta, tarde a rosa?
>
> (*Desenganos da vida humana metaforicamente*)

([31]) Em *Gregório de Matos*, Rio, 1849; citado da *Obra Crítica*, Rio, MEC, 1960, vol. II, p. 389.

Um veio novo, aberto pelo poeta nesses anos de triunfo do cultismo ibérico, foi o recurso a vozes da língua tupi (e, mais raramente, africana), fiando-as no tecido da sua dicção barroca. O efeito para os leitores de hoje é cômico e talvez mais lúdico do que satírico; mas no contexto da cultura do tempo decerto soava forte a nota mordaz, já que o alvo de Gregório era pôr em ridículo os fumos dos "principais da Bahia", "cujo torpe idioma é Cobepá":

Há coisa como ver um Paiaiá
Mui prezado de ser Caramuru,
Descendente do sangue de tatu,
Cujo torpe idioma é Cobepá?

A linha feminina é Carimá,
Muqueca, pititinga, caruru,
Mingau de puba, vinho de caju
Pisado num pilão de Pirajá.

A masculina é um Aricobé,
Cuja filha Cobé, c'um branco Paí
Dormiu no promontório de Passé.

O branco é um Marau que veio aqui:
Ela é uma índia de Maré;
Cobepá, Aricobé, Cobé, Paí.

Em toda sua poesia o achincalhe e a denúncia encorpam-se e movem-se à força de jogos sonoros, de rimas burlescas, de uma sintaxe apertada e ardida, de um léxico incisivo, quando não retalhante; tudo o que dá ao estilo de Gregório de Matos uma verve não igualada em toda a história da sátira brasileira posterior.

Botelho de Oliveira

Mas nada ilustra tão cabalmente a presença do gongorismo entre nós do que a obra de Manuel Botelho de Oliveira (1636-1711), também baiano e bacharel em Direito pela Universidade de Coimbra. Deu a público em 1705 a coleção dos seus poemas sob o título de *Música do Parnaso — dividida em quatro coros de rimas portuguesas, castelhanas, italianas e latinas, com seu descante cômico reduzido em duas comédias ["Hay amigo para amigos"* e *"Amor, Engaños y Celos"]* (32).

---

(32) Ed. recomendável é a 3ª, prefaciada e organizada por Antenor Nascentes (Rio, Instituto Nacional do Livro, 1953). De edição recente é a *Lyra Sacra* (S. Paulo, Comissão Estadual de Literatura, 1971), cujo prólogo vem datado de 1703.

Estamos diante de um poeta-literato *stricto sensu*, capaz de escrever com igual perícia em quatro idiomas e nas várias formas fixas herdadas aos trovadores e aos renascentistas: sonetos, madrigais, redondilhas, romances, epigramas, oitavas, décimas... O virtuosismo em Botelho de Oliveira apela abertamente para os modelos da época, que ele cita no prólogo chamando-lhes *o delicioso Marino, o culto Góngora, o vastíssimo Lope*. E a leitura da *Música do Parnaso* dá um mostruário completo das figuras repisadas pelos barroquistas, cuja análise já foi feita pacientemente por Eugênio Gomes no ensaio "O Mito do Ufanismo" ([33]) para o qual remeto o leitor interessado.

Parece-me, porém, útil insistir em duas matrizes que subjazem aos diversos processos estilísticos de Botelho, pois valem para o gongorismo em geral.

A primeira reside no princípio da *analogia* desfrutado em todas as suas possibilidades; graças a ele, qualquer aspecto da realidade será refrangido em imagens tomadas a contextos semânticos diversos. Se, por exemplo, o poeta quer falar da formosura da amada, a analogia-chave com o sol abre-se em leque: e o sol voltará como esfera, luz, chama, raio e sombra ("*Sol e Anarda*"). Chora a bela Anarda? Aljôfar, fio, chuva, cristais e prata serão seu pranto (*Ponderação das lágrimas de Anarda*). Ou é o porte de mulher inacessível que encanta o poeta? Então a indiferença será vento, seta de prata, nuvem denegrida, golpe, tormento e tempestade (*Rigores de Anarda por ocasião de um temporal*). E vão por aí as metáforas e os símbolos, mais copiosos na lírica barroca do que em qualquer outro estilo histórico.

A analogia, aproximando palavras em função de suas camadas sensíveis ou lógicas, também conduz a colagens bizarras de substantivos e adjetivos cujo efeito é o puro insólito:

lagrimoso alento
nácar lastimoso,
resplandor queixoso,
propinas forçosas,
ingrato sol,
males desvelados,
piedosas grandezas,
belas sujeições,
tempestades lagrimosas,
pasmos lindos,
azeviche tíbio,
brigas fermosas...

([33]) Em *A Literatura no Brasil*, vol. I, t. 1, cap. 12 (V. Bibliografia, *in fine*). O leitor também encontrará uma boa caracterização formal de Botelho e de toda a poesia gongórica brasileira em Péricles Eugênio da Silva Ramos, *Poesia Barroca, Antologia*, Ed. Melhoramentos, 1967, pp. 9-26.

Cito ao acaso dos *Coros* de rimas portuguesas, lembrando que naturalmente só os contextos esclarecem os símiles ocultos... Os jogos analógicos remetem a uma perspectiva instável e *ex-cêntrica* do homem no mundo. Tudo se parece, e os extremos que se tocam podem fundir-se por obra da *metamorfose*, outro princípio iluminador dos processos barrocos.

Outra constante da linguagem marinista é o acentuar dos contrastes, reduzindo-os ao paradoxo, isto é, à violenta junção dos opostos. Estilo do "eterno retorno", precisa do *diferente*, do *outro*, mas só para explorar o amálgama dos contrários. Que a fusão se opere apenas no plano sonoro ou imagístico e não no plano lógico-semântico, é prova do caráter arbitrário, lúdico, da visão barroca da existência. As combinações engenhosas são uma casca pintada da ordem visível a ocultar o acaso, a desordem real e o alheamento do artista em relação a uma natureza racional. E no fundo a ideologia do barroco ibérico é a negação daquele real, cósmico e humano, cognoscível, que fora o objeto do pensamento renascentista e que a filosofia de Descartes, de Bacon e de Locke estavam procurando abraçar.

Essa ideologia faz do poema o ponto de encontro das transformações impossíveis:

Ardem chamas n'água, e como
vivem das chamas, que apura,
são ditosas Salamandras
as que são nadantes turbas.

Meu peito também, que chora
de Anarda ausências perjuras,
o pranto em rio transforma,
o suspiro em vento muda.

(*Anarda passando o Tejo em uma barca*)

É bem que desate Anarda
de tanto sangue os embargos,
sendo o sangue rio alegre,
sendo Anarda abril galhardo.

. . . .

Se bem num e noutro efeito,
faz Amor milagre raro;
pois a neves une rosas,
pois dezembros une a maios.

(*Anarda sangrada*)

Contra amorosas venturas
É de Medusa teu rosto,
E nos castigos do gosto
São cobras as iras duras;
As transformações seguras.

Acharás em meus amores;
Pois ficando nos ardores
Todo mudado em finezas,
Sou firme pedra às tristezas,
Sou dura pedra aos rigores.
(*Comparação do rosto de Medusa com o de Anarda*)

Costuma-se lembrar de Botelho de Oliveira o poemeto *À Ilha da Maré — Termo desta Cidade da Bahia*, em tudo gongórico, e que tem sido destacado da *Música do Parnaso* por mera razão de assunto: descreve um recanto da paisagem baiana e alonga-se na exaltação do clima, dos animais, das frutas. O critério nativista privilegiou esses versos (que não raro afloram o ridículo) vendo nos encômios aos melões e às pitombas um traço para afirmar o progresso da nossa consciência literária em detrimento da Metrópole. Mas um critério formal rigoroso não chegaria por certo às mesmas conclusões.

Menores

O mesmo se dá com a *Descrição da Cidade da Ilha de Itaparica*, poema de Frei Manuel de Santa Maria Itaparica (Bahia, 1704 —?), autor também de uma epopéia sacra, *Eustáquidos* (1769). Em Itaparica, menos do que uma voz do puro cultismo é mais acertado ver um fraquíssimo imitador de Camões e dos épicos menores do século XVII. Outro camoniano, Diogo Grasson Tinoco, provavelmente paulista, autor de um poema sobre o descobrimento das "esmeraldas", só é conhecido em virtude da menção que lhe faz Cláudio Manuel da Costa no poema "Vila Rica", transcrevendo-lhe quatro estâncias, as únicas que chegaram até nós. Pelo fragmento depreende-se que a obra de Grasson Tinoco seria um documento estimável das bandeiras nos fins dos Seiscentos.

Pernambuco, invadido pelos holandeses, conheceu também o seu épico, Frei Manuel Calado, autor de *Valoroso Lucideno* e *Templo da Liberdade* (1648), em louvor de João Fernandes Vieira, o herói português da resistência. A maneira é toda camoniana.

A prosa. Vieira

A prosa barroca está representada em primeiro plano pela oratória sagrada dos jesuítas. O nome central é o do Padre Antônio Vieira (Lisboa, 1608 — Bahia, 1697). Figuras secundárias, mas de modo algum medíocres, o Padre Eusébio de Matos (Bahia, 1629-92), irmão do poeta Gregório, e o Padre Antônio de Sá (Rio, 1620-78).

Existe um Vieira brasileiro, um Vieira português e um Vieira europeu, e essa riqueza de dimensões deve-se não apenas ao caráter supranacional da Companhia de Jesus que ele tão bem encarnou, como à sua estatura humana em que não me parece exagero reconhecer traços de gênio.

No fulcro da personalidade do Padre Vieira estava o desejo da ação. A religiosidade, a sólida cultura humanística e a perícia verbal serviam, nesse militante incansável, a projetos grandiosos, quase sempre quiméricos, mas todos nascidos da utopia contra-reformista de uma Igreja Triunfante na Terra, sonho medieval que um Império português e missionário tornaria afinal realidade.

Antônio Vieira nasceu em Lisboa, mas ainda menino veio com os pais para a Bahia. Aí estudou no Colégio dos jesuítas. O seu brilho de precoce orador e latinista despertou a atenção dos superiores que o incumbiram de ensinar Retórica aos noviços de Olinda. Ordenado em 1634, encetou a carreira de pregador que logo conheceu o êxito do *Sermão pelo bom sucesso das armas de Portugal contra as de Holanda*, célebre pela "apóstrofe atrevida" a Deus para que sustasse a vitória dos hereges, futuros destruidores das imagens sagradas: *Exsurge, quare obdormis, Domine?* As guerras do século entre as potências mercantis pelo monopólio do açúcar afiguravam-se ao jovem levita formidandos embates teológicos e ele faz seus os anátemas do catolicismo espanhol contra os calvinistas.

Mal chega à Bahia a notícia da restauração, Vieira parte para Lisboa. Começava o compromisso com a tentação jesuítica de dar cobertura ideológica aos projetos do poder, como faria, com mais êxito, o seu contemporâneo Bossuet no *Traité de Politique tirée de l'Écriture Sainte*. Mas o Portugal de D. João IV, egresso de sessenta anos de domínio espanhol, atado pela Inquisição e pela ruinosa política de predação colonial, não era a França ascendente de Luís XIV. E os sonhos de Vieira, mais ousados que os tacteios da casa de Bragança, passaram a chocar-se com toda sorte de resistências.

No seu espírito verdadeiramente barroco fermentavam as ilusões do estabelecimento de um Império luso e católico, respeitado por todo o mundo e servido pelo zelo do rei, da nobreza, do clero. A realidade era bem outra; e do descompasso entre ela e os demais planos do jesuíta lhe adveio mais de um revés. Como intérprete fantasioso dos textos bíblicos em função do sebastianismo popular (34), vê frustradas as suas profecias além de atrair suspeitas para as suas obras "heréticas" *Quinto Império, História do Futuro* e *Clavis Prophetarum*.

---

(34) Cf. J. Lúcio d'Azevedo, *A Evolução do Sebastianismo*, Lisboa, Livraria Clássica Ed., 1947. Os textos de base para entender os anelos messiânicos do tempo são as *Trovas* de Gonçalo Anes, sapateiro de alcunha o *Bandarra*; escritas por volta de 1540 e sujeitas logo a processos do Santo Ofício, foram adaptadas, primeiro à figura de D. Sebastião († 1578) e, mais tarde, por Vieira, sucessivamente a D. João IV, Afonso VI e D. Pedro. Bandarra falava apenas no *Encoberto* que viria estabelecer para sempre o reino da Justiça.

Advogado dos cristãos-novos (judeus conversos por medo às perseguições), suscita o ódio da Inquisição que o manterá a ferros por dois anos e lhe cassará o uso da palavra em todo Portugal. Enfim, batido na Europa, conhece no Maranhão as iras dos colonos que não lhe perdoam a inoportuna defesa do nativo.

O saldo de suas lutas foi portanto um grande malogro. E a Portugal não restava senão palmilhar o caminho da decadência resumido no desfrute cego das riquezas coloniais, então o açúcar, logo depois o ouro, que iria dar seiva ao capitalismo inglês em gestação.

De Vieira ficou o testemunho de um arquiteto incansável de sonhos e de um orador complexo e sutil, mais conceptista do que cultista, amante de provar até o sofisma, eloqüente até à retórica, mas assim mesmo, ou por isso mesmo, estupendo artista da palavra.

É de leitura obrigatória o *Sermão da Sexagésima*, proferido na Capela Real de Lisboa, em 1655, e no qual o orador expõe a sua arte de pregar.

Ao leitor brasileiro interessam particularmente:

— o *Sermão da Primeira Dominga da Quaresma*, pregado no Maranhão, em 1653. Nele o orador tenta persuadir os colonos a libertarem os indígenas que lhe fazem evocar os hebreus cativos do Faraó. Prevenindo as objeções dos senhores ("Quem nos há de ir buscar um pote dágua, ou um feixe de lenha? Quem nos há de fazer duas covas de mandioca? Hão de ir nossas mulheres? Hão de ir nossos filhos?"), responde virilmente: "Quando a necessidade e a consciência obrigam a tanto, digo que sim, e torno a dizer que sim; que vós, vossas mulheres, que vossos filhos, e que todos nós nos sustentássemos dos nossos braços; porque melhor é sustentar-se do suor próprio, que do sangue alheio. Ah! fazendas do Maranhão, que se esses mantos e essas capas se torceram, haviam de lançar sangue!"

Nem se diga que Vieira foi insensível ao escravo negro preterindo-o no ardor da defesa ao indígena. No *Sermão XIV do Rosário*, pregado em 1633 à Irmandade dos Pretos de um engenho baiano, ele equipara os sofrimentos de Cristo aos dos escravos, idéia tanto mais forte quando se lembra que os ouvintes eram os próprios negros:

"Em um engenho sois imitadores de Cristo Crucificado: porque padeceis em um modo muito semelhante o que o mesmo Senhor padeceu na sua cruz,

---

Para os textos de Vieira recomenda-se a edição das *Obras Escolhidas*, em 12 vols., aos cuidados de Antônio Sérgio e Hernâni Cidade (Lisboa, Livr. Sá da Costa Editora). Ver também a *Defesa perante o Tribunal do Santo Ofício* (aos cuidados de Hernâni Cidade), Salvador, Livr. Progresso, 1957; *História do Futuro* (aos cuidados de M. Leonor Carvalhão Buescu), Lisboa, Casa da Moeda, 1982; e *Apologia das Coisas Profetizadas* (org. de Adma Fadul Muhama), Lisboa, Cotovia, 1994. Sobre Vieira: João Lúcio d'Azevedo, *História de Antônio Vieira*, Lisboa, Livr. Clássica, 2 vols., 1918-20; Eugênio Gomes, *Introdução aos Sermões*, Rio, Agir, 1960; A. J. Saraiva, *O Discurso Engenhoso*, S. Paulo, Perspectiva, 1980; A. Bosi, "Vieira ou a Cruz da Desigualdade", em *Dialética da Colonização*, cit.

e em toda sua paixão. A sua cruz foi composta de dois madeiros, e a vossa em um engenho é de três. (...) Cristo despido, e vós despidos; Cristo sem comer, e vós famintos; Cristo em tudo maltratado, e vós maltratados em tudo." Ao engenho de açúcar chama "doce inferno" pintando-o com todas as cores que a sua imaginação medieval e inaciana lhe sugeria. No entanto, esse poder de fantasia não enevoava na consciência do homem o fato bruto da exploração do servo pelo senhor: "Eles mandam, e vós servis; eles dormem, e vós velais; eles descansam, e vós trabalhais; eles gozam o fruto de vossos trabalhos, e o que vós colheis deles é um trabalho sobre outro. Não há trabalhos mais doces que os das vossas oficinas; mas toda essa doçura para quem é? Sois como as abelhas, de quem disse o poeta: 'Sic vos non vobis mellificatis apes'" ([35]).

Vieira mostrou-se superior ao meio em que o destino o colocara, e onde fatalmente deveria malograr aquele arquiteto de sonhos.

O nome do Padre Antônio Vieira está hoje incorporado à lenda e soa na palavra do poeta:

O céu estrela o azul e tem grandeza.
Este, que teve a fama e a glória tem,
Imperador da língua portuguesa,
Foi-nos um céu também.

No imenso espaço seu de meditar,
Constelado de forma e de visão,
Surge, prenúncio claro de luar,
El-Rei Dom Sebastião.

Mas não, não é luar: é luz do etéreo.
É um dia; e, no céu amplo de desejo,
A Madrugada irreal do Quinto Império
Doira as margens do Tejo.

(*Fernando Pessoa*, Mensagem)

Prosa alegórica

Curioso exemplo de prosa narrativa barroca deparamos no *Compêndio Narrativo do Peregrino da América*, de Nuno Marques Pereira (Bahia, 1652 — Lisboa, 1728). Trata-se de uma longa alegoria dialogada, muito próxima do estilo dos moralistas espanhóis e portugueses que trocaram em miúdos os princípios ascéticos da Contra-Reforma. O objetivo do *Compêndio*, editado em 1718, é apontar as mazelas da vida colonial e "contar o como está introduzida

([35]) Verso atribuído a Virgílio: "Assim vós, mas não para vós, fabricais o mel, abelhas".

esta quase geral ruína de feitiçaria e calundus nos escravos e gente vagabunda neste Estado do Brasil; além de outros muitos e grandes pecados e superstições de abusos tão dissimulados dos que têm obrigação de castigar" (Prólogo). A esse ponto de vista são reduzidos os casos da terra, narrados pelas duas únicas "personagens" do livro: o Peregrino e o Ancião. A paisagem que serve de fundo aos diálogos é um misto de realismo e alegoria: ao lado de indicações topográficas muito precisas estende-se o "território dos deleites", alteia-se o "palácio da saúde" e a "torre intelectual", servindo de saída a "porta do desengano". Como nas páginas do Padre Manuel Bernardes, embora com menos graça e fluidez, ressurge inteira a simbologia medieval de que o barroco ibérico parece às vezes mera contrafação.

O romance didático foi também cultivado por Teresa Margarida da Silva e Orta cujas *Aventuras de Diófanes* se calcaram sobre o modelo das *Aventuras de Telêmaco* de Fénelon. Nascida em São Paulo, em 1712, foi muito pequena ainda para Portugal (como seu irmão, o moralista Matias Aires), onde recebeu esmerada educação clássica e de onde não mais regressou. A rigor, não pertenceria à nossa literatura apesar de ter sido chamada "precursora do romance brasileiro" (36). Escrevendo já em meados do século XVIII, Teresa Margarida ultrapassa os limites do Barroco não só histórica mas ideologicamente: o conteúdo das suas alegorias tem já um sabor iluminista; e atrás de uma prosa ainda afetada de cultismos entrevê-se o amor à ordem, à simplicidade e às virtudes racionais que a ciência e a nova pedagogia afrancesada vinham pregando. Aliás o seu próprio mentor literário, Fénelon, já estava mais próximo da clareza cartesiana e da piedade iluminada dos jansenistas que da mente barroco-jesuítica. E são igualmente traços jansenistas, laicizados pelo clima ilustrado, que predominam nas páginas do "clássico esquecido" Matias Aires (1705-1763): as *Reflexões sobre a Vaidade dos Homens* trazem uma visão desenganada da natureza humana, tal como a legaram alguns pensadores franceses do século clássico, Pascal, La Rochefoucauld e Vauvenargues, para os quais o amor-próprio é o móvel único e último de todas as ações. Mas também essa obra, escrita por um paulista, foi pensada e composta na Europa, dela não se podendo dizer que guarde qualquer vinculação com a vida da colônia.

---

(36) Tristão de Ataíde, em *O Romance Brasileiro*, volume coordenado por Aurélio Buarque de Holanda, Ed. O Cruzeiro, Rio, 1952, p. 13. A primeira edição do livro (Lisboa, 1752) trazia o título *Máximas de Virtude e Formosura, com que Diófanes, Climinéia e Hemirena, Príncipes de Tebas, venceram os mais apertados lances da desgraça, Oferecidas à Princesa Nossa Senhora, a Senhora D. Maria Francisca Isabel Josefa Antônia Gertrudes Rita Joana, por D. Dorotéia Engrássia Tavareda Dalmira.* O pseudônimo final é anagrama perfeito de Teresa Margarida da Silva e Orta. Na 2ª ed., conservou-se o pseudônimo, o que levou alguns eruditos a discutirem sobre a autoria do livro, mas alterou-se o título para *Aventuras de Diófanes Imitando o Sapientíssimo Fénelon na sua Viagem de Telêmaco.*

As Academias

Até os princípios do século XVIII, as manifestações culturais da Colônia não apresentavam qualquer nexo entre si, pois a vida dos poucos centros urbanos ainda não propiciara condições para socializar o fenômeno literário. Foi necessário esperar pela cristalização de algumas comunidades (a Bahia, o Rio de Janeiro, algumas cidades de Minas) que a economia do ouro reanimara, para ver religiosos, militares, desembargadores, altos funcionários, reunidos em grêmios eruditos e literários a exemplo dos que então proliferavam em Portugal e em toda a Europa ([37]). Das Academias brasileiras pode-se dizer que foram: a) o último centro irradiador do barroco literário; b) o primeiro sinal de uma cultura humanística viva, extraconventual, em nossa sociedade. Por isso, talvez tenham sido mais relevantes as suas contribuições para a História e a erudição em geral que o pesado rimário gongórico compilado por seus versejadores (*).

Foram baianas as academias mais fecundas, a *Brasílica dos Esquecidos* (1724-25) e a *Brasílica dos Renascidos* (1759). Teve também alguma relevância como fenômeno de agremiação cultural no Rio de Janeiro, entre 1736 e 1740, a *Academia dos Felizes.*

Ao lado dessas instituições, podem-se citar os *atos acadêmicos*, sessões literárias que duravam algumas horas e tinham por fim celebrar datas religiosas ou engrandecer os feitos de autoridades coloniais: neste caso figura a chamada *Academia dos Seletos* do Rio de Janeiro (1752), que se resumiu numa série de panegíricos rimados em louvor do general Gomes Freire de Andrada, impressos mais tarde em Lisboa sob o título de *Júbilos da América.*

A *Academia Brasílica dos Esquecidos*, fundada pelo vice-rei, Vasco Fernandes César de Meneses, por ordem de D. João V, escolheu para lema a expressão "Sol oriens in occiduo" e os seus membros se apelidaram, à maneira dos confrades portugueses, *Nubiloso*, *Infeliz*, *Obsequioso*, *Inflamado*, *Ocupado*, *Menos Ocupado*, etc. Eram seus planos estudar a história *natural*, *militar*, *eclesiástica* e *política* do Brasil e discutir nas sessões os versos compostos pelos acadêmicos. O nome do Acadêmico Vago, Coronel Sebastião da Rocha Pita (1660-

---

([37]) As Academias portuguesas remontam ao século XVII. Fidelino de Figueiredo cita, entre outras, a Academia dos Singulares, a dos Generosos, a dos Solitários, a dos Únicos, a Instantânea e a dos Ilustrados (V. *História da Lit. Clássica*, 2ª época, Lisboa, 1922).

(*) Está publicando-se a série completa dos textos acadêmicos sob o título geral de *O Movimento Academicista no Brasil, 1641 — 1820/22* (dir. de José Aderaldo Castello), S. Paulo, Cons. Estadual de Cultura, 1969...

Para os textos e a análise do Barroco literário mineiro são de consulta indispensável as obras de Affonso Ávila: *Resíduos Seiscentistas em Minas*, Belo Horizonte, Centro de Estudos Mineiros da Universidade, 1967; e *O Lúdico e as Projeções do Mundo Barroco*, S. Paulo, Perspectiva, 1971.

1738) é o mais lembrado do grupo: autor da ampulosa *História da América Portuguesa* participou intensamente na vida da Academia em cujas sessões glosou temas como estes: "Uma dama que sendo formosa não falava por não mostrar a falta que tinha nos dentes," ou "Uma moça que, metendo na boca umas pérolas, e revolvendo-as, quebrou alguns dentes", ou ainda "Amor com Amor se paga e Amor com Amor se apaga"; e do que resultou é difícil dizer se mais espanta a frivolidade dos assuntos ou o virtuosismo da elocução. Eis o soneto de Rocha Pita para o último tema:

Deste Apotema vigilante, e cego
Uma parte confirmo, outra reprovo.
Que o Amor com Amor se paga provo,
Que o Amor com Amor se apaga nego.
Tendo os Amores um igual sossego,
Se estão pagando a fé sempre de novo,
Mas a crer que se apagam me não movo,
Sendo fogo, e matéria Amor, e emprego.
Se de incêndios costuma Amor nutrir-se,
Uma chama com outra há de aumentar-se,
Que em si mesmas não devem consumir-se.
Com razão deve logo duvidar-se
Quando um Amor com outro sabe unir-se,
Como um fogo com outro há de apagar-se?

Os *Esquecidos* foram cerebrinos fazedores de acrósticos e mesósticos, sonetos joco-sérios e plurilíngües, centões bestialógicos e até engenhos pré-concretos como este *Labirinto Cúbico* de Anastácio Ayres de Penhafiel, que dispôs de vários modos a frase latina *in utroque Cesar* (38):

I N U T R O Q U E C E S A R
N I N U T R O Q U E C E S A
U N I N U T R O Q U E C E S
T U N I N U T R O Q U E C E
R T U N I N U T R O Q U E C
O R T U N I N U T R O Q U E
Q O R T U N I N U T R O Q U
U Q O R T U N I N U T R O Q
E U Q O R T U N I N U T R O
C E U Q O R T U N I N U T R
E C E U Q O R T U N I N U T
S E C E U Q O R T U N I N U
A S E C E U Q O R T U N I N
R A S E C E U Q O R T U N I

(38) *Apud* Péricles Eugênio da Silva Ramos, *Poesia Barroca, cit.*, p. 161.

Da *Academia Brasílica dos Renascidos*, cujo símbolo era a Fênix entre chamas e a divisa "multiplicabo dies", sabe-se que precisou dissolver-se por ter caído em desgraça o fundador, José Mascarenhas. Nos seus códices encontram-se os mesmos exemplos de cultismo da Academia dos Esquecidos que ela se propunha reviver. Salvaram-se da produção ligada ao grêmio obras em prosa de valor documental: o *Orbe Seráfico Novo Brasílico* (1761) de Fr. Antônio de Santa Maria Jaboatão, cronista dos franciscanos na Colônia; a *História Militar do Brasil* de José Mirales; a *Nobiliarquia Pernambucana* de Antônio José Vitorino Borges da Fonseca e *Desagravos do Brasil e Glórias de Pernambuco* do beneditino Domingos de Loreto Couto, muito apreciado por Capistrano de Abreu pela simpatia com que viu o nosso indígena ([39]).

Da *Academia dos Felizes*, reunida entre 1736 e 1740 no Rio de Janeiro, pouco se sabe: a origem palaciana do fundador, o Brigadeiro José da Silva Pais que então substituía Gomes Freire de Andrada; o lema "Ignavia fuganda et fugienda" e, como símbolo, um Hércules ameaçando o ócio com a clava. Não se conhece o seu espólio literário.

Além das instituições, houve os *atos acadêmicos*, sessões que duravam horas e tinham por fim comemorar datas religiosas ou engrandecer homens de prol no regime colonial. Este último é o caso da chamada *Academia dos Seletos* (Rio, 1752), panegírico em prosa e verso oferecido a Gomes Freire de Andrada e publicado sob o título de *Júbilos da América*. Festa religiosa, mas também índice da nova sociabilidade que as minas ensejavam foi o *Triunfo Eucarístico... na Solene Translação do Diviníssimo Sacramento da Igreja da Senhora do Rosário para um Novo Templo da Senhora do Pilar em Vila Rica... aos 24 de maio de 1734*. Nesta, como em outras manifestações públicas, dava-se um misto de espetáculo devoto e intenção encomiástica. Assim, o pequeno burgo de São Paulo conheceu dias intensos de exibição de carros alegóricos, ópera mitológica, fogos de artifício e "folias" de pretos pelas ruas representadas

---

([39]) Paralela à historiografia acadêmica do Nordeste é a obra dos eruditos e linhagistas de São Paulo, onde já se firmava, nos meados do século XVIII, a prosápia das famílias bandeirantes. Pedro Taques de Almeida Pais Leme (1714?-1777) deixou uma vasta relação de biografias dos paulistas aqui radicados desde a chegada de Martim Afonso em 1532 (*Nobiliarquia Paulistana*); escreveu também a *História da Capitania de S. Vicente*, a *Informação sobre as Minas de São Paulo* e a *Notícia Histórica da Expulsão dos Jesuítas de São Paulo em 1640*. Outro erudito, Fr. Gaspar da Madre de Deus (1715-1800), supranumerário da Academia dos Renascidos, redigiu as *Memórias para a História da Capitania de São Vicente, hoje chamada de S. Paulo*, fonte preciosa de informações de que se têm valido todos os pesquisadores do período bandeirante.

Para o conhecimento destes e de outros cronistas menores do século XVIII ler-se-á com proveito o meticuloso ensaio de Péricles da Silva Pinheiro, *Manifestações Literárias em São Paulo na Época Colonial*, S. Paulo, Conselho Estadual de Cultura, 1961.

pelos seminaristas, nos meados de agosto de 1770, por ocasião da vinda da imagem de Sant'Ana. Os sermões, o texto da ópera e os poemas então escritos foram compilados sob o título de *Academia dos Felizes* a exemplo do grupo fluminense ([40]).

As academias e os atos acadêmicos significam que a Colônia já dispunha, na primeira metade do século XVIII, de razoável consistência grupal. E embora se tenham restringido a imitar os sestros da Europa barroca, já puderam nutrir-se da história local, debruçando-se sobre os embates com os holandeses no Nordeste ou sobre as bandeiras e o ciclo mineiro no Centro-Sul.

Quanto às *nobiliarquias*, pernambucana e paulista, eram sintomas do orgulho de famílias que já contavam com um passado propriamente brasileiro; e a prosápia do patriciado colonial viria a ser um dos móveis da Independência tal como se efetuou no começo do século XIX: movimento de cima para baixo, de proprietários desgostosos com as medidas recolonizadoras da Corte.

Hoje, a historiografia mais avisada já é capaz de pôr a nu as relações concretas que existiam entre os interesses e modos de pensar da classe dominante na Colônia e o fenômeno "em progresso" do nativismo. Ora, foi o *facies* da tradição, visível nas academias e no zelo genealógico dos linhagistas, que acabou prevalecendo no processo da Independência, relegando a um incômodo segundo plano as correntes ilustradas, sobretudo as radicais, que permearam as "inconfidências" ([41]), todas malogradas, precisamente por terem deixado alheias ou receosas as camadas que podiam promover, de fato, a emancipação política: os senhores de terras e a alta burocracia. Sobrevindo o momento oportuno, foram estes os grupos que cerraram fileiras em torno do herdeiro português, dando o passo que lhes convinha.

Quanto às ideologias inovadoras, ou elegeriam a franca oposição (de que são exemplo as revoltas sob Pedro I e na fase regencial), ou tentariam com-

---

([40]) Encontra-se uma longa relação dos atos acadêmicos e das funções religiosas que deixaram algum traço documental, direto ou indireto, em *Manifestações Literárias da Era Colonial* de José Aderaldo Castello (S. Paulo, Cultrix, 1962, pp. 90-93).

([41]) Assim foram chamadas, à imitação da Inconfidência Mineira, as sedições do Rio de Janeiro (1794), da Bahia (1798) e de Pernambuco (1801). Para uma interpretação ampla dos fatores sócio-culturais da Colônia, v. Caio Prado Jr., *Formação do Brasil Contemporâneo*, S. Paulo, Brasiliense, 4ª ed., 1953; José Honório Rodrigues, *Civilização e Reforma no Brasil*, Rio, Civ. Brasileira, 1965; Carlos Guilherme Mota, *Idéia de Revolução no Brasil no Final do Século XVIII*, S. Paulo, ed. Universitária, 1967; Fernando Novais, "O Brasil nos Quadros do Antigo Sistema Colonial", em *Brasil em Perspectiva*, S. Paulo, Difusão Européia do Livro, 1968; Fernando Novais. "Considerações sobre o Sentido da Colonização", separata da Revista do Instituto de Estudos Brasileiros, nº 6, Universidade de São Paulo, 1969; *A Estrutura e a Dinâmica do Antigo Sistema Colonial*, S. Paulo, Brasiliense, 1974.

por-se, onde e quando possível, com um sistema assentado no latifúndio e no braço escravo (as marchas e contramarchas liberais durante o Segundo Reinado).

Nas esferas ética e cultural está ainda por fazer-se o inventário da herança colonial-barroca em toda a América Latina ([42]). Entre os caracteres mais ostensivos lembrem-se: o meufanismo verbal, com toda a seqüela de discursos familiares e acadêmicos; a anarquia individualista, que acaba convivendo muito bem com o mais cego despotismo; a religiosidade dos dias de festa; a displicência em matéria de moral; o vício do genealógico e do heráldico nos conservadores; o culto da aparência e do medalhão; o vezo dos títulos; a educação bacharelesca das elites; os surtos de antiquarismo a que não escapam nem mesmo alguns espíritos superiores.

Esses traços não se transmitem pela raça nem se herdam no sangue: na verdade, eles se desenvolveram com as estruturas sociais que presidiram à formação de nossas elites e têm reaparecido sempre que o processo de modernização se interrompe ou cede à força da inércia.

([42]) Inventário que, no caso brasileiro, não dispensará a plataforma de alguns ensaios segmentares já clássicos, como a *Evolução do Povo Brasileiro* (1924) de Oliveira Viana, *Casa Grande e Senzala* (1933) e *Interpretação do Brasil* (1947) de Gilberto Freyre e *Raízes do Brasil* (1935) de Sérgio Buarque de Holanda.

III

ARCÁDIA E ILUSTRAÇÃO

Dois momentos: o poético e o ideológico

A passagem do Barroco ao "barocchetto" e ao rococó foi um processo estilístico interno na história da arte do século XVIII e consistiu em uma atenuação dos aspectos pesados e maciços dos Seiscentos. Nessa viragem prefiguram-se as tendências estéticas do Arcadismo como a busca do natural e do simples e a adoção de esquemas rítmicos mais graciosos, entendendo-se por *graça* uma forma específica e menor de beleza.

A Arcádia enquanto estilo melífluo, musicalmente fácil e ajustado a temas bucólicos, não foi criação do século de Metastasio: retomou o exemplo quatrocentista de Sannazaro, a lira pastoril de Guarini (*Il Pastor Fido*) e, menos remotamente, a tradição anticultista da Itália que se opôs à poética de Marino e as vozes que na Espanha se haviam levantado contra a idolatria de Góngora (43). Mas o que já se postulava no período áureo do Barroco em nome do equilíbrio e do bom gosto entra, no século XVIII, a integrar todo um estilo de pensamento voltado para o *racional*, o *claro*, o *regular*, o *verossímil*; e o que antes fora modo privado de sentir assume foros de teoria poética, e a Arcádia se arrogará o direito de ser, ela também, "philosophique" e digna versão literária do Iluminismo vitorioso.

Importa, porém, distinguir dois momentos ideais na literatura dos Setecentos para não se incorrer no equívoco de apontar contrastes onde houve apenas justaposição: *a*) o momento poético que nasce de um encontro, embora ainda amaneirado, com a natureza e os afetos comuns do homem, refletidos através da tradição clássica e de formas bem definidas, julgadas dignas de imitação (*Arcádia*); *b*) o momento ideológico, que se impõe no meio do século, e traduz a crítica da burguesia culta aos abusos da nobreza e do clero (*Ilustração*). À medida que se prossegue no tempo, vai-se passando de um Arcadismo *tout court* (os sonetos de Cláudio Manuel da Costa, por exemplo) ao engajamento pombalino da épica de Basílio da Gama, para chegarmos enfim à sátira política, velada no Gonzaga das *Cartas Chilenas*, mas aberta no *De-*

---

(43) A primeira Arcádia foi fundada em Roma, em 1690, por alguns poetas e críticos antimarinistas que já antes costumavam reunir-se nos salões da ex-rainha Cristina da Suécia. O programa comum era "exterminar o mau gosto onde quer que se aninhasse"; o emblema, a flauta de Pã coroada de louros e de pinheiros. Os sócios tomavam nomes de pastores gregos ou romanos.

sertor de Silva Alvarenga. E a literatura do século XIX anterior ao Romantismo ainda juntará resíduos arcádicos e filosofemas tomados a Voltaire e a Rousseau: fale por todos o verso prosaico de José Bonifácio de Andrada e Silva.

Denominador comum das tendências arcádicas é a procura do *verossímil*. O conceito, herdado da poética renascentista, tem por fundamentos a noção de arte como cópia da natureza e a idéia de que tal mimese se pode fazer por graus: de onde, o matiz idealizante que esbate qualquer pretensão de um realismo absoluto. Já os primeiros teóricos da Arcádia propunham mediações entre o natural e o ideal nas suas fórmulas áureas de *bom gosto*. Para Gian Vincenzo Gravina, cujo tratado *Della Ragion Poetica* data de 1708, a fantasia deve joeirar os dados da experiência a fim de apreender a natureza última das coisas (a *Idéia* platônica), que coincidirá com a sua beleza. Segundo essa linha de pensamento, os mitos gregos, que os árcades cultivarão à saciedade, valem como belas aparências do real, do mesmo real que a filosofia cartesiana atinge com os seus conceitos: "A fábula é o ser das coisas transformado em gênios humanos, e é a verdade transvestida em aparência popular: o poeta dá corpo aos conceitos, e por animar o insensível e envolver de corpo o espírito, converte em imagens visíveis as contemplações suscitadas pela fantasia: ele é transformador e produtor" (Livro I). Por isso as imagens, os sons, enfim a matéria significante do poema não vale por si própria como na arte barroca, em que o arbítrio do criador ignorava os limites da natureza e podia comprazer-se *ad libitum* no jogo dos signos, aproximando-se (como diria Nietzsche) muito mais da música do que de qualquer outra forma expressiva.

Em Ludovico Antonio Muratori (*Della Perfetta Poesia Italiana,* 1706), faz-se nítida a servidão da poesia aos valores conceptuais e éticos. A arte deve exercer um papel pedagógico e, como no conselho de Horácio, unir o útil ao agradável. Quanto ao bom gosto, será o deleite que se prova ao perceber a graça que acompanha toda justa mimese do Bem e do Verdadeiro. Quem se agrada de falsos ouropéis já está ontologicamente corrompido: o mau gosto e a depravação se juntam como a cara e a coroa da moeda. Muratori concilia o hedonismo literário do árcade com a própria rígida ética de meios e fins. E não foi por acaso que Pietro Metastasio, árcade por excelência e discípulo amado de Gravina, buscou harmonizar nas suas árias o *cantabile* fácil do melodrama e a moral heróica da tragédia clássica.

Insisto nas fontes italianas da Arcádia, porque são elas que ressalvam o papel da fantasia e do prazer no tecido da obra poética. A outra exigência, a da razão, vincula-se ao enciclopedismo francês e impõe-se à medida que a Ilustração exerce o seu magistério sobre a cultura luso-brasileira.

O pioneiro no esforço de reformar a mente barroco-jesuítica em Portugal foi Luís Antônio Verney, cujo *Verdadeiro Método de Estudar* expunha todo um sistema pedagógico construído sobre modelos racionalistas franceses e escudado na prática escolar dos Padres Oratorianos, de tendência cartesiana e jansenista. Sob o patrocínio do Marquês de Pombal opera-se, em parte, a reforma do ensino que teve por mentor o ilustrado Antônio Nunes Ribeiro Sanches, redator das *Cartas sobre a Educação da Mocidade* (1760).

No campo das poéticas, o modelo da nova corrente não poderia deixar de ser a *Art Poétique* de Boileau, aceita por Voltaire como a exposição mais razoável das normas clássicas. Traduzida já em 1697 pelo quarto Conde de Ericeira, influiu diretamente nos dois teóricos ibéricos da Arcádia, o espanhol Ignacio de Luzán e o português Francisco José Freire (Cândido Lusitano) cuja *Arte Poética* (1748) valeu como texto de base para os nossos poetas neoclássicos.

Para Verney, "um conceito que não é justo, nem fundado sobre a natureza das coisas, não pode ser belo, porque o fundamento de todo conceito engenhoso é a verdade" (44).

E para Cândido Lusitano, mais próximo das fontes italianas: "Para chegarmos, pois, com a matéria a causar maravilha e deleite, é preciso representar os objetos dos três mundos, não como eles ordinariamente são, mas como *verossimilmente* podem, ou deveriam ser na sua completa forma" (*Arte Poét.*, I, 66).

Se Gravina e Muratori e Metastasio deram a Cândido Lusitano exemplos de poesia em ato e de uma reflexão idealista em torno da arte, Boileau e Voltaire contribuíram para fixar cânones que precisaram as distinções dos gêneros clássicos e as normas tradicionais de linguagem e de métrica. E os árcades zelaram pelo ajustamento da sua poesia àqueles cânones, tanto que matéria freqüente das sessões da Arcádia Lusitana (1756-1774) e dos encontros entre os líricos mineiros era a leitura e a crítica mútua a que submetiam os seus versos.

Se verossimilhança e simplicidade foram as notas formais especialmente prezadas pelos árcades, que mensagens veiculou de preferência a nova poética? É sabido que ambientes e figuras bucólicas povoaram os versos dos autores setecentistas. A gênese burguesa dessa temática, ao menos como ela se apresentou na Arcádia, parece hoje a hipótese sociológica mais justa. Nas palavras de um crítico penetrante, Antônio Cândido, ela é assim formulada:

"A poesia pastoral, como *tema*, talvez esteja vinculada ao desenvolvimento da cultura urbana, que, opondo as linhas artificiais da cidade à paisagem natural, transforma o campo num bem perdido, que encarna facilmente os sentimentos de frustração. Os desajustamentos da convivência social se explicam pela perda da vida anterior, e o campo surge como cenário de uma perdida euforia. A sua evocação equilibra idealmente a angústia de viver, associada à vida presente, dando acesso aos mitos retrospectivos da idade de ouro. Em

---

(44) *Verd. Mét. de Estudar*, Lisboa, Sá da Costa, v. II, p. 209.

pleno prestígio da existência citadina os homens sonham com ele à maneira de uma felicidade passada, forjando a convenção da *naturalidade* como forma ideal de relação humana" ([45]).

E de fato, se dermos uma vista d'olhos na história da poesia bucólica, verificamos que ela tem vingado sempre em ambientes de requintada cultura urbana, desde Teócrito em Siracusa e Virgílio na Roma de Augusto, Poliziano na Florença medicéia e Sannazaro na corte napolitana de Alfonso Aragonês, até Guarini e Tasso na Ferrara do último Renascimento. O bucolismo foi para todos o ameno artifício que permitiu ao poeta fechado na corte abrir janelas para um cenário idílico onde pudesse cantar, liberto das constricções da etiqueta, os seus sentimentos de amor e de abandono ao fluxo da existência. Mas não se pode esquecer que a evasão se faz dentro de um determinado sistema cultural, em que é muito reduzida a margem de espontaneidade: o que explica as diferenças entre o idílio de um Lorenzo de' Medici, vibrante de imagens primaveris e tingido de realismo popular, ainda possível na Florença quatrocentista; a pastoral pré-barroca de Guarini, que mal dissimula a licença da corte renascentista em declínio e já macerada pela censura da Contra-Reforma; e enfim a lira do nosso Gonzaga, rococó pelo jogo das imagens galantes, alheias a qualquer toque de angústia e bem próprias do magistrado de extração burguesa em tempos de moderação e antibarroco.

E há um ponto nodal para compreender o artifício da vida rústica na poesia arcádica: o mito do *homem natural* cuja forma extrema é a figura do *bom selvagem*. A luta do burguês culto contra a aristocracia do sangue fez-se em termos de Razão e de Natureza. O Iluminismo que enformou essa luta exibe duas faces: ora a secura geométrica de Voltaire, vitoriosa nos salões libertinos, ora a afetividade pré-romântica de Rousseau, porta-voz de tendências passionais, mais populares. Voltaire é ponta-de-lança dos meios urbanos contra os preconceitos da nobreza e do clero; mas é Rousseau quem abre as estradas largas do pensamento democrático, da pedagogia intuitiva, da religiosidade natural. De qualquer modo, ambos renegam o universo hierárquico do absolutismo instaurado pela nobreza e pelo alto clero desde os fins do século XVI; e fazem-no recorrendo à liberdade que a *natureza* e a *razão* teriam dado ao homem. A volta à natureza, fonte de todo bem, é o lema do *Émile* de Rousseau; e nessa atitude reconhecemos a paixão do escritor que não encontrou na antiga sociedade aristocrática um modo de realizar-se como homem livre e sensível. A partir do século XVIII, o binômio campo-cidade carrega-se de conotações ideológicas e afetivas que se vão constelando em torno das posições de vários grupos sociais. Antes da Revolução Industrial e da Revolução Francesa, o burguês, ainda sob a tutela da nobreza, via o campo com olhos de quem cobiça

---

([45]) *Formação da Literatura Brasileira*, S. Paulo, Martins, 1959, vol. I, p. 54.

o Paraíso proibido idealizando-o como reino da espontaneidade: é a substância do idílio e da écloga arcádica. Com o triunfo de ambas as revoluções, a burguesia mais próspera tomará de vez o poder citadino, e será a vez do nobre ressentido cantar a paz do mundo não maculado pela indústria e pela vulgaridade do comércio: o saudosismo de Chateaubriand, de Scott e do nosso Alencar traduz bem a nostalgia romântica da natureza que os novos tempos ignoram com insolência (46). Mas tanto no contexto árcade-ilustrado como no romântico-nostálgico há um apelo à natureza como valor supremo que em última instância é defesa do homem infeliz. As diferenças residem no grau de intensidade com que o *eu* do homem moderno procura afirmar-se; e nesse sentido o poeta romântico, mais isolado e impotente em face do mundo que o cerca do que o poeta árcade, irá muito mais longe na exaltação dos valores que atribui à natureza: a emotividade que o pressiona é projetada na paisagem que se torna, segundo a palavra intimista de Amiel, um verdadeiro "état d'âme".

Creio que o aprofundamento deste último ponto levará a reconhecer no chamado *pré-romantismo* não tanto um estilo autônomo quanto uma corrente de sensibilidade que afeta todo o século XVIII e responde às inquietudes de grupos e pessoas do *Ancien Régime* corroídas por um agudo mal-estar em relação a certos padrões morais e estéticos dominantes. É na obra de alguns poetas fortemente passionais do fim do século, como Foscolo, Chatterton e Blake, que vai aflorando aquele humor melancólico, prenúncio do *mal do século* e do *spleen* românticos e claro signo do homem refratário à engrenagem da vida social; e é nesses poetas que a natureza se turva e passa da bucólica fonte serena a mar revoltoso e céu ensombrado. Renasce o gosto da poesia de Dante profeta, do Shakespeare selvagem, do brumoso celta Ossian, fingido pelo pré-romântico Macpherson; e preterese com impaciência tudo o que, por excessivamente regular, parece o contrário do "gênio", como a lírica de Petrarca e a tragédia de Racine (47).

No Arcadismo brasileiro, os traços pré-românticos são poucos, espaçados, embora às vezes expressivos, como em uma ou outra lira de Gonzaga, em um ou outro rondó de Silva Alvarenga. Em nenhum caso, porém, rompem o quadro geral de um Neoclassicismo mitigado, onde prevalecem temas árcades e cadências rococós. E sem dúvida foram as teses ilustradas, que clandestinamente entraram a formar a bagagem ideológica dos nossos árcades (48) e lhes deram

---

(46) É a tese de Karl Mannheim segundo a qual o Romantismo de tipo medievista, sentimental e voltado para uma natureza de refúgio, reage contra os esquemas culturais da burguesia ascendente (cf. *Essays on Sociology and Social Psychology*, Londres, Routledge-Kegan, 2ª ed., 1959).

(47) V. o ensaio analítico de Van Tieghem, *Le préromantisme*, Paris, 1948.

(48) V. o curioso livro de Eduardo Frieiro, *O Diabo na Livraria do Cônego* (Belo Horizonte, Itatiaia, 1957), onde estão elencados os livros de estofo iluminista que se encontraram na biblioteca do Padre Luís Vieira da Silva, inconfidente mineiro.

mais de um traço constante: o gosto da clareza e da simplicidade graças ao qual puderam superar a pesada maquinaria cultista; os mitos do homem natural, do bom selvagem, do herói pacífico; enfim, certo mordente satírico em relação aos abusos dos tiranetes, dos juízes venais, do clero fanático, mordente a que se limitou, de resto, a consciência libertária dos intelectuais da Conjuração Mineira.

A análise a que a historiografia mais recente tem submetido o conteúdo ideológico da Inconfidência é, nesse ponto, inequívoca: zelosos de manter o fundamento jurídico da propriedade (que a Revolução Francesa, na sua linha central, iria ratificar), os dissidentes de Vila Rica apenas se propunham evitar a sangria que nas finanças mineiras, já em crise, operaria a cobrança de impostos sobre o ouro (*a derrama*). Na medida em que impedir a execução desta importava em alterar o estatuto político, os Inconfidentes eram "revolucionários", ou, do ponto de vista colonial, "sediciosos". Cláudio Manuel da Costa, por exemplo, falava em "interesses da Capitania", lesados pela administração lusa; para Alvarenga Peixoto, senhor de lavras no sul de Minas, os europeus estavam "chupando toda a substância da Colônia"; as "pessoas grandes" ou "alentadas" viam com apreensão a derrama, sentindo-se como o Coronel José Ayres, "poderoso com o senhorio que tem em mais de quarenta e tantas sesmarias,... acérrimo inimigo dos filhos de Portugal". Em Tomás Antônio Gonzaga, colhe-se boa messe de profissões de fé proprietista, como o famoso "é bom ser dono" da *Lira I*...; do próprio Tiradentes sabe-se que não pretendia abolir a escravatura caso vingasse o levante, opinião partilhada pelos outros inconfidentes, salvo o mais radical dentre todos, o Padre Carlos Correia de Toledo e Melo ([49]).

Vinham, pois, repercutir no contexto colonial as vozes da inteligência francesa do século, que na sua bíblia, a *Encyclopédie*, ainda se aferrava aos princípios de "classe" e "propriedade", mais resistentes, pelo que se constatou depois, do que a bandeira *Liberté-Égalité-Fraternité*.

([49]) Para um contato direto com a ideologia dos Inconfidentes, são fontes obrigatórias os *Autos de Devassa da Inconfidência Mineira*, Biblioteca Nacional, Rio, 1936-1938. Para o conhecimento preciso da situação na Bahia, o melhor testemunho vem de um "colono ilustrado", Luís dos Santos Vilhena, que deixou uma *Recopilação de Notícias Soteropolitanas e Brasílicas* (*ano de 1802*), Salvador, 1921.

OS AUTORES E AS OBRAS

Cláudio Manuel da Costa

Mais de um fator concorreu para que Cláudio Manuel da Costa ([50]) fosse o nosso primeiro e mais acabado poeta neoclássico: a sobriedade do caráter, a sólida cultura humanística, a formação literária portuguesa e italiana e o talento de versejar compuseram em Glauceste Satúrnio o perfil do árcade por excelência. E assim já o viam os seus contemporâneos que, como Tomás Antônio Gonzaga, o tiveram sempre por mentor na arte de escrever.

Cláudio estreou como cultista e, sem dúvida, ecos do Barroco eram os versos que se produziam na Coimbra que ele conheceu adolescente, e da qual partiria para Minas, em 1753, antes portanto da fundação da Arcádia Lusitana. Datam desse período coimbrão o *Munúsculo Métrico*, romance heróico, o *Epicédio em Memória de Frei Gaspar da Encarnação*, o *Labirinto de Amor*, o *Culto Métrico* e os *Números Harmônicos*, todos escritos entre 1751 e 1753. De todos esses opúsculos o poeta escusou-se no prólogo das *Obras* (1768):

([50]) Cláudio Manuel da Costa (Vargem de Itacolomi, Minas Gerais, 1729 — Ouro Preto, 1789). Filho de portugueses ligados à mineração. Estudou com os jesuítas do Rio de Janeiro e cursou Direito em Coimbra. Voltando para Vila Rica, aí exerceu a advocacia e geriu os bens fundiários que herdou. Era ardente pombalino e certamente foi lateral o seu papel na Inconfidência; preso e interrogado uma só vez, foi encontrado morto no cárcere, o que se atribui a suicídio. Das *Obras Poéticas*, cf. a edição de João Ribeiro (Garnier, 1903) e das outras poesias o que foi recolhido em *O Inconfidente Cláudio Manuel da Costa* de Caio de Melo Franco (Rio, 1931). V. A. Soares Amora; "Introdução" às *Obras*, Lisboa, Bertrand, s. d.; Carla Inama, *Metastasio e i poeti arcadi brasiliani*, Fac. de Filosofia, Ciências e Letras, USP, 1961; Péricles Eugênio da Silva Ramos, Introdução aos *Poemas* de Cláudio, Cultrix, 1976; Hélio Lopes, *Cláudio, o Lírico de Nise*, S. Paulo, Livr. Ed. Fernando Pessoa, 1975; e *Introdução ao Poema Vila Rica*, Muriaé, 1985; Sérgio Buarque de Holanda, *Capítulos de Literatura Colonial*, Brasiliense, 1991.

... mas temendo (...) que me condenes o muito uso das metáforas, bastará, para te satisfazer, o lembrar-te que a maior parte destas Obras foram compostas ou em Coimbra ou pouco depois, nos meus primeiros anos; tempo em que Portugal apenas principiava a melhorar de gosto nas belas letras. É infelicidade que haja de confessar que vejo e aprovo o melhor, mas sigo o contrário na execução.

O *gosto melhor* tem por vigas o motivo bucólico e as cadências do soneto camoniano. Os cem sonetos de Cláudio (dos quais catorze em razoável italiano de calque metastasiano) compõem um cancioneiro onde não uma só figura feminina, mas várias pastoras, em geral inacessíveis, constelam uma tênue biografia sentimental:

Pouco importa, formosa Daliana,
Que fugindo de ouvir-me, o fuso tomes,
Se quanto mais me afliges, e consomes,
Tanto te adoro mais, bela serrana.

Nisa? Nisa? onde estás? Aonde espera
Achar-te uma alma, que por ti suspira;
Se quanto a vista se dilata, e gira,
Tanto mais de encontrar-te desespera.

Formoso e manso gado, que pascendo
A relva andais por entre o verde prado,
Venturoso rebanho, feliz gado,
Que à bela Antandra estás obedecendo.

Os prados e os rios, os montes e os vales servem não só de pano de fundo às inquietações amorosas de Glauceste como também de seus confidentes:

Sim, que para lisonja do cuidado
Testemunhas serão de meu gemido
Este monte, este vale, aquele prado.

O processo remonta a Petrarca, que soube inventar uma rede de torneios frásicos e rítmicos, assumidos depois como verdadeiras fórmulas por quase todos os líricos europeus até o advento do Romantismo. Chamar a natureza para assistente e consolo dos próprios males, ou dar-lhe a função de ponto referencial para evocar as venturas passadas não é ainda, necessariamente, sinal de pré-romantismo. Nem mesmo o uso reiterado de certos epítetos melancólicos ou negativos (*tristes* lembranças, *triste* alívio, sombra *escura*, sombra *fúnebre*, *fúnebre* arvoredo, sorte *dura*, pélago *infeliz*, álamo *sombrio*, *hórrida* figura...) pode alegar-se como premonição de cadências românticas. O leitor do *Canzoniere* a Laura, do Camões, e sobretudo do Tasso lírico reconhece de pronto nessa cópia de adjetivos elegíacos uma constante da poesia amorosa desde o *dolce stil nuovo* até os últimos maneiristas da Renascença. Mas, embora reduzida a tema de exercício pelos poetas menores, essa constante não era um simples tópico pois resultava de uma situação existencial complexa: a vida amorosa, desnudada pela poesia erótica antiga, se retraiu na procura de formas de distanciamento, exigidas pela ética medieval e contra-reformista da sublimação. Com o surto da vida urbana a partir do século XIII dá-se uma nova ênfase aos móveis terrenos, centrados no desejo de afirmação pessoal, que cresceria sem cessar na Idade Moderna. Petrarca, amante de Laura, mas ao mesmo tempo réu confesso de mundanidade ([51]) já é, porém, uma consciência infeliz dessa cultura que não pode conciliar o inquieto desejo do homem citadino e os ideais ascéticos da moral religiosa. Com ele, e depois dele, a lírica amorosa sofrerá no próprio cerne essa contradição: e uma forma de resolvê-la é dar por ideal distante ou perdido o objeto dos cuidados de amor. Toda uma vertente platonizante sulca a poesia clássica.

Mas o que é radical em Camões ou em Tasso aparece em Cláudio Manuel da Costa como fenômeno capilar:

Faz a imaginação de um bem amado
Que nele se transforme o peito amante;
Daqui vem, que a minha alma delirante
Se não distingue já do meu cuidado.

Nesta doce loucura arrebatado
Anarda cuido ver, bem que distante.
Mas ao passo que a busco, neste instante
Me vejo no meu mal desenganado.

Pois se Anarda em mim vive, e eu nela vivo,
E por força da idéia me converto
Na bela causa de meu fogo ativo;

Como nas tristes lágrimas, que verto,
Ao querer contrastar seu gênio esquivo,
Tão longe dela estou, e estou tão perto!

Por outro lado, o maneirismo dos contrastes

(quanto a vista se dilata e gira
tanto mais de encontrar-te desespera!)

transpõe para o reino do literário aquela fratura emotiva.

([51]) Ao *Cancioneiro* Petrarca antepôs uma severa autocrítica, penitenciando-se do amor a Laura como "primo giovenile errore".

Cláudio tentou, com menor êxito, a poesia narrativa e compôs a *Fábula do Ribeirão do Carmo* e o poemeto épico *Vila Rica*. Ambos são curiosos documentos da oscilação que sofria o escritor entre o prestígio da Arcádia e as suas montanhas mineiras (52). Contraste que divide a inteligência de toda colônia: a matéria "bruta" que a paisagem oferece aos sentidos do poeta só é aceita quando vazada nas formas da metrópole. O nosso Cláudio dá testemunho ainda ingênuo dessa dupla valência; caberia aos românticos reduzi-la a padrões unívocos, que se chamaram "nacionalismo" e "indianismo".

No árcade admirador de Pombal o colonialismo é patente:

> Correi de leite e mel, ó Pátrios rios,
> E abri dos seios o metal guardado;
> Os borbotões de prata, e de oiro os fios
> Saiam de Luso a enriquecer o estado
>
> (*Canto Heróico*)

Ou

> Competir não pretendo
> Contigo, ó cristalino
> Tejo, que mansamente vais correndo:
> Meu ingrato destino
> Me nega a prateada majestade,
> Que os muros banha da maior cidade
>
> (*Fábula do Ribeirão do Carmo*)

No entanto, já observou Antônio Cândido, "de todos os poetas mineiros talvez seja ele o mais profundamente preso às emoções e valores da terra" (53). E o crítico o prova realçando o retorno da imagem da *pedra* em toda a lírica de Cláudio, resistente nisso às sugestões emolientes do puro bucolismo.

Basílio da Gama

A mesma ambivalência e o mesmo esforço para resolvê-la no trato com a palavra encontra-se em José Basílio da Gama (54). O seu *Uraguai* (1769),

---

(52) "Não são estas as venturosas praias da Arcádia, onde o som das águas inspirava a harmonia dos versos. Turva e feia a corrente destes ribeiros primeiro que arrebate as idéias de um Poeta, deixa ponderar a ambiciosa fadiga de minerar a terra que lhes tem pervertido as cores" (Do Prólogo às *Obras*).

(53) Em *Formação da Lit. Bras.*, *cit.*, p. 80 e segs.

(54) José Basílio da Gama (Arraial de S. José do Rio das Mortes, hoje Tiradentes, Minas Gerais, 1741 — Lisboa, 1795). Era estudante jesuíta quando o decreto da expulsão dos padres o atingiu; viaja então para a Itália e Portugal onde logra obter a proteção

poemeto épico, tenta conciliar a louvação de Pombal e o heroísmo do indígena; e o jeito foi fazer recair sobre o jesuíta a pecha de vilão, inimigo de um, enganador do outro.

O *Uraguai* lê-se ainda hoje com agrado, pois Basílio era poeta de veia fácil que aprendeu na Arcádia menos o artifício dos temas que o desempeno da linguagem e do metro. O verso branco e o balanço entre os decassílabos heróicos e sáficos aligeiram a estrutura do poema que melhor se diria lírico-narrativo do que épico.

Nada há no *Uraguai* que lembre as rígidas divisões do poema heróico. O princípio, ex-abrupto, traz ao leitor a matéria mesma do canto:

> Fumam ainda nas desertas praias
> Lagos de sangue, tépidos e impuros,
> Em que ondeiam cadáveres despidos,
> Pasto de corvos.

É o *aqui-e-agora* que urge sobre a sensibilidade de Basílio. O que ainda se sente e se sabe, a luta que mal terminara entre os lusos-castelhanos e os missionários dos Sete Povos. A quase-contemporaneidade dos sucessos cantados retira ao poema a aura de mito que cerca a epopéia tradicional, mas dá-lhe a garra do moderno, imergindo o leitor do tempo nos motivos mais candentes: o jesuitismo, a ação de Pombal, os litígios de fronteiras, a altivez guerreira do índio...

Basílio da Gama, sustentando abertamente o Marquês contra os religiosos, cai, em mais de um passo, no laudatório e no caricato, tributos da poesia ao *parti-pris*. Exemplo disso é o episódio em que a índia Lindóia, sabendo morto o amado, Cacambo, "aborrecida de viver, procura todos os meios de encontrar a morte". Mas a feiticeira Tanajura conduz a jovem a uma gruta e por artes mágicas a desvia do triste intento suscitando em seu espírito a visão... de Lisboa reconstruída pelo Marquês de Pombal. E para completar tão edificante sonho, mostra-lhe a expulsão dos jesuítas e o fim inglório das missões do Sul:

> ... vê destruída
> a república infame e bem vingada
> a morte de Cacambo.

---

do Marquês de Pombal escrevendo um epitalâmio para as núpcias de sua filha. A redação do *Uraguai* confirma a sua subserviência ao "déspota ilustrado". Deixou também o poemeto *Quitúbia* (Lisboa, 1791). V. José Veríssimo, "Prefácio" às *Obras Poéticas de Basílio da Gama*, Rio, 1902. Para o contexto de *Uraguai*, leia-se *A República "Comunista" Cristã dos Guaranis*, de C. Lugon, 2ª ed., Rio, Paz e Terra, 1976. Edição recomendada: *O Uraguai*, comentado por Mário Camarinha da Silva, Rio, Agir, 1964. Sobre o poema: Antônio Cândido, "A dois séculos d'O Uraguai", em *Vários Escritos*, S. Paulo, Duas Cidades, 1970.

No entanto, o que escapa ao programa do ex-inaciano ocupado em não deixar rastro constitui poesia de boa qualidade, ágil e expressiva, e, no conjunto, a melhor que se fez na época entre nós.

As cesuras do verso e os *enjambements* são vários e vivos:

> Dura inda nos vales
> o rouco som da irada artilharia.
>
> Tece o emaranhadíssimo arvoredo
> Verdes, irregulares e torcidas
> Ruas e praças, de uma e de outra banda,
> cruzadas de canoas.

A natureza é colhida por imagens densas e rápidas; não são já mero arcadismo, mas caminho para o paisagismo romântico, relação mais direta dos sentidos com o mundo.

> Medrosa deixa o ninho a vez primeira
> Águia, que depois foge à humilde terra,
> E vai ver mais de perto, no ar vazio,
> O espaço azul, onde não chega o raio.
> . . . .
> Enfim, junto a um ribeiro, que atravessa,
> Sereno e manso, um curvo e fresco vale,
> Acharam, os que o campo descobriram,
> Um cavalo anelante e o peito e as ancas
> Cobertos de suor e branca espuma.

E estes versos ricos de efeitos sonoros produzidos pela sábia distribuição das vogais:

> A tarda e fria névoa, escura e densa
> . . . .
> O céu cinzento de ondeadas nuvens
> . . . .

Ou das consoantes:

> As leves asas o lascivo vento
> . . . .
> Tinha a face na mão e a mão no tronco
> De um fúnebre cipreste, que espalhava
> Melancólica sombra.

Esse móvel pano de fundo, que às vezes vale por si próprio deslocando-se para o primeiro plano da tessitura narrativa, é a novidade de Basílio no trato da epopéia. Infelizmente, o canto modulado de uma "fábula americana", entoada à maneira idílica de Tasso e de Metastasio, não pode produzir-se. Foi sufocada pelo desígnio político.

> Cai a infrene República por terra.
> Aos pés do general as toscas armas
> Já tem deposto o rude Americano,
> Que reconhece as ordens e se humilha
> E a imagem do seu rei prostrado adora!

O ilustrado reponta, no entanto, na crítica à cegueira da guerra:

> Vinha logo de guardas rodeado,
> *Fonte de crimes, militar tesouro,*
> Por quem deixa no rego o curvo arado
> O lavrador, que não conhece a glória;
> *E vendendo a vil preço o sangue e a vida,*
> Move e nem sabe por que move a guerra.

Rejeitando o belicismo fácil com que os nobres se serviam dos camponeses, Basílio é homem do fim do século XVIII, cujos valores pré-liberais prenunciam a Revolução e se manteriam com o idealismo romântico. Cantam no mesmo tom o herói pacífico, Tomás Antônio Gonzaga, Silva Alvarenga e Santa Rita Durão.

E quanto não diz ao herói oficial do poema, a fala dos verdadeiros heróis Cacambo e Cepé, como apologia da vida natural, avessa às hierarquias da milícia, da corte e da cúria?

(CACAMBO)

> Gentes da Europa: nunca vos trouxera
> O mar e o vento a nós. Ah! não debalde
> Estendeu entre nós a natureza
> Todo esse plano espaço imenso de águas.

(CEPÉ)

> ... todos sabem
> Que estas terras, que pisas, o céu livres
> Deu aos nossos Avós; nós também livres
> As recebemos dos Antepassados:
> Livres hão de as herdar os nossos filhos.

Nesse passo, como no da morte de Lindóia, os valores capazes de inspirar poesia são encarnados pelos nativos. E embora eles se acabem curvando aos pés da Coroa lusa, permanecem como as únicas criaturas dignas de falar em Natureza e em Liberdade.

Rita Durão

Também no *Caramuru* de Fr. José de Santa Rita Durão (55) o índio é matéria-prima para exemplificar certos padrões ideológicos. Mas será uma corrente oposta à de Basílio, voltada para o passado jesuítico e colonial, e em aberta polêmica com o século das luzes:

> Poema ordenado a pôr diante dos olhos aos Libertinos o que a natureza inspirou a homens, que viviam tão remotos das que eles chamam "preocupações de espíritos débeis".
>
> (Reflexões Prévias e Argumento)

Se, pela cópia de alusões à flora brasílica e aos costumes indígenas, o *Caramuru* parece dotado de índole mais nativista do que o *Uraguai*, no cerne das intenções e na estrutura, a epopéia de Durão está muito mais distante do homem americano do que o poemeto de Basílio. O frade agostinho via os Tupinambás *sub specie Theologiae*, como almas capazes de ilustrar para os libertinos europeus a verdade dos dogmas católicos.

O índio como o *outro*, objeto de colonização e catequese, perde no *Caramuru* toda autenticidade étnica e regride ao marco zero de espanto (quando antropófago), ou a exemplo de edificação (quando religioso).

No primeiro caso está o trecho narrativo:

> Correm depois de vê-lo ao pasto horrendo,
> E retalhando o corpo em mil pedaços,
> Vai cada um famélico trazendo,
> Qual um pé, qual a mão, qual outro os braços:
> Outro na crua carne iam comendo;
> Tanto na infame gula eram devassos.
> Tais há, que as assam nos ardentes fossos,
> Alguns torrando estão na chama os ossos.
> Que horror da Humanidade! ver tragada
> Da própria espécie a carne já corrupta!
>
> (*Canto I, estrofes 17-18*)

---

(55) Frei José de Santa Rita Durão (Cata Preta, Minas Gerais, 1722 — Lisboa, 1784). Estudou com os jesuítas no Rio de Janeiro e doutorou-se em Filosofia e Teologia em Coimbra. Passou-se para a Ordem de Sto. Agostinho, mas desavenças no meio eclesiástico fizeram-no fugir para a Itália, onde levou durante mais de vinte anos uma vida de estudos. Voltando com a "viradeira" (queda de Pombal e restauração da cultura passadista), ocupa uma cátedra de Teologia, mas sua principal atividade é a redação do *Caramuru* que lê ao fanático purista e puritano José Agostinho de Macedo para assegurar-se de que não incorrerá nos lapsos camonianos... Cf. Artur Viegas, *O Poeta Santa Rita Durão*, Bruxelas-Paris, 1914.

É verdade que a polêmica antilibertina urgia mais no espírito do poeta que o horror às práticas nativas, pois, tendo clamado contra estas, dá um passo atrás e considera nos maus filósofos efeitos piores que os da antropofagia:

Feras! mas feras não; que mais monstruosos
São da nossa alma os bárbaros efeitos;
E em corrupta razão mais furor cabe
Que tanto um bruto imaginar não sabe

(*C. 1, 25*)

E, no outro extremo, as palavras do selvagem que diz ao missionário já ter recebido em sonho, "como em sombra mal formada", a essência da doutrina cristã (I, 45-59).

A poética que presidiu à feitura do poema era híbrida. De um lado, esquemas camonianos, "corrigidos" pela presença exclusiva do maravilhoso cristão. De outro, a tradição colonial-barroca que se reflete no gosto das enumerações profusas da flora tropical hauridas no ultragongórico Rocha Pita. O uso do maravilhoso cristão e o desejo de superar em coerência *Os Lusíadas* explicam-se nesse passadista renitente por uma tendência nova na cultura do século XVIII: a crítica aos hibridismos da Renascença em matéria de mitologia. Durão esteve atento aos conselhos de José Agostinho de Macedo, polemista vitrioloso que endossou todas as teses retrógradas da "viradeira", mas que conservou do Iluminismo o cânone da verossimilhança. Nada lhe parecia mais insensato do que empregar um poeta batizado os disfarces do panteão helênico. E o mesmo argumento, na verdade extra-estético, serviria aos românticos de estirpe medievista, como Chateaubriand e Scott, para repudiar todo recurso à mitologia pagã e empreender a construção da epopéia bíblico-medieval. Nesse ponto, Durão antecipa certas atitudes românticas voltadas contra a impiedade dos ilustrados mais radicais.

Outro problema a considerar é a fortuna crítica do *Caramuru* que, pouco estimado na época de sua publicação, foi erigido em ancestral do Indianismo pelos nossos românticos por motivos estreitamente nacionalistas ([56]).

No conjunto, porém, a sua extrema fidelidade aos módulos clássicos e às hierarquias mentais da Contra-Reforma insere-o de pleno direito na linhagem conservadora que em Portugal resistiu à maré iluminista.

O herói do poema é Diogo Álvares, alcunhado o *Caramuru* pelos Tupinambás (Durão traduz o termo por "filho do trovão") e responsável pela primeira ação colonizadora na Bahia. Menos herói de luta do que herói cultural, ele é o fundador, o homem providencial que ensinou ao bárbaro as virtudes

---

([56]) Cf. Antônio Cândido, "Estrutura literária e função histórica", em *Literatura e Sociedade*, S. Paulo, Cia. Ed. Nacional, 1965.

e as leis do alto. Como no Enéias virgiliano e no Godofredo tassesco, a sua grandeza reside na vida reta e na constância de ânimo:

De um varão em mil casos agitado
Que as praias discorrendo do Ocidente,
Descobriu o Recôncavo afamado
Da Capital brasílica potente:
Do Filho do Trovão denominado,
Que o peito domar soube à fera gente;
O valor cantarei na adversa sorte,
Pois só conheço Herói quem nela é forte

(*Canto I, 1*)

Domando a "fera gente" e as próprias paixões, Diogo é misto de colono português e missionário jesuíta, síntese que não convence os conhecedores da história, mas que dá a medida justa dos valores de Frei José de Santa Rita Durão. Na medida em que o herói encarna, aliás ossifica tais valores, ele se enrijece e acaba perdendo toda capacidade de ativar a trama épica. Salvo o episódio transmitido pela lenda, em que o náufrago passa a senhor dos índios fazendo fogo com o seu fuzil (II, 44), proeza repetida na luta contra Jararaca (IV, 66), a ação é antes sofrida do que empuxada por Diogo-Caramuru. De resto essa paralisia é sempre razão do louvor setecentista ao herói civil e pacífico, tanto mais que este já alcançou, mediante expedientes mágicos (e aqui se regride ao barroco), formas duradouras de dominação:

Quanto merece mais, que em douta Lira
Se cante por Herói, quem pio e justo,
Onde a cega Nação tanto delira,
Reduz à humanidade um Povo injusto?
Se por herói no mundo só se admira
Quem tirano ganhava um nome augusto,
Quanto o será maior que o vil tirano
Quem nas feras infunde um peito humano?

(*C. II, 19*)

A partir do Canto VI, tudo é descritivo. Durão cede à tendência retrospectiva da epopéia clássica espraiando-se na crônica do descobrimento e das riquezas coloniais, não esquecidas as glórias do apostolado jesuítico.

Árcades ilustrados: Gonzaga, Silva Alvarenga, Alvarenga Peixoto

Entre Basílio e Santa Rita Durão as aproximações são fortuitas. Seria talvez mais correto pôr o *Caramuru* entre parênteses e lembrar os traços mais modernos e líricos do *Uraguai* para retornar o fio da poesia arcádica, que leva à leitura de Gonzaga, de Alvarenga Peixoto e de Silva Alvarenga. Há um ar de família que nos faz reconhecer em Basílio e nesses poetas a mesma disposição constante para atenuar em idílio tudo o que é tenso, conflitante; o sentimento, mediado pela maneira bucólica e rococó, é comum a todos; como a todos é comum o convívio com o Iluminismo que levou os últimos à participação em grupos hostis ao regime. Gonzaga e Alvarenga Peixoto, nascidos ambos em 1744, estiveram envolvidos na Inconfidência e sofreram a mesma pena de degredo para a África. Silva Alvarenga, pouco mais jovem, foi mentor de reuniões liberais no Rio de Janeiro e satirizou as leis retrógradas da Corte, vindo a conhecer três anos de duro cárcere. É justo aproximá-los como os melhores exemplos da vertente árcade-ilustrada.

Há em Tomás Antônio Gonzaga ([57]) um homem de letras jurídicas e de alta burocracia que escreveu ainda jovem um cauteloso *Tratado de Direito Natural* com o intuito de galgar um posto na Universidade de Coimbra, e viveu a vida toda metido em ofícios e pareceres. Sua perícia lhe valeu posições de prestígio mesmo quando exilado em Moçambique. Mas houve, dentro do quarentão sólido, prático e prudente, um lírico que a inclinação por Marília fez despertar, e um satírico a quem picaram os desmandos de um tiranete.

O ponto de mediação entre o desembargador e o poeta acha-se no tipo de personalidade que se poderia definir, negativamente, como não-romântica. Desfeitas as lendas do enamorado perpétuo, do rebelde amigo de Tiradentes, do homem que ensandeceu no degredo, ficou livre o caminho para a compreensão do *literato* que em tudo revelaria equilíbrio entre os sentidos e a razão.

Gonzaga é conaturalmente árcade e nada fica a dever aos confrades de escola na Itália e em Portugal. As *liras* são exemplo do ideal de *aurea mediocritas* que apara as demasias da natureza e do sentimento. A "paisagem",

---

([57]) Tomás Antônio Gonzaga (Porto, 1744 — Moçambique, 1810?). Filho de um magistrado brasileiro, passou a infância na Bahia onde estudou com os jesuítas. Formou-se em Cânones em Coimbra para cuja Faculdade preparou a tese sobre Direito Natural. Exerceu a magistratura em Beja durante alguns anos. Em 1782 chega a Vila Rica para exercer a ouvidoria e a procuradoria. Cedo começam as suas desavenças com as autoridades locais (motivo das *Cartas Chilenas* que correram anônimas), mas também o seu idílio com a adolescente Maria Joaquina Dorotéia de Seixas, a Marília das *Liras*. Nomeado desembargador da Relação da Bahia, esperava casar para partir, quando é delatado e preso como conjurado e conduzido à Ilha das Cobras. Julgado depois de três anos, degredam-no para Moçambique. Aí obtém uma alta posição administrativa e se casa com Dona Juliana Mascarenhas, filha de um riquíssimo mercador de escravos.

Edição recomendável: *Obras Completas*, aos cuidados de Rodrigues Lapa (Rio, 2 vols., 1957). Sobre Gonzaga: Rodrigues Lapa, *Introdução às Obras*, *cit.*; Eduardo Frieiro, *Como era Gonzaga?*, Belo Horizonte, 1950.

que nasceu para arte como evasão das cortes barrocas, recorta-se para o neoclássico nas dimensões menores da cenografia idílica. Esta prefere ao mar e à selva o regato, o bosque, o horto e o jardim. A natureza vira refúgio (*locus amoenus*) para o homem do burgo oprimido por distinções e hierarquias. Todas as culturas urbanas do Ocidente, nos estágios mais avançados de modernização, acabam reinventando o *natural* e fingindo na arte a graça espontânea do Éden que os cuidados infinitos da cidade fizeram perder. Para os românticos, que levariam o processo ao limite, a natureza era o lugar sagrado da paixão, o cenário divino dos seus próprios sonhos de liberdade e de glória. Mas para o árcade ela ainda é pano de fundo, quadro onde se fazia possível expressar as inclinações sensuais ou nostálgicas que o decoro das funções civis relegava à esfera da vida íntima.

O processo de alargamento, até coincidirem sujeito e natureza, começa no século XVIII com Rousseau e os pré-românticos ingleses. Mas só em pleno Romantismo tomarão o mesmo crisma homem e paisagem. A linha arcádica parece tímida e modesta em comparação com o "primitivo", o "bárbaro", o "telúrico" dos românticos. E não só nos temas. As liras, os rondós e os madrigais ordenavam melodicamente um universo reduzido de emoções; e o pequeno número e o rigor métrico dessas formas já significavam o limite a que se impunham os poetas, para quem a arte sabia ainda a exercício de linguagem. Um leitor romântico de Gonzaga por certo se decepcionará com a monotonia dos temas e com algo que parece indiferença de quem não se empenha muito na matéria do seu canto. Mas seria uma leitura anacrônica: ao árcade basta para cumprir sua missão literária a fatura de um quadro onde as linhas da natureza ora contrastem ora emoldurem uma tênue história sentimental.

Assim, a figura de Marília, os amores ainda não realizados e a mágoa da separação entram apenas como "ocasiões" no cancioneiro de Dirceu. Não se ordenam em um crescendo emotivo. Dispersam-se em liras galantes em que sobreleva o mito grego, a paisagem bucólica, o vezo do epigrama. Já foi notado, com ingênuo escândalo, que os cabelos de Marília mudam de uma lira para outra e aparecem ora negros, ora dourados:

> Os seus compridos cabelos,
> que sobre as costas ondeiam,
> são que os de Apolo mais belos,
> mas de loura cor não são.
> Têm a cor da negra noite;
> e com o branco do rosto
> fazem, Marília, um composto
> da mais formosa união.
>
> Os teus olhos espelham luz divina,
> a quem a luz do sol em vão se atreve;
> papoila ou rosa delicada e fina

te cobre as faces, que são cor da neve.
Os teus cabelos são uns fios d'ouro;
teu lindo corpo bálsamos vapora.

A oscilação entende-se como compromisso árcade entre o real e os padrões de beleza do lirismo petrarquista. A dubiedade atinge, aliás, outras áreas: Dirceu ora é pastor, quando o pede a ficção bucólica, ora é juiz, quando isso lhe dá argumento para mover a admiração de Marília:

Eu, Marília, não fui nenhum vaqueiro,
fui honrado pastor da tua aldeia...

Verás em cima da espaçosa mesa
altos volumes de enredados feitos;
ver-me-ás folhear os grandes livros,
e decidir os pleitos.

Mas, pastor ou juiz, Dirceu insiste em frisar o seu *status* superior ([58]).

Também a paisagem é ora nativa, com minúcias de cor local mineira, ora lugar ameno de virgiliana memória:

Tu não verás, Marília, cem cativos
tirarem o cascalho e a rica terra,
ou dos cercos dos rios caudalosos,
ou da minada serra.

Não verás separar ao hábil negro
do pesado esmeril a grossa areia,
e já brilharem os granetes de oiro
no fundo da bateia.

Não verás derrubar os virgens matos
queimar as capoeiras inda novas,
servir de adubo à terra a fértil cinza,
lançar os grãos nas covas.

([58]) As suas palavras de desprezo a Tiradentes, escritas na prisão com o intuito de defesa, ferem a tecla da "inferioridade" social do Alferes:

Ama a gente assisada
a honra, a vida, o cabedal, tão pouco,
que ponha uma ação destas
nas mãos dum pobre, sem respeito e louco?
. . . .

A prudência é tratá-lo por demente;
ou prendê-lo, ou entregá-lo,
para dele zombar a moça gente.
(*Lira 64*)

Não verás enrolar negros pacotes
das secas folhas do cheiroso fumo;
nem espremer entre as dentadas rodas
da doce cana o sumo.
. . . .
Num sítio ameno,
cheio de rosas,
de brancos lírios,
murtas viçosas,
dos seus amores
na companhia,
Dirceu passava
alegre o dia.

Enquanto pasta alegre o manso gado,
minha bela Marília, nos sentemos
à sombra deste cedro levantado.
Um pouco meditemos
na regular beleza,
que em tudo quanto vive nos descobre
a sábia natureza.

Mas tudo são contrastes aparentes, focos de atenção diversos do mesmo olhar e do mesmo espírito cujo lema é sempre o *otium cum dignitate* do magistrado a quem a fortuna deu talento para fazer versos. Mesmo nas liras compostas no cárcere, o desejo de temperar as próprias dores com novas galanterias e torneios mitológicos é prova de um caráter incapaz de extremos. Ainda nesses momentos fala o homem preocupado só em achar a versão literária mais justa dos seus cuidados:

Nesta cruel masmorra tenebrosa
ainda vendo estou teus olhos belos,
a testa formosa,
os dentes nevados,
os negros cabelos.

Vejo, Marília, sim; e vejo ainda
a chusma dos Cupidos, que pendentes
dessa boca linda,
nos ares espalham
suspiros ardentes.

Contemporâneas da I Parte das Liras são as *Cartas Chilenas* que suscitaram dúvidas de autoria durante mais de um século (59) Gonzaga as escreveu no

(59) Em favor de Cláudio, cf. Caio de Melo Franco, *O Inconfidente Cláudio Manuel da Costa*, Rio, Schmidt, 1931. Provando definitivamente a autoria de Gonzaga, v. Manuel

intuito de satirizar seu desafeto político, o Governador Luís da Cunha Meneses, que nelas aparece sob o disfarce de Fanfarrão Minésio.

São doze cartas assinadas por *Critilo* e dirigidas a um amigo, Doroteu. A sátira é o processo constante, mas o tom, desde os versos de abertura, é mais jocoso do que azedo:

> Amigo Doroteu, prezado amigo,
> abre os olhos, boceja, estende os braços
> e limpa das pestanas carregadas
> o pegajoso humor, que o sono ajunta.
> Critilo, o teu Critilo, é quem te chama;
> ergue a cabeça da engomada fronha,
> acorda, se ouvir queres cousas raras.

As "cousas raras" dão pretexto para descrever o mundo às avessas, o Chile (isto é, Minas) à mercê de Fanfarrão Minésio:

> então verás leões com pés de pato,
> verás voarem tigres e camelos,
> verás parirem homens, e nadarem
> os roliços penedos sobre as ondas.

Tudo sabe a divertimento literário nas cartas do Ouvidor de Vila Rica. Fanfarrão lhe evoca ora Sancho escanchado no Rocinante a dar sentenças, ora Nero, primeiro piedoso, depois enraivecido, no trato dos súditos. E reaparece em cores caricatas o realismo da vida doméstica esquecido pela tradição lírica mais "nobre". Na Carta Terceira, lê-se uma descrição da vida pachorrenta dos árcades, vindo à tona o "velho Alcimodonte" entre os seus alfarrábios (Cláudio Manuel da Costa) e o "terno Floridoro" (Alvarenga Peixoto) fruindo dos lazeres da vida familiar.

Nessa obra de circunstância agrada sempre a fluência do decassílabo solto que vai marcando com brio os abusos do mau político, sem deixar em branco as suas maneiras de "caduco Adônis" exibidas por ocasião dos esponsais de D. João e Dona Carlota Joaquina.

É escusado dizer que a denúncia de Critilo não vai além das pessoas e, se deixa passar algum verso de piedade pelos negros,

> que não têm mais delitos que fugirem
> às fomes e aos castigos, que padecem
> no poder de senhores desumanos,

Bandeira, "A Autoria das Cartas Chilenas" (*in* Revista do Brasil, abril de 1940) e Rodrigues Lapa, *As Cartas Chilenas*, Rio, Instituto Nacional do Livro, 1958.

Para o estudo das fontes textuais, ver de Tarquínio J. B. de Oliveira, *Cartas Chilenas*, S. Paulo, Ed. Referência, 1972.

não toca em ponto algum do regime nem incrimina "as santas leis do Reino". E a certa altura reconhece como legais as sevícias feitas pelos donos dos escravos:

> Tu também não ignoras que os açoutes
> só se dão, por desprezo, nas espáduas,
> que açoutar, Doroteu, em outra parte
> só pertence aos senhores, quando punem
> os caseiros delitos dos escravos.

Bastariam esses passos (colhidos de um poema em que prevalece a intenção crítica!) para situar a ideologia de Gonzaga: despotismo esclarecido e mentalidade colonial.

Traços esparsos, mas fortes, de nativismo acham-se na obra exígua de **Alvarenga Peixoto** (60). Começou a escrever como neoclássico, pagando depois tributo à lira laudatória: com sincero entusiasmo ao cantar Pombal, mas por urgência do indulto, no caso de D. Maria I.

Ao Marquês dedicou uma trabalhada Ode em que o tema do herói pacífico atinge a sua mais clara expressão. Ao quadro da guerra ("o horror, o estrago, o susto") o poeta contrapõe o universo do labor e da ordem, cujo pano de fundo traz a paisagem mítica da Arcádia:

> Grande Marquês, os Sátiros saltando
> por entre verdes parras,
> defendidas por ti de estranhas garras;
> os trigos ondeando
> nas fecundas searas;
> os incensos fumando sobre as aras,
> à nascente cidade
> mostram a verdadeira heroicidade.

Em geral, A. Peixoto combina a loa do progressismo com a aceitação do governo forte: é o déspota ilustrado o seu ideal, tirano a quem se rende a Colônia na pessoa do nativo. Nas oitavas do "Canto Genetlíaco", escritas em 1782, por ocasião do nascimento do filho do Governador das Minas já o nativismo sentimental se funde no poder luso:

---

(60) Inácio José de Alvarenga Peixoto (Rio, 1744 — Ambaca, Angola, 1792). Doutorou-se em Leis pela Universidade de Coimbra em 1767. No Brasil exerceu a função de ouvidor no Rio das Mortes onde conheceu Bárbara Heliodora, com quem se casou. Comprou lavras no sul de Minas e é sem dúvida como proprietário descontente com a "derrama" que teria participado na Inconfidência: foi preso e desterrado, vindo a morrer no presídio africano. Cf. *Vida e Obra de Alvarenga Peixoto,* por Rodrigues Lapa, Rio, I.N.L., 1960.

Bárbaros filhos destas brenhas duras,
nunca mais recordeis os males vossos;
revolvam-se no horror das sepulturas
dos primeiros avós os frios ossos:
que os heróis das mais altas cataduras
principiam a ser patrícios nossos;
e o vosso sangue, que esta terra ensopa,
já produz frutos do melhor da Europa.

Quando preso na Ilha das Cobras, a sua negação sistemática de ter participado no movimento levou-o ao paroxismo da subserviência a D. Maria I, pondo na boca do Pão de Açúcar, mudado em índio, estes versos categóricos:

Sou vassalo, sou leal;
como tal,
fiel, constante,
sirvo à glória da imperante,
sirvo à grandeza real.
Aos Elísios descerei,
fiel sempre a Portugal,
ao famoso vice-rei,
ao ilustre general,
às bandeiras que jurei.

O mesmo espírito, modulado em versos menos infelizes, reconhece-se na Ode a D. Maria, "Invisíveis vapores", em que o índio manobra as suas palavras no sentido de dar à Inconfidência uma dimensão luso-brasileira.

Quanto ao juízo estético sobre a lírica de Alvarenga Peixoto, está pendente de poucas composições, sendo algumas de autoria discutível. Dos sonetos descobertos entre os manuscritos da Biblioteca Nacional de Lisboa por M. Rodrigues Lapa (1959), pode-se dizer que apresentam traços pré-românticos temperados pela intenção geral, neoclássica:

Ao mundo esconde o Sol seus resplandores,
e a mão da Noite embrulha os horizontes;
não cantam aves, não murmuram fontes,
não fala Pã na boca dos pastores.

Atam as Ninfas, em lugar de flores,
mortais ciprestes sobre as tristes frontes;
erram chorando nos desertos montes,
sem arcos, sem aljavas, os Amores.

Vênus, Palas e as filhas da Memória,
deixando os grandes templos esquecidos,
não se lembram de altares nem de glória.

Andam os elementos confundidos:
ah, Jônia, Jônia, dia de vitória
sempre o mais triste foi para os vencidos!

Silva Alvarenga dá-nos a imagem cabal do militante ilustrado ([61]).

Mas a atenção do leitor amante de poesia logo se voltará para a coerência formal da sua obra, *Glaura*, composta de rondós e madrigais. O rondó, de origem francesa, foi convertido por Silva Alvarenga em um conjunto de quadras com um estribilho que abre e fecha a composição, além de se intercalar entre séries de duas estrofes. Assim, em um rondó de treze quadras, o estribilho aparece cinco vezes, o que dá um alto índice de redundância e favorece a memória musical do poema. Na mesma esteira de repetição, os estribilhos se dispõem sempre com rimas internas:

Cajueiro desgraçado (*a*),
A que Fado (*a*) te entregaste (*b*),
Pois brotaste (*b*) em terra dura (*c*)
Sem cultura (*c*) e sem senhor

(Rondó III)

Conservai, musgosas penhas (*a*),
Nestas brenhas (*a*) minha glória (*b*);
E a memória (*b*), que inda existe (*c*),
Torne um triste (*c*) a consolar

(Rondó VIII)

O verso é o redondilho maior acentuado sempre na 3ª sílaba.

Mais livres, os madrigais de *Glaura* articulam-se em estrofes variamente rimadas, que vão de 8 a 11 versos. Como na tradição italiana dessa forma, aos decassílabos misturam-se hexassílabos:

Neste áspero rochedo,
A quem imitas, Glaura sempre dura,

([61]) Manuel Inácio da Silva Alvarenga (Vila Rica, 1749 — Rio de Janeiro, 1814). Fez Humanidades no Rio e Cânones em Coimbra entre 1773 e 1776, período em que defendeu com ardor a nova política educacional do Marquês, como testemunha o seu poemeto herói-cômico, *O Desertor*, sátira da rançosa pedagogia coimbrã. Voltando para o Brasil, advogou em Rio das Mortes, fixando-se depois no Rio como professor de Retórica e Poética. Membro ativo da *Sociedade Literária* desde 1786, fez-se conhecer pelas idéias "afrancesadas", o que lhe custou três anos de prisão (1794-97). Liberado, continuou a ensinar e chegou a ser um dos nossos primeiros jornalistas com a fundação d*O Patriota*. *Glaura* publicou-se em 1799. Edições: *Obras Poéticas de Manuel Inácio da Silva Alvarenga* (Alcindo Palmireno), coligidas por Joaquim Norberto em 2 vols., Rio, 1864; *Glaura*, com prefácio de Afonso Arinos, Rio, I.N.L., 1944.

Gravo o triste segredo
Dum amor estremoso e sem ventura.
Os Faunos da espessura
Com sentimento agreste
Aqui meu nome cubram de cipreste,
Ouvem o teu as ninfas amorosas
De goivos, de jasmins, lírios e rosas

(Madrigal VI)

Os tópicos de Alcindo formam o exemplário do Rococó: *locus amoenus, carpe diem, otium cum dignitate.* E sempre a figura de Glaura como esquiva pastora envolta em um halo de galante sensualidade.

Último dos neoclássicos de relevo, autor de uma Epístola a Basílio da Gama forrada de preceitos horacianos, Silva Alvarenga já foi considerado, no entanto, "o elo que prende os árcades e os românticos" (Ronald de Carvalho). A expressão trai uma crítica externa, se não superficial: o fato de se incluírem nos rondós nomes de árvores brasileiras, o cajueiro e a mangueira a cuja sombra repousa Glaura, além de não ser traço exclusivo do poeta, pode explicar-se como simples nativismo de paisagem, comum a barrocos e árcades. E o ameninamento das comparações (com pombos e beija-flores) e dos adjetivos (*ternos* Amores, *tenra* flor, púrpura *mimosa, mimosa* Glaura) tem um quê de Metastasio dengoso e acariocado que se entende à maravilha quando se evoca o tipo do mestiço culto nos tempos coloniais, não se fazendo mister a etiqueta "romântico" para defini-lo ([62]).

É verdade também que jogar com as linhas e as cores da paisagem para exprimir os próprios afetos é ser pré-romântico em sentido lato. A análise não deve, porém, borrar os *planos* de enfoque. No nível mais genérico, a Ilustração, de matiz sensista ou rousseauniana, deságua no *egotismo,* a grande linha de força do Romantismo. Ambos são etapas de um processo de afirmação da sensibilidade, que acabará incorporando a Natureza e a História; ambos integram o curso do individualismo que, não cessando de crescer desde a Renascença, tem lastreado a ideologia corrente da civilização ocidental.

Mas, no interior desse longo processo, acham-se em tensão dialética diversas configurações de estilo, diferentes graus de liberdade. A efusão român-

---

([62]) Traços que se percebem ainda mais nitidamente nos versos de Domingos Caldas Barbosa (Rio, 1738 — Lisboa, 1800), filho de português e angolesa. Na coletânea de seus poemas, *Viola de Lereno* (Lisboa, 1798), reconhece-se a graça fácil e sensual dos lunduns e das modinhas afro-brasileiras que ele transpôs para esquemas arcádicos, durante o seu longo convívio com os poetas da corte de D. Maria I. É um caso típico de *contaminatio* da tradição oral, falada e cantada, com a linguagem erudita (V. a Introdução de Francisco de Assis Barbosa à *Viola de Lereno,* Rio, I.N.L., 1944).

tica, centrada no emissor da mensagem, rejeita o velho código da mitologia grega e das formas fixas, que os árcades *ainda* sentiam como veículo adequado de comunicação. Nesse ponto, a ruptura romântica será um fato estético muito bem marcado que não convém esfumar pela insistência no relevo de traços premonitórios.

O mesmo cuidado vale para o reconhecimento da ideologia liberal já difusa entre os séculos XVIII e XIX. O espírito de distinção deve ficar alerta para não confundir homens de todo passadistas, como Santa Rita Durão, e os ilustrados, alguns bem cautos e prontos a voltar atrás nas ocasiões penosas, como Gonzaga e Alvarenga Peixoto, mas outros coerentes no seu percurso do pombalismo (como liberação e não reforço da tirania) para a crítica do sistema colonial. É esse o caso de Silva Alvarenga que vimos cantar na juventude a reforma da Universidade e encontramos, consumada a "viradeira", entre os animadores da Sociedade Literária, agindo de modo a despertar as suspeitas do Conde de Resende que o mantém por três anos no cárcere; e que, enfim, temos entre os redatores d*O Patriota*, a primeira revista de cultura impressa depois da vinda de D. João. E é também o caso do médico mineiro Francisco de Melo Franco (1757-1823); preso pela Inquisição em Portugal como livre-pensador, persistiu na crítica mordaz ao reacionarismo coimbrão, desmascarando-o no *Reino da Estupidez,* poemeto herói-cômico que só logrou ver impresso em Paris, em 1818.

Da Ilustração ao Pré-Romantismo

Nos primeiros decênios do século XIX as fórmulas arcádicas servem de meio, cada vez menos adequado, para transmitir os desejos de autonomia que a inteligência brasileira já manifestava em diversos pontos da Colônia.

Seria curioso investigar o porquê de tanta má poesia durante esse período rico de mudanças econômicas e políticas na sociedade brasileira. A rigor, entre a *Glaura* de Silva Alvarenga e os *Primeiros Cantos* (1846) de Gonçalves Dias não veio à luz nenhuma obra que merecesse plenamente o título de poética. E mesmo que a data final fosse recuada para 1836, ano da publicação dos *Suspiros Poéticos e Saudades* de Gonçalves de Magalhães, marco da literatura romântica, ainda assim teríamos três décadas e meia e certamente duas gerações de curtíssimo fôlego lírico.

Uma hipótese para explicar o fenômeno é ver no hibridismo cultural e ideológico desse período a carência de mordente capaz de organizar um estilo forte e duradouro. Todo o processo da Independência (de 1808 a 1831) fez-se graças à intervenção das classes dominantes do país, que herdaram da vida colonial mais recente uma série de ambigüidades: Ilustração-reação; pombalismo-jesuitismo; deísmo-beatice; pensamento-retórica... As elites brasileiras, ainda forradas da linguagem coimbrã, tomavam ciência das *novidades* européias, que eram nada menos do que os frutos da Revolução Industrial e da Revolução Francesa; mas não se sentiam maduras para recusar os mitos autoritários que a Santa Aliança fizera circular pela Europa do Congresso de Viena (a Áustria, a Rússia, Espanha e Portugal e a própria França restaurada de Luís XVIII e Carlos X). A divisão de águas entre liberais e conservadores, que marcou o homem europeu na primeira metade do século, esbateu-se entre nós pelo fato de ter vindo de cima a consecução da Independência: De Cayru, valido de João VI, a José Bonifácio, conselheiro de Pedro I, temos uma inteligência que repete, em um vasto país recém-egresso do sistema colonial, a experiência dos intelectuais europeus junto aos déspotas mais ou menos esclarecidos(63).

Não é de admirar que atitudes ideológicas a rigor incompatíveis viessem tecer uma só rede mental: padres eram maçons, os religiosos professavam-se liberais e até um tradutor dos Salmos se fez intérprete da teoria do bom selvagem. A nossa vida espiritual não sentiu os choques violentos que abalavam a Europa, pois não tinham amadurecido aqui os grupos de pressão que lutavam arduamente no Velho Mundo desde as primeiras crises do feudalismo. As opiniões radicalmente opostas de um Voltaire e de um Rousseau, ou de um Byron e de um Chateaubriand, caíam na rarefeita elite brasileira como peças de um mosaico ideal que um pouco de habilidade verbal poderia compor.

O *ecletismo* teve nos gêneros públicos e na poesia retórica a sua melhor expressão.

Por poesia retórica entende-se aqui o verso que se propõe abertamente ensinar, persuadir, moralizar; em suma, incutir um complexo de idéias e sentimentos. O Iluminismo favorecia o gosto pedagógico, ministrando o útil, enquanto cabia ao idílio árcade providenciar o agradável. Com o nosso hibridismo ilustrado-religioso do começo do século XIX, é o poema sacro, moralizante ou patriótico que vai substituir as tiradas em prol das luzes do século anterior.

(63) Alguns historiadores têm acentuado o caráter de compromisso de que se revestiu a Independência: "Até às vésperas..., e entre aqueles mesmos que seriam seus principais fautores, nada havia que indicasse um pensamento separatista claro e definido. O próprio José Bonifácio, que seria o Patriarca da Independência, o foi apesar dele mesmo, pois sua idéia sempre fora unicamente a de uma monarquia dual, uma espécie de federação luso-brasileira" (Caio Prado Jr., *Formação do Brasil Contemporâneo*, 7ª ed., S. Paulo, Brasiliense, 1963, p. 364). Dos políticos mais ligados a D. Pedro no período crítico da ruptura com Portugal sabe-se que neutralizaram a influência dos liberais mais progressistas, como Gonçalves Ledo, Januário da Cunha Barbosa e Alves Branco; e que, para melhor governar, cindiram a Maçonaria, que a todos coligava, cerrando as portas do *Grande Oriente* e fundando o *Apostolado*, definido por um autêntico rebelde, Frei Caneca, como um "clube de aristocratas servis".

Legíveis, nesse espírito, são as traduções dos *Salmos* e as *Poesias Sacras e Profanas* do Padre Sousa Caldas (Rio, 1762-1814), autor de uma significativa "Ode ao Homem Selvagem"; e as paráfrases dos *Provérbios* e do *Livro de Jó* de Elói Ottoni (1764-1851). Sousa Caldas, sem dúvida superior a Ottoni, pela fluência e correção da linguagem, molda os versículos em estrofes neoclássicas dando a medida do sincretismo literário da época. Ilegível, o poema sacro *A Assunção*, de Fr. Francisco de S. Carlos, "uma das mais insulsas e aborridas produções da nossa poesia", no dizer severo de José Veríssimo.

O patriótico e o moralizante aparecem copiosos nas *Poesias Avulsas* de Américo Elísio (1825), pseudônimo de José Bonifácio de Andrada e Silva ([64]), cujo relevo de estadista tem deixado em segundo plano (e não sem justiça...) as veleidades do poeta.

Faltas de estro, a "Ode aos Baianos" e a "Ode aos Gregos", arrastado e retórico o "Poeta Desterrado", lêem-se hoje apenas pelo que ilustram a biografia de um homem de inteligência robusta e voltada para o mundo. No Patriarca, as leituras dos românticos ingleses, que ele cita com louvor, ficaram no plano de vagas sugestões sem que o árcade pudesse, sexagenário, absorver o espírito realmente novo que soprava da Europa. É no plano dos detalhes formais despregados do todo que ele recebeu a lição romântica:

> ... e quanto à monotônica regularidade das estâncias, que seguem à risca franceses e italianos, dela às vezes me apartei de propósito, usando da mesma soltura e liberdade, que vai novamente praticadas por um Scott e um Byron, cisnes da Inglaterra (Dedicatória).

Além da "soltura" das estâncias e do verso branco (que nele antes acentua o prosaico do que a liberdade poética), José Bonifácio tomou aos pré-românticos imagens merencórias de ciprestes e túmulos com que ensombra os seus quadros bucólicos:

> E inda haverá mortal desassisado,
> Que sem temor os olhos seus demore
> Sobre o pálido túmulo sagrado,

([64]) José Bonifácio de Andrada e Silva (Santos, 1763 — Rio, 1838). Estudou em Coimbra formando-se em Direito Civil e em Filosofia Natural (Ciências). Mente enciclopédica, foi mineralogista de renome na Europa e homem de sólida cultura econômica, além de grande estadista. Voltando para o Brasil em 1819, influiu vigorosamente junto ao Príncipe D. Pedro no período da Independência. Exilado entre 1823 e 1829, viveu na França (Bordéus) onde põe termo à redação das *Poesias Avulsas de Américo Elísio* lá editadas, em 1825. Regressando, recebe do Imperador renunciante o encargo de tutelar o futuro Pedro II, então menor. A sua ação política no período regencial é tida como saudosista. V. Sérgio Buarque de Holanda, Prefácio às *Poesias,* I.N.L., 1946.

Que lá reluz ao longe!
À vista dele, doce vate, morre
Toda a alegria minha,
Morre o prazer da eterna primavera.

(Ode, imitada do inglês, à morte de um poeta bucólico)

À luz da passagem de convenção paisagística para o pitoresco entendem-se as palavras finais de Américo Elísio na Dedicatória:

> Quem folgar de Marinismos e Gongorismos, ou de *Pedrinhas no fundo do ribeiro*, dos versistas nacionais de freiras e casquilhos, fuja desta minguada rapsódia, como de febre amarela.

Poetas de escasso valor foram também Francisco Vilela Barbosa (Rio, 1769-1846), árcade retardatário que compôs em Portugal os *Poemas* e uma cantata "À Primavera"; e José de Natividade Saldanha (1795-1830), menos lembrado como idílico nativista do que por ter participado na Confederação do Equador (1824) e vindo a morrer tragicamente na Colômbia, onde se ligara aos liberais radicais.

O único nome que, ao lado de Sousa Caldas e José Bonifácio, pode aspirar ao título de *representativo*, é o de Domingos Borges de Barros (1779-1855), aristocrata baiano e doutor em Coimbra que, depois de ter viajado pela Europa e conhecido na França os últimos árcades, Delille e Legouvé, voltou ao Brasil onde serviu à política de Pedro I, que o fez Visconde da Pedra Branca. Publicou em Paris as *Poesias Oferecidas às Senhoras Brasileiras por um Baiano* (1825) e, muito mais tarde, a elegia *Os Túmulos* pranteando a morte de um seu filho ainda menino. Segundo a fina análise de Antônio Cândido ([65]), há nos melhores poemas de Borges de Barros aquelas cadências de difusa sentimentalidade que se afastam da Arcádia galante para tocar motivos pré-românticos: o "vago d'alma", a melancolia, a saudade, a mágoa, a solidão. Sendo, porém, um poeta irregular, de fáceis descaídas para o banal e o medíocre, não foi capaz de passar de uma ou outra intuição para o amadurecimento de um estilo que teria feito dele, pelo menos, o que foi Gonçalves de Magalhães dez anos mais tarde: o introdutor do Romantismo em nossa literatura.

Os gêneros públicos

Ao lado dessa poesia, oscilante entre velhos e novos padrões, florescem os gêneros nascidos da aberta inserção na vida pública: o sermão, o artigo, o discurso, o ensaio de jornal. Foi nessa atividade, a rigor extraliterária, mas

([65]) *Op. cit.*, vol. I, pp. 284-291.

rica de contatos com a cultura européia do tempo, que se articularam as nossas letras ante-românticas e se definiram as linhas ideológicas mestras do Primeiro Império e da Regência.

Para quem se entranha na história brasileira da primeira metade do século, assumem uma clara função simbólica os nomes de Cayru, Monte Alverne, Frei Caneca, Hipólito da Costa, Evaristo da Veiga. O denominador comum é o novo mito que dos iluministas aos homens de 89 passara a idéia-força da burguesia ocidental: a liberdade.

As nações devem ser livres. É a razão que o ensina, é Deus que o quer. Variam as tônicas no panfleto ou no sermão conforme as raízes leigas ou religiosas do autor. Nas *Cartas* de Sousa Caldas e nas apóstrofes de Frei Caneca, a fonte dos valores é naturalmente a divindade; nos ensaios de Hipólito da Costa, redator único do *Correio Brasiliense*, e nos artigos de Evaristo da Veiga, alma da *Aurora Fluminense*, são as luzes da razão que exigem um clima de liberdade e tolerância. "Vós amais a liberdade, eu adoro-a", dizia aos mineiros D. Pedro, e era um sinal dos tempos na boca de um príncipe português de índole autoritária.

Variavam também os objetos a que se aplicava a idéia.

Para o Visconde de Cayru (José da Silva Lisboa, 1756-1835), ela significava o fim dos entraves coloniais ao livre comércio: o que resultou na franquia dos portos, em 1808, e na progressiva ocupação pela Inglaterra de um novo e respeitável mercado.

Para o bispo e maçom D. José Joaquim da Cunha Azeredo Coutinho [66], além das reformas econômicas, era a nova pedagogia do *Emílio*, voltada para a natureza e para a formação do *citoyen*, que arrancaria o brasileiro do ócio e da treva colonial.

A insistência nas reformas educacionais acha-se também nas *Cartas* do Padre Sousa Caldas (1762-1814) escritas, segundo Veríssimo, à imitação das *Lettres Persannes*. Infelizmente só nos restam duas, mas que deixam entrever a largueza desse espírito liberal capaz de fundir o amor ao progresso e a crença religiosa (*).

A mesma síntese crismou-se de ardor revolucionário na pessoa de Frei Joaquim do Amor Divino Caneca (1779-1825). Sua repulsa às feições despóticas do Primeiro Reinado exprimiu-se primeiro nos panfletos cheios de sarcasmo do *Tífis Pernambucano* e nas *Cartas de Pítia a Damão*, e depois pela adesão à República do Equador (1824), que lhe valeu a pena de morte.

Mas Frei Caneca é caso extremo no período. Será necessário esperar pelos grandes levantes populares da Regência e do Segundo Império, a *Balaiada*, a

---

(66) De Azeredo Coutinho, v. *Obras Econômicas*, apresentação de Sérgio Buarque de Holanda, S. Paulo, C. E. Nacional, 1966. Sobre o seu pensamento, v. Nelson Werneck Sodré, "Azeredo Coutinho, um economista colonial", em *A Ideologia do Colonialismo*, 2ª ed., Rio, Civ. Brasileira, 1965, pp. 19-37.

(*) Mais três cartas de Sousa Caldas foram publicadas por Alexandre Eulálio na *Revista* do *Livro* (1964). Sobre a sua ideologia, ver, de Antônio Cândido, "Carta Marítima", em *O Discurso e a Cidade*, S. Paulo, Duas Cidades, 1993.

Cabanada, a *Sabinada*, os *Farrapos* e a *Praieira*, para entender essas crises do equilíbrio econômico e político que o poder central iria superar apoiando-se nos oligarcas provincianos e na perpetuação do escravismo.

Representam o liberalismo de centro dois admiráveis publicistas da época, Hipólito da Costa Pereira (67) e Evaristo da Veiga (68). Cada um à sua maneira criou o molde brasileiro da prosa jornalística de idéias, não superado durante o século XIX. Para ambos, a liberdade é, acima de tudo, possibilidade de expressão, de informação, de crítica. São os clássicos do respeito aos direitos civis, à Constituição. Diferem em grau. Hipólito da Costa era dotado de um talento mais viril que Evaristo; tendo passado boa parte da vida na Inglaterra, pôde absorver uma cultura política muito mais complexa que a do redator apressado da *Aurora Fluminense*. Diferem também pelas próprias circunstâncias de tempo em que atuaram. Hipólito foi o analista lúcido que viu do alto do seu observatório londrino o Brasil de D. João VI; feita a Independência, calou-se o *Correio Brasiliense* dando por cumprida a sua missão. Ao jornalista da *Aurora* coube o registro miúdo dos últimos anos do Primeiro Império, dos dias agitados da Abdicação (que ele ajudou a consumar-se) e de parte do *intermezzo* regencial. A prosa de Hipólito é a do ensaísmo ilustrado. A de Evaristo cinge-se à crônica política que tempera como pode as reações ao imprevisto. Mas uma e outra foram indispensáveis à formação de um público ledor em um país que mal nascera para a vida política; uma e outra repisaram temas liberais de que tanto careciam as elites recém-saídas do arbítrio colonial.

Os publicistas deixaram um legado de brasilidade à primeira geração romântica. Mas, pela própria natureza dos seus escritos, colados à práxis, não chegaram a influir na consciência literária que estava por nascer.

Influência e, mais que influência, fascínio, exerceu a palavra de um orador sagrado, Frei Francisco de Monte Alverne (69), que carreou para o limiar do

---

(67) Hipólito José da Costa Pereira Furtado de Mendonça (Colônia do Sacramento, 1774 — Londres, 1823). V. Carlos Rizzini, *Hipólito da Costa e o Correio Brasiliense*, S. Paulo, C. E. Nacional, 1958.

(68) Evaristo Ferreira da Veiga (Rio de Janeiro, 1799-1837). V. Octávio Tarquinio de Sousa, *Evaristo da Veiga*, S. Paulo, C. E. Nacional, 1938.

(69) Frei Francisco de Monte Alverne, no século Francisco de Carvalho (Rio de Janeiro, 1784 — Niterói, 1858). Ordenando-se frade menor, ensinou Filosofia no Seminário de São Paulo e, depois de 1817, foi nomeado Pregador da Capela Real, função que exerceu brilhantemente durante o Primeiro Reinado. Tendo cegado em 1836, afastou-se do púlpito até 1854, quando Pedro II o chamou, ocasião em que proferiu um sermão, célebre pelas palavras iniciais: "É tarde, é muito tarde..." Manteve correspondência assídua com os primeiros românticos, Gonçalves de Magalhães e Porto Alegre. Há uma edição razoável de suas *Obras Oratórias*, em 2 vols., pela Garnier (s. d.). Cf. Roberto Lopes, *Monte Alverne, Pregador Imperial*, Petrópolis, Vozes, 1958; *Cartas a Monte Alverne*, S. Paulo, Conselho Estadual de Cultura, 1964.

Romantismo uma nova sensibilidade pela qual se fundiam ao calor da crença as "harmonias da natureza" e as "glórias da Pátria".

Tiveram-no por mestre e oráculo os românticos passadistas: de Magalhães a Porto Alegre, de Gonçalves Dias a Alencar. E não por acaso. Foi ele quem primeiro sentiu a inflexão espiritualista da Europa romântica; e quem nos trouxe os primeiros ecos do *Gênio do Cristianismo* e da filosofia eclética de Cousin. Traçavam-se então os contornos da resistência religiosa ao ceticismo burguês: e a linha de compromisso seguida por quase todos os católicos franceses era a de um cauto e piedoso liberalismo. Não foi outra a opção do nosso franciscano.

São caracteres constantes nas homilias de Monte Alverne: a intenção apologética, um vago e retórico amor da pátria e, embora soe estranho na boca de um frade, um exagerado conceito de si — narcisismo que bem assenta a esse avatar dos românticos.

Da sua presença diz, sem muita simpatia, José Veríssimo:

> No Rio de Janeiro, o principal centro de cultura e de vida literária do país, Fr. Francisco de Monte Alverne fazia do púlpito ou da cátedra estrado de tribuno político, misturando constantemente, com eloqüência retumbante havida então por sublime, a religião e a pátria (70).

Na verdade, os sermões de Monte Alverne, que deixaram fama de êxito invulgar, não resistem à leitura. Sua retórica é das que pedem a voz e o gesto para disfarçar a mesmice dos conceitos por trás de uma empostação persuasiva. Quanto ao conteúdo ideológico, servem de exemplo estas palavras, proferidas pouco antes da Abdicação; o orador exalta a liberdade constitucional sem poupar louvores à grandeza de Pedro I:

> Não, o Brasil não queria, o Brasil não quererá mais um déspota: o reinado da escravidão passou para não voltar mais: a arbitrariedade não vingará na terra sagrada, que seus destinos impelem aos mais sérios melhoramentos. Importava pouco ao Brasil gemer no senhorio da metrópole ou suportar grilhões nacionais; mas era da maior transcendência para o Brasil estabelecer a sua existência sobre alicerces indestrutíveis; espancar a tirania debaixo de qualquer forma, com que pudesse mostrar-se; e combinar com a severidade da lei a dignidade do homem.
>
> Foi sem dúvida um dos mais soberbos triunfos da filosofia a aquisição dum príncipe que, recebendo o cetro e a coroa das mãos dum povo, que ele mesmo libertara, proclamou a soberania popular, resolveu a teoria da legitimidade e completou o grande ato da independência do Brasil, oferecendo-lhe uma constituição, na qual se reúnem as inspirações mais sublimes, os votos de todos os homens ge-

---

(70) José Veríssimo, *História da Literatura Brasileira*, 3ª ed., Rio, José Olympio, p. 166.

nerosos, e todos os penhores do engrandecimento nacional. (Em Ação de Graças no aniversário do juramento da Constituição aos 25 de março de 1831.)

À guisa de balanço. Dos últimos árcades até a introdução do Romantismo como programa, por volta de 1835/40, as letras brasileiras não se adensaram em torno de autênticos poetas que as marcassem com o selo de uma arte madura. Repetiu-se até o esvaziamento a tópica do século anterior, somando-se um ou outro dado nativista e religioso, sem que a tensão clássico/romântico, fortíssima na Europa, achasse aqui base histórica para crescer.

Em contrapartida, a passagem do sistema colonial, fechado e monopolista, para a integração no mercado franco e na cultura do Ocidente, deu condições para a emergência de teses liberais que, no púlpito ou no jornal, dominaram a nossa primeira prosa de idéias.

Caberia às gerações jovens do Segundo Império consolidar a ideologia do patriotismo liberal. E o fizeram, afetando-a dos supremos valores românticos, o *indivíduo* e a *tradição.*

IV

O ROMANTISMO

Caracteres gerais

Segundo Paul Valéry, seria necessário ter perdido todo espírito de rigor para querer definir o Romantismo.

E, à falta de uma definição que abrace, no contorno de uma frase, a riqueza de motivos e de temas do movimento, é comum recorrer ao simples elenco destes, ocultando no mosaico da análise a impotência da síntese.

Mas aqui, como nos outros ciclos culturais, o todo é algo mais que a soma das partes: é gênese e explicação. O amor e a pátria, a natureza e a religião, o povo e o passado, que afloram tantas vezes na poesia romântica, são conteúdos brutos, espalhados por toda a história das literaturas, e pouco ensinam ao intérprete do texto, a não ser quando *postos em situação, tematizados e lidos como estruturas estéticas.*

Ora, é a compreensão global do complexo romântico que alcança entender esses vários níveis de abordagem que a análise horizontal dos "assuntos" aterra no mesmo plano.

A situação dos vários romantismos

O primeiro e maior círculo contorna a civilização no Ocidente que vive as contradições próprias da Revolução Industrial e da burguesia ascendente. Definem-se as classes: a nobreza, há pouco apeada do poder; a grande e a pequena burguesia, o velho campesinato, o operariado crescente. Precisam-se as visões da existência: nostálgica, nos decaídos do *Ancien Régime*; primeiro eufórica, depois prudente, nos novos proprietários; já inquieta e logo libertária nos que vêem bloqueada a própria ascensão dentro dos novos quadros; imersa ainda na mudez da inconsciência, naqueles para os quais não soara em 89 a hora da Liberdade-Igualdade-Fraternidade.

Segundo a interpretação de Karl Mannheim, o Romantismo expressa os sentimentos dos *descontentes* com as novas estruturas: a nobreza, que já caiu, e a pequena burguesia que ainda não subiu: de onde, as atitudes saudosistas ou reivindicatórias que pontuam todo o movimento ([71]).

([71]) Karl Mannheim, *Essays, cit.*

O quadro, vivo e pleno de conseqüências espirituais na Inglaterra e na França, então limites do sistema, exibe defasagens maiores ou menores à medida que se passa do centro à periferia. As nações eslavas e balcânicas, a Áustria, a Itália central e meridional, a Espanha, Portugal e, com mais evidência, as *colônias*, ainda vivem em um regime dominado pela nobreza fundiária e pelo alto clero, não obstante os golpes cada vez mais violentos da burguesia ilustrada.

O Brasil, egresso do puro colonialismo, mantém as colunas do poder agrário: o latifúndio, o escravismo, a economia de exportação. E segue a rota da monarquia conservadora após um breve surto de erupções republicanas, amiudadas durante a Regência (72).

Carente do binômio urbano indústria-operário durante quase todo o século XIX, a sociedade brasileira contou, para a formação da sua inteligência, com os filhos de famílias abastadas do campo, que iam receber instrução jurídica (raramente, médica) em São Paulo, Recife e Rio (Macedo, Alencar, Álvares de Azevedo, Fagundes Varela, Bernardo Guimarães, Franklin Távora, Pedro Luís), ou com filhos de comerciantes luso-brasileiros e de profissionais liberais, que definiam, *grosso modo*, a alta classe média do país (Pereira da Silva, Gonçalves Dias, Joaquim Norberto, Casimiro de Abreu, Castro Alves, Sílvio Romero). Raros os casos de extração humilde na fase romântica, como Teixeira e Sousa e Manuel Antônio de Almeida, o primeiro narrador de folhetim, o segundo, picaresco; ou do trovador semipopular Laurindo Rabelo.

Nesse esquema, do qual afasto qualquer traço de determinismo cego, ressalte-se o caráter seletivo da educação no Brasil-Império e, o que mais importa, a absorção pelos melhores talentos de padrões culturais europeus refletidos na Corte e nas capitais provincianas.

Assim, apesar das diferenças de situação material, pode-se dizer que se formaram em nossos homens de letras configurações mentais paralelas às respostas que a inteligência européia dava a seus conflitos ideológicos.

Os exemplos mais persuasivos vêm dos melhores escritores. O romance colonial de Alencar e a poesia indianista de Gonçalves Dias nascem da aspiração de fundar em um passado mítico a nobreza recente do país, assim como — *mutatis mutandis* — as ficções de W. Scott e de Chateaubriand rastreavam na Idade Média feudal e cavaleiresca os brasões contrastados por uma burguesia em ascensão. De resto, Alencar, ainda fazendo "romance urbano", contrapunha a moral do homem antigo à grosseria dos novos-ricos; e fazendo romance regionalista, a coragem do sertanejo às vilezas do citadino.

---

(72) V. José Ribeiro Jr., "O Brasil Monárquico em face das Repúblicas Americanas", em *Brasil em Perspectiva*, *cit.*, pp. 167-221.

A correspondência faz-se íntima na poesia dos estudantes boêmios, que se entregam ao *spleen* de Byron e ao *mal du siècle* de Musset, vivendo na província uma existência doentia e artificial, desgarrada de qualquer projeto histórico e perdida no próprio narcisismo: Álvares de Azevedo, Junqueira Freire, Fagundes Varela... Como os seus ídolos europeus, os nossos românticos exibem fundos traços de defesa e evasão, que os leva a posições regressivas: no plano da relação com o mundo (retorno à mãe-natureza, refúgio no passado, reinvenção do bom selvagem, exotismo) e no das relações com o próprio *eu* (abandono à solidão, ao sonho, ao devaneio, às demasias da imaginação e dos sentidos). Para eles caberia a palavra do Goethe clássico e iluminista que chamava a esse Romantismo "poesia de hospital".

Enfim, o paralelo alcança a última fase do movimento, já na segunda metade do século, quando vão cessando as nostalgias aristocráticas, já sem função na dinâmica social, e se adensam em torno do mito do progresso os ideais das classes médias avançadas. Será o Romantismo público e oratório de Hugo, de Carducci, de Michelet, e do nosso Antônio Castro Alves.

Temas

Do círculo maior, sócio-histórico, podemos passar ao da tematização das atitudes vividas pelos escritores românticos. As coordenadas do contexto fazem-se traços mentais e afetivos.

O fulcro da visão romântica do mundo é o sujeito. Diríamos hoje, em termos de informação, que é o emissor da mensagem.

O *eu* romântico, objetivamente incapaz de resolver os conflitos com a sociedade, lança-se à evasão. No tempo, recriando uma Idade Média gótica e embruxada. No espaço, fugindo para ermas paragens ou para o Oriente exótico.

A natureza romântica é expressiva. Ao contrário da natureza árcade, decorativa. Ela *significa* e *revela*. Prefere-se a noite ao dia, pois à luz crua do sol o real impõe-se ao indivíduo, mas é na treva que latejam as forças inconscientes da alma: o sonho, a imaginação.

> Quem provou da onda cristalina, que, não tocada pelos sentidos comuns, jorra do seio escuro da noite; quem ficou nos cimos, nos extremos confins da Vida, e deitou os olhos à Terra Prometida e às moradas da Noite, já não regressará ao mundo da angústia, às terras onde habita a Luz, perene inquietação (Novalis, *Hinos à Noite*, IV).

> Pensei que o Amor vivesse à luz quente do Sol. — natureza.
> Ele vive ao luar.
> Eu pensei encontrá-lo no calor do Dia.
> Consolador da Noite é o doce Amor.
> Na escuridão da noite

e na nave do inverno,
entre os nus e os réprobos,
é que o deves buscar

(Blake, "William Bond")

O mundo natural *encarna* as pressões anímicas. E na poesia ecoam o tumulto do mar e a placidez do lago, o fragor da tempestade e o silêncio do ocaso, o ímpeto do vento e a fixidez do céu, o terror do abismo e a serenidade do monte.

Abri as frescas rosas,
fazei brilhar os cravos
do seu jardim, ó árvore, vesti-vos
de lindas folhas verdes;
videira que nos destes sombra outrora,
a cobrir-vos de pâmpanos voltai.
Natureza formosa,
eternamente a mesma,
dizei aos loucos, aos mortais dizei
que eles não perecerão.

(Rosalía de Castro, *Folhas Novas*)

Pálida estrela! o canto do crepúsculo
Acorda-te no céu:
Ergue-te nua na floresta morta
No teu doirado véu!
Ergue-te! Eu vim por ti e pela tarde
Pelos campos errar,
Sentir o vento, respirando a vida,
E livre suspirar.
. . . .
Oh! quando o pobre sonhador medita
Do vale fresco no orvalhado leito,
Inveja às águas o perdido vôo
Para banhar-se no perfume etéreo,
E nessa argêntea luz, no mar de amores
Onde entre sonhos e luar divino
A mão eterna vos lançou no espaço,
Respirar e viver!

(Álvares de Azevedo, *Lira dos Vinte Anos*)

São palavras do Werther goethiano:

Amigo, quando me vejo inundar de luz, quando o mundo e o céu vêm habitar dentro de mim, como a imagem da mulher amada, então digo a mim mesmo: "Se pudesses exprimir o que sentes! Se pudesses exalar e fixar sobre o papel o que vive em ti com tanto calor e plenitude que essa obra se transformasse em espelho da tua alma, como a tua alma é espelho de Deus Infinito!"

Enfim, com a *música*, a mais livre das artes, esperavam os românticos entregar-se ao fluxo infinito do Cosmos:

> A música de Beethoven — dizia Hoffmann — põe em movimento a alavanca do medo, do terror, do arrepio, do sofrimento, e desperta precisamente esse infinito anelo que é a essência do Romantismo.

Infinito anelo. Nostalgia do que se crê para sempre perdido. Desejo do que se sabe irrealizável: a liberdade absoluta na sociedade advinda com a Revolução de 89.

Na ânsia de reconquistar "as mortas estações" e de reger os tempos futuros, o Romantismo dinamizou grandes mitos: a nação e o herói.

A nação afigura-se ao patriota do século XIX como uma idéia-força que tudo vivifica. Floresce a História, ressurreição do passado e retorno às origens (Michelet, Gioberti). Acendra-se o culto à língua nativa e ao folclore (Schlegel, Garrett, Manzoni), novas bandeiras para os povos que aspiram à autonomia, como a Grécia, a Itália, a Bélgica, a Polônia, a Hungria, a Irlanda. Para algumas nações nórdicas e eslavas e, naturalmente, para todas as nações da América, que ignoraram o Renascimento, será este o momento da grande afirmação cultural. Mazzini, apóstolo da unidade italiana, viu bem o próprio século: "hora do advento das nações".

Entretanto, o nexo entre o *eu* e a *História*, mantido no pensamento abstrato de um Fichte, logo se desata na práxis de uma sociedade descontínua por excelência. O homem romântico reinventa o *herói*, que assume dimensões titânicas (Shelley, Wagner) sendo afinal reduzido a cantor da própria solidão (Foscolo, Vigny).

Mas, como herói, é o poeta-vate, o gênio portador de verdades, cumpridor de missões:

> A nós pertence
> Ficar de pé, cabeça erguida, ó poetas,
> Sob as tempestades de Deus tomar com as mãos
> O raio do Pai e o relâmpago,
> e estender aos homens,
> sob o véu do canto,
> o dom do céu.
>
> (HOELDERLIN)

> A voz de Deus me chamou: "Levanta-te, profeta, vê, ouve, e percorrendo mares e terras, queima com a Palavra os corações dos homens" (PUCHKIN).

> Eu sinto em mim o borbulhar do gênio (CASTRO ALVES).

O nível estético

Mas não tocamos o âmago da arte romântica enquanto não entendemos os códigos que cifram as novas mensagens. É o último círculo, o estético. A poesia, o romance e o teatro passam a existir no momento em que as idéias e os sentimentos de um grupo tomam a forma de composições, arranjos intencionais de signos, estruturas ou ainda, para usar do velho termo rico de significados humanos, no momento em que os assuntos viram *obras*.

Os códigos clássicos, vigentes desde a Renascença, dispunham de macrounidades, os gêneros poéticos (épico, lírico, dramático) e de microunidades, as formas fixas (epopéia, ode, soneto, rondó, tragédia, comédia...). No interior desses esquemas, que formalizavam categorias psicológicas, atuava uma rede de subcódigos tradicionais: topos, mitemas, símbolos; que, por sua vez, se traduziam, no nível da elocução, pelas figuras de estilo, de sintaxe e de prosódia, responsáveis pelo tecido concreto do texto literário.

Esses conjuntos formais serviram quanto puderam até os últimos árcades brasileiros que decifravam as mensagens pré-românticas da Europa em termos da sua própria e retardada formação literária: Sousa Caldas misturava acordes bíblicos e ritmos neoclássicos; José Bonifácio traduzia em odes o seu patriotismo de exilado; o Visconde da Pedra Branca confundia o novo sentimentalismo com o *cantabile* de Metastasio...

A uma certa altura, mudado o pólo da nossa inteligência de Coimbra para Paris ou Londres, não era mais possível pensar e escrever dentro do universo estanque de uma linguagem ainda setecentista, ainda colonial.

Na França, a partir de 1820, e na Alemanha e na Inglaterra, desde os fins do século XVIII, uma nova escritura substituíra os códigos clássicos em nome da liberdade criadora do sujeito. As liberações fizeram-se em várias frentes. Caiu primeiro a mitologia grega (velha armadura mal remoçada no tempo de Napoleão), e caiu aos golpes do medievismo católico de Chateaubriand *et alii*. Com as ficções clássicas foi-se também o paisagismo árcade que cedeu lugar ao pitoresco e à cor local. A mesma liberdade desterra formas líricas ossificadas e faz renascer a balada e a canção, em detrimento do soneto e da ode; ou, abolindo qualquer constrangimento, escolhe o *poema* sem cortes fixos, que termina onde cessa a inspiração (Byron, Lamartine, Vigny...). A epopéia, expressão heróica já em crise no século XVIII, é substituída pelo poema político e pelo romance histórico, livre das peias de organização interna que marcavam a narrativa em verso. No teatro, espelho fiel dos abalos ideológicos, as mudanças não seriam menos radicais: afrouxada a distinção de tragédia e comédia, cria-se o *drama*, fusão de sublime e grotesco, que aspira a reproduzir o encontro das paixões individuais contido pelas *bienséances* clássicas. O martelo, augurado por Victor Hugo no prefácio do *Cromwell*, põe abaixo todas as convenções, começando pela vetusta lei das três unidades que os trágicos da Renascença haviam tomado a Aristóteles.

A renovação nas camadas sonoras atingiu o cerne do verso, o ritmo, distendendo-o em função da *melodia* que, veículo mais adequado às efusões do sentimento, contou com a preferência dos poetas e, naturalmente, dos compositores: Chopin, Liszt, Berlioz, Schubert, Schumann, mestres de uma nova e difusa sensibilidade musical. Renascem, por outro lado, formas medievais de estrofação e dá-se o máximo relevo aos metros breves, de cadência popular, os redondilhos maiores e menores, que passam a competir com o nobre decassílabo.

Gênero entre todos contemplado foi o *romance*, "a revolução literária do Terceiro Estado" (Debenedetti). Os ingleses, que se anteciparam ao resto da Europa na marcha da Revolução Industrial, já dispunham, no século XVIII, de narradores de costumes burgueses (Fielding, Richardson); os românticos acresceram-lhes a ficção histórica (Scott, Manzoni, Dumas, Hugo, Herculano) e o romance egótico-passional (Stendhal, Lamartine, George Sand, Garrett, Camilo), formas acessíveis ao novo público leitor composto principalmente de jovens e de mulheres, e ansioso de encontrar na literatura a projeção dos próprios conflitos emocionais. O romance foi, a partir do Romantismo, um excelente índice dos interesses da sociedade culta e semiculta do Ocidente. A sua relevância no século XIX se compararia, hoje, à do cinema e da televisão.

O Romantismo oficial no Brasil. Gonçalves de Magalhães

Coube a alguns escritores de segunda plana a introdução do Romantismo como *programa* literário no Brasil.

O nome de Gonçalves de Magalhães ([73]) é tradicionalmente lembrado pela baliza da publicação dos *Suspiros Poéticos e Saudades* (1836), livro e data que a história fixou para a introdução do movimento entre nós.

([73]) Domingos José Gonçalves de Magalhães (Rio, 1811 — Roma, 1882). Começou um curso de Belas-Artes na Academia do Rio, então sob influência de Debret, pintor de costumes brasileiros; mas preferiu a carreira médica, diplomando-se em 1832, ano de suas *Poesias*, ainda arcádicas. Viajando para a Europa, conhece a Itália, a Suíça e a França e assimila traços do Romantismo patriótico e medievista de Chateaubriand, Lamartine e Manzoni. Publica em Paris os *Suspiros Poéticos e Saudades* em 1836 e, no mesmo ano, lança com Porto Alegre, Torres Homem e Pereira da Silva a revista *Niterói*, onde teoriza sobre uma reforma nacionalista e espiritualista da literatura brasileira. Volta em 1837 ao Brasil, dedica-se ao teatro (*Antônio José*, *Olgiato*) com as mesmas intenções reformistas. Ascende rapidamente a postos-chave da nossa cultura: membro do Instituto Histórico e Geográfico, recém-criado, Professor de Filosofia no Colégio Pedro II; e da política, onde foi conservador: secretário de Caxias no Maranhão após a repressão da Balaiada; governador e deputado do Rio Grande do Sul depois dos Farrapos. Cada vez mais ligado a D. Pedro II, é este quem lhe edita o poema épico *A Confederação*

"Romântico arrependido" chamou-o com ironia Alcântara Machado, e a expressão é válida, não só por ter Magalhães na velhice mudado o estilo juvenil, mas, intrinsecamente, pela natureza de sua obra que de romântico tem apenas alguns temas, mas não a liberdade expressiva, que é o toque da nova cultura.

A relevância histórica reside no fato de Magalhães não ter operado sozinho como imitador de Lamartine e Manzoni, mas de ter produzido junto a um grupo, visando a uma reforma da literatura brasileira. Fundando em Paris a *Niterói, revista brasiliense* (1836) com seus amigos Porto Alegre, Sales Torres Homem e Pereira da Silva, o autor dos *Suspiros Poéticos* promoveu de modo sistemático os seus ideais românticos (nacionalismo *mais* religiosidade) e o repúdio aos padrões clássicos externos, no caso, ao emprego da mitologia pagã.

Válido como documento do grau de consciência crítica do grupo é o Ensaio de Magalhães "Sobre a História da Literatura do Brasil", que retoma e alarga sínteses de nossa história cultural realizadas por estudiosos estrangeiros: Ferdinand Denis e Garrett, na esteira de Mme. de Staël (*De l'Allemagne*, 1813), que fizera correr pelo primeiro Romantismo o binômio poesia-pátria ([74]).

Do mesmo esforço de programar as nossas letras é fruto o teatro de Magalhães, que veio coincidir com a criação do primeiro grupo dramático realmente brasileiro, a Companhia Dramática Nacional, organizada em 1833 pelo ator João Caetano. A este coube levar à cena a tragédia *Antônio José ou O Poeta da Inquisição* que era, segundo Magalhães, "a primeira tragédia escrita por um brasileiro e única de assunto nacional".

Mais uma vez, o papel de Magalhães se ateria à prioridade: *Antônio José*, apesar das veleidades renovadoras, peca pelo conservantismo no gênero (ainda

---

dos Tamoios (1857) e quem sai a campo para defendê-lo das invectivas de Alencar. O Imperador fê-lo Barão e Visconde de Araguaia. Edição: *Obras Completas*, Rio, MEC, 1939, ed. anotada por Sousa de Silveira e prefaciada por Sérgio Buarque de Holanda. Sobre Magalhães: José Aderaldo Castello, *A Polêmica sobre "A Confederação dos Tamoios"*, S. Paulo, Faculdade de Filosofia, Ciências e Letras da Univ. de S. Paulo, 1953.

([74]) FERDINAND DENIS, autor de boa cultura ibérica e brasileira, já sob influência do historicismo romântico. Deixou um *Résumé de l'histoire littéraire du Portugal, suivi du résumé de l'histoire littéraire du Brésil*, Paris, 1826; de ALMEIDA GARRETT, o "Bosquejo da História da Poesia e Língua Portuguesa" precede ao *Parnaso Lusitano*, Paris, Aillaud, 1826-27, 5 vols., e inclui sobre nossos árcades algumas páginas onde se insiste na existência de uma poesia genuinamente americana. Para a contribuição de ambos à consciência romântica nacional, v. Antônio Soares Amora, *O Romantismo*, S. Paulo, Cultrix, 1967, cap. III. Ver também a excelente antologia de Guilhermino César, *Historiadores e Críticos Românticos*, I, Rio, LTC, 1978.

tragédia, em vez de drama) e na própria forma (o verso clássico em vez da prosa moderna).

Para o seu tempo, porém, e para o Imperador, que desde os primeiros anos do reinado o agraciou e o fez instrumento de sua política cultural, Magalhães foi sempre tido como o mestre da nova poesia. E ele mesmo sentia-se no dever de ministrar todos os gêneros e assuntos de que a nova literatura carecia para adquirir foros de nacional e romântica. Tendo-nos dado o lírico e o dramático, faltava-lhe o épico; fê-lo retomando Durão e Basílio, lidos sob um ângulo enfaticamente nativista, e compôs a *Confederação dos Tamoios* quando Gonçalves Dias já fizera públicos os seus cantos indianistas e Alencar redigia a epopéia em prosa que é *O Guarani*. Foi-lhe fatal o atraso, que o privou desta vez do "mérito cronológico" que vinha marcando a sua presença no Romantismo brasileiro. A essa altura, o indianismo já caminhara além das intuições dos árcades e pré-românticos e se estruturava como uma para-ideologia dentro do nacionalismo. E a linguagem atingira em Gonçalves Dias um nível estético que um leitor sensível como Alencar já podia exigir de um poema que se dava por modelo da épica nacional. Assim, tanto a mensagem como o código de *A Confederação* pareciam (e eram) insuficientes aos olhos dos próprios românticos. E, apesar das defesas equilibradas com que acudiram Porto Alegre, Monte Alverne e Pedro II, as palavras duras de José de Alencar selaram o fim da primazia literária de Magalhães:

> Se eu fosse uma dessas autoridades reconhecidas pelo consenso geral, em vez de argumentar e discutir, como fiz nas cartas que lhe mandei, limitar-me-ia a escrever no livro da *Confederação dos Tamoios* alguma sentença magistral, como por exemplo aquele dito de Horácio — *Musa Pedestris* (6ª Carta) ([75]).

Porto Alegre

O principal companheiro de Magalhães no grupo da *Niterói* em nada o ultrapassou: Manuel de Araújo Porto Alegre (1806-1879), pintor de formação acadêmica recebida do mestre Debret, reuniu seus poemas nas *Brasilianas* (1863), escritas com o intuito confesso de "acompanhar o sr. Magalhães na reforma da arte feita por ele em 1836". Como lírico é ainda inferior ao modelo; mas a sua veia descritiva, que resvalava do pitoresco para o prosaico, encontrou modos vários de transbordar na quilométrica epopéia *Colombo* em nada menos de quarenta cantos, que chegou, bem anacrônica, em 1866, a revelar a marginalidade desse "prócer do Romantismo".

([75]) V. J. A. Castello, *A Polêmica*, *cit*.

A historiografia

O grupo afirmou-se graças ao interesse de Pedro II de consolidar a cultura nacional de que ele se desejava o mecenas. Dando todo o apoio ao Instituto Histórico e Geográfico Brasileiro, criado nos fins da Regência (1838), o jovem monarca ajudou quanto pôde as pesquisas sobre o nosso passado, que se coloriram de um nacionalismo oratório, não sem ranços conservadores, como era de esperar de um grêmio nascido sob tal patronato. Pertenceram-lhe alguns estudiosos razoáveis: Pereira da Silva (1817-98) compilou o *Parnaso Brasileiro* (1842) e foi cronista encomiástico no *Plutarco Brasileiro* (1847), obras que contribuíram para balizar o meufanismo romântico. Francisco Adolfo de Varnhagen (Sorocaba, SP, 1816 — Viena, 1878), erudito de estofo germânico e educação portuguesa, deu o mais cabal exemplo de quanto era possível fundir um pensamento retrógrado com o indianismo sentimental. Por um lado, a historiografia de Varnhagen, aliás pioneira pela riqueza de documentos, estava marcada pelos valores do passadismo; nada lhe era mais antipático do que o levante popular ou o intelectual "frondeur": leia-se a propósito o que escreveu, na *História Geral do Brasil*, sobre a revolução pernambucana de 1817; por outro lado, foi dos primeiros a engrossar a corrente dos desfrutadores das lendas indígenas, no *Sumé*, poema "mito-religioso-americano" e no *Caramuru*, romance histórico em versos, que revivem, à custa dos hábitos nativos, as intenções apologéticas de Santa Rita Durão.

Embora, a rigor, caia Varnhagen fora da literatura, creio que se deva insistir no exame do seu complexo ideológico, pois também se reconhecerá em autores da melhor água como Gonçalves Dias e Alencar. O índio, fonte da nobreza nacional, seria, em princípio, o análogo do "bárbaro", que se impusera no Medievo e construíra o mundo feudal: eis a tese que vincula o passadista da América ao da Europa. O Romantismo refez à sua semelhança a imagem da Idade Média, conferindo-lhe caracteres "romanescos" de que se nutriu largamente a fantasia de poetas, narradores e eruditos durante quase meio século. Havia um substrato polêmico na mitização do universo cavaleiresco: era a reação de nobres como Chateaubriand e Scott aos plutocratas e ao triunfo dos liberais que desdenhavam as velhas hierarquias. Esse complexo ideo-afetivo não abarca todo o Romantismo, mas uma área bem determinada como classe e como tendência intelectual. Homens fervorosamente liberais como Herculano, De Sanctis, Michelet e Victor Hugo buscariam na Idade Média outros valores: a força do povo contra os tiranos, a constância da fé pessoal perante o fanatismo, ou ainda o vigor da arte anônima que construiu as catedrais góticas. Esse "medievismo" não se perde em fumos heráldicos e canta naturalmente o progresso, *lato se*[illegible]*u*, burguês, na acepção sociológica do termo.

[illegible]so indianismo, de Varnhagen a Alencar, pendeu para o extremo con[illegible]omo todo o contexto social e político do Brasil dos fins da Regência [illegible] 60. A primeira metade do reinado de Pedro II representou a es[illegible] governo central, escorado pelo regime agrário-escravista e capaz de subjugar os levantes de grupos locais à margem do sistema: os farrapos no Sul, os liberais em S. Paulo e Minas, os balaios no Maranhão, os praieiros em Pernambuco. Ora, foi esse o período de introdução *oficial do* Romantismo na cultura brasileira. E o que poderia ter sido um alargamento da oratória nativista dos anos da Independência (Fr. Caneca, Natividade Saldanha, Evaristo) compôs-se com traços passadistas a ponto de o nosso primeiro historiador de vulto exaltar ao mesmo tempo o índio e o luso, de o nosso primeiro grande poeta cantar a beleza do nativo no mais castiço vernáculo; enfim, de o nosso primeiro romancista de pulso — que tinha fama de antiportuguês — inclinar-se reverente à sobranceria do colonizador. A América já livre, e repisando o tema da liberdade, continuava a pensar como uma invenção da Europa.

De qualquer forma, o cuidado da pesquisa e da documentação é saldo positivo nesse período que nos deu, além da obra de Varnhagen, as monografias de Joaquim Norberto de Sousa Silva (Rio, 1820-1891), dentre as quais são de leitura útil ainda hoje a *História da Conjuração Mineira* (1873), norteada pelo mesmo espírito nacionalista dos sequazes de Magalhães, e as introduções aos principais poetas da plêiade mineira, que ele reeditou e anotou profusamente. Foi Norberto um dos pilares em que se assentou a nossa historiografia literária até a publicação das obras maduras de Sílvio Romero e José Veríssimo.

Teixeira e Sousa

Um primo pobre do grupo fluminense é a tocante figura de Teixeira e Sousa ([76]), mestiço de origem humílima a quem se deve a autoria do primeiro romance romântico brasileiro ([77]), *O Filho do Pescador* (1843). Também es-

---

([76]) Antônio Gonçalves Teixeira e Sousa (Cabo Frio, 1812 — Rio, 1861). Filho de um vendeiro português e de uma mestiça, exerceu sempre ofícios modestos, começando como carpinteiro, e chegando a duras penas a mestre-escola e a escrivão. Deixou: *O Filho do Pescador, Romance Original Brasileiro* (1843), *Tardes de um Pintor ou As Intrigas de um Jesuíta* (1844), *Gonzaga ou A Conjuração de Tiradentes* (1848-51), *A Providência* (1854), *As Fatalidades de Dous Jovens. Recordações dos Tempos Coloniais* (1856), *Maria ou a Menina Roubada* (1859); na poesia, *Cânticos Líricos* (1841-42). V. Aurélio Buarque de Holanda, "O Filho do Pescador e As Fatalidades de Dous Jovens", em *O Romance Brasileiro*, Rio, *O Cruzeiro*, 1952, pp. 21-36.

([77]) Sendo a questão das prioridades um dos pratos diletos da crônica literária, convém esclarecer em que sentido ela se atribui aqui ao romance de estréia de Teixeira e Sousa. Antes da publicação deste, saíram à luz, em 1839, três novelas históricas: *Jerônimo Corte Real, crônica do século XVI, O Aniversário de Dom Miguel em 1825* e *Religião, Amor e Pátria*; e, em 1841, uma novela sentimental de Joaquim Norberto, *As Duas Órfãs*. Há, portanto, uma diferença de gênero... e de fôlego: as novelas históricas ou melodramáticas eram, via de regra, adaptação de folhetins franceses traduzidos então

creveu um infeliz poemeto épico, *A Independência do Brasil*, e versos indianistas, mas é como narrador folhetinesco que nos interessa. Poderia ser mencionado no capítulo da ficção, junto a Macedo, Alencar, Manuel Antônio de Almeida, Bernardo Guimarães e Taunay. Mas prefiro não vê-lo ao lado destes por duas razões: uma é a inegável distância, em termos de valor, que os separa de todos (Teixeira é muito inferior ao próprio Macedo); a outra diz respeito à situação do romance na fase inicial da cultura romântica. Para a poesia, gênero nobre, foram grandes modelos franceses e portugueses (Lamartine, Hugo, Herculano, Garrett) que inspiraram um Magalhães e um Porto Alegre, não vindo ao caso, a esta altura, o porte dos imitadores. Mas para o romance, nem Stendhal nem Balzac, nem Staël nem Manzoni, nem mesmo os lidíssimos Scott e Chateaubriand, lograram imprimir, nesse primeiro tempo, o molde ficcional a ser reproduzido. É a subliteratura francesa que, no original ou em más traduções, vai sugerir a um homem semiculto, como Teixeira e Sousa, os recursos para montar às suas seqüências de aventuras e desencontros. Por quê? O romance romântico dirige-se a um público mais vasto, que abrange os jovens, as mulheres e muitos semiletrados; essa ampliação na faixa dos leitores não poderia condizer com uma linguagem finamente elaborada nem com veleidades de pensamento crítico: há o fatal "nivelamento por baixo" que sela toda subcultura nas épocas em que o sistema social divide *a priori* os homens entre os que podem e os que não podem receber instrução acadêmica. O fato é que o novo público menos favorecido busca algum tipo de entretenimento sendo o folhetim o que melhor responde à demanda e melhor se estrutura no seu nível. Hoje fazem-se acurados estudos sobre a *cultura de massa* manipulada pela indústria: a história em quadrinhos, a novela de rádio, o *show* de televisão e a música de consumo têm analistas que vão da psicanálise à sociologia e se encontram na encruzilhada da teoria das comunicações. Nos meados do século passado vigorava o prejuízo aristocrático pelo qual as produções feitas para o gosto menos letrado caíam fora da cultura, e, como tal, não deveriam ser objeto de estudo e interpretação. Não se impusera ainda a noção de "massa", a não ser em sentido depreciativo, embora já se incorporasse nos discursos liberais o conceito de "povo": tão genérico, que, à falta de uma análise diferencial de classes e grupos, resvalava para a pura retórica.

A análise dos fatores que compõem o romance-folhetim virá esclarecer as motivações e os valores daquela média e pequena burguesia que, ainda à margem do "Enrichissez-vous" (moto das faixas ascendentes por volta de 1830), não podia evadir-se no estilo da nobreza dos Novalis e dos Chateaubriands, e recorria aos expedientes menos caros do romanesco e do piegas. O romance

---

copiosamente. Só Teixeira e Sousa compôs um romance, embora, no fundo, adotasse os expedientes daqueles folhetins.

de capa-e-espada, as novelas ultra-românticas e os dramalhões, chancelados por hábeis manejadores de pena como Eugène Sue, Scribe, Féval e Dumas pai, foram as leituras obrigatórias desse novo público e os modelos — diretos ou não — de Teixeira e Sousa, como o seriam de Macedo. Já um Alencar, embora os conhecesse, teve todas as condições culturais para entroncar-se na linhagem "alta" de Scott e de Chateaubriand e, mesmo, para ir além dessas influências nos seus melhores momentos de romancista urbano.

Marca a ficção subliterária de Teixeira e Sousa o aspecto mecânico que nela assume a intriga. Esta é a essência do folhetim, como, em outro nível, o será do romance policial e da "science-fiction" quando não tocados pelo gênio poético de um Poe ou de um Dino Buzzati. O processo reinstaura, no plano da comunicação escrita, o esquema *estímulo-reação* a que alguns psicólogos reduzem a vida sensorial. O prazer que vem da resposta é protelado e, ao mesmo tempo, artificialmente excitado por um acúmulo de incidentes, cujo único fim é despertar a curiosidade misturada com um vago receio de um desenlace trágico. Nesse arranjo simplista, o sujeito — diria um "behaviorista" — se parece com uma caixa vazia: não sei o que há dentro dele, mas o que me interessa é a seqüência de fatos (os *episódios*) e as suas pressões sobre o comportamento, quer dizer, os mesmos episódios vistos como *aventuras* das personagens. O culto da peripécia em todos os romances de Teixeira e Sousa produz sempre a justaposição, único modo de levar adiante o romance: acidentes, reconhecimentos, avanços e retornos, até que o processo sature o autor e o leitor ("princípio da saciedade") e dê por findo o passatempo. É supérfluo acrescentar que acompanha o processo uma tipificação violenta dos seres humanos, divididos *a priori* em anjos e demônios, mocinhos e bandidos, necessários estes para a glória daqueles e aqueles para o fim exemplar destes. Pela identificação do autor-leitor com os primeiros, afirma-se a personalidade do herói-vítima, que atravessa a subliteratura do Romantismo, e é claro sintoma de uma situação social e psicológica. E quadram muito bem às feições semi-populares desse primo pobre da geração de Magalhães aqueles estereótipos e um difuso providencialismo ("junto aos meus escritos o quanto posso de moral, para que sejam úteis").

Seja como for, foi com ele que o Romantismo caminhou para a narração, instrumento ideal para explorar a vida e o pensamento da nascente sociedade brasileira.

A POESIA

Gonçalves Dias

Gonçalves Dias ([78]) foi o primeiro poeta autêntico a emergir em nosso Romantismo. Se manteve com a literatura do grupo de Magalhães mais de um contato (passadismo, pendor filosofante), a sua personalidade de artista soube transformar os temas comuns em obras poéticas duradouras que o situam muito acima dos predecessores. E repito a observação feita em outro capítulo: de

---

([78]) Antônio Gonçalves Dias (Caxias, Maranhão, 1823 — Costas do Maranhão, no navio "Ville de Boulogne", 1864). Filho de um comerciante português e de uma mestiça, talvez cafusa, pois o poeta se dizia descendente das três raças que formaram a etnia brasileira. Estudou Leis em Coimbra, conhecendo, por volta de 1840, a poesia romântico-nacionalista de Garrett e Herculano que vincaria para sempre a sua linguagem. São frutos do contato com o clima saudosista português os dramas históricos *Patkull, Beatriz Cenci, Leonor de Mendonça*. Mas, já nessa fase, amadurecia o poeta voltado para a pátria e para o índio, de que foi o nosso grande idealizador. Retornando ao Brasil, em 1845, aproximou-se do grupo de Magalhães e obteve a proteção imperial que não mais lhe faltaria. Foi nomeado Professor de Latim e História do Brasil no Colégio Pedro II e recebeu, mais tarde, várias comissões para viagens e estudos. Publicando os *Primeiros Cantos* (1846), firma renome de grande poeta, logo ratificado pelos *Segundos Cantos e Sextilhas de Frei Antão* (1848) e pelos *Últimos Cantos* (1851). Nessas obras junta-se aos grandes temas românticos (Natureza-Pátria-Religião) o do amor impossível, de raiz autobiográfica: o poeta viu recusado um pedido seu de casamento; ao que se sabe, não a jovem Ana Amélia, mas a sua família opôs-se por preconceito de cor. G. Dias esteve na Amazônia, onde estudou etnografia e lingüística, e escreveu *Brasil e Oceânia* (1852) e um *Dicionário da Língua Tupi* (1858). Deixou ainda um poema épico, Os *Timbiras*, inacabado. Já muito doente, foi pela última vez à Europa, vindo a morrer na viagem de regresso no navio "Ville de Boulogne" que naufragou nas costas do Maranhão. Melhor., ed.: *Poesias Completas* e *Prosa Escolhida*, com introdução de Manuel Bandeira e texto de Antônio Houaiss, Rio, Aguilar, 1959. V. Fritz Ackermann, *A Obra Poética de Gonçalves Dias*, São Paulo, Depto. de Cultura, 1940; Cassiano Ricardo, "Gonçalves Dias e o Indianismo", em *A Literatura no Brasil* (dir. de Afrânio Coutinho), Rio, Ed. Sul-Americana, 1955, vol. I, t. 2, pp. 659-736.

Glaura de Silva Alvarenga aos *Primeiros Cantos* não se escreveu no Brasil nada digno do nome de poesia.

Poucos anos depois da estréia de Gonçalves Dias, Alexandre Herculano saudava-o, lamentando embora que os motivos indianistas não ocupassem nos *cantos* maior espaço. A reserva do solitário de Val-de-Lobos é significativa: o poeta maranhense tem muito de português no trato da língua e nas cadências garrettianas do lirismo, ao contrário dos seus contemporâneos, sobre os quais pesava a influência francesa. O núcleo "americano", que pela intensidade expressiva se prendeu ao nome do poeta, é, de fato, exíguo no conjunto da obra gonçalvina que vive dos grandes temas românticos do amor, da natureza, de Deus. Mas é preciso ver na força de Gonçalves Dias indianista o ponto exato em que o mito do bom selvagem, constante desde os árcades, acabou por fazer-se verdade artística. O que será moda mais tarde, é nele matéria de poesia.

A idéia da bondade natural dos primitivos, esboçada por Montaigne nos *Essais* (I, XXXI, "Des Cannibales"), à vista dos testemunhos que os viajantes traziam da América, vinculou-se no Renascimento ao mito da idade de ouro. E, embora os textos de não poucos desses viajores e dos missionários fossem contraditórios, frisando ora a selvageria, ora a docilidade dos nativos, conforme o momento e o contexto, firmou-se uma leitura intencional dos documentos, que contrapunha à malícia e à hipocrisia do europeu a simplicidade do índio. É claro que a antinomia natural/decadente desempenhava uma função polêmica nos ataques que o "Ancien Régime" sofria por parte do pensamento crítico dos ilustrados: essa oposição ia abrindo brechas em uma sociedade de todo "artificial" e hierarquizada. Assim se explica a retomada do mito do bom selvagem por um homem de extração popular, ressentido com o sistema, Jean-Jacques Rousseau. Mas aqui a análise do contexto é a regra de ouro: no pregador do *Émile*, a inocência do primitivo serve para contrastar com a tirania e a depravação dos nobres no tempo de Luís XV; mas, vitoriosas as idéias liberais de 89, o mesmo *retorno à natureza* e a paixão das origens daria ao Visconde René de Chateaubriand argumentos passadistas contra a grosseria dos burgueses pouco sensíveis à nobreza do primitivo e ao fascínio da vida natural.

Os mitos assumem um sentido quando postos na constelação cultural e ideológica a que servem.

Atente-se para o uso que do bom selvagem fizeram dois poetas nossos pouco distantes no tempo: Santa Rita Durão e Sousa Caldas. O primeiro exalta a religiosidade inata do índio para melhor contestar, do ponto de vista da catequese, os liberais afrancesados. Mas ao poeta da "Ode ao Homem Selvagem" é precisamente o ideário iluminista que lhe dá meios de glorificar o "primitivo estado":

De tresdobrado bronze tinha o peito
Aquele ímpio tirano,
Que primeiro, enrugando o torvo aspeito,

do *meu* e *teu* o grito desumano
Fez soar em seu dano:
Tremeu a sossegada Natureza
Ao ver deste mortal a louca empresa.

Para a primeira geração romântica, porém, presa a esquemas conservadores, a imagem do índio casava-se sem traumas com a glória do colono que se fizera brasileiro, senhor cristão de suas terras e desejoso de antigos brasões. É a perspectiva de Gonçalves Dias até à sua última produção indianista, *Os Timbiras*, "poema americano dedicado à Majestade do Muito Alto e Muito Poderoso Príncipe e Senhor D. Pedro II, Imperador Constitucional e Defensor Perpétuo do Brasil":

Os ritos semibárbaros dos Piagas,
Cultores de Tupã e a terra virgem
Donde como dum trono enfim se abriram
Da Cruz de Cristo os piedosos braços;
As festas, e batalhas mal sangradas
Do povo Americano, *agora extinto*,
Hei de cantar na lira (*).

Mas é apenas o matiz conformista que pode aproximar os versos do maranhense aos de Magalhães, Porto Alegre e Varnhagen. O que nestes era prosaico e flácido aparece, na arte de G. Dias, transposto em ritmos ágeis e vazado numa linguagem precisa em que logo se conhece o selo de um espírito superior. Desde as "Poesias Americanas", expressão dos valores bélicos (fulcro do indianismo épico), o artista entra no tom justo dos versos breves, fortemente cadenciados e sabiamente construídos na sua alternância de sons duros e vibrantes:

Valente na guerra
Quem há, como eu sou?
Quem vibra o tacape
Com mais valentia?
Quem golpes daria
Fatais como eu dou?
— Guerreiros, ouvi-me,
— Quem há como eu sou?

Quem guia nos ares
A frecha emprumada,
ferindo uma presa,

(*) Voltando a estudar Gonçalves Dias, pude rever essa afirmação; na verdade o poeta soube (à diferença da literatura conservadora do tempo) apreender a tragédia do índio na iminência de ser massacrado pelo conquistador: é o sentido de poemas como "O Canto do Piaga" e "Deprecação" (ver *Dialética da Colonização*, *cit*., pp. 181-186).

Com tanta certeza
Na altura arrojada
Onde eu a mandar?
— Guerreiros, ouvi-me,
— Ouvi meu cantar.

(O Canto do Guerreiro)

Um dos caracteres das poesias americanas de Gonçalves Dias, e que as distancia da frouxidão das experiências anteriores, é a entrada súbita *in medias res*, que chama o leitor sem tardança ao clima de vigor selvagem desejado:

Aqui na floresta
Dos ventos batida
. . . .

(O Canto do Guerreiro)

Ó Guerreiros da Taba sagrada,
Ó Guerreiros da Tribo Tupi,
Falam Deuses nos cantos do Piaga,
Ó Guerreiros, meus cantos ouvi.

(O Canto do Piaga)

Tupã, ó Deus grande! cobriste o teu rosto
Com denso velâmen de penas gentis;
E jazem teus filhos clamando vingança
Dos bens que lhes deste da perda infeliz.

(Deprecação)

No exemplo seguinte, a técnica de apresentar o objeto do poema, pondo-o logo à frente do leitor, é responsável pela brônzea solenidade da abertura:

Gigante orgulhoso, de fero semblante,
Num leito de pedra lá jaz a dormir!
Em duro granito repousa o gigante,
Que os raios somente puderam fundir.

(O Gigante de Pedra)

No poemeto "I-Juca Pirama" a crítica, unânime, tem admirado a ductilidade dos ritmos que vão recortando os vários momentos da narração. Amplo e distendido nos cenários:

No meio das tabas de amenos verdores,
Cercado de troncos — cobertos de flores,
Alteiam-se os tetos d'altiva nação.

Ondeante nos episódios em que se movem grupos humanos:

Em fundos vasos de alvacenta argila
Ferve o cauim;
Enchem-se as copas, o prazer começa,
Reina o festim.

Martelado nas tiradas de coragem, até o emprego do anapesto nas apóstrofes célebres da maldição:

Sou bravo, sou forte,
Sou filho do Norte;
Meu canto de morte,
Guerreiros, ouvi.
. . . .
Sempre o céu, como um teto incendido
Creste e punja teus membros malditos
E o oceano de pó denegrido
Seja a terra ao ignavo tupi!
Miserável, faminto, sedento,
Manitôs lhe não falem nos sonhos,
E do horror os espectros medonhos
Traga sempre o cobarde após si.

Do virtuosismo rítmico de Gonçalves Dias é ainda prova a composição de "A Tempestade", onde se alinham todos os metros portugueses usados até o Romantismo: desde o bissílabo, cuja lepidez abre fulmineamente o poema

(Um raio
Fulgura
No espaço
Esparso,
De luz;
E trêmulo
E puro
Se aviva,
S'esquiva,
Rutila,
Seduz.)

até a sinfonia dos endecassílabos que orquestram o clímax da procela através de um riquíssimo jogo de timbres:

Nos últimos cimos dos montes erguidos
Já silva, já ruge do vento o pegão.
Estorcem-se os leques dos verdes palmares,
Volteiam, rebramam, doudejam nos ares,
Até que lascados baqueiam no chão.

O exemplo de Gonçalves Dias artífice do verso sobrevive aos românticos e toca os parnasianos. Tiveram-no por mestre Bilac e Alberto de Oliveira, quando o paisagismo e o canto do índio já se haviam mudado em franja e ornamento da cultura escolar.

Na obra lírica de Gonçalves Dias são os modelos portugueses que atuam mais diretamente: o Garrett sentimental, nas poesias de amor e saudade ("Olhos Verdes", "Menina e Moça", "Ainda uma vez — Adeus!") e o Herculano gótico dos hinos à Natureza, à Morte e dos poemas religiosos ("Dies Irae", "O Meu Sepulcro", "Visões").

Nem sempre o contato do poeta com as letras lusas se fez em seu proveito. Às vezes, ao sóbrio cantor da natureza e ao vigoroso indianista justapõe-se um poeta menor, que navegou nas águas rasas do grupo ultra-romântico do *Trovador*, entregue a um medievismo requentado pelos chavões de uma retórica piegas ("O Assassino", "Suspiros", "Delírio", "O Trovador"). São, porém, raros esses momentos e, no caso dos medievismos, por certo os redimem as *Sextilhas de Frei Antão* em língua e estilo arcaico, exato contraponto dos poemas do bom selvagem na sua ânsia romântica de voltar às perdidas origens:

> Bom tempo foi o d'outrora
> Quando o reino era cristão,
> Quando nas guerras de mouros
> Era o rei nosso pendão,
> Quando as donas consumiam
> Seus teres em devação.

A lírica de Gonçalves Dias singulariza-se no conjunto da poesia romântica brasileira como a mais literária, isto é, a que melhor exprimiu o caráter mediador entre os pólos da expressão e da construção. O poeta de "I-Juca Pirama" é o clássico do nosso Romantismo: enquanto fonte de temas e formas da segunda e terceira geração; e enquanto "poets' poet", alvo das preferências críticas de poetas tão díspares entre si como Bilac, Machado de Assis e Manuel Bandeira.

O romantismo egótico: a 2ª geração

Se na década de 40 amadureceu a tradição literária nacionalista, nos anos que se lhe seguiram, ditos da "segunda geração romântica", a poesia brasileira percorrerá os meandros do extremo subjetivismo, à Byron e à Musset. Alguns poetas adolescentes, mortos antes de tocarem a plena juventude, darão exemplo de toda uma temática emotiva de amor e morte, dúvida e ironia, entusiasmo e tédio.

Se romantismo quer dizer, antes de mais nada, um progressivo dissolver-se de hierarquias (Pátria, Igreja, Tradição) em estados de alma individuais, então Álvares de Azevedo, Junqueira Freire e Fagundes Varela serão *mais românticos* do que Magalhães e do que o próprio Gonçalves Dias; estes ainda postulavam, fora de si, uma natureza e um passado para compor seus mitos poéticos; àqueles caberia fechar as últimas janelas a tudo o que não se perdesse no Narciso sagrado do próprio *eu*, a que conferiam o dom da eterna ubiqüidade.

Dizia Obermann no *Senancour*: "Eu sinto: eis a única palavra do homem que exige verdades. Eu sinto, eu existo para me consumir em desejos indomáveis, para me embeber na sedução de um mundo fantástico, para viver aterrado com o seu voluptuoso engano." Ora, a oclusão do sujeito em si próprio é detectável por uma fenomenologia bem conhecida: o devaneio, o erotismo difuso ou obsessivo, a melancolia, o tédio, o namoro com a imagem da morte, a depressão, a auto-ironia masoquista: desfigurações todas de um desejo de viver que não logrou sair do labirinto onde se aliena o jovem crescido em um meio romântico-burguês em fase de estagnação.

A poesia de Álvares de Azevedo e a de Junqueira Freire oferecem rica documentação para a psicanálise; e é nessa perspectiva que a têm lido alguns críticos modernos, ocupados em dar certa coerência ao vasto anedotário biográfico que em geral empana, em vez de esclarecer a nossa visão dos românticos típicos (79).

Mas, para um enfoque artístico, importa mostrar como todo um complexo psicológico se articulou em uma linguagem e em um estilo novo, que se manteve por quase trinta anos na esfera da história literária e sobreviveu, esgarçado e anêmico, até hoje, no mundo da subcultura e das letras provincianas.

Álvares de Azevedo

Para tanto, a leitura de Álvares de Azevedo (80) merece prioridade, pois foi o escritor mais bem dotado de sua geração.

---

(79) Penso nos ensaios penetrantes de Mário de Andrade, *O Aleijadinho e Álvares de Azevedo* ("Amor e Medo", pp. 67-134); de Jamil Almansur Haddad, *Álvares de Azevedo, a Maçonaria e a Dança* (C. E. de Cultura, S. Paulo, 1960); e de Dante Moreira Leite, *O Amor Romântico e Outros Temas* (C. E. de Cultura, S. Paulo, 1964).

(80) Manuel Antônio Álvares de Azevedo (São Paulo, 1831 — Rio, 1852). De família paulista, fez Humanidades no Colégio Pedro II, e cursou Direito em sua terra natal. Revelou talento precoce e grande capacidade de estudo, não obstante as tentações de byronismo e de satanismo a que teria cedido integrando-se nos grupos boêmios do tempo, ou tomando parte nos desmandos da *Sociedade Epicuréia*. Morreu tuberculoso aos vinte

Em vários níveis se apreendem as suas tendências para a evasão e para o sonho. A camada dos sonhos compõe ritmos frouxos, cientemente frouxos ("Frouxo o verso talvez, pálida a rima/ Por estes meus delírios cambeteia, / Porém odeio o pó que deixa a lima/ E o tedioso emendar que gela a veia" — diz no "Poema do Frade"), melodias lânguidas e fáceis que se prestam antes à sugestão de atmosferas que ao recorte nítido de ambientes:

> A praia é tão longa! e a onda bravia
> As roupas de gaza te molha de escuma;
> De noite — aos serenos — a areia é tão fria,
> Tão úmido o vento que os ares perfuma!
>
> (Sonhando)

E estas cadências lamartineanas:

> Além serpeia o dorso pardacento
> Da longa serrania,
> Rubro flameia o véu sanguinolento
> da tarde na agonia.
>
> (Crepúsculo nas montanhas)

O inventário do léxico nos dá uma série de grupos nominais próprios da situação adolescente que, fugindo à rotina, acaba se envisgando nos aspectos mórbidos e depressivos da existência: "pálpebra demente", "matéria impura", "noite lutulenta", "longo pesadelo", "pálidas crenças", "desespero pálido", "enganosas melodias", "fúnebre clarão", "tênebras impuras", "astro nublado", "água impura", "boca maldita", "negros devaneios", "deserto lodaçal", "tremedal sem fundo", "tábuas imundas", "leito pavoroso", "face macilenta", "anjo macilento", e numerosas vezes os epítetos "macilento", "pálido", "desbotado", repisando a intuição de precoce decadência e morte, que a epígrafe de Bocage anuncia:

> Cantando a vida como o cisne a morte.

Linguagem que, acrescida de termos científicos, voltaria em outro poeta dileto dos adolescentes, Augusto dos Anjos.

---

anos de idade, não vendo reunida em livro a sua obra que consta de um núcleo básico, *Lira dos Vinte Anos*, mais alguns poemetos (O Conde Lopo, Poema do Frade, Pedro Ivo), da prosa narrativa de *A Noite na Taverna* e diarística do *Livro de Fra Gondicario*, além de uma composição livre, meio diálogo, meio narração, *Macário*. Boa edição, a das *Obras Completas*, preparada por Homero Pires, em 2 volumes (S. Paulo, C. E. Nacional, 1944). Para a vida, consulte-se Veiga Miranda, *Álvares de Azevedo*, S. Paulo, *Revista dos Tribunais*, 1931; Edgard Cavalheiro, *Álvares de Azevedo*, S. Paulo, Ed. Melhoramentos, s. d. Para a interpretação, v. os estudos citados na nota anterior e Antônio Cândido, "AA, ou Ariel e Caliban", em *Formação da Literatura Brasileira*, *cit.*, vol. II, pp. 178-193; e *A Educação pela Noite e Outros Ensaios*, Ática, 1987. Tive ocasião de voltar à obra de Álvares de Azevedo no ensaio "Imagens do Romantismo no Brasil" (em *O Romantismo*, org. de J. Ginsburg, S. Paulo, Perspectiva, 1978).

As comparações e as metáforas traduzem no concreto das imagens naturais os mesmos sentimentos básicos: a flor desfolhada lembra a juventude sem viço; o sussurro da brisa semelha o suspiro do amante; e "as ondas são anjos que dormem no mar".

A evasão segue, nesse jovem hipersensível, a rota de Eros, mas o horizonte último é sempre a morte, o "É vão lutar — deixa-me perecer jovem" de Byron, o *cupio dissolvi* como forma última de resolver as tensões exasperadas. E alguns dos mais belos versos do poeta são versos para a morte:

Qu'esperanças, meu Deus! E o mundo agora
Se inunda em tanto sol no céu da tarde!
Acorda, coração!... Mas no meu peito
Lábio de morte murmurou — É tarde!

(Virgem Morta)

As torrentes da morte vêm sombrias

(Lágrimas de Sangue)

Quando em meu peito rebentar-se a fibra
Que o espírito enlaça à dor vivente
. . . .
Eu deixo a vida como deixa o tédio
Do deserto o poento caminheiro
— Como as horas de um longo pesadelo
Que se desfaz ao dobre de um sineiro.

(Lembrança de Morrer)

Na segunda parte da *Lira* a fuga tem por nomes dispersão, auto-ironia, confidência: uma espécie de cultivado *spleen* que lembra o último Musset ao dirigir o seu sarcasmo contra os ultra-românticos. Em versos soltos, próximos do livre andamento da prosa, Álvares de Azevedo define essa nova inflexão do seu egotismo:

Vou ficando blasé, passeio os dias
pelo meu corredor, sem companheiro,
Sem ler nem poetar. Vivo fumando.
. . . .
Ali na alcova
Em águas negras se levanta a ilha
Romântica, sombria à flor das ondas
De um rio que se perde na floresta...
Um sonho de mancebo e de poeta,
El-Dorado de amor que a mente cria
Como um Éden de noites deleitosas...
Era ali que eu podia no silêncio
Junto de um anjo... Além o romantismo!

(Idéias Íntimas)

À boêmia espiritual respondem certas fumaças liberais e anarcóides, provavelmente de fundo maçom, de um maçom romantizado, que é a cor política de Álvares e dos meios acadêmicos que praticava.

Confrontadas, porém, com a ideologia bolorenta do grupo de Magalhães, essas veleidades de radicalismo do jovem Manuel Antônio significam um passo avante na formação de uma corrente democrática que, no âmbito das Academias de Direito e das sociedades secretas, fazia oposição (ainda que só retórica) ao imobilismo monárquico e aos abusos do clero. Testemunho de revolta juvenil é o poemeto heróico dedicado a Pedro Ivo, rebelde praieiro:

> Alma cheia de fogo e mocidade
> Que ante a fúria dos reis não se acobarda,
> Sonhava nesta geração bastarda
> Glórias e liberdade.

Das imagens satânicas que povoavam a fantasia do adolescente dão exemplo os contos macabros de *A Noite na Taverna*, simbolista *avant la lettre*, e alguns versos febris de *O Conde Lopo* e do *Poema do Frade*. Também nessa literatura que herdou de Blake e de Byron a fusão de libido e instinto de morte, Álvares de Azevedo caminhava na esteira de um Romantismo em progresso enquanto trazia à luz da contemplação poética os domínios obscuros do inconsciente.

Junqueira Freire

Em Junqueira Freire ([81]) é precisamente esse convívio tenso entre *eros* e *thanatos* que sela a personalidade do religioso e do artista malogrado.

"Contrário a si mesmo, cantando por inspirações opostas, aparece-nos o homem através do poeta", dele disse Machado de Assis; e nessas palavras ia um elogio, mas também uma restrição. Louvor à sinceridade com que se projetou no verso o drama do indivíduo atado a uma falsa vocação; crítica ao

---

([81]) Luís José Junqueira Freire (Bahia, 1832-1855). Faz Humanidades no Liceu Provincial de Salvador e aos dezenove anos entra como noviço na Ordem Beneditina. Professa aos vinte, ao que parece sem nenhuma vocação segura e talvez empurrado pelo desejo de fugir à vida familiar extremamente infeliz. Depois de um ano de sacerdócio, pediu secularização, voltando para casa (1854). Falece de moléstia cardíaca no ano seguinte. Nessa vida brevíssima os acontecimentos são todos interiores: o desgosto na casa paterna, as ilusões sobre a vocação monástica, as dúvidas e desesperos nos dois anos em que permaneceu na Ordem. Daí o valor de testemunho que assume a sua única obra de poesia, as *Inspirações do Claustro* (1855). Acrescidas de alguns inéditos, foram publicadas sob o título de *Poesias Completas*, em 2 volumes, pela Editora Zélio Valverde (Rio, 1944), recomendando-se a boa introdução de Roberto Alvim Correa, que preparou a edição. Sobre Junqueira Freire, o melhor estudo (biográfico) é *Junqueira Freire, Sua Vida, Sua Época, Sua Obra*, de Homero Pires (Rio, A Ordem, 1929).

modo de ser dessa poesia, que, toda centrada no *eu* do emissor, não encontrou o correlato da invenção formal, e caiu no genérico, no prosaico e no cerebrino, ficando aquém da síntese conteúdo-forma.

É verdade que o descompasso está à espreita de todo poeta romântico; mas é também verdade que este se afirma como artista na medida em que logra vencer, pela palavra, as tentações de um confidencialismo frouxo. E quando o faz, como um Hoelderlin e um Leopardi, um Heine e um Vigny, cria um estilo viril que nada deve aos clássicos em vigor e precisão: essa era a "art romantique", rica de sons e de imagens, de movimento e de tensão, que o pai da poesia pós-romântica, Charles Baudelaire, cultuava como fonte do seu próprio estilo. Dela existia algo em Álvares de Azevedo e talvez muito em Gonçalves Dias; nada ou quase nada em Junqueira Freire, cujas *Inspirações do Claustro* podemos ler como um documento pungente de um moço enfermiço dividido entre a sensualidade, os terrores da culpa e os ideais religiosos, mas não como uma obra de poesia.

Uma prova, entre outras, da sua dificuldade de ajustar intenções e forma é o prosaico e duro "A Profissão de Frei João das Mercês Ramos", em que expõe o malogro da sua vocação:

> Eu também me prostrei ao pé das aras
> Com júbilo indizível:
> Eu também declarei com forte acento
> O juramento horrível.
>
> . . . .
>
> Tive mais tarde a reação rebelde
> Do sentimento interno.
> Tive o tormento dos cruéis remorsos,
> Que me parece eterno.

Para não sermos injustos com o poeta baiano, devemos reconhecer, com José Veríssimo, alguns momentos felizes em que lhe foi benéfica a aproximação com fontes populares, e com Antônio Cândido, outros em que a sua concepção anacrônica do verso se ajustou a uma poesia antes de pensamento que de sensibilidade ("A Morte").

Laurindo Rabelo

As fontes populares estavam presentes no boêmio e repentista Laurindo Rabelo ([82]), o "poeta lagartixa" e poeta de salão, mas por isso mesmo representativo do gosto romântico médio do Brasil Império.

([82]) Laurindo José da Silva Rabelo (Rio, 1826-1864). Mestiço, de origem modesta, começou a cursar a Escola Militar, mas decidiu-se por Medicina, formando-se pela Faculdade da Bahia. Famoso como repentista e solador de violão, compôs no período boêmio de sua vida um grande número de quadras, que publicou sob o título de *Trovas* (Bahia,

A trova, os redondilhos, as rimas emparelhadas são os seus meios de expressão congeniais, e, na mesma linha de simplicidade, são as flores que lhe oferecem material copioso para enumerações e metáforas. Algumas de suas quadras parecem provir da cultura semipopular portuguesa e brasileira:

> "Minh'alma é toda saudades,
> De saudades morrerei",
> Disse-me, quando, minh'alma
> Em saudades lhe deixei.
>
> Parece que a natureza
> Quis provar esta verdade,
> Quando diversa da roxa
> Te criou, branca saudade.

Mas, vivendo também em um meio de extração burguesa, Laurindo, como o faria mais tarde Catulo da Paixão Cearense, contorce aqui e lá a dicção, à procura de uma graça decorativa que possa produzir efeito entre os seus ouvintes cultos ou pseudocultos. Não ultrapassa, nesse caso, a esfera do léxico romântico em voga: "exangue", "sublime", "vestais"... Creio que sua obra pode ser uma das balizas para um estudo que a nossa cultura reclama: o das relações entre a linguagem do povo, da classe média e dos grupos de prestígio nos meios urbanos. Talvez nos surpreendam as águas que se misturam quando esperaríamos ver rígidas barreiras. Assim, há sempre um amaneiramento nas quadrinhas que dá ora para o sentimental, ora para o conceituoso, o que de certo modo altera a espontaneidade. Mas esse já é um problema que deve ser resolvido na área da "literatura oral" e que foge, portanto, à nossa finalidade.

Casimiro de Abreu

Ainda na linha de compreensão do público médio é que se deve apreciar a popularidade de Casimiro de Abreu ([83]), que operou uma *descida de tom* em

---

1853). Serviu alguns anos no Exército na qualidade de oficial-médico e, pouco antes de morrer, como professor adido à Escola Militar. Para o texto, biografia e notas críticas, veja-se a edição das *Obras Completas*, S. Paulo, Cia. Ed. Nacional, 1946.

([83]) Casimiro José Marques de Abreu (Barra de São João, Província do Rio de Janeiro, 1839-1860). Filho de um rico fazendeiro e negociante português, transcorreu a infância no campo, de onde saiu para estudar Humanidades em Nova Friburgo. Antes de completá-las, foi para o Rio de Janeiro, a mandado do pai, praticar comércio, o que, não sendo naturalmente a sua vocação, nele produziu certo ressentimento, visível em alguns poemas, e talvez demasiadamente explorado pela biografia romântica. Vai depois para Lisboa onde se inicia como poeta e dramaturgo (logrando ver representada a sua peça *Camões e o Jau* em 1856, no Teatro D. Fernando). Voltando ao Rio, já traz os manuscritos das "Canções do Exílio" que, somadas às outras composições aqui escritas,

relação à poesia de Gonçalves Dias, Álvares de Azevedo e Junqueira Freire. Na verdade pouco diferiria destes se o critério de comparação se esgotasse na escolha dos temas, valorizados em si mesmos: a saudade da infância, o amor à natureza, os fogachos de adolescente, a religião sentimental, o patriotismo difuso. Mas o que singulariza o poeta é o modo de compor, que remonta, em última análise, ao seu *modo de conhecer a realidade* na linguagem e pela linguagem.

Casimiro reduzia a natureza e o próximo a um ângulo visual menor: o do seu temperamento sensual e menineiro que o aproxima bastante dos literatos fluminenses coevos, do tipo de Laurindo Rabelo e Joaquim Manuel de Macedo. Ele adelgaça a expressão dos afetos, tão ardentes em Gonçalves Dias, tão apaixonados em Álvares de Azevedo.

Compare-se a "Canção do Exílio" que abre as *Primaveras* com a peça homônima dos *Primeiros Cantos* de Gonçalves Dias: nesta o tom é sóbrio até à ausência absoluta de adjetivos; naquela, apesar da imitação dos dados naturais (palmeiras, sabiá, céu...), o tom é lânguido e os motivos da pátria distante se diluem ao embalo das rimas seguidas e dos pleonasmos:

> Debalde eu olho e procuro...
> Tudo escuro
> Só vejo em roda de mim!
> Falta a luz do lar paterno
> Doce e terno,
> Doce e terno para mim.

E os versos popularíssimos de "Meus Oito Anos" já estavam na "Cantiga do Sertanejo" de Álvares de Azevedo; mas há uma diferença de contexto que tudo altera: Casimiro ignora as pregas da afetividade do poeta paulista. Como este, tem seu *Livro Negro* onde canta a tristeza da inocência perdida; mas é pálida, sem garras e exclamativa a sua lira de sombras, faltando-lhe o sarcasmo, a auto-ironia sem tréguas, que levava Álvares de Azevedo a tocar, pela exasperação, os limites do próprio egotismo.

Em tudo Casimiro é menor. E sendo-o coerentemente, os seus versos agradaram, e creio que ainda possam agradar aos que pedem pouco à literatura: um ritmo cantante, uma expressão fácil, uma palavra brejeira.

---

formam o seu único livro de poemas, *Primaveras* (1859), publicado com os recursos paternos. Faleceu de tuberculose no ano seguinte. V. *Obras de Casimiro de Abreu*, organizadas por Sousa da Silveira, S. Paulo, Cia. Ed. Nacional, 1940. Para o estudo do poeta, além da introdução de Sousa da Silveira à ed. citada, ver José Veríssimo, "Casimiro de Abreu", em *Estudos de Literatura Brasileira*, II, pp. 47-59, e Carlos Drummond de Andrade, "No Jardim Público de Casimiro de Abreu", em *Confissões de Minas*, Rio, Americ-editora, 1945, pp. 37-45.

Epígonos

Entre a geração que apareceu nos anos de Cinqüenta e um grupo realmente novo pelo espírito e pela forma (Castro Alves, Pedro Luís, Sousândrade), encontram-se epígonos, que retomam o americanismo de Gonçalves Dias ou as efusões sentimentais de Álvares de Azevedo e Casimiro de Abreu.

Alguns deles perderam de todo o contato com o público: Aureliano Lessa (84), Teixeira de Melo (85), Francisco Otaviano (86), José Bonifácio, o Moço (87) e, ao menos como poeta, Bernardo Guimarães (88).

---

(84) José Aureliano Lessa (Diamantina, 1828 — Conceição do Serro, 1861). Companheiro de Álvares de Azevedo nos anos acadêmicos de São Paulo. Sua obra foi coligida pelo irmão, Francisco José Pedro Lessa, nas *Poesias Póstumas* (1873), com prefácio de Bernardo Guimarães.

(85) Teixeira de Melo(Campos, RJ, 1833 — Rio, 1868). Deixou: *Sombras e Sonhos* (1858). Póstumo, *Miosótis* (1877). As *Poesias*, reunindo os precedentes, vieram à luz em 1914, com prefácio de Sílvio Romero. Ver Péricles Eugênio da Silva Ramos, *O Verso Romântico*, S. Paulo, Comissão Estadual de Cultura, 1959.

(86) Francisco Otaviano de Almeida Rosa (Rio, 1825-1889). Político de certo prestígio no Segundo Reinado: chegou a senador e ascendeu na carreira diplomática. Publicou pouco: versões de Ossian com o nome de *Cantos de Selma* (1872) e *Traduções e Poesias* (1881). Muito populares os seus versos intitulados "Ilusões da Vida":

> Quem passou pela vida em branca nuvem
> e em plácido repouso adormeceu,
> quem não sentiu o frio da desgraça,
> quem passou pela vida e não sofreu,
> foi espectro de homem, não foi homem,
> só passou pela vida, não viveu.

V. Xavier Pinheiro, *Francisco Otaviano, escorço biográfico e seleção*, Rio, 1925.

(87) José Bonifácio, O Moço (Bordéus, 1827 — S. Paulo, 1886). Filho de Martim Francisco de Andrada e Silva, sobrinho do Patriarca. Como professor de Direito e político, influiu na última geração liberal do Império: foram discípulos seus Castro Alves e Rui Barbosa. Começou ultra-romântico com *Rosas e Goivos* (1848), mas com o tempo preferiu a musa cívica, prenunciando a oratória dos Condoreiros ("Prometeu", "Liberdade", "A Garibaldi"). Ed. completa de seus poemas: *José Bonifácio, o Moço — Poesias*, S. Paulo, Comissão Estadual de Cultura, 1962.

(88) Bernardo Joaquim da Silva Guimarães(Ouro Preto, 1825-1884). Fez Humanidades na cidade natal e Direito em São Paulo, onde se uniu por amizade a Álvares de Azevedo e Aureliano Lessa, deixando fama de boêmio e satírico. Exerceu as funções de juiz em Catalão e de professor secundário em Ouro Preto e Queluz. Dos temas românticos preferiu o da natureza e o da pátria, mas singularizou-se como humorista, nota que trouxe do satanismo juvenil da fase boêmia ("A Orgia dos Duendes",

Varela

Mas o epígono por excelência, o maior dentre os menores poetas saídos das Arcadas paulistas, foi, sem dúvida, Fagundes Varela [89], o único nome de relevo na poesia da década de 60.

"Lido após aqueles poetas" — diz severamente José Veríssimo — deixa-nos a impressão do já lido [90]. E não dizia novidade, pois Sílvio Romero, que fora mais indulgente com Varela, afirmara: "A obra do poeta... aparentemente pessoal, é uma das mais impessoais da nossa literatura" [91].

Seria fácil rastrear em sua produção descurada e prolixa sugestões e mesmo decalques de Gonçalves Dias, Álvares de Azevedo e Casimiro de Abreu. Explorou todos os temas românticos, não excetuado o do índio que, na altura do *Evangelho nas Selvas*, redigido entre 1870 e 1875, já não figurava como fonte de inspiração em nossas letras.

Por outro lado, Varela foi, mais que os seus modelos, sensível à lira patriótica de filiação liberal: índice de uma tendência que inverteu, a partir de 60, aquele signo áulico manifesto no "coro dos contentes", como chamaria Sousândrade as vozes conformistas de Magalhães e Porto Alegre [92].

O poeta de *O Estandarte Auriverde* acompanha nesse ponto a viragem na vida política do II Império, quando entrava a formar-se uma oposição mais conseqüente, de que seriam mentores José Bonifácio, o Moço, Luís Gama,

---

"O Elixir do Pajé"). Obra poética: *Cantos da Solidão* (1852), *Poesias* (1865), *Novas Poesias* (1876), *Folhas de Outono* (1883). Ver *Basílio de Magalhães*, Bernardo Guimarães, Rio, 1926. Para o romancista, v. adiante o tópico ficção.

(89) Luís Nicolau Fagundes Varela (Rio Claro, RJ, 1841 — Niterói, 1875). Filho de fazendeiros, passou a infância junto à natureza ou em viagens, acompanhando os pais, o que talvez lhe explique o modo de ser dispersivo e volúvel. Matriculou-se em Direito, em S. Paulo (1862) depois de três anos de boêmia. Ainda estudante, casa-se com uma artista de circo, Ritinha Sorocabana, que lhe deu um filho, Emiliano, e cuja morte, aos três meses de idade, lhe inspira o "Cântico do Calvário". Em S. Paulo publica *Vozes da América* e *Cantos e Fantasias*, partindo em 65 para Recife a fim de prosseguir os estudos. Logo regressa ao saber da morte da esposa. Abandonando de vez o curso, entrega-se a uma vida errante pelas fazendas fluminenses, que nem o segundo casamento logra deter. Morreu em Niterói, vítima de um insulto cerebral, aos trinta e três anos de idade. Obras: as citadas, mais *Noturnas*, *O Estandarte Auriverde* (63), *Cantos Meridionais* (69), *Cantos do Ermo e da Cidade* (69), *Cantos Religiosos* (78), *Diário de Lázaro* (80). Consultar: Edgard Cavalheiro, *Fagundes Varela*, 3ª ed., S. Paulo, 1956.

(90) Em *Hist. da Lit. Bras.*, 3ª ed., Rio, J. Olympio, 1954, p. 280.

(91) Em *Hist. da Lit. Bras.*, Rio, J. Olympio, vol. IV.

(92) No poema *O Guesa*, canto X, estrofe 61. Sobre Sousândrade, v. mais adiante p. 125.

Tobias Barreto e maior poeta Castro Alves. Varela prenuncia os *condoreiros* pelo ardor nacionalista (*O Estandarte* é de 63), pelo mito da América-paraíso-da-liberdade (*Vozes da América*, de 64), enfim, no tratamento precoce do tema do negro ("Mauro, o Escravo", 1864) em relação à literatura abolicionista dos decênios seguintes (93).

O poemeto exalta a figura do negro herói que vinga a desonra da irmã. Mistura de "maldito" byroniano e de Bug-Jargal, o Mauro de Varela tem poucas raízes brasileiras; e como foi traçado a golpes de melodrama, acabou dizendo mais da visão romântica do herói rebelde que das angústias do negro nas condições concretas em que este penava.

De qualquer modo, o relevo dos primeiros livros de Varela é antes documental que artístico. O melhor do poeta fluminense não se encontra aí, mas em alguns momentos de lirismo bucólico que transpõem para o "português brasileiro", língua do nosso Romantismo, os costumes e os modismos da roça que ele tanto amou: "Antonico e Corá, "Mimosa", "A Flor de Maracujá".

A atração pelo campo, alternada com a mais desbragada boêmia, significa no poeta dos *Cantos do Ermo e da Cidade* a aversão radical a integrar-se no ritmo da vida em sociedade. A psicologia da fuga levou o eterno adolescente à bebida e à existência errante, o que espelhava a sua incapacidade romântico-decadente de aceitar e, naturalmente, de transformar as pressões do meio.

Um lugar à parte na sua produção, pela constância do fôlego, ocupa o "Cântico do Calvário", escrito em memória do filho. Nessa bela elegia em versos brancos Varela redime-se da sensação de *já lido* com que o marcara a secura do crítico. O mesmo não acontece com o seu último e mais ambicioso trabalho, *Anchieta ou O Evangelho nas Selvas*, narração, também em versos brancos, da vida de Cristo, que o poeta põe na boca do jesuíta em missão de catequese. Embora não seja difícil colher exemplos felizes de notação do mundo agreste, o tom edificante do conjunto acaba toldando a solene pureza da mensagem evangélica, que se desfigura quando tocada pela retórica. Mesmo que esta venha de uma alma emotivamente religiosa como a de Fagundes Varela.

---

(93) Antes da campanha, só havia alusões esparsas ao escravo na poesia romântica. Quem precedeu imediatamente Varela e Castro Alves foi Luís Gama (Bahia, 1830 — S. Paulo, 1882), mulato, filho de uma africana livre e de um senhor branco, que o vendeu como escravo aos dez anos de idade. O que não impediu que Luís Gama chegasse pelo próprio esforço a grande orador libertário. Deixou os versos satíricos das *Primeiras Trovas Burlescas* (1859) e das *Novas Trovas Burlescas* (1861). Sobre a evolução do tema do escravo, o leitor consultará com proveito o ensaio de Raymond S. Sayers, *O Negro na Literatura Brasileira*, trad. e notas de Antônio Houaiss, Rio, Ed. O Cruzeiro, 1958.

Quando o poeta fluminense já publicara seu melhor livro, *Cantos e Fantasias*, 1865, começa a fazer-se conhecido o último adolescente — e por certo o maior deles — do nosso Romantismo, **Antônio de Castro Alves** (94).

A sua estréia coincide com o amadurecer de uma situação nova: a crise do Brasil puramente rural; o lento mas firme crescimento da cultura urbana, dos ideais democráticos e, portanto, o despontar de uma repulsa pela moral do senhor-e-servo, que poluía as fontes da vida familiar e social no Brasil-Império.

Outros são agora os modelos poéticos. E, não obstante continuem inseparáveis do intimismo romântico as cadências de Lamartine e de Musset, é a voz de Victor Hugo, satirizador de tiranos e profeta de um mundo novo, que se faz ouvir com fascínio crescente.

Castro Alves será novo pelo *epos* libertário e, apesar das influências confessadas de Varela e Gonçalves Dias, será novo também nos versos de substância amorosa pela franqueza no exprimir seus desejos e os encantos da mulher amada.

Com ele fluem sem meandros as correntes de uma renovada lírica erótica, tanto mais forte e limpa quanto menos reclusa no labirinto de culpas sem remissão. A palavra do poeta baiano seria, no contexto em que se inseriu, uma palavra aberta. Aberta à realidade maciça de uma nação que sobrevive à custa de sangue escravizado: é o sentido último do "Navio Negreiro":

> Existe um povo que a bandeira empresta
> Pra cobrir tanta infâmia e cobardia!...
> . . . .
>
> Auriverde pendão de minha terra,
> Que a brisa do Brasil beija e balança,

---

(94) Antônio Frederico de Castro Alves (Curralinho, hoje Castro Alves, Bahia, 1847 — Salvador, 1871). Filho de um médico. Fez os estudos secundários no Ginásio Baiano, dirigido por Abílio César Borges. Entrou no Curso de Direito em Recife, onde já começava a campanha liberal-abolicionista, de que seria um dos primeiros líderes, junto a Tobias Barreto. Apaixona-se pela atriz Eugênia Câmara para quem escreve o drama *Gonzaga ou a Revolução de Minas*, levado à cena em Salvador, quando já o poeta se encaminhava para S. Paulo a fim de continuar os estudos. Chegando em 1868, une-se ao melhor da juventude acadêmica nessa fase de ruptura com os aspectos mais rançosos da política imperial. São colegas seus Rui Barbosa, Joaquim Nabuco e Salvador de Mendonça. Pouco ficou em S. Paulo: um acidente de caça, ferindo-lhe o pé, obriga-o a voltar à Bahia, onde é operado. Mas o organismo, abalado pela tísica, não tem condições para resistir. Morre em 1871, aos vinte e quatro anos de idade. *As Espumas Flutuantes* foram publicadas em 1870, em Salvador. Póstumos, saíram: *A Cachoeira de Paulo Afonso* (1876), *Os Escravos* (1883) e *Hinos do Equador*, já na edição das *Obras Completas* (1921) aos cuidados de Afrânio Peixoto. Consultar: Pedro Calmon, *A Vida de Castro Alves*, 2ª ed., Rio, 1956; Jamil Almansur Haddad, *Revisão de CA*, 3 vols., S. Paulo, 1953; Mário de Andrade, *Aspectos da Literatura Brasileira*, S. Paulo, Martins, s. d.

Estandarte que a luz do sol encerra
E as promessas divinas da esperança...
Tu que, da liberdade após a guerra,
Foste hasteado dos heróis na lança,
Antes te houvessem roto na batalha,
Que servires a um povo de mortalha!

A indignação, móvel profundo de toda arte revolucionária, tende, na poesia de Castro Alves, a concretar-se em imagens grandiosas que tomam à natureza, à divindade, à história personalizada o material para metáforas e comparações:

Deus! ó Deus! onde estás que não respondes?
Em que mundo, em que estrela tu te escondes
embuçado nos céus?
Há dois mil anos te mandei meu grito,
Que embalde, desde então, corre o infinito...
Onde estás, Senhor meu Deus?...
(Vozes d'África)

E nenhum mito mais eloqüente para a expressão do herói romântico, agora potenciado em um povo-símbolo, do que o mito de Titã por excelência:

Qual Prometeu, tu me amarraste um dia
Do deserto na rubra penedia,
Infinito galé.
Por abutre — me deste o sol ardente!
E a terra de Suez foi a corrente
Que me amarraste ao pé.
(Vozes d'África)

Aberta ao progresso e à técnica que ensaiava os primeiros passos, a palavra de Castro Alves é, também sob esse ângulo, original, se comparada com a constante da fuga para o campo como antídoto dos males urbanos, que já vimos ser a marca de Varela e Bernardo Guimarães. Castro Alves, ao contrário, mostra-se entusiasmado ao ver a penetração da máquina no meio agreste; e nisso é um autêntico filho da burguesia liberal em fase de expansão, logo freada e reduzida ao sistema agrário. Junto ao *livro*,

Oh! Bendito o que semeia
Livros, livros à mão cheia...
E manda o povo pensar!
O livro caindo nalma
É germe — que faz a palma,
É chuva — que faz o mar,

vem a *locomotiva*:

> Agora que o trem de ferro
> Acorda o tigre no cerro
> E espanta os caboclos nus,
> Fazei desse rei dos ventos
> Ginete dos pensamentos,
> Arauto da grande luz!...
>
> (O Livro e a América)

A mensagem oratória tem por objeto constitutivo a persuasão. Quer mover os afetos para tocar um determinado alvo. Dirige-se *para*... No esquema de Roman Jakobson, centra-se na 2ª pessoa, no destinatário do processo comunicativo ([95]). Mas, se o poeta se exaurisse nessa operação, acabaria fazendo propaganda, ficando fora do foco da poesia. No entanto, é arriscado negar, por atrabílis ou turra polêmica, valor à poesia de intuitos sociais e políticos, tachando-a azedamente de "demagógica", sempre que não responder a certos módulos com que se queira medir, de uma vez por todas, a expressão literária. O problema do juízo fica mal formulado quando se concentra no critério, aliás vago, da "utilidade necessária" ou do "necessário desinteresse" da arte. O poema é *obra humana*: enquanto *humano*, está sempre em função dialógica, vem de um ser em situação que fala a outros seres em situação, isto é, comunica-se *com* e empenha-se *em* um mundo intersubjetivo pelo menos dual (autor-leitor); enquanto *obra*, é objeto, produto de uma invenção, arranjo de signos intencionais que se constelam em uma estrutura; não atingindo esse limiar de organização, ainda não existe como poema e pode ser julgado, no plano estético, uma obra frustrada, malgrado as intenções do emissor. É no convívio da mensagem com os vários códigos possíveis (prosaico, oratório, lírico...) que se modela o texto literário e se concretizam esteticamente os valores em cujo mundo estão imersos poeta e leitores.

Se nos ativermos com firmeza a esse critério lato, vendo na *adequação dos meios à mensagem* (e não nos *meios em si*, ou nas *mensagens em si*) o modo de distinguir o poeta superior do medíocre, não incorreremos no erro histórico de Sílvio Romero, que antepôs à arte de Castro Alves a versalhada de Tobias Barreto, a quem não se podem negar convicções liberais mais bem fundadas que as do poeta baiano, mas que não soube transpô-las para uma linguagem forte e justa.

Compare-se a "Ode a Dois de Julho" de Castro Alves ao "Dois de Julho" de Tobias. O mesmo intuito glorificador resolve-se, no primeiro, em metáforas e antíteses grandiosas: são arcanjos e águias que lutam em espaços desmedidos:

([95]) R. Jakobson, *Lingüística e Comunicação*, trad. de Izidoro Blikstein e José Paulo Paes, S. Paulo, Cultrix, 1969, pp. 122-129.

O anjo da morte pálido cosia
Uma vasta mortalha em Pirajá

. . . .

Debruçados do céu... a noite e os astros
Seguiam da peleja o incerto fado.
As bandeiras — como águias eriçadas —
Se abismavam com as asas desdobradas
Na selva escura da fumaça atroz...
Tonto de espanto, cego de metralha
O arcanjo do triunfo vacilava.

Eras tu — liberdade peregrina!
Esposa do porvir — irmã do sol!
Um pedaço de gládio — no infinito...
Um trapo de bandeira — na amplidão!

No fragmento de *Dias e Noites* do poeta sergipano, não há evocação nem tratamento épico do episódio, mas uma pífia e rala lembrança do sucesso:

Neste dia, sempre novo,
Entre os aplausos do mar,
Entre os ruídos do povo,
Vai a cidade falar...
Atriz majestosa e bela,
Falando só e só ela

Diante de duas nações,
Representa um alto feito
Que arranca braços do peito
De emudecidos canhões.

É verdade, Tobias escreveu coisas menos ruins, mas o que interessa aqui é reiterar a noção de um limiar estético, abaixo do qual só restam veleidades de fazer poesia, e acima do qual se percebe uma coerência na organização semântica, que resiste às mudanças de gosto e de mentalidade. Muito do que nos deixou Castro Alves está aquém das exigências pós-românticas, em geral hostis ao fluxo oratório, apesar de este persistir em mais de um poeta respeitável: D'Annunzio, Claudel, Whitman, St.-John Perse e, entre nós, por exemplo, Augusto Frederico Schmidt. A rigor, todos exorbitaram da medida a que se impunham os gostos exigentes dos seus contemporâneos, mas a nenhum deles seria lícito negar o dom da palavra poética.

Os símiles de Castro Alves são quase sempre tomados aos aspectos da natureza que sugerem a impressão de *imensidade*, de *infinitude*: os espaços, os astros, o oceano, o "vasto sertão", o "vasto universo", os tufões, as procelas, os alcantis, os Andes, o Himalaia, a águia, o condor... Transposto em prosa, o mesmo estilo será a retórica formidanda de um seu colega de bancos acadêmicos, Rui Barbosa, que lhe faria, dez anos após a sua morte, um elogio sem reservas. Hoje haveria restrições, mas como a de Gide falando de Hugo: "Victor Hugo est le plus grand poète français, hélas!..."

Nem tudo é hiperbólico em Castro Alves. Os sentidos, bem abertos à paisagem, souberam escolher imagens e compor os ritmos justos para um dos mais belos poemas descritivos de nossa língua:

A tarde morria! Nas águas barrentas
As sombras das margens deitavam-se longas;
Na esguia atalaia das árvores secas
Ouvia-se um triste chorar de arapongas.

A tarde morria! Dos ramos, das lascas,
Das pedras, do líquen, das ervas, dos cardos,
As trevas rasteiras com o ventre por terra
Saíam, quais negros, cruéis leopardos.

A tarde morria! Mais funda nas águas
Lavava-se a gralha do escuro ingazeiro,
Ao fresco arrepio dos ventos cortantes
Em músico estalo rangia o coqueiro.

Somente por vezes, dos jungles das bordas
Dos golfos enormes daquela paragem,
Erguia a cabeça surpreso, inquieto,
Coberto de limos — um touro selvagem.
....

(O Crepúsculo Sertanejo)

Versos que nenhum dos parnasianos por certo iria superar na captação plástico-musical do ambiente.

"Condores"

Coetâneos de Castro Alves, ou vindos pouco depois, os poetas que fecham o nosso Romantismo não resgataram com a força de uma personalidade artística original o vezo da pura retórica. Pedro Luís (1839-1884), conhecido pelos altissonantes "Terribilis Dea", sobre a guerra do Paraguai, e "Os Voluntários da Morte", sobre a Polônia, é ainda o nome de condoreiro típico que se pode alinhar junto ao de Castro Alves. Pedro Calasãs (1837-1874), Narcisa Amália (1852-1924), Franklin Dória, Matias de Carvalho e outros, menores e mínimos, automatizaram certos processos de efeito como a antítese, a apóstrofe e a hipérbole, e abusaram do alexandrino francês que a leitura de Hugo pusera em moda. No conjunto, servem de documento para a história dos sentimentos liberais e abolicionistas que, a partir de 70, dominariam a nossa vida pública.

Sousândrade

Mas a crítica de vanguarda repôs ultimamente em circulação um poeta desse período que a história literária tinha relegado entre os nomes secundários, a reboque dos condoreiros: Joaquim de Sousa Andrade, ou, como ele mesmo preferia chamar-se, Sousândrade (96).

Trata-se de um espírito originalíssimo para seu tempo: tendo estreado como romântico da segunda geração (*Harpas Selvagens*, 1858), já se notava em seus versos juvenis um maior cuidado na escolha do léxico e no meneio sintático, que traía o maranhense culto e enfronhado nas letras gregas e latinas, como os conterrâneos Odorico Mendes (97) e Sotero dos Reis.

Mas o pedantismo ainda acerbo das *Harpas* não significava, nesse talento dinâmico, apenas um resquício purista: era prenúncio do escritor atento às técnicas da dicção, e que seria capaz de manejar com a mesma ductibilidade as fontes clássicas e os compostos do jargão *yankee*. As viagens pela Europa e a longa permanência nos Estados Unidos abriram a Sousândrade o horizonte do mundo capitalista em plena ascensão industrial; mundo que os nossos românticos mal divisavam, fechados que estavam num contexto provinciano ou

---

(96) Joaquim de Sousa Andrade (Guimarães, MA, 1833 — São Luís, 1902). Formou-se em Letras pela Sorbonne; em Paris estudou também Engenharia de minas. Viajou muito pela Europa e pelas repúblicas latino-americanas; fixando-se nos Estados Unidos aí fez editar as *Obras Poéticas* e alguns cantos do *Guesa Errante*. De volta a S. Luís, viveu pobremente como professor de grego, o que não o impediu de tomar parte na política da República recém-proclamada. Morreu na penúria e quase desconhecido dos literatos do tempo. É recente a sua descoberta. Data de 1970 a publicação dos *Inéditos*, aos cuidados de Frederick G. Williams e Jomar Moraes, S. Luís, Depto. de Cultura do Estado. V. Fausto Cunha, "Sousândrade", em *A Literatura no Brasil*, *cit*., vol. I, t. 2; Augusto e Haroldo de Campos, *Re-visão de Sousândrade*, textos críticos e antologia, em colaboração com Luiz Costa Lima e Erthos de Sousa, S. Paulo, 1964; Augusto e Haroldo de Campos, *Sousândrade*, Rio, Agir, 1966; Luiza Lobo, *Épica e Modernidade em Sousândrade*, Presença-Edusp, 1986.

(97) Manuel Odorico Mendes (S. Luís, 1799 — Londres, 1864). Jornalista e político liberal, destacou-se desde o Primeiro Reinado pela sua mente aberta e ilustrada. Humanista, dedicou-se à tradução das grandes epopéias clássicas (*A Eneida*, 1854; *Ilíada*, 1874). Suas versões, estritamente literais, foram julgadas indigestas quando não ilegíveis; opinião discutível na medida em que o literalismo pode concorrer para a forja de um léxico novo e colar-se ao espírito do original. V. Antônio Henriques Leal, *Pantheon Maranhense*, Lisboa, 1873, vol. I.

semi-afrancesado. O maranhense conheceu de perto o fenômeno das concentrações urbanas como Nova Iorque, com os seus escândalos financeiros e políticos que fermentavam entre os bancos de Wall Street (o "Inferno" do *Guesa*) e as redações dos jornais montados para as novas massas. Sentiu os vários aspectos de uma *democracia* fundada no dinheiro e na competição feroz, e pôde compará-la com o nosso Império fixista. Do confronto veio-lhe à mente a utopia de uma república livre e comunitária que conservasse a inocência do nativo latino-americano, curioso mito político e substância do *Guesa*, poema narrativo composto ao longo de dez anos, e pelo qual seu autor bem mereceu o título de "João Batista da poesia moderna" que lhe daria Humberto de Campos.

O *Guesa* retoma uma lenda quíchua que narra o sacrifício de um adolescente: depois de longas peregrinações na rota do deus Sol, o jovem acaba imolado às mãos dos sacerdotes que lhe extraem o coração e recolhem o sangue nos vasos sagrados. O poeta, com assombrosa intuição dos tempos modernos, imagina o Guesa escapo aos xeques (sacerdotes) e refugiado em Wall Street, onde os reencontra sob o disfarce de empresários e especuladores. Símbolo do selvagem que o branco mutilou, o canto do novo herói inverte o signo do indianismo conciliante de Magalhães e Gonçalves Dias, cantores, ao mesmo tempo, do nativo e do colonizador europeu.

Outra novidade de Sousândrade em relação a toda a poesia brasileira do século XIX reside nos processos de composição: de insólitos arranjos sonoros ao plurilingüismo; dos mais ousados conjuntos verbais à montagem sintática.

O poeta não podia ser assimilado no seu tempo e, de fato, não o foi, tendo-se provado otimista a previsão de cinqüenta anos em compasso de espera que lhe fizeram na época da redação do *Guesa*. Os poetas pós-românticos apararam as demasias sentimentais dos epígonos e baixaram o tom da lira retórica dos condores; mas não seguiram o caminho singular de Sousândrade: contentaram-se em fazer entrar no molde acadêmico muitos dos motivos que a tradição romântica legara. Foram parnasianos.

A FICÇÃO

É fácil cair na tentação de gizar um esquema evolucionista para a história do nosso romance romântico: do Macedo carioca às páginas regionais de Taunay e de Távora, passando pela gama de experiências ficcionais de Bernardo, Manuel Antônio e Alencar. A idéia de um conhecimento progressivo do Brasil que, partindo da corte, alcança a província e o sertão bruto, pode levar o historiador ingênuo a escolher para critério tipológico os ambientes apanhados na ficção: *romance urbano*/*romance campesino*; *romance do norte*/*romance do sul*; método que, no seu estreito sincronismo, não se dá conta dos tempos culturais díspares que viviam cidade e campo, corte e província.

Mas a verdade é que não se registrou nenhuma evolução no fato de Alencar ter escrito primeiro *Lucíola* e depois *O Gaúcho*, nem ocorreu qualquer progresso, em termos de apreensão do real, entre a fatura das *Memórias de um Sargento de Milícias*, em 1854, de Manuel Antônio de Almeida, e a das novelas sertanejas de Bernardo Guimarães publicadas nos anos de 70. O deslocar-se do eixo geográfico não obedeceu a nenhum acordo tácito entre os romancistas... nem resultou em aprimoramento da técnica ficcional: deu-se pela própria dispersão, no tempo e no espaço, em que viviam nossos escritores.

As tentações de ordenar os romances a partir de dados externos explicam-se pela natureza do gênero, voltado como nenhum outro para as realidades empíricas da paisagem e do contexto familiar e social de onde o romancista extrai não imagens isoladas, como faz o poeta, mas ambientações, personagens, enredos. A *situação de fato* de que nasce o romance repropõe sempre ao crítico o tema dos liames entre a vida e a ficção, gerando problemas como a verossimilhança das histórias, a coerência moral das personagens, a fidelidade das reconstruções ambientais. E os nós apertam-se ou afrouxam-se segundo a concepção de arte que se eleja. Por isso, todo critério abstrato de progresso pode ser fatal ao julgamento de um romancista: o que só valoriza o *quantum* de realidade (qual realidade?) contido na obra; e o que só dá preço aos resultados de pura invenção. Ser narrador ou fantasista depende de fatores múltiplos, psicológicos e sociais o que torna igualmente difícil tentar uma sociologia do romance de caráter positivista, ao menos no que se refere ao autor. Já para o estudo do público parece indispensável começar por uma análise de classes e grupos.

Pode parecer estranho, se não perigoso resíduo idealista, separar os métodos que abordam os consumidores da obra dos que visam a entender os seus produtores. No entanto, os fenômenos situam-se quase sempre em tempos diversos, e a inteligência deve respeitar a diversidade: os leitores da mensagem ficcional seguem as grandes linhas-de-força das motivações que plasmam o seu cotidiano. Assim, a sede de reconhecer a própria vida sob o prestígio da letra de fôrma estimula um público que não será (ao mesmo tempo) o que busca no livro cenas e heróis longínquos e sobre-humanos para alimento de evasão. É possível marcar os ideais e as frustrações das várias classes de leitores conforme os níveis de aspiração dos grupos a que pertencem: a passividade do consumidor é bom guia para descobrir as razões de sua preferência por este ou aquele romancista.

No caso do escritor, porém, e especialmente do grande escritor, *a faixa projetiva*, onde caem pesadamente os fatores emocionais e a ideologia, *não ocupa todo o campo do fenômeno criador*, sendo responsável antes pela gênese da obra que por todos os aspectos da sua estrutura ([98]). Esta conserva um mínimo de autonomia, que é a margem de liberdade do espírito na sua contínua tensão com os sistemas subjacentes. Sem a possibilidade dessa tensão (ou da negação, como diria Hegel), não há sequer sombra de movimento, nem dialética na cultura. A ação do fazer, o inventar, o *poien* da arte, que transforma a empiria em figuração poética, é responsável por *outra faixa* da obra, já não puramente projetiva, não mais colada apenas aos motivos do emissor, mas dirigida para os níveis formalizantes da mensagem: a matéria sonora, o ritmo, as imagens, a articulação interna do período, o trabalho estilístico das descrições, a técnica do diálogo, os planos narrativos; em suma, a composição do objeto ficcional.

A sociologia da invenção estética deve ser mais cauta do que a dos grupos consumidores (inclusive os críticos). E não esquecer que a obra, quando descodificada pelos leitores menos cultos ou pelo intérprete tendencioso, sofre grave entropia de informação estética.

Isso não quer dizer que se possa ou se deva subtrair à pesquisa social e psicológica o mundo das formas. Trata-se de apanhar, *em si* e *por dentro*, aqueles fenômenos que são objeto preferencial do trabalho artístico, e que nos induzem a juízos do tipo: "eis um belo poema", ou "o romance X é amorfo", ou "o dramaturgo Y tem um estilo denso". Que, em etapas seguintes, se procure a homologia entre as notas estilísticas e a visão do mundo de uma classe ou de um período, como o propõe o estruturalismo genético de Lucien Goldmann ([99]), é um tento final e o mais dificultoso de todos; e que, por isso mesmo, não se deve arriscar, pela pressa de concluir, a um precoce e injusto malogro.

O romance romântico brasileiro dirigia-se a um público mais restrito do que o atual: eram moços e moças provindos das classes altas, e, excepcionalmente, médias; eram os profissionais liberais da corte ou dispersos pelas províncias: eram, enfim, um tipo de leitor à procura de *entretenimento*, que não percebia muito bem a diferença de grau entre um Macedo e um Alencar urbano. Para esses devoradores de folhetins franceses, divulgados em massa a partir de 1830/40, uma trama rica de acidentes bastava como pedra de toque do bom romance. À medida que os nossos narradores iam aclimando à paisagem e ao meio nacional os esquemas de surpresa e de fim feliz dos modelos europeus,

---

([98]) Na expressão feliz de Pierre Francastel, "os tempos da gênese e da estrutura são diferentes".

([99]) V. *Le Dieu caché*, Paris, Gallimard, 1956; *Recherches dialectiques*, Gallimard, 1958; *Pour une Sociologie du Roman*, Gallimard, 1964. Este último foi traduzido para português (*Sociologia do Romance*, Paz e Terra, 1968). De Goldmann, v. também *Ciências Humanas e Filosofia*, trad. de Lupe Cotrim Garaude e J. Arthur Giannotti, S. Paulo, DIFEL, 1967.

o mesmo público acrescia ao prazer da urdidura o do reconhecimento ou da auto-idealização.

Vistos sob esse ângulo, são exemplares os romances de Macedo e de Alencar, que respondem, cada um a seu modo, às exigências mais fortes de tais leitores: reencontrar a própria e convencional realidade e projetar-se como herói ou heroína em peripécias com que não se depara a média dos mortais. A fusão de um pedestre e miúdo cotidiano (cimentado pela filosofia do bom senso) com o exótico, o misterioso, o heróico, define bem o arco das tensões de uma sociedade estável, cujo ritmo vegetativo não lhe consentia projeto histórico ou modos de fuga além do ofertado por alguns tipos de ficção: a passadista e colonial (*O Guarani*, *As Minas de Prata*, de Alencar; *As Mulheres de Mantilha*, *O Rio do Quarto*, de Macedo; *Maurício*, *O Bandido do Rio das Mortes*, de Bernardo Guimarães...); a indianista (*Iracema*, *Ubirajara*, de Alencar; *O Índio Afonso*, de Bernardo); a sertaneja (*O Sertanejo*, *O Gaúcho*, de Alencar; *O Garimpeiro*, de Bernardo; *Inocência*, de Taunay; *O Cabeleira*, *O Matuto*, de Franklin Távora...). Ou, trazendo o leitor de volta para o dia-a-dia das convenções, como em largos trechos de Macedo e do Alencar fluminenses, centrados nos costumes da burguesia, e no saboroso documento do Rio joanino que são as *Memórias de um Sargento de Milícias*, de Manuel Antônio.

Até aqui aludiu-se à correspondência entre as expectativas dos leitores e as respostas que lhes deram os ficcionistas: fato que explica quase sempre a polaridade realismo-idealismo que acompanha o romance da época. Mas, se reordenarmos em linha vertical o mesmo conjunto, veremos que não é tanto a distribuição de temas quanto o nervo do seu tratamento literário que deve oferecer o critério preferencial para ajuizar das obras enquanto obras. Teremos, no plano mais baixo, os romances que nada acrescentam aos desejos do leitor médio, antes excitam-nos para que se reiterem *ad infinitum*: é a produção de Macedo, de Bernardo, Távora e alencariana menor (*A Viuvinha*, *Diva*, *A Pata da Gazela*, *Encarnação*). Já *Inocência* de Taunay e alguns romances de segunda plana de Alencar (*O Sertanejo*, *O Gaúcho*, *O Guarani*) redimem-se das concessões à peripécia e ao inverossímil pelo fôlego descritivo e pelo êxito na construção de personagens-símbolo: Inocência, Arnaldo, Canho, Peri fazem aflorar arquétipos de pureza e de coragem que justificam a sua resistência às mudanças de gosto literário. Enfim, o nível das intenções bem logradas cabe, como é de esperar, aos *happy few*: as *Memórias de um Sargento de Milícias*, prodígio de humor pícaro em meio a tanto disfarce banal, e as duas obras-primas de Alencar, *Iracema* e *Senhora*, tão diversas entre si do ponto de vista ambiental, mas próximas pela consecução do tom justo e pela economia de meios de que se valeu o romancista.

A escala de valores já ficou sugerida atrás; a obra será tanto mais válida, esteticamente, quanto melhor souber o autor usar a margem de liberdade que lhe permitirem as pressões psicológicas e sociais. Estas, longe de se esvaírem na "poesia pura" da obra perfeita, potenciam-se e deixam transparecer a essência da matéria que o artista constrangeu a tomar forma.

Macedo

A cronologia manda começar pelo romance de Joaquim Manuel de Macedo ([100]).

Tendo atravessado todo o Romantismo, pois escreveu desde os anos de 40 aos de 70, nem por isso nota-se-lhe progresso na técnica literária ou na compreensão do que deveria ser um romance. Macedo descobriu logo alguns esquemas de efeito novelesco, sentimental ou cômico, e aplicou-os assiduamente até as suas últimas produções no gênero.

Compõem o quadro desses expedientes: o namoro difícil ou impossível, o mistério sobre a identidade de uma figura importante na intriga, o reconhecimento final, o conflito entre o dever e a paixão (molas romancescas e sentimentais); os cacoetes de uma personagem secundária, as galhofas de estudantes vadios, as situações bufas (molas de comicidade). Tudo isso vazado numa linguagem que está a meio caminho do coloquial, nos diálogos, e de um literário correto de professor de português e homem do Paço, nas narrações e digressões.

Não admira que, achadas com facilidade as receitas já em *A Moreninha*, o escritor tenha sido tentado a diluí-las em mais dezessete romances.

([100]) Joaquim Manuel de Macedo (Itaboraí, RJ, 1820 — Rio, 1882). Formou-se em Medicina pela Faculdade do Rio de Janeiro. A sua tese de doutoramento já dizia muito de suas preocupações de novelista sentimental: *Considerações sobre a Nostalgia*, publicada em 1844. No mesmo ano estreou com *A Moreninha* que obteve êxito considerável, tal que o animou a escrever mais dezessete romances entre melodramáticos, cômicos e históricos. Não se dedicou à medicina, mas ao magistério (lecionando História do Brasil no Colégio Pedro II e como preceptor dos netos do Imperador) e à política, elegendo-se várias vezes deputado pelo Partido Liberal (ala conservadora). Consta que sofreu de uma doença mental nos últimos anos de vida. Romances: *O Moço Loiro*, 1845; *Os Dois Amores*, 1848; *Rosa*, 1849; *Vicentina*, 1853; *A Carteira do Meu Tio*, 1855; *O Forasteiro*, 1855; *O Culto do Dever*, 1865; *Memórias do Sobrinho do Meu Tio*, 1868; *O Rio do Quarto*, 1869; *A Luneta Mágica*, 1869; *As Vítimas Algozes*, 1869; *Nina*, 1869; *A Namoradeira*, 1870; *Mulheres de Mantilha*, 1871; *Um Noivo e Duas Noivas*, 1871; *Os Quatro Pontos Cardeais*, 1872; *A Baronesa do Amor*, 1876. Consultar: Heron de Alencar, "Joaquim Manuel de Macedo", em *A Literatura no Brasil* (dir. de Afrânio Coutinho), *cit.*, vol. II, pp. 856-862; Antônio Soares Amora, *O Romantismo*, S. Paulo, Cultrix, 1967; Antônio Cândido, *Formação da Literatura Brasileira*, *cit.*, vol. II, pp. 137-145.

Em todos eles o gosto do puro romanesco é importado (Scott, Dumas, Sue...), mas são nossos os ambientes, as cenas, os costumes, os tipos, em suma, *o documento*. O que não quer dizer: realismo.

Resenhando um dos romances de Macedo maduro, *O Culto do Dever*, de 1865, Machado de Assis, que ainda não estreara na ficção, já lhe apontava uma carência de realidade moral não compensada pela cópia de traços pitorescos e pelas digressões sentimentais. A notação precisa de Macedo não é realismo, mas minúcia de crônica; embora insistente, não chega a moldar uma personagem que nos convença. São palavras de Machado:

> Se a missão do romancista fosse copiar os fatos, tais quais eles se dão na vida, a arte era uma coisa inútil; a memória substituiria a imaginação; o *Culto do Dever* deitava abaixo *Corina, Adolfo, Manon Lescaut* ([101]).

O defeito não era, portanto, do Romantismo, de onde provinham as obras citadas por exemplares na crítica de Machado; pelo contrário, é com os românticos que começam a fixar-se *pessoas*, enquanto projeções de conflitos dos próprios autores: as criaturas de Stendhal, Manzoni e Balzac foram autênticos heróis que nutriram a fantasia do leitor oitocentista. O defeito estava em Macedo, sub-romancista pela pobreza da fantasia, sub-romântico pela míngua de sentimento. A sua adesão a um tipo de verossímil imediato, peculiar à *crônica* e às *memórias*, prejudica-o sempre que o enredo, saltando para o romance de personagem, não se esgota na mistura desses dois gêneros.

Por outro lado, faltava a Macedo para ser um memorialista de valor o que sobejava a Manuel Antônio de Almeida — o senso vivo do ridículo em que as convenções enredam o homem comum. Macedo respirava essas convenções. A falta de distanciamento encurtava-lhe as perspectivas e o conduzia a aceitar por molas e fins das suas histórias os preconceitos vigentes em torno do casamento, do dinheiro, da vida política. Certa moral passadista empresta um tom doméstico às considerações com que entremeia seus romances históricos. Valham como exemplo estes dois passos transcritos das *Mulheres de Mantilha*:

> Em todos esses costumes estampava-se o atraso e a rudeza da sociedade colonial do Rio de Janeiro; mas indisputavelmente, se a civilização tivesse poupado alguns deles (...), o povo pobre pelo menos teria mais facilidades na vida (Cap. IV).
>
> Naqueles tempos havia um ditado que definia certos homens; o ditado rude, como rude era o povo, era este: "pé de boi português velho" e em Jerônimo e Antônio se encontravam dois pés de bois portugueses velhos que fariam o que diziam, dois homens de bem às direitas, mas teimosos, emperrados, indomáveis, que tinham no cumprimento da palavra o fanatismo da religião.

([101]) Machado de Assis, *Crítica Literária*, Rio, Jackson, 1955, p. 70.

Os últimos representantes dessa geração de heróis de firmeza obstinada, antíteses da egoísta inconstância e interesseiro aviltamento de notabilidades passivas, foram aqueles paulistas que tomavam por divisa vaidosa, ao menos porém não suspeita de indignidade, o famoso princípio: "Antes quebrar, que torcer" (Cap. XIV).

Manuel Antônio de Almeida

No outro pólo, as *Memórias de um Sargento de Milícias*, de Manuel Antônio de Almeida ([102]), estão isentas de qualquer traço idealizante e procuram despregar-se da matéria romanceada graças ao método objetivo de composição, próximo do que seria uma crônica histórica cujo autor se divertisse em resenhar as andanças e os pecadilhos do *uomo qualunque*.

Em Macedo a veracidade dos costumes fluminenses aparece distorcida pela cumplicidade tácita com a leitora que quer ora rir, ora chorar, de onde resulta um realismo de segunda mão, não raro rasteiro e lamuriento. Em Manuel Antônio, o compromisso é mais alto e legítimo, porque se faz entre o relato de um momento histórico (o Rio sob D. João VI) e uma visão desenganada da existência, fonte do humor difuso no seu único romance.

Dizia um velho professor de literatura espanhola: "El problema del pícaro es un problema de hambre". E o romance picaresco, de origem espanhola,

---

([102]) Manuel Antônio de Almeida (Rio, 1831 — Vapor "Hermes", nas Costas da Província do Rio de Janeiro, 1861). De origem pobre, órfão de pai aos dez anos de idade, conheceu de perto a vida da pequena classe média carioca. Freqüentou aulas de desenho na Academia de Belas-Artes e, a espaços, o curso de Medicina. Para sobreviver trabalhou assiduamente no jornalismo como revisor e redator do *Correio Mercantil* para o qual escrevia um suplemento mundano e literário, "A Pacotilha", e onde saíram, em folhetins, as suas *Memórias de um Sargento de Milícias*, sob o pseudônimo de "um brasileiro"; o romancista ainda não completara então vinte e dois anos (1853). Mais tarde, nomeado administrador da Tipografia Nacional, conheceu o ainda aprendiz de tipógrafo Machado de Assis (que retomaria a linha de ficção realista ambientada no Rio). Quando exercia o cargo de oficial de secretaria do Ministério da Fazenda, foi tentado a ingressar na política, candidatando-se a deputado provincial. Mas, ao dirigir-se a Campos em viagem eleitoral, veio a falecer no naufrágio do vapor "Hermes", junto à Ilha de Santana. As *Memórias de um Sargento de Milícias* foram publicadas nos folhetins citados e, depois, em dois volumes (Rio, 1854-55). Consultar: José Veríssimo, "Um velho romance brasileiro", em *Estudos Brasileiros*, 2ª série, Rio, Laemmert, 1894; Mário de Andrade, Introdução à 10ª edição das *Memórias*, S. Paulo, Martins, 1941; Marques Rebelo, *Vida e Obra de Manuel Antônio de Almeida*, Rio, Ministério de Educação e Saúde, 1943. Edição crítica exemplar: MAA, *Memórias de um Sargento de Milícias*, aos cuidados de Cecília de Lara, Rio, LTC, 1978.

desde o *Lazarillo de Tormes* (1554) à *Vida de Guzmán de Alfarache* de Mateo Alemán (1604) e ao *Búscon* de Quevedo (1626), assentava-se inteiramente nas aventuras de um pobre que via com desencanto e malícia, isto é, *de baixo*, as mazelas de uma sociedade em decadência. Mundo em que a brutalidade e a astúcia traziam as máscaras da coragem e da honra. O pobre, no seu afã de sobreviver, transformava-se em pícaro, servindo ora a um ora a outro senhor e provando com o sal da necessidade a comida do poderoso. Ao pícaro é dado espiar o avesso das instituições e dos homens: o seu aparente cinismo não é mais que defesa entre vilões encasacados. Mas cada contexto terá seu modo de apresentar o pícaro. As aventuras de Guzmán na Espanha barroca não se repetirão no *Diabo Coxo* e no *Gil Blas* do saboroso Lesage que, apesar das fontes castelhanas, é bem francês e leitor de La Bruyère pelo cuidado com que pinta o retrato moral dos figurantes. Figurantes e não *personagens* movem-se no romance picaresco do nosso Manuel Antônio que, ao descartar-se dos sestros da psicologia romântica (em 1853, aos vinte e um anos de idade!), enveredou pela crônica de costumes onde não há lugar para a modelagem sentimental ou heróica ("O homem era romântico, como se diz hoje, e babão, como se dizia naquele tempo"), nem para o abuso da peripécia inverossímil.

Desde a primeira linha, o leitor sente o interesse em tudo datar e localizar com precisão:

> Era no tempo do rei.
>
> Uma das quatro esquinas que formam as Ruas do Ouvidor e da Quitanda, cortando-se mutuamente, chamava-se naquele tempo "O canto dos meirinhos".

Que diferença do vezo de Macedo, tomado aos folhetins de Paris, de deixar em suspenso as coordenadas da ação, valendo-se de misteriosos asteriscos ou de reticências: "Na cidade de***, ou "Nos idos de abril de 18...".

A mesma atenção é dada aos homens e mulheres que vão e vêm pelos becos do velho Rio, e dos quais o observador nota ora o ofício ("Fora Leonardo algibebe em Lisboa, sua pátria"), ora os caracteres físicos: "Maria da Hortaliça, quitandeira das praças de Lisboa, saloia rechonchuda e bonitona..."; "um colega de Leonardo, miudinho, pequenino, e com fumaças de gaiato e o sacristão da Sé, sujeito alto, magro e com pretensões de elegante"...

Mas o realismo de Manuel Antônio de Almeida não se esgota nas linhas meio caricaturais com que define uma variada galeria de tipos populares. O seu valor reside principalmente em ter captado, *pelo fluxo narrativo*, uma das marcas da vida na pobreza, que é a perpétua sujeição à necessidade, sentida de modo fatalista como o destino de cada um. Esse contínuo esforço de driblar o acaso das condições adversas e a avidez de gozar os intervalos de boa sorte impelem os figurantes das Memórias, e, em primeiro lugar, o anti-herói Leonardo, "filho de uma pisadela e de um beliscão" para a roda viva de pequenos engodos e demandas de emprego, entremeadas com ciganagens e patuscadas que dão motivo ao romancista para fazer entrar em cena tipos e costumes do velho Rio.

É supérfluo encarecer o valor documental da obra. A crítica sociológica já o fez com a devida minúcia ([103]). As *Memórias* nos dão, na verdade, um corte sincrônico da vida familiar brasileira nos meios urbanos em uma fase em que já se esboçava uma estrutura não mais puramente colonial, mas ainda longe do quadro industrial-burguês. E, como o autor conviveu de fato com o povo, o espelhamento foi distorcido apenas pelo ângulo da comicidade. Que é, de longa data, o viés pelo qual o artista vê o típico, e sobretudo o típico popular.

Alencar

Com a sua franca aderência à realidade média, Manuel Antônio de Almeida permaneceu um nome até certo ponto lateral na história do nosso Romantismo. O lugar de centro, pela natureza e extensão da obra que produziu, viria a caber com toda justiça a José de Alencar ([104]).

([103]) Astrojildo Pereira, "Romancista da Cidade: Macedo, Manuel Antônio e Lima Barreto", em *O Romance Brasileiro* (coord. de Aurélio Buarque de Holanda, Rio, Ed. O Cruzeiro, 1952, pp. 37-53). Para a vinculação dos fatores externos e internos das *Memórias*, v. Antônio Cândido, "Manuel Antônio de Almeida: o romance em moto contínuo", em *Formação*, *cit.*, vol. II, pp. 215-219. Reestudando a obra em mordente análise estrutural, A. Cândido faz reservas à qualificação de "picaresca" que lhe tem sido dada na esteira de M. de Andrade (cf. "Dialética da Malandragem", *in Revista do Instituto de Estudos Brasileiros*, nº 8, pp. 67-89, S. Paulo, 1970).

([104]) José Martiniano de Alencar (Mecejana, Ceará, 1829 — Rio de Janeiro, 1877). Seu pai, o senador José Martiniano de Alencar, ex-padre e vulto de projeção na política liberal, foi um dos animadores do Clube da Maioridade, que levou D. Pedro ao trono em 1840. Ainda menino, J.A. mudou-se com a família para a Corte onde recebeu educação primária e secundária. Em São Paulo e, em parte, em Olinda, cursou Direito (1845-50). Sabe-se que neste período compôs uma novela histórica, *Os Contrabandistas*, queimada por uma brincadeira de um companheiro de quarto... Formado, começou a advogar no Rio, mas a literatura logo o absorveu: primeiro como cronista do *Correio Mercantil* ("Ao Correr da Pena", 1854), depois como redator do *Diário do Rio de Janeiro* para o qual escreve, sob o pseudônimo de Ig., uma série de artigos críticos sobre o poema *A Confederação dos Tamoios* de Gonçalves de Magalhães (1856), suscitando a polêmica já referida à p. 99. No mesmo jornal saem em folhetim seus dois primeiros "romancetes" de ambientação carioca, *Cinco Minutos*, em 1856, e *A Viuvinha*, em 1857, e o romance histórico que o faria célebre, *O Guarani* (1857). De 57 a 60 dedica-se ao teatro escrevendo o libreto da ópera bufa *A Noite de São João*, as comédias *O Crédito*, *Demônio Familiar*, *Verso e Reverso*, e os dramas *As Asas de um Anjo* e *Mãe*, todas representadas no Teatro Ginásio Dramático do Rio de Janeiro.

Morto o pai, em 1860, Alencar entrou para a vida política elegendo-se seguidamente deputado provincial pelo Ceará e galgando a pasta da Justiça no ministério conservador de 1868-70. Mas ao contrário do pai, que sempre se batera por teses liberais, o romancista assumiu posições retrógradas (patentes em face do problema escravista) e foi, no fundo, antes um individualista que um homem voltado para a coisa pública: sabe-se que o motivo de seu afastamento da política, quando entrava na casa dos quarenta anos, foi o ressentimento de ver-se preterido por Pedro II na indicação para o Senado.

No decênio de 60 escreveu: *As Minas de Prata* (62-66), *Lucíola. Perfil de Mulher* (62), *Diva. Perfil de Mulher* (64), *Iracema. Lenda do Ceará* (65), além de opúsculos de natureza política (*Ao Imperador — Cartas Políticas de Erasmo, Ao Imperador — Novas Cartas Políticas de Erasmo,* 1865; *Ao Povo — Cartas Políticas de Erasmo,* 1866; *O Juízo de Deus. Visão de Jó*, 1867; *O Sistema Representativo*, 1868).

Retoma em 70 a ficção: *O Gaúcho* (70), *A Pata da Gazela* (70), *Sonhos d'Ouro* (72), *Til* (72), *Alfarrábios* ("O Ermitão da Glória" e "O Garatuja") (73); *A Guerra dos Mascates* (73), *Ubirajara* (74), *Senhora* (75), *O Sertanejo* (75). De permeio, um drama, *O Jesuíta*, em 75. Carreira literária pontuada de polêmicas de certo ingratas à extrema susceptibilidade do romancista: com os defensores de Magalhães; com a censura, que suspendeu a representação de *As Asas de um Anjo*; com o Conselheiro Lafayette que chamou à heroína de *Lucíola* "mostrengo moral"...; com Pinheiro Chagas, Antônio Henriques Leal e Antônio Feliciano de Castilho, zoilos portugueses que em tempos diversos o argüiram de incorreto, ao que o nosso autor respondeu elaborando uma teoria da "língua brasileira". Sem falar nas impertinências de Franklin Távora que nas *Cartas a Cincinato* (1871) depreciou o modo pelo qual Alencar concebeu seus romances regionais.

Em 1877, o escritor fez uma viagem à Europa para tratar-se da tuberculose, doença que já o acometera na juventude. Mas em vão; regressando, vem a falecer no mesmo ano no Rio de Janeiro. Postumamente, e de relevo literário, saíram o romance *Encarnação* (1877) e a autobiografia *Como e por que sou romancista* (1893). Além das várias edições parceladas ou completas de suas obras pela Garnier e pela Ed. Melhoramentos, há a alencariana da José Olympio que engloba toda a ficção em 16 volumes (1951) precedidos de ensaios, alguns valiosos, e, mais recentemente, a *Obra Completa*, em 4 volumes, da Editora Aguilar (1959), com uma introdução excelente de Cavalcanti Proença, "José de Alencar na Literatura Brasileira".

Consultar: Araripe Jr., *José de Alencar*, Rio, 1882 (em *Obra Crítica*, vol. I, Rio, Casa de Rui Barbosa, 1958); Artur Mota, *José de Alencar*, Rio, Briguiet, 1921; Mário de Alencar, *José de Alencar*, S. Paulo, Monteiro Lobato, 1922; Gladstone Chaves de Melo, "Alencar e a Língua Brasileira", introd. ao vol. X, pp. 11-88, da edição José Olympio, Rio, 1951; "Observações sobre o Romance de José de Alencar", de Pedro Dantas, em *O Romance Brasileiro* (coord. por Aurélio Buarque de Holanda), Rio, Ed. O Cruzeiro, 1952, pp. 75-83; Augusto Meyer, "De um leitor de romances", *ib.*, pp. 85-90; José Aderaldo Castello, *A Polêmica sobre "A Confederação dos Tamoios"*, S. Paulo, Fac. de Filosofia da Univ. de S. Paulo, 1953; Gilberto Freyre, *Reinterpretação de José de Alencar*, Rio de Janeiro, MEC, 1955; Heron de Alencar, "José de Alencar e a Ficção Romântica", em *A Literatura no Brasil* (dir. de Afrânio Coutinho), *cit.*, vol. I, t. 2, pp. 837-948; Antônio Cândido, "Os Três Alencares", em *Formação da Literatura Brasi-*

Apresentando um dos seus últimos trabalhos, *Sonhos d'Ouro*, e já em polêmica com mercadores da pena portugueses, "abegões do bezerro de ouro", que o tachavam de pouco vernáculo, Alencar traçou um quadro retrospectivo da sua ficção, onde se mostrava consciente de ter abraçado todas as grandes etapas da vida brasileira. Embora longo, vale a pena transcrevê-lo, nos trechos mais assertivos:

> O período orgânico desta literatura conta já três fases.
>
> A primitiva, que se pode chamar aborígene, são as lendas e mitos da terra selvagem e conquistada; são as tradições que embalaram a infância do povo, ele escutava como o filho a quem a mãe acalenta no berço com as canções da pátria, que abandonou.
>
> *Iracema* pertence a essa literatura primitiva, cheia de santidade e enlevo, para aqueles que venceram na terra da pátria a mãe fecunda — *alma mater*, e não enxergam nela apenas o chão onde pisam.
>
> O segundo período é histórico: representa o consórcio do povo invasor com a terra americana, que dele recebia a cultura, e lhe retribuía nos eflúvios de sua natureza virgem e nas reverberações de um solo esplêndido.
>
> ....
>
> É a gestação lenta do povo americano, que devia sair da estirpe lusa, para continuar no novo mundo as gloriosas tradições de seu progenitor. Esse período colonial terminou com a Independência.
>
> A ele pertencem *O Guarani* e *As Minas de Prata*. Há aí muita e boa messe a colher para o nosso romance histórico; mas não exótico e raquítico como se propôs a ensiná-lo, a nós beócios, um escritor português.
>
> A terceira fase, a infância de nossa literatura, começada com a independência política, ainda não terminou; espera escritores que lhe dêem os últimos traços e formem o verdadeiro gosto nacional, fazendo calar as pretensões, hoje tão acesas, de nos recolonizarem pela alma e pelo coração, já que não o podem pelo braço.
>
> Neste período, a poesia brasileira, embora balbuciante ainda, ressoa não já somente nos rumores da brisa e nos ecos da floresta, senão também nas simples cantigas do povo e nos íntimos serões da família.
>
> Onde não se propaga com rapidez a luz da civilização, que de repente cambia a cor local, encontra-se ainda em sua pureza original, sem mescla, esse viver singelo de nossos pais, tradições, costumes e linguagem, com um sainete todo brasileiro.

---

leira, cit., pp. 218-232; Antônio Soares Amora, "Alencar", em *O Romantismo*, S. Paulo, Cultrix, 1967, pp. 241-282. Ver também os estudos e as notas que acompanham a edição do centenário de *Iracema* (Rio, José Olympio, 1965); e R. de Menezes, *J. de A., literato e político*, S. Paulo, Martins, 1965; A. Bosi, "Imagens do Romantismo no Brasil", em *O Romantismo*, S. Paulo, Perspectiva, *cit.*; R. Schwarz, *Ao vencedor as batatas*, S. Paulo, Duas Cidades, 1977; Valéria De Marco, *O Império da Cortesã, Lucíola*, S. Paulo, Martins Fontes, 1987; e *A Perda das Ilusões: o Romance Histórico de José de Alencar*, Ed. Unicamp, 1993.

Há não somente no país, como nas grandes cidades, até mesmo na corte, desses recantos, que guardam intacto, ou quase, o passado.

O *Tronco do Ipê, o Til* e *O Gaúcho* vieram dali, embora, no primeiro sobretudo, se note já, devido à proximidade da corte e à data mais recente, a influência da nova cidade, que de dia em dia se modifica e se repassa do espírito forasteiro.

Nos grandes focos, especialmente na Corte, a sociedade tem a fisionomia indecisa, vaga e múltipla, tão natural à idade da adolescência. É o efeito da transição que se opera, e também do amálgama de elementos diversos.

. . . .

Dessa luta entre o espírito conterrâneo e a invasão estrangeira, são reflexos *Lucíola, Diva, A Pata da Gazela,* e tu, livrinho, que aí vais correr mundo com o rótulo de *Sonhos d'Ouro* (Bênção Paterna).

Embora as linhas acima tivessem o objetivo básico de justificar os brasileirismos de alguns romances e os estrangeirismos de outros, elas indicam o quanto importava a Alencar cobrir com a sua obra narrativa passado e presente, cidade e campo, litoral e sertão, e compor uma espécie de *suma romanesca* do Brasil ([105]).

Entretanto, mais do que repetir a partição por assuntos dos seus vinte e um romances em indianistas, históricos, regionais e citadinos, conviria buscar o motivo unitário que rege a sua estrutura, e que, talvez, se possa enunciar como um anseio profundo de evasão no tempo e no espaço animado por um egotismo radical. Traços ambos visceralmente românticos.

Alencar, cioso da própria liberdade, navega feliz nas águas do remoto e do longínquo. É sempre com menoscabo ou surda irritação que olha o presente, o progresso, a "vida em sociedade"; e quando se detém no juízo da civilização, é para deplorar a pouquidade das relações cortesãs, sujeitas ao Moloc do dinheiro. Daí o mordente das suas melhores páginas dedicadas aos costumes burgueses em *Senhora* e *Lucíola.*

Na verdade, era uma crítica emocional que só oferecia uma alternativa: o retorno ao índio, ao bandeirante, e a fuga para as solidões da floresta e do pampa. O Romantismo de Alencar é, no fundo, ressentido e regressivo como o de seus amados e imitados avatares, o Visconde François-René de Chateaubriand e Sir Walter Scott. O que lhe dá um sentido na história da nossa cultura e ajuda a explicar muitas das suas opções estéticas.

À idolatria do dinheiro, que aviltaria a nova sociedade do Segundo Império, o Conselheiro José Martiniano de Alencar opusera o seu desprezo impotente (V. o Prefácio ao *Gaúcho*). Mas o romancista dispunha do refúgio de outros

---

([105]) O crítico Olívio Montenegro fez restrições à idéia de um esquema *a priori* que teria guiado Alencar na construção de sua obra narrativa (*O Romance Brasileiro*, José Olympio, 1938, p. 41). Acho o problema irrelevante: prévio ou não, o plano vale sempre como documento da consciência histórica de Alencar em face da sua obra.

mundos onde a imaginação não sofria limites e onde se liberava ao talhar heróis soberbos e infantis que em refrangido espelho tão bem o projetavam.

O espelho era a visão simbólica das forças naturais. O viço da árvore, o faro do bicho, o ardor do sangue e do instinto: eis os mitos primordiais que valerão, no código de Alencar, pureza, lealdade, coragem.

Tanto nos romances nativistas (*O Guarani*, *Iracema*, *Ubirajara*) como naqueles em que o bom selvagem se desdobra em heróis regionais (*O Gaúcho*, *O Sertanejo*), o selo da nobreza é dado pelas forças do sangue que o autor reconhece e respeita igualmente na estirpe dos colonizadores brancos. Ao heroísmo de Peri não deixa de apor a sobranceria de Dom Antônio de Mariz e sua esposa, os castelões impávidos de *O Guarani*.

Para dar forma ao herói, Alencar não via meio mais eficaz do que amalgamá-lo à vida da natureza. É a conaturalidade que o encanta: desde as linhas do perfil até os gestos que definem um caráter, tudo emerge do mesmo fundo incônscio e selvagem, que é a própria matriz dos valores românticos:

> ... os olhos davam à fisionomia a expressão brusca e alerta das aves de altanaria... o arrojo e a velocidade do vôo do gavião (*O Gaúcho*).
>
> Manuel considerava-se verdadeiro irmão do bruto generoso, bravo, cheio de brio e abnegação que lhe dedicava sua existência e partilhava com ele trabalhos e perigos (*ib.)*.

Censurado pelo possível ridículo da cena do potrinho, cujo relincho ele interpretara como "Mamãe!", Alencar rebate lembrando um passo do *Génie du Christianisme* em que Chateaubriand descrevia em tons sutis a maternidade de um jacaré (106).

O tropismo para a vida natural é a outra face da aversão que o romancista votava ao progresso. Cantando o pampa, não deixa de lamentar que "a civilização já babujou a virgindade primitiva dessas regiões". O mesmo se dá no *Tronco do Ipê*, que decorre junto à mata fluminense: "Assomava ao longe, emergindo do azul do céu o dorso alcantilado da Serra do Mar, que ainda o cavalo a vapor não escarvara com a férrea úngula." Quem não se lembra da pintura ovidiana da *aetas aurea*? E no *Sertanejo*: "De dia em dia, aquelas remotas regiões vão perdendo a primitiva rudeza, que tamanho encanto lhes infundia."

Trata-se de algo mais que uma simples reminiscência do tópico do paraíso perdido. O Brasil ideal de Alencar seria uma espécie de cenário selvagem onde, expulsos os portugueses, reinariam capitães altivos, senhores da baraço e cutelo rodeados de sertanejos e peões, livres sim, mas fiéis até a morte. Alguma coisa

---

(106) *Apud* Eugênio Gomes, *Aspectos do Romance Brasileiro*, Bahia, Progresso, 1958, p. 27.

assim como a Europa pré-industrial, mas regenerada pela seiva da natureza americana. Outra vez, Chateaubriand.

Esses traços ideológicos, insistentes nos painéis coloniais e nativos, como *As Minas de Prata, O Guarani e Ubirajara*, afinam-se na prosa lírica de *Iracema*, obra-prima onde se decantam os dons de um Alencar paisagista e pintor de "perfis de mulher" firmes e claros na sua admirável delicadeza.

O escritor que idealizara heróis míticos no coração da floresta é o mesmo que sabe recortar as figuras gentis de donzelas e mancebos nos salões da Corte e nos passeios da Tijuca. A diferença reside no grau de complexidade psicológica em que operam as tendências para a fuga e o narcisismo. A vaidade ferida que marcou as atitudes de Alencar nas rodas políticas e literárias do Segundo Império transpõe-se nos romances citadinos (*Diva, A Pata da Gazela, Senhora, Sonhos d'Ouro*) nas formas de um ingrato relacionamento homem/mulher, centrado em orgulhos, divisões do eu, susceptibilidades, ciúmes: toda uma fenomenologia do intimismo a dois avaliado por um padrão aristocrático de juízo moral ([107]).

O mesmo intimismo, dissecado e desmistificado nas suas raízes como vontade-de-poder e de prazer, comporia um quadro bem diverso nos romances maduros de Machado de Assis. Mas Alencar crê nas "razões do coração" e, se as sombras do seu moralismo romântico se alongam sobre as mazelas de um mundo antinatural (o casamento por dinheiro, em *Senhora*; a sina da prostituição, em *Lucíola*), sempre se salva, no foro íntimo, a dignidade última dos protagonistas, e se redimem as transações vis repondo de pé herói e heroína. Daí os enredos valerem como documento apenas *indireto* de um estado de coisas, no caso, o tomar corpo de uma ética burguesa e "realista" das conveniências durante o Segundo Reinado. Há sempre a considerar a distorção idealizante que, ressalvadas as proporções, afetara também o ciclo parisiense de Balzac, um dos modelos do Alencar urbano.

Tome-se o exemplo de *Senhora*, sua última obra de valor. Qual a mola do enredo? Se admitimos que é o fato de o jovem Seixas casar-se pelo dote, em virtude da educação que recebera ([108]), damos a Alencar o crédito de narrador realista, capaz de pôr no centro do romance não mais os heróis Peri e Ubirajara, Arnaldo e Canho, mas um ser venal, inferior. O que seria falso, pois o *fato* não passava de um *recurso*: o equilíbrio, perdido em termos de

---

([107]) O leitor encontrará uma fina análise das relações interpessoais em Alencar no ensaio de Dante Moreira Leite, "Lucíola — teoria romântica do amor", em *O Amor Romântico e Outros Temas*, S. Paulo, Conselho Estadual de Cultura, 1964, pp. 55-60.

([108]) "A sociedade, no meio da qual me eduquei, fez de mim um homem à sua feição. Habituei-me a considerar a riqueza como a primeira força viva da existência e os exemplos ensinavam-me que o casamento era meio tão legítimo de adquiri-la, como a herança e qualquer honesta especulação."

visão romântica do mundo, vai-se restabelecer porque Alencar arranjará uma solene redenção fazendo Seixas resgatar-se na segunda parte da história. O passo dado em direção ao romance de análise social fora uma concessão — logo mudada em crítica — à mentalidade mercantil que repontava no fim do Império. Mentalidade que o escritor rejeita quando vem à tona a vileza crua do interesse, mas não quando enevoada pelos fumos de requinte aristocrático: a glória dos salões, o luxo das alcovas, a pompa dos vestuários. É o que explica a velada adesão ao modo de pensar do seu ambíguo herói:

> Seixas era uma natureza aristocrática, embora acerca da política tivesse a balda de alardear uns ouropéis de liberalismo. Admitia a beleza rústica e plebéia, como uma convenção artística, mas a verdadeira formosura, a suprema graça feminina, a humanação do amor, essa, ele só a compreendia na mulher a quem cingia a auréola da elegância.

Já houve quem observou o infantilismo das construções alencarianas. Valor é o que *aparece* como valor. Na floresta, a força do bom selvagem; na cidade o brilho do *gentleman*. *Senhora* junta como pode a pureza do amor romântico e as cintilações do luxo burguês. Quando Aurélia se decide ao passo capital de sua vida e pretende comunicar ao tutor o desejo de comprar um marido, dirige-se a uma escrivaninha, mas à leitora Alencar não esconde que se trata de *uma escrivaninha de araritá guarnecida de bronze dourado*, e que o cofre por ela aberto era de *sândalo embutido em marfim*. Descrevendo o jovem Seixas não lhe poupa sequer o pé, que tem *a palma estreita e o firme arqueado da forma aristocrática*, o qual pé calçam *mimosas chinelas de chamalote bordada a matiz*.

De que "realismo" se trata aqui? É melhor falar no gosto do pitoresco ou na curiosidade do pormenor brilhante, destinados romanticamente a criar um halo de "diferença" em torno dos protagonistas. Mas, descontada a intenção, Alencar, ao descrever a natureza e os ambientes internos, é tão preciso como qualquer prosador do fim do século. É claro, há mais participação emotiva no ato de descrever no romântico que no naturalista; este não raro se compraz no puro inventário: o que não deve dar margem a juízos estereotipados como "Eça descreve melhor do que Camilo", ou "Aluísio melhor que Alencar"...

Sertanistas. Bernardo Guimarães, Taunay, Távora

Um dos filões de Alencar, o *regionalismo*, foi explorado por outros romancistas que, embora inferiores ao cearense em termos de arte literária, deram, em conjunto, a medida do que foi o gênero entre nós: Bernardo Guimarães, Alfredo D'Escragnolle Taunay e Franklin Távora.

As várias formas de sertanismo (romântico, naturalista, acadêmico e, até, modernista) que têm sulcado as nossas letras desde os meados do século passado, nasceram do contato de uma cultura citadina e letrada com a matéria bruta do Brasil rural, provinciano e arcaico. Como o escritor não pode fazer folclore puro, limita-se a projetar os próprios interesses ou frustrações na sua viagem literária à roda do campo. Do enxerto resulta quase sempre uma prosa híbrida onde não alcançam o ponto de fusão artístico o espelhamento da vida agreste e os modelos ideológicos e estéticos do prosador.

A armadilha, que espera aliás todo primitivismo em arte, poderia ser desfeita por alternativas extremas: o puro registro da fala regional (neofolclore), ou a pesquisa dos princípios formais que regem a expressão da vida rústica, para com eles elaborar códigos novos de comunicação com o leitor culto. Do primeiro caso há exemplos, mas não sistemáticos, em trechos de *Inocência* de Taunay e nos contos de alguns pós-românticos deste século, Valdomiro Silveira e Simões Lopes Neto. Do segundo dá conta a invenção revolucionária de Guimarães Rosa, que conseguiu universalizar mensagens e formas de pensar do sertanejo através de uma sondagem no âmago dos significantes. Ao primeiro corresponde uma concepção ingênua de realismo, mas válida como uma das saídas possíveis para a visão mimética da arte; ao segundo, uma rigorosa poética da forma, que exige do receptor um alto nível de abstração e coincide com certas tendências experimentalistas da arte moderna. Entre os extremos, o regionalismo está fadado a ser literatura de segunda plana que se louva por tradição escolar ou, nos casos melhores, por amor ao documento bruto que transmite.

E era amor ao documento que estava presente nas intenções dos sertanistas românticos: o primeiro romance de Bernardo Guimarães, *O Ermitão de Muquém*, trazia no subtítulo "História da fundação da romaria de Muquém na Província de Goiás" e, no prólogo, se diz, *em 1858,* "romance realista e de costumes".

Situando e analisando toda essa corrente romanesca, diz Nelson Werneck Sodré:

> Existe a preocupação fundamental do sertanismo, que vem, assim, substituir o indianismo, como aspecto formal e insistente na intenção de transfundir um sentido nacional à ficção romântica. Tal preocupação importa em condenar o quadro litorâneo e urbano como aquele em que a influência externa transparece, como um falso Brasil. Brasil verdadeiro, Brasil original, Brasil puro seria o do interior, o do sertão, imune às influências externas, conservando em estado natural os traços nacionais. Nesse esforço, o sertanismo, surgindo quando o indianismo está ainda em desenvolvimento, e subsistindo ao seu declínio, recebe ainda os efeitos deste. Não é senão por isso que os romancistas que se seguem a Alencar, ou que trabalham ao mesmo tempo que ele, obedecem às influências do momento, e trazem o índio para as páginas dos seus romances. Mas serão, principalmente, *sertanistas* e tentarão afirmar, através da apresentação dos cenários e das personagens do interior, o sentido nacional de seus trabalhos.

No sertanismo verifica-se o formidável esforço da literatura para superar as condições que a subordinavam aos modelos externos. Existem, nos iniciadores da ficção romântica, sinais evidentes desse esforço. Verificaram logo que o índio não tem todas as credenciais necessárias à expressão do que é nacional. Transferem ao sertanejo, ao homem do interior, àquele que trabalha na terra, o dom de exprimir o Brasil. Submetem-se ao jugo da paisagem, e pretendem diferenciar o ambiente pelo que existe de exótico no quadro físico — pela exuberância da natureza, pelo grandioso dos cenários, pela pompa dos quadros rurais. Isto é o Brasil, pretendem dizer. E não aquilo que se passa no ambiente urbano, que copia o exemplo exterior, que se submete às influências distantes. E levam tão longe essa afirmação de brasilidade que são tentados a reconstruir o quadro dos costumes. Caem naquela vulgaridade dos detalhes, naquele pequeno realismo da minúcia, naquela reconstituição secundária em cuja fidelidade colocam um esforço cândido e inútil. Não são menos românticos, evidentemente, quando assim procedem. E não têm melhores condições do que os indianistas para definir o que existe de nacional na literatura. Seria ingrato, entretanto, desconhecer o sentido ingênuo desse novo aspecto de um esforço que não poderia encontrar o êxito porque o êxito não dependia apenas dele (109).

O regionalismo de **Bernardo Guimarães** (110) mistura elementos tomados à narrativa oral, os "causos" e as "estórias" de Minas e Goiás, com uma boa dose de idealização. Esta, embora não tão maciça como em Alencar, é responsável por uma linguagem adjetivosa e convencional na maioria dos quadros agrestes.

Monteiro Lobato, aliás não isento de outras convenções na sua prosa regionalista, fez severa crítica aos clichês paisagísticos de Bernardo, que nem a intimidade do grande viajante com a natureza logrou evitar. "Lê-lo é ir para o mato, para a roça, mas uma roça adjetivada por menina do Sião, onde os prados são *amenos*, os vergéis *floridos*, os rios *caudalosos*, as matas *viridentes*, os píncaros *altíssimos*, os sabiás *sonorosos*, as rolinhas *meigas*. Bernardo descreve a natureza como um cego que ouvisse cantar e reproduzisse as paisagens com os qualificativos surrados do mau contador. Não existe nele o vinco enérgico da impressão pessoal. Vinte vergéis que descreva são vinte perfeitas e invariáveis amenidades. Nossas desajeitadíssimas caipiras são sempre lindas morenas cor de jambo. Bernardo falsifica o nosso mato."

Descontando o azedume do crítico, em polêmica com o sertanismo romântico, e indo ao cerne do problema estético, resta sempre a dificuldade de Bernardo, e da maior parte dos regionalistas, de superar em termos artísticos o impasse criado pelo encontro do homem culto, portador de padrões psíquicos

---

(109) Em *História da Literatura Brasileira*, 5ª ed., Rio, Civ. Brasileira, 1969, pp. 323-324.

(110) Ver nota 86. FICÇÃO: *O Ermitão de Muquém*, 1864 (escrito em 58); *Lendas e Romances*, 71; *O Garimpeiro*, 72; *O Seminarista*, 72; *O Índio Afonso*, 73; *A Escrava Isaura*, 75; *Maurício* ou *Os Paulistas em S. João d'El Rei*, 77; *A Ilha Maldita. O Pão de Ouro*, 79; *Rosaura, a Enjeitada*, 83; *O Bandido do Rio das Mortes*, 1905.

e respostas verbais peculiares a seu meio, com uma comunidade rústica, onde é infinitamente menor a distância entre o natural e o cultural.

O escritor romântico acreditava estar resolvendo a questão por meio de uma linguagem "ingênua", "espontânea", na verdade igual às convenções do citadino em relação ao campo. Os lugares-comuns aparecem nos vários fatores de composição. Já se viu o que disse Lobato sobre o modo de Bernardo pintar os cenários. O mesmo se observa quando se põe a falar das esculturas do Aleijadinho em Congonhas (*O Seminarista*, cap. IV). Nem muito diversa é a caracterização dos sertanejos que oscilam entre a bondade natural (prolongamento do bom selvagem) e a natural má índole (o índio Afonso, Japira), fazendo valer ou não as pressões do meio de acordo com as conveniências: Rosaura e Isaura atravessarão intactas os ambientes mais abjetos... Quanto à intriga, é o costumeiro novelo de peripécias que dariam hoje boas histórias em quadrinhos (*O Ermitão de Muquém*, *O Garimpeiro*).

As obras mais lidas de Bernardo Guimarães, *O Seminarista* e *A Escrava Isaura*, devem a sua popularidade menos a um progresso na fabulação ou no traçado das personagens do que à garra dos problemas explícitos: o celibato clerical no primeiro, a escravidão no segundo.

Protesto contra o cerceamento do instinto pelo voto precoce de castidade, *O Seminarista* está na linha do romance passional e retoma, com menos poesia, o esquema final de Herculano, no *Eurico*: a loucura do Padre Eugênio após a violação de suas promessas religiosas lembra a morte do Presbítero e a demência de Hermengarda que fecha o romance português. Bernardo acentua os traços da sensibilidade tolhida, que o idealista Herculano sublimara, e antecipa o romance de tese de Inglês de Sousa, *O Missionário*.

A Escrava Isaura já foi chamado *A Cabana do Pai Tomás* nacional ([111]). Há evidente exagero na asserção. O nosso romancista estava mais ocupado

---

([111]) O romance de Harriet Beecher Stowe, publicado nos Estados Unidos em 1851, foi vertido para o português por Francisco Ladislau de Andrada, em uma edição de Paris. A segunda edição, datada de Lisboa, 1856, teve por tradutor A. Urbano Pereira de Castro, e logo se conheceu no Brasil. A propósito, diz Raymond S. Sayers: "José Francisco Lisboa, o mais famoso jornalista da província do Maranhão, preparou o esboço de um romance antiescravista, depois de haver passado algum tempo a estudar as leis sobre a escravidão, mas confessa não o haver terminado depois que leu o livro de Mrs. Stowe, porque nele encontrou muitas de suas idéias e porque alcançara a finalidade que tinha em mente para o seu próprio livro. A importância capital de *Uncle Tom's Cabin* foi provavelmente a de que encorajou os romancistas antiescravistas a lutar diretamente contra a escravidão. Muitas das situações e dos caracteres descritos por Mrs. Stowe eram suficientemente familiares à cena brasileira, e, já que tais situações e caracteres começavam a penetrar a literatura brasileira, era inevitável que, mais cedo ou mais tarde, assumissem a importância que assumiram, embora nunca tivesse aparecido nenhum caem contar as perseguições que a cobiça de um senhor vilão movia à bela Isaura que em reconstruir as misérias do regime servil. E, apesar de algumas palavras sinceras contra as distinções de cor (cap. XV), toda a beleza da escrava é posta no seu não parecer negra, mas nívea donzela, como vem descrita desde o primeiro capítulo:

> A tez é como o marfim do teclado, alva que não deslumbra, embaçada por uma nuança delicada, que não sabereis dizer se é leve palidez ou cor-de-rosa desmaiada. (...) Na fronte calma e lisa como mármore polido, a luz do ocaso esbatia um róseo e suave reflexo; di-la-íeis misteriosa lâmpada de alabastro guardando no seio diáfano o fogo celeste da inspiração.

Seria néscio falar em "preconceito" como atitude etnicamente responsável. Pelo contrário, em *Rosaura, a Enjeitada*, obra da maturidade, Bernardo chegou a dizer: "Em nossa terra é uma sandice querer a gente gloriar-se de ser descendente de ilustres avós; é como dizia um velho tio meu: no Brasil ninguém pode gabar-se de que entre seus avós não haja quem não tenha puxado flecha ou tocado marimba." O que explica a beleza "branca" de Isaura é a permanência de padrões estéticos europeus. E mais uma razão para marcar o caráter híbrido dessa novelística sertaneja e semipopular de que Bernardo foi o primeiro representante de mérito.

Por temperamento e cultura, o **Visconde de Taunay** (112) tinha condições para dar ao regionalismo romântico a sua versão mais sóbria. Homem de pouca

---

ráter como o do Pai Tomás ou de Simon Legree. É fato, entretanto, que só depois do lançamento de *Uncle Tom's Cabin* é que a literatura brasileira começou a ser povoada de feitores cruéis e de escravos virtuosos. A famosa fuga de Isaura, de Bernardo Guimarães, de Minas para o Recife, foi talvez sugerida pela fuga de Elisa através dos gelos flutuantes de Ohio para a liberdade no Norte e por fim no Canadá" (*op. cit.*, pp. 316-317).

(112) ALFREDO D'ESCRAGNOLLE TAUNAY (Rio, 1843-1899). Neto do pintor N. Antoine Taunay, que chegou ao Rio com a Missão Francesa durante o governo de D. João VI, e filho do Barão Félix Emílio Taunay, também pintor, recebeu instrução artística de bom nível acadêmico. Cursou Ciências Físicas e Matemáticas na Escola Militar e seguiu como engenheiro para o Mato Grosso no começo da Guerra do Paraguai, o que lhe deu ocasião para testemunhar — e depois narrar — o episódio da retirada de Laguna (*La Retraite de Laguna*, 1871, trad. em 1874 por Salvador de Mendonça). Durante o conflito redigiu um *Diário do Exército*, que publicou em 1870. Voltando, exerceu a função de professor na Escola Militar. A partir de 1872 militou no Partido Conservador, elegendo-se deputado e senador por Santa Catarina, província que também presidiu. Seus projetos denotam vistas largas, como o que dispunha sobre o casamento civil e o que advogava uma sã política imigratória. Afastou-se da política quando proclamada a República. Deixou obra vária e irregular: *Cenas de Viagem*, 1868; *A Mocidade de Trajano*, romance, 1872; *Lágrimas do Coração*, rom., 1873; *Histórias Brasileiras*, narrativas, 1874; *Da Mão à Boca se Perde a Sopa*, comédia, 1874; *Ouro sobre Azul*, rom., 1878; *Narrativas*

fantasia, muito senso de observação, formado no hábito de pesar com a inteligência as suas relações com a paisagem e o meio (era engenheiro, militar e pintor), Taunay foi capaz de enquadrar a história de *Inocência* (1872) em um cenário e em um conjunto de costumes sertanejos onde tudo é verossímil. Sem que o cuidado de o ser turve a atmosfera agreste e idílica que até hoje dá um renovado encanto à leitura da obra.

Salvo a abertura, onde o "descritor" resvala amiúde para o convencional ou para a aridez didática, o romance flui em diálogos naturalíssimos pelo tom e pelo vocabulário, cimentados por faixas de prosa narrativa admiravelmente funcionais. É só rastrear as falas do geralista Pereira, pai de Inocência, para perceber o quanto de espontâneo elas comunicam à dinâmica do livro.

Taunay sabia explorar na medida justa o cômico dos tipos como o naturalista alemão à cata de borboletas, o grotesco sombrio do anão Tico, a quem cabe apressar o desenlace, ou o patético de algumas cenas perfeitas como a fuga do leproso para a mata e a morte solitária de Cirino.

No âmbito de nosso regionalismo, romântico ou realista, nada há que supere *Inocência* em simplicidade e bom gosto, méritos que o público logo lhe reconheceu, esgotando sucessivamente mais de trinta edições sem falar nas que, já no século passado, se fizeram em quase todas as línguas cultas.

A gênese do êxito estará talvez na fórmula de arte cara ao romancista: o "realismo mitigado". Há algo de diplomático, de mediador, na sua atitude em relação à matéria da própria obra. Taunay idealiza, mas parcialmente, porque o seu interesse real é de ordem pictórica: a cor da paisagem, os costumes, os modismos, que ele observa e frui como *típico*. Viajante mais sensual do que apaixonado, incapaz do empenho emotivo de um Alencar, a sua realidade é por isso mesmo mais tangível e mediana. Há quem veja nele um escritor de transição para o realismo. Não é bem assim. Quando maduro, criticou o naturalismo. E a postura fundamentalmente egótica, reflexa nos romances mundanos que se seguiram a *Inocência*, nos diz que se algo mudou foi a sociedade, não o estofo individualista do escritor.

Mas nada mais fez que se comparasse sequer à realização de *Inocência*. Voltando-se para o romance de ambiente urbano e grã-fino, decaiu ao nível da subliteratura francesa da época (*O Encilhamento*, *No Declínio*), sem que as qualidades de observador lhe compensassem a perda do fôlego.

Militares. Cenas e Tipos, 1878; *Estudos Críticos*, 1881-1883; *Céus e Terras do Brasil. Cenas e Tipos*; *Quadros da Natureza; Fantasias*, 1882; *Amélia Smith*, drama, 1886; *O Encilhamento. Cenas Contemporâneas da Bolsa em 1890, 1891 e 1892*, rom., 1894; *No Declínio. Romance Contemporâneo*, 1889; *Reminiscências*, 1907; *Memórias*, 1948.

Consultar: Alcides Bezerra, *O Visconde de Taunay. Vida e Obra*, Rio, Arquivo Nacional, 1937; Lúcia Miguel-Pereira, "Três Romances Regionalistas", em *Prosa de Ficção (1870-1920)*, Rio, José Olympio, 1950, pp. 27-39.

O regionalismo toma, enfim, ares de manifesto, programa e áspera reivindicação na pena do cearense **Franklin Távora** ([113]). Polemizando com o conterrâneo Alencar, em quem deplorava, após a leitura do *Gaúcho*, a carência de contato direto com as regiões descritas, Távora quis introduzir, já no apagar das luzes da ficção romântica, um critério mais rigoroso de verossimilhança.

Mas o escritor estava animado por certo ressentimento de nordestino em face da Corte e, por extensão, do progresso sulino que, com a ascensão do café, marginalizava as demais áreas do país. Daí o tom de polêmica e a sua frontal oposição de uma "literatura do Norte" à do resto do Brasil:

> As letras têm, como a política, um certo caráter geográfico; mais no Norte, porém, do que no Sul, abundam os elementos para a formação de uma literatura brasileira, filha da terra.
>
> A razão é óbvia: o Norte ainda não foi invadido como está sendo o Sul de dia em dia pelo estrangeiro (*O Cabeleira*, Prefácio).

Távora não cumpriu, com o seu modesto *Cabeleira*, as promessas de uma literatura nordestina que precisou esperar o talento de um Oliveira Paiva e, já neste século, de um José Lins do Rego e de um Graciliano Ramos, para firmar-se como admirável realidade.

Visto de um ângulo puramente externo (a fonte do tema), o livro é baliza de uma série de romances voltados para o banditismo como efeito da miséria, do latifúndio, das secas, das migrações: *A Fome* e *Os Brilhantes*, de Rodolfo Teófilo, *Os Cangaceiros*, de Carlos D. Fernandes, *O Rei dos Jagunços*, de Manuel Benício, *Seara Vermelha*, de Jorge Amado, *Os Cangaceiros*, de José

([113]) João Franklin da Silveira Távora (Baturité, Ceará, 1842 — Rio, 1888). Saiu ainda criança de sua terra natal para Pernambuco. Estudou Direito em Recife, formando-se em 1863. Advogou por algum tempo até ingressar na política. Foi deputado provincial e ocupou altos postos na administração pernambucana. Ainda estudante escreveu os contos de *A Trindade Maldita* (1861) e o romance *Os Índios do Jaguaribe* (1862). Ainda no decênio de 60 desenvolveu uma novelística de cunho sertanejo: o romance *A Casa de Palha* é de 66; a novela *Um Casamento no Arrabalde*, de 69. A partir de 1870, enceta uma campanha sistemática em prol do regionalismo, por ele identificado com a "literatura do Norte". Sob o pseudônimo de Semprônio, critica José de Alencar, nas *Cartas a Cincinato* (1870). Passando a morar no Rio, ocupa-se intensamente de questões históricas e literárias, funda a *Revista Brasileira* e escreve seus principais romances regionais e coloniais: *O Cabeleira* (1876), *O Matuto* (1878) e *Lourenço* (1881). Consultar: José Veríssimo, "Franklin Távora e a Literatura do Norte", em *Estudos de Literatura Brasileira*, V, pp. 129-140; Lúcia Miguel-Pereira, "Três Romancistas Regionalistas", em *O Romance Brasileiro* (coord. por Aurélio Buarque de Holanda), *cit*., pp. 103-107; Antônio Dimas, "Uma proposta de leitura para *O Cabeleira*", *in Língua e Literatura*, nº 3, Univ. de S. Paulo, 1974.

Lins do Rego... Literariamente, é uma sofrível mistura de crônica do cangaço e expedientes melodramáticos.

Nos romances seguintes, *O Matuto* e *Lourenço*, Franklin Távora sobrepôs ao regionalismo o cuidado da reconstrução miúda da vida recifense durante a Guerra dos Mascates. E como a sua vocação real fosse antes a história que a arte, soube exprimir-se de modo mais convincente nessas páginas coloniais do que na fatura do *Cabeleira.*

Uma leitora severa, Lúcia Miguel-Pereira, viu, porém, numa das primeiras produções de Távora, a novela *Um Casamento no Arrabalde*, aliás subestimada pelo escritor, o seu ensaio mais feliz de fixação dos costumes campesinos, ainda sem sombra de intenções polêmicas.

Os manifestos e os prólogos de Távora podem ser lidos como sinal avançado dos riscos que o provincianismo traz para a literatura; ou, num plano histórico, como sintoma dos fundos desequilíbrios que já no século XIX sofria o Brasil como nação desintegrada, incapaz de resolver os contrastes regionais e à deriva de uma política de preferências econômicas fatalmente injusta. O regionalismo então servia, como tem servido, de documento e protesto.

O TEATRO

Em termos de valor, deve-se distinguir um teatro romântico menor, que se exauriu no programa de nacionalizar a nova literatura, de um teatro que se escorou em textos realmente novos e capazes de enfrentar a cena.

Coube a Gonçalves de Magalhães o primeiro tento (a sua glória haveria de ser sempre cronológica) com a tragédia *Antônio José ou O Poeta e a Inquisição* entregue em 1837 ao ator João Caetano, que se esforçava para criar no Rio de Janeiro um bom ambiente teatral ([114]).

Martins Pena

Mas os primeiros textos válidos foram assinados por um dramaturgo popular nato, Luís Carlos Martins Pena ([115]) que, desde a adolescência, compunha divertidas comédias de costumes (a primeira redação do *Juiz de Paz da Roça*

([114]) Sobre Magalhães, v. pp. 101-103. Sobre o ator, ver o ensaio exemplar de Décio de Almeida Prado, *João Caetano e a Arte do Ator*, S. Paulo, Ática, 1984.

([115]) LUÍS CARLOS MARTINS PENA (Rio, 1815 — Lisboa, 1848). De origem humilde, freqüentou aula de Comércio e chegou por esforço próprio a dominar o francês e o italiano. Pôs-se muito cedo a escrever comédias, no que foi estimulado pelo êxito pronto e pelo apoio de João Caetano. Redigiu também folhetins sobre espetáculos

é de 1833) numa linguagem coloquial que, no gênero, não foi superada por nenhum comediógrafo do século passado.

Também Martins Pena beneficiou-se da ação renovadora de João Caetano: este encenou *O Juiz de Paz* apresentando-o a um público que não cessaria de aplaudir suas novas e sucessivas produções: dezessete comédias em dois anos, de 1844 a 1846... O intuito básico de Martins Pena era fazer rir pela insistência na marcação de tipos roceiros e provincianos em contato com a Corte. O tom passa do cômico ao bufo, e a representação pode virar farsa a qualquer momento: o labrego de Minas ou o fazendeirão paulista seriam fonte de riso fácil para o público fluminense, e o nosso autor não perde vaza para explorar-lhes a linguagem, as vestes, as abusões.

---

de teatro e de ópera para o *Jornal do Comércio* (1846-47) e uma novela, ainda hoje inédita, *O Rei do Amazonas*. Subiu na burocracia diplomática de amanuense da Mesa do Consulado e Adido da nossa Legação em Londres para onde viajou em 1847. Mas, já atacado de tuberculose, precisou regressar; em trânsito por Lisboa, veio a falecer, aos trinta e três anos de idade. Algumas de suas peças não foram editadas senão depois de sua morte. Aqui vai o seu elenco, apondo-se, quando possível, *a data da representação* e a da edição, para o que me valho das informações constantes das *Comédias* de Martins Pena, ed. crítica por Darcy Damasceno, Rio, I.N.L., 1956: *O Juiz de Paz da Roça*, 1838 (ed. 1842); *Um Sertanejo na Corte* (inacabada, não representada e só impressa na ed. citada); *Fernando ou O Cinto Acusador* (*id.*); *D. João de Lira ou O Repto* (*id.*); *A Família e A Festa da Roça*, 1840 (ed. 1842); *D. Leonor Teles* (não representada nem impressa até a ed. citada); *Itaminda ou O Guerreiro de Tupã* (*id.*); *Vitiza ou O Nero de Espanha*, 1841 (não publ.); *Os Dous ou O Inglês Maquinista*, 1845 (ed. 1871); *O Judas em Sábado de Aleluia*, 1844 (ed. 1846); *Os Irmãos das Almas*, 1844 (ed. 1846); *O Diletante*, 1845 (ed. 1846); *Os Três Médicos*, 1845 (não publ.); *O Namorador ou A Noite de São João*, 1845 (não publ.); *O Noviço*, 1845 (ed. 1853); *O Cigano*, 1845 (não publ.); *O Caixeiro da Taverna*, 1845 (ed. 1847); *As Casadas Solteiras*, 1845 (não publ. em livro até a ed. citada); *Os Meirinhos*, 1846 (não publ.); *Quem Casa, Quer Casa*, 1845 (ed. 1847); *Os Ciúmes de um Pedestre ou O Terrível Capitão do Mato*, 1846 (não publ.); *As Desgraças de uma Criança*, 1846 (não publ.); *O Usuário* (não repr. nem publ.); *Um Segredo de Estado*, 1846 (não publ.); *O Jogo de Prendas* (não repr. nem publ.); *A Barriga de Meu Tio*, 1846 (não publ.). O editor Darcy Damasceno ainda arrola uma comédia e um drama sem título cujos manuscritos se acham na Biblioteca Nacional. Sobre Martins Pena: Melo Morais Filho e Sílvio Romero, Introdução à ed. das *Comédias*, Rio, Garnier, 1898; Sílvio Romero, *Vida e Obra de Martins Pena*, Porto, Lello, 1901; Décio de Almeida Prado, "Martins Pena", no ensaio "A Evolução da Literatura Dramática", em *A Lit. no Brasil*, *cit.*, vol. II, pp. 252-255; Sábato Magaldi, "Criação da Comédia Brasileira", em *Panorama do Teatro Brasileiro*, S. Paulo, D. E. L., 1962, pp. 40-58; J. Galante de Sousa, *O Teatro no Brasil*, 2ª ed., Rio, Edições de Ouro, 1968, pp. 196-205; Antônio Soares Amora, "Martins Pena", em *O Romantismo*, *cit.*, pp. 309-330; Vilma Arêas, *Na Tapera de Santa Cruz*, S. Paulo, Martins Fontes, 1987.

Depois de ter escrito três comédias baseadas nesse esquema voltado para o ridículo (*O Juiz de Paz da Roça, Um Sertanejo na Corte e A Família e a Festa na Roça*), Pena tentou o teatro histórico, gênero nobre no Romantismo europeu. Mas sem êxito: peças como *D. João Lira ou O Repto* e *D. Leonor Teles* nem sequer foram representadas, e a sua leitura, hoje, indica que na verdade não o mereciam. O fato é que em 1844 o dramaturgo volta aos assuntos e ao tom das primeiras comédias, preferindo ao mundo da roça os costumes cariocas do tempo, dos quais nos dá um quadro mais vivo e corrente do que todos os romances de Macedo. O convívio direto com o público e a urgência de divertir impediram que Martins Pena idealizasse sem critério como o fazia o autor de *A Moreninha* nos seus quadros fluminenses. O nosso comediógrafo pode distorcer pelo vezo de tipificar, mas nunca pela romantização, de onde a maior dose de realismo, convencional embora, do seu teatro, se comparado àquela ficção.

Em Martins Pena, o modo de sentir o *social* já era bem menos conservador que o do primeiro grupo romântico no qual costuma ser integrado por motivos contingentes. Assim, o "juiz de paz" é composto com uma face venal e arbitrária, não obstante as veleidades de rigor que o cargo lhe faculta. Com a mão direita recruta pobres-diabos para irem lutar contra os farrapos ou perseguir os quilombos; com a esquerda, recebe leitões, cestos de laranjas e cuias de ovos dos querelantes... É verdade que o tom de comédia ameniza a crítica e a dilui no faceto: os sitiantes não aparecem como vítimas, são simplórios até burlescos nas suas brigas com os vizinhos. E, no final, todos se confraternizam ao som de um fado "bem rasgadinho, bem choradinho", que o próprio juiz arma na sala de despachos:

JUIZ — Assim meu povo! Esquenta, esquenta!
MANUEL JOÃO — Aferventa!...
TOCADOR — Em cima daquele morro
Há um pé de ananás;
Não há homem neste mundo
Como o nosso juiz de paz.
TODOS — Se me dás que comê,
Se me dás que bebê,
Se me pagas as casas,
Vou morá com você.
JUIZ — Aferventa, aferventa!...

Um esboço de sátira mais ardida se traça na comédia *Os Dous ou O Inglês Maquinista*, em que os vilões são o traficante negreiro e o especulador inglês; e em *O Noviço*, onde, pela boca do protagonista, Martins Pena faz um libelo contra o regime do "patronato":

CARLOS — O tempo acostumar! Eis aí por que vemos entre nós tantos absurdos e disparates. Este tem jeito para sapateiro: pois vá estudar medicina... Excelente médico! Aquele tem inclinação para cômico: pois não senhor, será político... Ora, ainda isso vá. Estoutro só tem jeito para caiador ou borrador: nada, é ofício que não presta... Seja diplomata, que borra tudo quanto faz. Aqueloutro chama-lhe toda a propensão para a ladroeira; manda o bom senso que se corrija o sujeitinho, mas isso não se faz: seja tesoureiro de repartição fiscal, e lá se vão os cofres da nação à garra... Essoutro tem uma grande carga de preguiça e indolência e só serviria para leigo de convento, no entanto vemos o bom do mandrião empregado público, comendo com as mãos encruzadas sobre a pança o pingue ordenado da nação.

EMÍLIA — Tens muita razão: assim é.

CARLOS — Este nasceu para poeta ou escritor, com uma imaginação fogosa e independente, capaz de grandes cousas, mas não pode seguir a sua inclinação, porque poetas e escritores morrem de miséria, no Brasil... E assim o obriga a necessidade a ser o mais somenos amanuense em uma repartição pública e a copiar horas por dia os mais soníferos papéis. O que acontece? Em breve matam-lhe a inteligência e fazem do homem pensante máquina estúpida, e assim se gasta uma vida! É preciso, é já tempo que alguém olhe para isso, e alguém que possa.

EMÍLIA — Quem pode nem sempre sabe o que se passa entre nós, para poder remediar; é preciso falar.

CARLOS — O respeito e a modéstia prendem muitas línguas, mas lá vem um dia que a voz da razão se faz ouvir, e tanto mais forte quanto mais comprimida.

EMÍLIA — Mas Carlos, hoje te estou desconhecendo...

CARLOS — A contradição em que vivo tem-me exasperado! E como queres tu que eu não fale quando vejo, aqui, um péssimo cirurgião que poderia ser bom alveitar; ali, um ignorante general que poderia ser excelente enfermeiro; acolá, um periodiqueiro que só serviria para arrieiro, tão desbocado e insolente é, etc., etc. Tudo está fora de seus eixos...

EMÍLIA — Mas que queres tu que se faça?

CARLOS — Que não se constranja ninguém, que se estudem os homens e que haja uma bem entendida e esclarecida proteção, e que, sobretudo, se despreze o patronato, que assenta o jumento nas bancas das academias e amarra o homem de talento à manjedoura. (Ato I, Cena VII).

O retrato do intelectual sufocado em empregos vis e a antipatia votada ao negocista e aos altos burocratas conotam reações típicas de classe média instável. Ideologia que aborrece igualmente os carolas, as beatas, os exploradores da boa fé dos pobres, mas vê com simpatia os maçons na medida em que representam o avesso daqueles (*O Irmão das Almas*). Em uma análise percuciente, Paula Beiguelman vê como eixo da comédia de Martins Pena o *crescendo* da urbanização, que desintegra o velho artesanato da Corte e, com ele, o decoro de um estilo simples e desambicioso de viver ([116]). Daí, o afã de especular de boa parte da população e os valores novos de luxo e esnobismo (*O Diletante*), em contraste com a singeleza da vida roceira, no fundo ainda considerada mais sadia pelo bom senso convencional do autor.

Essas constantes transparecem nos diálogos de cuja arte Pena era senhor absoluto. Diálogos que valem como excelente testemunho da língua coloquial brasileira tal como se apresentava nos meados do século XIX.

Gonçalves Dias

Já Gonçalves Dias ([117]), na sua melhor obra teatral, *Leonor de Mendonça*, escrita em plena juventude, preferiu entroncar-se na linha européia do drama histórico. Documentando-se com escrúpulo sobre o período de D. João III em Portugal, procurou dar à palavra de suas criaturas o tom nobre e a compostura grave que um assunto nobre e grave requeria. Tratava-se de levar à cena a tragédia conjugal dos Duques de Bragança, Jaime e Leonor, a inclinação desta por um jovem da Corte, Alcoforado; afeto que, embora não adulterino, suscitou o ciúme do Duque resultando no assassínio dos supostos amantes.

Gonçalves Dias compôs o drama com os olhos postos na restauração do teatro português empreendida por seu mestre Garrett desde 1838 com *Um Auto de Gil Vicente* até a publicação da obra-prima *Frei Luís de Sousa* em 1843. E o drama é garrettiano não só pela elegância da prosa levemente guindada como pelo uso livre dos sucessos, urdidos em função de constantes românticas: o amor fatal, o peso dos preconceitos, a força resolutiva das grandes paixões.

E cabe lembrar a viva consciência que tinha o jovem dramaturgo do sentido moderno que deveria conotar a presença do *destino* na estrutura do teatro romântico. Diz ele, no prólogo, explicando a fatalidade em *Leonor de Mendonça*:

> Não aquela fatalidade implacável que perseguiu a família dos Átridas, nem aquela outra cega e terrível que Werner descreve no seu drama *24 de Fevereiro*. É a fatalidade cá da terra a que eu quis descrever, aquela fatalidade que nada tem de Deus e tudo dos homens, *que é filha das circunstâncias e que dimana toda dos nossos hábitos de civilização*; aquela fatalidade, enfim, que faz com que um homem pratique tal crime *porque vive em tal tempo, nestas ou naquelas circunstâncias* (grifos meus).

A consciência do novo, do não mais clássico, também se revela pela justificação da prosa em lugar do verso e, mais, pela apologia de um modelo shakespeariano de tragédia onde prosa e verso se revezariam segundo o tom

---

([116]) P. Beiguelman, "Análise literária e investigação sociológica", em *Viagem Sentimental a "Dona Guidinha do Poço"*, S. Paulo, Ed. Centro Universitário, 1966, pp. 67-77.

([117]) V. nota 78.

e o ritmo dos afetos que movem as personagens. Experiência que Gonçalves Dias não realizou, mas que está plenamente no âmbito do ideal romântico de criar um gênero superior à tragédia e à comédia tradicional, e que a ambos abrace: o *drama*. E por certo é de uma leitura romântica de Shakespeare que derivam a atmosfera turva de presságios, iminente sobre os protagonistas, e a extrema crueza do desenlace em que o próprio Duque, novo Otelo enfurecido, se dispõe a executar sua vingança.

O gosto do público não pendeu, entretanto, para esse teatro histórico, sentido provavelmente como "pesado" e monótono. As representações de peças de costumes burgueses traduzidas do francês foram acostumando os espectadores aos "dramas de casaca", e será esse o gênero preferido a partir de 1860, ao lado da ópera italiana então no apogeu. Sintoma das novas predileções é a sofrível peça, "ópera em dois atos" de Macedo, *O Primo da Califórnia*, levada à cena com grande êxito.

Alencar

Caberia a José de Alencar ([118]) insistir na dose de "brasilidade" que esse drama de costumes deveria conter. Para tanto, compôs *Verso e Reverso*, peça ligeira de ambientação carioca, e *O Demônio Familiar*, comédia em que os vaivéns da intriga são obra de um escravo, moleque enredador e ambicioso.

Embora o mau caráter de Pedro, o "demônio familiar", seja o pivô dos embaraços de uma família "de bem", não se pode, na análise desta comédia, forçar a nota do preconceito, ao menos enquanto consciente. No último ato, o moleque é alforriado para que, fora da irresponsabilidade em que vivera como escravo, possa escolher honradamente o seu caminho. Diz-lhe o senhor:

> Toma: é a tua carta de liberdade, ela será a tua punição de hoje em diante, porque as tuas faltas recairão unicamente sobre ti; porque a moral e a lei te pedirão uma conta severa de tuas ações. Livre, sentirás a necessidade do trabalho honesto e apreciarás os nobres sentimentos que hoje não compreendes.

Essa, naturalmente, a intenção ética de Alencar ao redigir a comédia. O que ficou, porém, foi a figura do moleque irrecuperável: Pedro apenas mudará de senhor, realizando seu sonho dourado — ser cocheiro de um rico major, função que lhe permitirá motejar com desprezo os cocheiros de aluguel. Ficou o estereótipo, vivo na cultura escravocrata brasileira, do negrinho maroto, as-

---

([118]) V. nota 104; José Galante de Sousa, *O Teatro no Brasil*, Rio, MEC, 1960; João Roberto Faria, *José de Alencar e o Teatro*, Perspectiva, 1987.

tuto, no fundo cínico por incapacidade de coerência moral: imagem que deixa entrever um preconceito mais tenaz, porque latente [119].

Em *Mãe*, Alencar entroniza no centro do drama a figura de uma escrava, Joana, que se imola até a morte para o bem-estar e a felicidade conjugal do seu senhor; este, ignorando ser seu filho, chega ao ponto de vendê-la para resgatar as dívidas do futuro sogro. Mas o altruísmo de Joana é manifestamente heroísmo de mãe antes que nobreza de negra escrava: "se há diamante inalterável — diz Alencar na dedicatória do drama — é o coração materno, que mais brilha quanto mais espessa é a treva; sentes que rainha ou escrava, a mãe é sempre mãe."

Agrário de Meneses. Paulo Eiró

Mas houve dois jovens dramaturgos, meio esquecidos pela crítica moderna, que trabalharam o tema da escravidão de modo mais direto e cortante que Alencar: o baiano Agrário de Meneses (1843-63) e o paulista Paulo Eiró (1836-71).

O *Calabar* de Agrário de Meneses é um drama em verso escrito em 1858 em plena floração do segundo grupo romântico: nele, a figura do traidor é byronianamente identificada com a do *rebelde* que, por ser mestiço, vinga no seu ato as humilhações sofridas:

> Homens que me enxotastes atrevidos
> Da lauta mesa, em que vos assentáveis,
> Mulheres que zombastes do mulato,
> Porque ousou mostrar-vos sua alma
> Em êxtases de amor: sede malditos.

Segundo Raymond Sayers, "a peça no seu conjunto parece ter sido o primeiro estudo feito no Brasil sobre o complexo de inferioridade do mulato, e a extrema sensibilidade dos membros desse grupo miscigenado, por sua difícil posição na sociedade" (*op. cit.*, p. 266).

Pouco posterior é *Sangue Limpo* (1861), de Paulo Eiró [120], figura rica e estranha de poeta romântico cujos últimos anos foram ensombrados pela demência, mas que, no meio-dia da juventude, revelou perfeita lucidez como escritor e compreensão aguda do problema racial. *Sangue Limpo* é um drama

---

(119) Para uma nova interpretação dessa comédia, ler Décio de Almeida Prado, "Os demônios familiares de Alencar", *in Revista* do *Instituto de Estudos Brasileiros*, nº 15, Universidade de S. Paulo, 1974.

(120) Ver a 2ª edição de *Sangue Limpo* (S. Paulo, 1949), prefaciada por Jamil Almansur Haddad.

traçado com firmeza. Tem por cenário São Paulo nos dias da Independência e situa, na atmosfera de expectativa que precedeu a vinda de D. Pedro, um caso de amor entre um fidalgo e uma jovem parda. O preconceito é vencido pelo rapaz que se rebela contra o pai, ao mesmo tempo que este é assassinado por um negro que jurara nunca mais "ajoelhar-se aos pés de um senhor". Ao som festivo do brado do Ipiranga, "Independência ou Morte", abraçam-se brancos e mulatos num ímpeto de fraternidade. A peça, reproduzindo o ambiente severo do antigo burgo e dando a cada personagem uma expressão justa e límpida, resiste galhardamente à leitura moderna e, creio, também à representação. Esta, a fala em que Rafael, o irmão da jovem mestiça, responde ao fidalgo que lhe perguntara se corria sangue escravo em suas veias:

> — Sou filho de um escravo, e que tem isso? Onde está a mancha indelével?... O Brasil é uma terra de cativeiro. Sim, todos aqui são escravos. O negro que trabalha seminu, cantando aos raios do sol; o índio que por um miserável salário é empregado na feitura de estradas e capelas; o selvagem, que, fugindo às bandeiras, vaga de mata em mata; o pardo a quem apenas se reconhece o direito de viver esquecido; o branco, enfim, o branco orgulhoso, que sofre de má cara a insolência das Cortes e o desdém dos europeus. Oh! quando caírem todas essas cadeias, quando esses cativos todos se resgatarem, há de ser um belo e glorioso dia! (Ato II, cena 12).

A CONSCIÊNCIA HISTÓRICA E CRÍTICA

As atitudes ideológicas e críticas que se rastreiam durante as quatro décadas do Romantismo têm como fator comum a ênfase dada à autonomia do país. Há em todo o período um nacionalismo crônico e às vezes agudo, que ao observador menos avisado pode parecer traço bastante para unificar e definir a cultura romântica. De Magalhães e Varnhagen a Castro Alves e Sousândrade, dos indianistas e sertanistas aos condoreiros, transmite-se o mito da terra-mãe, orgulhosa do passado e dos filhos, esperançosa do futuro.

No entanto, para evitar que vejamos o Romantismo com olhos românticos e que a história vire tautologia, convém tentar uma análise diferencial do fenômeno. Por trás da fachada uniforme de amor à pátria, houve expressões diversas de grupos diversos que, pela estrutura "em arquipélago" do país, aparecem às vezes em tempos díspares não sendo possível construir para todas uma linha simples de evolução.

Deve-se distinguir, pelo menos: *a*) o *grupo fluminense*, entre passadista e eclético, que instalou oficialmente, nos fins da década de 30, o Romantismo na poesia, no teatro e na historiografia (Magalhães, Porto Alegre, Varnhagen e o "padroeiro" de todos, Monte Alverne); *b*) o *grupo paulista*, formado por alguns mestres e estudantes de Direito que fundaram em 1833 uma *Sociedade Filomática* em cuja *Revista* se defendem as teses americanistas de Denis e

Garrett (Justiniano José da Rocha, Salomé Queiroga, Antônio Augusto Queiroga, Francisco Bernardino Ribeiro...) ([121]); *c*) o *grupo maranhense*, paralelo aos anteriores, mas liberal no espírito, ilustrado na cultura e ainda clássico na linguagem (João Francisco Lisboa, Sotero dos Reis, Odorico Mendes); *d*) o *grupo pernambucano*, empenhado antes na luta ideológica que na crítica literária, e que representa a ponta de lança do progressismo liberal romântico (Abreu e Lima, Pedro Figueiredo).

Tradicionalismo

A ênfase dada aos conteúdos romântico-nacionais cabe à geração de Magalhães e a seus continuadores da *Minerva Brasiliense* (1843) e do Instituto Histórico: Joaquim Norberto, Pereira da Silva, Santiago Nunes Ribeiro. Indianismo e passadismo misturam-se nessa perspectiva, perdendo o primeiro em contato com o segundo as garras antilusas e democráticas que ainda apresentava na época da Independência ([122]). Já a literatura dos maranhenses (e penso nas belas páginas do *Jornal de Timon*, desse clássico do jornalismo satírico que foi João Francisco Lisboa) conserva não poucos traços do que foi a luta anticolonial na província: luta que perdurou nas revoltas do período regencial e no começo do Segundo Império, na medida em que este retomava a diretriz centralizadora da última Regência.

As antinomias que marcaram o século XIX brasileiro foram várias: corte/província; poder central/poder local; campo/cidade; senhor rural/classe média urbana; trabalho escravo/trabalho livre. A "conciliação" ideológica fez-se através da primeira geração romântica, bafejada, como se sabe, por D. Pedro II. Já as formas de pensamento que exprimem conflito configuraram-se em primeiro lugar no Nordeste, onde precocemente surgem correntes abolicionistas e republicanas.

À vertente oficial deve-se um meritório labor erudito e o primeiro levantamento de textos poéticos da Colônia. Foram profícuos editores, antologistas

---

([121]) Consultar: José Aderaldo Castello, *Textos que Interessam à História do Romantismo*, 3 vols., S. Paulo, Comissão Estadual de Cultura, 1960-1965. Em São Paulo, também em torno da Academia de Direito, constituiu-se em 1859 outro grupo, o do *Ensaio Filosófico Paulistano*, que retomou, na pena pouco original de Antônio Joaquim Macedo Soares, as teses da Sociedade Filomática sobre a necessidade de abrasileirar as nossas letras (v. Afrânio Coutinho, *A Tradição Afortunada*, *cit.*, pp. 82-91).

([122]) Sobre as tendências ecléticas que prevaleceram durante toda essa fase, ver o denso estudo de Paulo Mercadante, *A Consciência Conservadora no Brasil*, Rio, Ed. Saga, 1965. Para a análise das primeiras revistas românticas, ver *A Divisão das Águas*, de Hélio Lopes, S. Paulo, Cons. Estadual de Artes e C. Humanas, 1978.

e biógrafos Joaquim Norberto (v.), Pereira da Silva, com o seu *Parnaso Brasileiro* (1843-48), seguido do *Plutarco Brasileiro* (1847) e Varnhagen com o *Florilégio da Poesia Brasileira* (1853). As idéias que os norteavam eram poucas, pobres e repetidas à saciedade: o Brasil tem uma literatura original a partir da Independência e/ou há, desde os tempos coloniais, motivos brasílicos de inspiração: a natureza, os índios, os nossos costumes. Enquanto pretende firmar uma nova *poética*, essa crítica subordina os temas nativos aos sentimentos e à religião tradicional, refugando o racionalismo e as "ficções clássicas". Ecos de Madame de Staël, Chateaubriand, Garrett e Denis, os escritos dos galo-fluminenses, como os chamava Romero, não conseguiram dinamizar uma verdadeira crítica literária. Diluíam na água morna do conservantismo o vinho forte que as idéias realmente novas de *Nação* e do *Povo* significaram para a Europa pós-napoleônica. De resto a frase "a literatura é expressão da sociedade" é de si vaga e depende do conceito que se tenha de sociedade; foi proferida também pelo ultra-reacionário Visconde de Bonald em nome das tradições que teriam sido conculcadas pelo racionalismo da Revolução Francesa.

Dos continuadores de Magalhães, o único a pensar com alguma força o problema da relação entre nacionalidade e literatura foi Santiago Nunes Ribeiro ([123]). Respondendo, na *Minerva Brasiliense*, a um articulista luso que negara a existência de uma literatura brasileira (por não existir aqui uma língua diversa do Português), Santiago Nunes dá ênfase ao nexo entre as letras e os contextos histórico-geográficos. Nessa ordem de pensamento alcança um nível teórico mais alto que o dos contemporâneos:

> Não é princípio incontestável que a divisão das literaturas deva ser feita invariavelmente segundo as línguas, em que se acham consignadas. Outra divisão mais filosófica seria a que atendesse ao espírito, que anima, à idéia que preside aos trabalhos intelectuais de um povo, isto é, de um sistema, de um centro, de um foco de vida social. Este princípio literário e artístico é o resultado das influências, do sentimento, das crenças, dos costumes e hábitos peculiares a um certo número de homens, que estão em determinadas relações e que podem ser muito diferentes entre alguns povos, embora falem a mesma língua. (...) A literatura é a expressão da índole, do caráter, da inteligência social de um povo ou de uma época. (...) Ora os brasileiros têm seu caráter nacional, também devem possuir uma literatura pátria ("Da Nacionalidade da Literatura Brasileira", *in Minerva Brasiliense*, 1-11-1843, I, 1).

([123]) Santiago Nunes Ribeiro (Chile, ? — Rio Preto, Minas, 1847). De sua biografia pouco se sabe. Teria vindo ainda pequeno do Chile, trazido por um tio padre, exilado político. Trabalhou no comércio em Paraíba do Sul. No Rio lecionou em escolas particulares e, depois, no Colégio Pedro II, onde ocupou a cadeira de Retórica e Poética. Colaborou na *Minerva Brasiliense*, de 1843 a 1845, e pertenceu ao Instituto Histórico e Geográfico. Consultar Afrânio Coutinho, *op. cit.*, pp. 24-45.

A lucidez de Santiago Nunes estrema-o do meio fluminense entregue à erudição e incapaz de rever os lugares-comuns de que abusa: "nacionalismo", "americanismo", "indianismo", etc. Mas a morte prematura impediu-o de desenvolver um tipo de crítica globalizante para o qual fora dotado.

Radicalismo

Das províncias do Nordeste, onde a crise açucareira produzia constante inquietação, vieram formas de pensar mais críticas, sendo arbitrário separar nelas o interesse histórico e literário do sal ideológico.

Assim, no ano de 1835, enquanto Magalhães e Porto Alegre, em contato com a cultura francesa, introduziam uma forma passadista ou eclética de Romantismo, aparecia a obra de um pernambucano em quem já fermentavam idéias democráticas e socializantes: o *Bosquejo Histórico, Político e Literário do Brasil*, de Abreu e Lima (124). Nele o libertário, filho do Padre Roma, companheiro de Bolívar, e homem que daria seu apoio à Revolução Praieira, faz um libelo contra o estado de ignorância reinante por séculos em Portugal: situação que a Colônia herdara e que cabia aos brasileiros corrigir. Mas não fica aí o seu "jacobinismo" que iria mais tarde irritar o Visconde de Porto Seguro: Abreu e Lima vê na literatura "o corpo de doutrinas de uma Nação" e desce a críticas estruturais do sistema, deixando assim de lado os chavões inócuos em que se cifrava o nacionalismo dos primeiros românticos. Um historiador recente, Vamireh Chacon, na esteira de Gilberto Freyre e Amaro Quin-

---

(124) José Inácio de Abreu e Lima (Recife, 1794-1869). Filho de um sacerdote "défroqué" que morreu fuzilado pelo governo português por ter participado na Insurreição Pernambucana de 1817, seguiu as pegadas do pai: capitão de artilharia já nesse ano, foge para os Estados Unidos e daí para a Venezuela onde desempenha perigosas missões junto a Bolívar, ascendendo em poucos anos ao generalato. Depois de viver longamente na Colômbia, volta para o Brasil (1832) onde se engaja em lutas políticas que, não obstante as contradições aparentes, sempre se situaram numa linha nitidamente liberal. Além do *Bosquejo* citado, escreveu: *Compêndio da História do Brasil*, 1843; *Sinopse ou Dedução Cronológica dos Fatos Mais Notáveis da História do Brasil*, 1845; *Cartilha do Povo* (sob o pseud. de "Franklin"), 1849; *História Universal*, 1847; *O Socialismo*, 1855; *As Bíblias Falsificadas ou Duas Respostas ao Sr. Cônego Joaquim Pinto de Campos*, 1867; *Resumen Histórico de la Última Dictadura del Libertador Simón Bolivar Comprobada con Documentos*, publicado pelo Embaixador da Venezuela no Brasil, Diego Carbonell, em 1932. Sobre Abreu e Lima, consultar Vamireh Chacon, "O Romântico de 1848: Abreu e Lima", na sua *História das Idéias Socialistas no Brasil*, Rio, Civilização Brasileira, 1965, pp. 145-187.

tas ([125]), chama a atenção para alguns textos do *Bosquejo*, prenhes de antecipações sociológicas:

> Que somos todos inimigos, e rivais uns dos outros na proporção das nossas respectivas classes, não necessitamos de argumentos para prová-lo, basta só que cada um dos que lerem este papel, seja qual for a sua condição, meta a mão na sua consciência e consulte os sentimentos do seu próprio coração. (...) Que não havendo afinidade entre os interesses individuais, tão pouco pode haver interesse geral, fundado na participação de todos na pública administração, porque cada classe ou família quererá a primazia ([126]).

Em outros passos ataca o bacharelismo, produtor de *semidoutos*, "o maior açoute que nos poderia caber depois de 300 anos de escravidão". No *Compêndio de História do Brasil* presta a sua homenagem às insurreições pernambucanas, de 1817 e de 1824, na primeira das quais vira fuzilado o pai e fora preso ele próprio. Sabe-se que Varnhagen, de certo chocado com o livro, que lhe sabia a jacobinismo, inquinou-o de plágio... Mas Abreu e Lima prosseguiu na sua carreira doutrinária, de que são marcos a *Sinopse* e *O Socialismo*, este último uma síntese fogosa à Lammenais de progressismo e espírito religioso.

Permanência da Ilustração. J. Francisco Lisboa

No Maranhão ([127]) a sátira aos costumes políticos, aliada ao amor da frase precisa e vernácula, corre sob a pena de João Francisco Lisboa ([128]), periodista

---

([125]) Gilberto Freyre alude à geração "quarante-huitarde" de Pernambuco em vários passos da sua obra. Ver, por exemplo, *Sobrados e Mucambos*, cap. I, o belo estudo sócio-histórico *Um Engenheiro Francês no Brasil*, Rio, José Olympio, 1960, e ainda *O Velho Félix e suas "Memórias de um Cavalcanti"*, Rio, José Olympio, 1959. De Amaro Quintas, O *Sentido Social da Revolução Praieira*, Recife, Imprensa Universitária, 1961.

([126]) *Apud Chacon, op. cit.*, p. 156 e segs.

([127]) Louvando em bloco o grupo maranhense (Odorico Mendes, Sotero dos Reis, João Francisco Lisboa, Antônio Henriques Leal e menores), afirmou José Veríssimo: "Este grupo é contemporâneo da primeira geração romântica toda ela de nascimento ou residência fluminense. O que o situa e distingue na nossa literatura e o sobreleva a essa mesma geração, é a sua mais clara inteligência literária, a sua maior largueza intelectual. Os maranhenses não têm os blocos devotos, a ostentação patriótica, a afetação moralizante do grupo fluminense, e geralmente escrevem melhor que estes" (*História da Literatura Brasileira, cit.*, p. 222).

([128]) JOÃO FRANCISCO LISBOA (Itapicuru-Mirim, 1812 — Lisboa, 1863). Seu *Jornal de Timon* saiu em fascículos, de 1852 a 1854, em São Luís. As *Obras Completas*, em São Luís, de 1864 a 1865 (4 vols.). Sobre J. F. Lisboa: Antônio Henriques Leal, *Panteon Maranhense*, vol. IV, Lisboa, 1875. V. João Alexandre Barbosa, "Estudo Crítico", aposto a J. F. Lisboa, *Trechos Escolhidos*, Rio, Agir, 1967; Maria de Lourdes Janotti, *J. F. Lisboa, Jornalista e Historiador*, S. Paulo, Ática, 1977.

exemplar que deixou, além de artigos esparsos pela imprensa de São Luís, *O Jornal de Timon* e uma *Vida do Padre Antônio Vieira*. O alvo do primeiro é a corrupção do sistema eleitoral, manejado pelos senhores de terras e por bacharéis ignorantes e madraços. É o intelectual de classe média que lamenta o desconcerto da vida política e advoga as grandes virtudes públicas: civismo, respeito ao próximo, tolerância. Para melhor sombrear o quadro, Lisboa demora-se na pintura das refregas partidárias de Esparta, Atenas e Roma, e não chega ao Maranhão sem antes ter atravessado a Inglaterra e os Estados Unidos, a França e a Turquia.

Moralista desenganado, ele se inclina em tudo a ver o trânsito fácil da liberdade ao arbítrio e ao dolo. Mas lidas com atenção, essas páginas a um tempo sóbrias e amargas confirmam a opção iluminista e liberal do político que a mesquinhez da província abafou, impedindo que chegasse a melhores frutos. Ao historiar a evolução jurídica de Roma, é para as leis democratizantes dos Gracos que volta a sua simpatia, e são palavras de escarmento as que usa para narrar a chacina daqueles varões sem mácula. Dos partidos maranhenses, em tempos de conciliação a qualquer preço, diverte-se a dizer com malícia que

> "em geral... têm sido favoráveis ao governo central, e só lhe declaram guerra, quando de todo perdem a esperança de obter o seu apoio, contra os partidos adversos que mais hábeis ou mais felizes souberam acareá-lo para si. (...) Quando o Exmo. Sr. Bernardo Bonifácio, importunado das recíprocas recriminações e dos indefectíveis protestos de adesão e apoio destes ilustres chefes, os interrogava ou sondava apenas, respondiam eles, cada um por seu turno: — A divisa dos *Cangambás* é Imperador, Constituição e Ordem. Os *Morossocas* só querem a Constituição com o Imperador, únicas garantias que temos de paz e estabilidade. Os *Jaburus* são conhecidos pela sua longa e inabalável fidelidade aos princípios de ordem e monarquia; o Brasil não pode medrar senão à sombra protetora do Trono. Vêm os *Bacuraus* por derradeiro e dizem: Nós professamos em teoria os princípios populares; mas somos assaz ilustrados para conhecermos que o estado do Brasil não comporta ainda o ensaio de certas instituições. Aceitamos pois sem escrúpulos a atual ordem de cousas, como fato consumado, uma vez que o poder nos garanta o gozo de todas as regalias dos cidadãos. Estamos até dispostos a prestar-lhe a mais franca e leal cooperação (Partidos e Eleições no Maranhão)".

Plus ça change...

E são muitos os passos em que se patenteia a sua largueza de vistas. Defende a anistia e nega a existência de crimes políticos, com que as facções vencedoras marcam o adversário para melhor sacrificá-lo em nome de uma arbitrária e mutável justiça. Admite serem inevitáveis as mudanças e o diz em termos repassados de sabedoria histórica: "Negar a revolução é negar a um tempo a razão e a história, isto é, o direito consagrado pela sucessão dos tempos e dos fatos, pela força e natureza das cousas, e pela marcha irresistível dos interesses, que afinal triunfam dessa imobilidade a que tão loucamente aspiram todos os partidos de posse do poder; desse poder conquistado sem dúvida em eras mais remotas pelos mesmos meios que debalde se condenam quando chega a ocasião de perdê-lo." O mesmo realismo leva-o à pregação da tolerância: e o faz com os olhos postos na Praieira e nas atrocidades que se cometeram em 1824 e 1831 (Lisboa não partilharia da imagem do brasileiro como "homem cordial").

Por outro lado, esse acérrimo inimigo da escravidão não se compraz na retórica do indianismo, tão cara aos fluminenses e mesmo a seu comprovinciano Gonçalves Dias, a quem louva calorosamente como poeta, mas critica por ter dado ao índio a primazia na formação da nossa etnia. Verbera a iniqüidade com que os portugueses sujeitaram os nativos, entrando nessa altura em polêmica com Varnhagen que, na *História Geral do Brasil*, defendera a escravização pela força com argumentos do mais descarado racismo colonialista ("A Escravidão e Varnhagen"). As páginas que se seguem à confutação do alfarrabista tudesco-sorocabano são por certo as mais ardentes e profundas que o Iluminismo inspirou a qualquer escritor em língua portuguesa.

Passando da história coletiva à pessoal, escreveu sobre Odorico Mendes, o humanista seu conterrâneo, de quem encarece o saber da língua, e a *Vida do Padre Antônio Vieira*. Esta, apesar de inacabada, é exemplo de ensaio moderno, pois o biógrafo, divergindo embora da mente barroca do biografado, sabe reconhecer-lhe a invulgar estatura. Num ambiente de crítica retórica, a que Odorico e Sotero davam o tom, esse estudo de um grande clássico sobressai como investigação histórica ampla e isenta de prejuízos.

Vista em conjunto, a obra de João Francisco Lisboa cobre, já na década de 50, uma faixa da nossa realidade que seria enfrentada pela última geração romântica em termos de programa liberal e abolicionista.

V

O REALISMO

Um novo ideário

A poesia social de Castro Alves e de Sousândrade, o romance nordestino de Franklin Távora, a última ficção citadina de Alencar já diziam muito, embora em termos românticos, de um Brasil em crise. De fato, a partir da extinção do tráfico, em 1850, acelerara-se a decadência da economia açucareira; o deslocar-se do eixo de prestígio para o Sul e os anseios das classes médias urbanas compunham um quadro novo para a nação, propício ao fermento de idéias liberais, abolicionistas e republicanas. De 1870 a 1890 serão essas as teses esposadas pela inteligência nacional, cada vez mais permeável ao pensamento europeu que na época se constelava em torno da filosofia positiva e do evolucionismo. Comte, Taine, Spencer, Darwin e Haeckel foram os mestres de Tobias Barreto, Sílvio Romero e Capistrano de Abreu e o seriam, ainda nos fins do século, de Euclides da Cunha, Clóvis Bevilacqua, Graça Aranha e Medeiros e Albuquerque, enfim, dos homens que viveram a luta contra as tradições e o espírito da monarquia (129).

Os anos de 60 tinham sido fecundos como preparação de uma ruptura mental com o regime escravocrata e as instituições políticas que o sustentavam. E o sumo dessas críticas já se encontra nas páginas de um espírito realista e democrático, Tavares Bastos (1836-75), que advogava o trabalho livre nas suas admiráveis *Cartas do Solitário* (1862) e uma política aberta de imigração na *Memória Sobre Imigração*, 1867.

A formação de um partido liberal radical, em 1868, foi precedida de declarações de princípios abolicionistas e pré-republicanos (130); e, de fato, já

---

(129) Os reflexos do Positivismo no Brasil e suas vinculações com a primeira República foram bem estudados por J. Cruz Costa (*Panorama da História da Filosofia no Brasil*, S. Paulo, Cultrix, 1960); Ivan Lins (*História do Positivismo no Brasil*, S. Paulo, Cia. Editora Nacional, 1964) e João Camilo de Oliveira Torres (*O Positivismo no Brasil*, 2ª ed., Petrópolis, Vozes, 1957).

(130) *A Opinião Liberal*, jornal fundado por Limpo de Abreu e Rangel Pestana, dava a público, em 1868, o programa seguinte: "descentralização; ensino livre; polícia eletiva; abolição da Guarda Nacional; Senado temporário e eletivo; extinção do Poder Moderador; substituição do trabalho escravo pelo trabalho livre; separação da judicatura da polícia; sufrágio direto e generalizado; presidentes de província eleitos pela mesma; suspensão e responsabilidade dos magistrados pelos tribunais superiores e poder legislativo; magistratura independente, incompatível, e escolha de seus membros fora da ação

em 1870, uma ala dos progressistas fundava o Partido Republicano, que operaria a fusão tática da inteligência nova com o arrojo de alguns políticos de São Paulo, interessados na substituição do escravo pelo trabalho livre. Às idéias respondiam os fatos: no decênio de 70, entram no país quase duzentos mil imigrantes; no de 80, quase meio milhão.

O tema da Abolição e, em segundo tempo, o da República serão o fulcro das opções ideológicas do homem culto brasileiro a partir de 1870. Raras vezes essas lutas estiveram dissociadas: a posição abolicionista, mas fiel aos moldes ingleses da monarquia constitucional, encontrou um seguidor no último grande romântico liberal do século XIX: Joaquim Nabuco ([131]). Mas a norma foi a expansão de uma ideologia que tomava aos evolucionistas as idéias gerais para demolir a tradição escolástica e o ecletismo de fundo romântico ainda vigente, e pedia à França ou aos Estados Unidos modelos de um regime democrático.

---

do governo; proibição dos representantes da nação de aceitarem nomeação para empregos públicos e igualmente títulos e condecorações; opção dos funcionários públicos, uma vez eleitos, pelo emprego ou cargo de representação nacional" (*apud* Caio Prado Jr., *Evolução Política do Brasil e Outros Estudos*, 5ª ed., São Paulo, Brasiliense, 1966, p. 86).

([131]) Joaquim Aurélio Barreto Nabuco de Araújo (Recife, 1849 — Washington, 1910). Descendente de uma família pernambucana de senhores de engenho, Joaquim Nabuco seguiu na política os ideais do pai, o senador Nabuco de Araújo, vulto de relevo do Partido Liberal nos meados do século. Formou-se em Direito (São Paulo e Recife) e, depois de uma viagem à Europa e aos Estados Unidos, elegeu-se deputado, destacando-se no decênio de 80 como grande tribuno abolicionista (*O Abolicionismo*, 1883). A ação de Nabuco fundava-se menos na rotina partidária que na paixão intelectual e ética das reformas: daí a emergência da sua figura humana, uma das mais belas do Segundo Reinado pelo desapego que manteve até o fim da vida pública. Como escritor, é claro e vivo, lembrando de perto as fontes francesas que bebeu na mocidade (Renan, Taine); escreveu nessa língua um livro de versos, *Amour et Dieu,* e as reflexões de *Pensées Détacbées et Souvenirs* (*Pensamentos Soltos*, na tradução de sua filha, Carolina Nabuco). Não foi espírito original: há, em *Minha Formação* (1898) não poucos lugares-comuns de cosmopolita e diletante, ainda preso a tipologias feitas como "o espírito inglês", "a alma francesa", "a democracia americana", etc. Mas, sempre que volta à memória da infância, aos primeiros contatos com o negro ("Massangana" em *Minha Formação*) e, sobretudo, à imagem do pai, cuja vida recompôs nos volumes de *Um Estadista do Império* (1899), demonstra o pulso do memorialista capaz de dar à História a altura de "ressurreição do passado" que lhe preconizava Michelet. A proclamação da República não o demoveu dos ideais monarquistas, mas também não o impediu de servir ao país, na qualidade de embaixador em Londres e em Washington, onde faleceu em 1910. Nos últimos anos, uma profunda crise religiosa levou-o de volta ao catolicismo tradicional de que se afastara na juventude. Há edição da sua obra completa pela Editora Ipê (São Paulo, 1947-49, 14 volumes). Sobre Nabuco: Carolina Nabuco, *A Vida de Joaquim Nabuco*, São Paulo, 1928; Graça Aranha, *Machado de Assis e Joaquim Nabuco*, "Comentários e notas à Correspondência entre esses dois escritores", Rio, Briguiet, 2ª ed., 1942.

É à "Escola do Recife", isto é, a Tobias Barreto ([132]) e a seu discípulo fiel, Sílvio Romero, que se deve a primeira transposição dessa realidade em termos de consciência cultural. Sílvio Romero, falando dos anos da "viragem", viu com clareza o essencial da nova *forma mentis*:

> O decênio que vai de 1868 a 1878 é o mais notável de quantos no século XIX constituíram a nossa vida espiritual. Quem não viveu nesse tempo não conhece por não ter sentido diretamente em si as mais fundas comoções da alma nacional. Até 1868 o catolicismo reinante não tinha sofrido nestas plagas o mais leve abalo; a filosofia espiritualista, católica e eclética, a mais insignificante oposição; a autoridade das instituições monárquicas o menor ataque sério por qualquer classe do povo; a instituição servil e os direitos tradicionais do feudalismo prático dos grandes proprietários a mais indireta opugnação; o romantismo, com seus doces, enganosos e encantadores cismares, a mais apagada desavença reatora. Tudo tinha adormecido à sombra do manto do príncipe feliz que havia acabado com o caudilhismo nas províncias da América do Sul e preparado a engrenagem da peça política de centralização mais coesa que já uma vez houve na história de um grande país. De repente, por um movimento subterrâneo que vinha de longe, a instabilidade de todas as coisas se mostrou e o sofisma do império apareceu em toda a sua nudez. A guerra do Paraguai estava ainda a mostrar a todas as vistas os imensos defeitos de

---

([132]) Tobias Barreto de Menezes (Campos, Província de Sergipe, 1837 — Recife, 1889). Mestiço, de modesta origem, fez estudos secundários com mestres particulares na sua província até obter, aos 15 anos, o posto de professor de Latim em Lagarto. São desse tempo e de um breve período que passa no Seminário da Bahia muitas composições poéticas onde se acha um pouco de tudo: desde modinhas até elegias latinas. Fez Direito em Recife (1864-69), onde amadurecem as constantes de sua obra: aversão ao tradicionalismo filosófico e, no terreno literário, afinamento com o hugoanismo, entendido como poesia de tese, lirismo *público* que se avizinha à épica. Muitos de seus poemas (*Dias e Noites*) foram compostos na fase acadêmica, marcada pelas polêmicas que travou com Castro Alves: rivalidades de estudantes sem maior significação. Formado, casa-se e parte para Escada onde advoga e faz jornalismo (1871-81), escrevendo para efêmeros periódicos liberais vibrantes de idéias hauridas nos positivistas franceses e, especialmente, nos monistas alemães. Data desses anos o seu germanismo tão exclusivista que o leva a redigir alguns artigos em alemão... Em 1882, vence concurso para lente da Faculdade de Direito do Recife: episódio central de uma luta entre o escolasticismo de uma práxis jurídica imóvel e as correntes laicizantes que Tobias se propunha encarnar. Foi o grande animador intelectual da época, mestre da chamada "Escola do Recife", segundo seus discípulos Sílvio Romero, Graça Aranha e Artur Orlando. Deixou: *Estudos de Filosofia e Crítica*, 1875; *Estudos Alemães*, 1881; *Questões Vigentes de Filosofia e Direito*, 1888; *Vários Escritos*, 1900. As *Obras Completas* foram publicadas no Rio, em 1926. Consultar: Graça Aranha, *O Meu Próprio Romance*, S. Paulo, 1931; Sílvio Romero, *História da Literatura Brasileira*, 3ª ed., Rio, 1943, vol. IV; Hermes Lima, *Tobias Barreto*, São Paulo, Cia. Ed. Nacional, 1943; Nelson Werneck Sodré, *História da Literatura Brasileira*, *cit.*, "A reação anti-romântica: a crítica", pp. 358-380.

nossa organização militar e o acanhado de nossos progressos sociais, desvendando repugnantemente a chaga da escravidão; e então a questão dos cativos se agita e logo após é seguida a questão religiosa; tudo se põe em discussão: o aparelho sofístico das eleições, o sistema de arrocho das instituições policiais e da magistratura e inúmeros problemas econômicos: o partido liberal, expelido grosseiramente do poder, comove-se desusadamente e lança aos quatro ventos um programa de extrema democracia, quase um verdadeiro socialismo; o partido republicano se organiza e inicia uma propaganda tenaz que nada faria parar. Na política é um mundo inteiro que vacila. Nas regiões do pensamento teórico, o travamento da peleja foi ainda mais formidável, porque o atraso era horroroso. Um bando de idéias novas esvoaçou sobre nós de todos os pontos do horizonte. Hoje, depois de mais de trinta anos; hoje que são elas correntes e andam por todas as cabeças, não têm mais o sabor de novidade, nem lembram mais as feridas que, para as espalhar, sofremos os combatentes do grande decênio: Positivismo, evolucionismo, darwinismo, crítica religiosa, naturalismo, cientificismo na poesia e no romance, folclore, novos processos de crítica e de história literária, transformação da intuição do Direito e da política, tudo então se agitou e o brado de alarma partiu da Escola de Recife ([133]).

Descontada a ênfase de Sílvio, explicável nas memórias de um lutador que se crê injustiçado, o texto adere bem às mudanças do tempo. Apenas deveríamos acrescer que "o movimento subterrâneo que vinha de longe" se originava nas contradições da sociedade brasileira do II Império, que os compromissos do período romântico já não bastavam para atenuar. Pelos meados do século, desapareceram em todo o Ocidente os suportes do romantismo passadista: não tinham mais função social a velha nobreza e a camada do clero resistente à nacionalização e ao laicismo que a Revolução Francesa fizera triunfar na sua primeira fase. Por outro lado a agressividade romântico-liberal das classes médias contra o mundo dos altos negócios se canalizou para o socialismo. Assim, dos anos de 60 em diante, só haverá duas vertentes ideológicas relevantes na Europa culta: o pensamento burguês, conservador (outrora, radical, em face da tradição aristocrática), e o pensamento das classes médias (ou, em raros casos de consciência de classe, dos proletários), que assume os vários matizes de liberalismo republicano e de socialismo. Mas a defasagem em que viviam certas áreas de extração colonial, como o Brasil e toda a América Latina, carentes de indústria e de grandes concentrações urbanas, move as magras classes médias locais a reivindicações já triunfantes e assentes na Europa e nos Estados Unidos; leva, em última análise, à luta democrática. Esse é o sentido da maré política a que alude Sílvio Romero; esse, o espírito das campanhas abolicionista e republicana que tomam corpo a partir de 1870.

([133]) Sílvio Romero, "Explicações Indispensáveis", prefácio aos *Vários Escritos*, de Tobias Barreto, Ed. do Estado de Sergipe, 1926, pp. XXIII-XXIV. Reestudei os processos e o sentido dessa ruptura ideológica em "A escravidão entre dois liberalismos" (em *Dialética da Colonização*, *cit.*).

A ponte literária entre o último Romantismo (já em Castro Alves e em Sousândrade marcadamente aberto para o progresso e a liberdade) e a cosmovisão realista será lançada, como a seu tempo se verá, pela "poesia científica" e libertária de Sílvio Romero, Carvalho Jr., Fontoura Xavier, Valentim Magalhães e menores. De qualquer forma, só o estudo atento dos processos sociais desencadeados nesse período fará ver as raízes nacionais da nova literatura, raízes que nem sempre se identificam com a massa de influências européias então sofridas ([134]).

No plano da invenção ficcional e poética, o primeiro reflexo sensível é a descida de tom no modo de o escritor relacionar-se com a matéria de sua obra. O liame que se estabelecia entre o autor romântico e o mundo estava afetado de uma série de mitos idealizantes: a natureza-mãe, a natureza-refúgio, o amor-fatalidade, a mulher-diva, o herói-prometeu, sem falar na aura que cingia alguns ídolos como a "Nação", a "Pátria", a "Tradição", etc. O romântico não teme as demasias do sentimento nem os riscos da ênfase patriótica; nem falseia de propósito a realidade, como anacronicamente se poderia hoje inferir: é a sua forma mental que está saturada de projeções e identificações violentas, resultando-lhe natural a mitização dos temas que escolhe. Ora, é esse complexo ideo-afetivo que vai cedendo a um processo de crítica na literatura dita "realista". Há um esforço, por parte do escritor anti-romântico, de acercar-se impessoalmente dos objetos, das pessoas. E uma sede de objetividade que responde aos métodos científicos cada vez mais exatos nas últimas décadas do século.

Os mestres dessa objetividade seriam, ainda uma vez, os franceses: Flaubert, Maupassant, Zola e Anatole, na ficção; os parnasianos, na poesia; Comte, Taine e Renan, no pensamento e na História. Em segundo plano, os portugueses, Eça de Queirós, Ramalho Ortigão e Antero de Quental, que travavam em Coimbra uma luta paralela no sentido de abalar velhas estruturas mentais. No caso excepcional de Machado de Assis, foi a busca de um veio humorístico que pesou sobre a sua eleição de leituras inglesas.

O distanciamento do fulcro subjetivo (que já se afirmava na frase de Théophile Gautier: "sou um homem para quem o mundo exterior existe") é a norma proposta ao escritor realista. A *atitude de aceitação da existência tal qual ela*

([134]) Da vasta bibliografia a respeito, destaque-se: Gilberto Freyre, *Sobrados e Mucambos. Decadência do Patriarcado Rural e Desenvolvimento do Urbano*, 2ª ed., 3 vols., Rio, José Olympio, 1951; Caio Prado Jr., *Evolução Política do Brasil*, *cit.*, "O Império", pp. 77-87, e o substancioso "Roteiro para a historiografia do Segundo Reinado", pp. 185-193. Para o aprofundamento do problema sócio-político, cf. Oliveira Viana, *O Ocaso do Império*, S. Paulo, Melhoramentos, 1925; Paula Beiguelman, *Formação Política do Brasil: I. Teoria e Ação no Pensamento Abolicionista*, S. Paulo, Pioneira, 1967.

se dá aos sentidos desdobra-se, na cultura da época, em planos diversos mas complementares:

a) — no nível ideológico, isto é, na esfera de explicação do real, a certeza subjacente de um Fado irreversível cristaliza-se no *determinismo* (da raça, do meio, do temperamento...);

b) — no nível estético, em que o próprio ato de escrever é o reconhecimento implícito de uma faixa de liberdade, resta ao escritor a religião da forma, a arte pela arte, que daria afinal um sentido e um valor à sua existência cerceada por todos os lados. O supremo cuidado estilístico, a vontade de criar um objeto novo, imperecível, imune às pressões e aos atritos que desfazem o tecido da história humana, originam-se e nutrem-se do mesmo fundo radicalmente pessimista que subjaz à ideologia do determinismo. E o que já fora verdade para os altíssimos prosadores Schopenhauer e Leopardi, não o será menos para os estilistas consumados da segunda metade do século XIX, Flaubert e Maupassant, Leconte de Lisle e Machado de Assis.

O Realismo se tingirá de *naturalismo*, no romance e no conto, sempre que fizer personagens e enredos submeterem-se ao destino cego das "lei naturais" que a ciência da época julgava ter codificado; ou se dirá *parnasiano*, na poesia, à medida que se esgotar no lavor do verso tecnicamente perfeito.

Tentando abraçar de um só golpe a literatura realista-naturalista-parnasiana, é uma grande mancha pardacenta que se alonga aos nossos olhos: cinza como o cotidiano do homem burguês, cinza como a eterna repetição dos mecanismos de seu comportamento; cinza como a vida das cidades que já então se unificava em todo o Ocidente. E é a moral cinzenta do fatalismo que se destila na prosa de Aluísio Azevedo, de Raul Pompéia, de Adolfo Caminha, ou na poesia de Raimundo Correia. E, apesar das meias-tintas com que a soube temperar o gênio de Machado, ela não será nos seus romances maduros menos opressora e inapelável.

A coexistência de um clima de idéias liberais e uma arte existencialmente negativa pode parecer um paradoxo, ou, o que seria mortificante, um erro de enfoque do historiador. Mas o contraste está apenas na superfície das palavras: a raiz comum dessas direções é a posição incômoda do intelectual em face da sociedade tal como esta se veio configurando a partir da Revolução Industrial. Agredindo na vida pública o *status quo*, ele é ainda um rebelde e um protestatário, como o foram, entre nós, Raul Pompéia, Aluísio Azevedo, Adolfo Caminha e o Machado jovem; mas, introjetando-o nos meandros de sua consciência, reificando-o como *lei natural* e como seleção dos mais fortes, ele acaba depositário de desencantos e, o mais das vezes, conformista. O apelo ao destino, recorrente em grandes naturalistas europeus como Giovanni Verga e Thomas Hardy, deve ser visto à luz dessa dialética de revolta e impotência a que tantas vezes se tem reduzido a condição do escritor no mundo contemporâneo.

A FICÇÃO

O Realismo ficcional aprofunda a *narração de costumes contemporâneos* da primeira metade do século XIX (Stendhal, Balzac, Dickens, Hugo) e de todo o século XVIII (Lesage, Diderot, Defoe, Fielding, Jane Austen...). Nas obras desses grandes criadores do romance moderno já se exibiam poderosos dons de observação e de análise, razão pela qual não se deve cavar um fosso entre elas e as de Flaubert, Maupassant, Verga, Thackeray e Machado. Entretanto, é sempre válido dizer que as vicissitudes que pontuaram a ascensão da burguesia durante o século XIX foram rasgando os véus idealizantes que ainda envolviam a ficção romântica. Desnudam-se as mazelas da vida pública e os contrastes da vida íntima; e buscam-se para ambas causas naturais (*raça*, *clima*, *temperamento*) ou culturais (*meio*, *educação*) que lhes reduzem de muito a área de liberdade. O escritor realista tomará a sério as suas personagens e se sentirá no dever de descobrir-lhes a verdade, no sentido positivista de dissecar os móveis do seu comportamento.

As afirmações dos realistas franceses, a propósito, são exemplares.

Flaubert: "Esforço-me por entrar no espartilho e seguir uma linha reta geométrica: nenhum lirismo, nada de reflexões, ausente a personalidade do autor" (*Correspondência*, 1-2-1852).

Jules e Edmond de Goncourt: "Hoje, quando o Romance cresce e se amplia, quando ele começa a ser a grande forma séria, apaixonada, viva, do estudo literário e da pesquisa social, quando ele se torna, pela análise e pela sondagem psicológica, a História moral contemporânea; hoje, quando o romance impôs a si mesmo os estudos e os deveres da ciência, ele pode reivindicar-lhes as liberdades e a franqueza" (Prefácio a *Germine Lacerteux*, 1864).

Émile Zola: "Em *Thérèse Raquin*, eu quis estudar temperamentos e não caracteres. Aí está o livro todo. Escolhi personagens soberanamente dominadas pelos nervos e pelo sangue, desprovidas de livre-arbítrio, arrastadas a cada ato de sua vida pelas fatalidades da própria carne. (...). Começa-se a compreender (espero-o) que o meu objetivo foi acima de tudo um objetivo científico. Criadas minhas duas personagens, Thérèse e Laurent, dei-me com prazer a formular e a resolver certos problemas; assim, tentei explicar a estranha união que se pode produzir entre dois temperamentos diferentes e mostrei as perturbações profundas de uma natureza sangüínea em contato com uma natureza nervosa. (...) Fiz simplesmente em dois corpos vivos o trabalho analítico que os cirurgiões fazem em cadáveres" (Prefácio à 2ª ed. de *Thérèse Raquin*, 1868).

Enfim, Guy de Maupassant: "... se o romancista de ontem escolhia e narrava as crises da vida, os estados agudos da alma e do coração, o romancista de hoje escreve a história do coração, da alma e da inteligência no estado normal. Para produzir o efeito que ele persegue, isto é, a emoção da simples realidade, e para extrair o ensinamento artístico que dela deseja tirar, isto é, a revelação do que é verdadeiramente o homem contemporâneo diante de seus olhos, ele deverá empregar somente fatos de uma verdade irrecusável e constante" (Prefácio de *Pierre et Jean*, 1887).

Estreitando o horizonte das personagens e da sua interação nos limites de uma *factualidade* que a ciência reduz às suas categorias, o romancista acaba recorrendo com alta freqüência ao *tipo* e à *situação típica*: ambos, enquanto síntese do normal e do inteligível, prestam-se docilmente a compor o romance que se deseja imune a tentações da fantasia. E de fato, a configuração do típico foi uma conquista do Realismo, um progresso da consciência estética em face do arbítrio a que o subjetivismo levava o escritor romântico a quem nada impedia de engendrar criaturas exóticas e enredos inverossímeis.

Um dos críticos mais sagazes do século XIX, Francesco De Sanctis, em fase madura de teorização literária, já próximo do Realismo, concedeu à tipicidade um lugar de honra no sistema das artes. Nas suas lições sobre Dante, proferidas em Zurique em 1858, De Sanctis insistia no *grau* estético mais alto que o tipo assume se comparado com a velha alegoria ou com a personificação, processos em que a figura do homem sumia por trás da generalidade. E frisava:

> O gênero não deve encerrar-se majestosamente em si mesmo, como um deus ocioso; deve transformar-se, tornar-se tipo. No gênero demora a condição da poesia, no tipo está o seu berço, o primeiro surto da vida. Forma típica é, por exemplo, o *Tasso* de Goethe e a Lia e a Raquel de Dante. Raquel, que se assenta o dia inteiro e não desvia jamais os olhos de Deus, é mais do que um gênero, menos que um indivíduo, é um tipo (...). Quando o poeta chega ao tipo, já ultrapassou a forma didática, a alegoria e a personificação, achando-se já no mundo visível, condição primeira da poesia ([135]).

Mas a argúcia do pensador italiano vai mais longe; porque afirma a função mediadora do tipo, não o dá como etapa final, que é a pintura do *indivíduo concreto*: não mais o "monstro", parto do caos, mas o *caráter* pessoal (inteligível enquanto tipo, mas intuído esteticamente como homem singular, fruidor da sua própria existência). Pois, "na pessoa típica ainda domina a idéia sob a aparência de indivíduo".

De Sanctis aportara ao Realismo depois de ter incorporado a dialética hegeliana de abstrato/concreto, universal/singular; e graças a esse pensamento, que nunca supera sem conservar, pôde entender o papel e os limites do tipo e da situação típica sem enrijecê-los no quadro da ciência positivista. O mesmo ocorre, em nosso tempo, com a estética realista de Georgy Lukács, que entende o típico na sua *relação* entre a totalidade em que se insere o

---

([135]) Francesco De Sanctis, *Lezioni e Saggi su Dante*, Torino, Einaudi, 1955, pp. 588-589.

escritor e as figuras singulares que inventa e articula na elaboração da obra ficcional (136).

A procura do típico leva, às vezes, o romancista ao *caso* e, daí, ao *patológico*. Haverá um resíduo romântico nesse vezo de perscrutar o excepcional, o feio, o grotesco, e é mesmo lugar-comum apontar o romantismo latente em Zola, que sobreviveria nas cruezas intencionais do Surrealismo e do Expressionismo. Na verdade, esse comprazimento em descrever situações, hábitos e

---

(136) Georgy Lukács, *Introdução a uma Estética Marxista. Sobre a Categoria da Particularidade*, trad. de Carlos Nelson Coutinho e Leandro Konder, Rio, Civ. Brasileira, 1968; especialmente, "O Típico: problemas do conteúdo", pp. 260-271, e "O Típico: problemas da forma", pp. 271-282. Lukács define o típico "encarnação concretamente artística da particularidade" (p. 261), e o distingue do "médio" em termos de tensão: "Apresenta-se aqui a escolha: o modelo para a caracterização artística deve ser a estrutura normal do *típico* ou a do *médio*? O princípio desta escolha, implica, em resumo, o seguinte: se a forma da caracterização parte da explicação ao máximo grau das determinações contraditórias (como no típico), ou se estas contradições se debilitam entre si, neutralizando-se reciprocamente (como no médio). Aqui não mais se trata de saber simplesmente se uma dada figura é média ou típica, no que diz respeito ao conteúdo de seu caráter, mas trata-se, ao contrário, do método artístico (acima indicado) da caracterização; ele possibilita — isto ocorre freqüentemente — que artistas de valor elevem um homem médio à altura do típico, colocando-o em situações nas quais a contrariedade das suas determinações se manifesta não como 'equilíbrio' médio, mas como luta dos contrários, e apenas a vacuidade desta luta, a queda no torpor, caracteriza definitivamente a figura como figura média. É igualmente possível — isto ocorre também muito freqüentemente, sobretudo na arte mais recente — que a representação do que é em si típico seja rebaixada ao nível estrutural do que é médio, o que acontece quando a contraditoriedade das determinações não é abandonada ao seu livre curso e os resultados são já aprioristicamente estabelecidos. No primeiro caso, vemos como a verdade da forma, que desenvolve o seu conteúdo médio de acordo com as proporções da vida real, engendra movimento e vitalidade no que é em si rígido; no segundo caso, vemos que o modo da realização formal na representação é muito mais pobre do que a realidade empírica imediata" (pp. 273-74).

As distinções acima abrem caminho para a inteligência do *valor*, humano e estético, que se pode atribuir às criações do romance, em particular do romance realista. Assim, certas personagens centrais de obra machadiana, como Rubião e Capitu, embora possam, *grosso modo*, captar-se nas redes gerais dos "tipos" (o provinciano desfrutável e impressionável; a mocinha pobre e ambiciosa), não poderiam jamais apoucar-se ou enrijecer-se como figuras "médias", montadas sob esquemas *a priori*; o que se dá, no entanto, com tantas "personagens" da ficção naturalista: os protagonistas de *A Carne*, de Júlio Ribeiro; de *O Missionário*, de Inglês de Sousa; de *O Homem* e *O Coruja*, de Aluísio Azevedo...

seres anômalos tem um lastro na cultura ocidental que transcende as divisões da história literária. Trata-se de um fenômeno que só se compreende à luz de tensões mais gerais entre o inconsciente e o consciente no quadro da nossa civilização desde a ruptura que a Idade Moderna operou com modos de pensar mágicos ou sacros do Medievo europeu. Seja como for, a repulsa misturada de fascínio que as culturas do Ocidente, a partir da Renascença, têm experimentado pelo anômalo não produziu sempre os mesmos frutos. O escritor romântico eleva a fealdade à altura da beleza excepcional (Victor Hugo); o naturalista julga "interessante" o patológico, porque prova a dependência do homem em relação à fatalidade das leis naturais. Mais uma vez, a regra de ouro é a atenção ao contexto, que impede aqui de nos perdermos na sedução anti-histórica dos *arquétipos*.

A mente cientificista também é responsável pelo esvaziar-se do êxtase que a paisagem suscitava nos escritores românticos. O que se entende pela preferência dada agora aos ambientes urbanos e, em nível mais profundo, pela não-identificação do escritor realista com aquela *vida* e aquela *natureza* transformadas pelo Positivismo em complexos de normas e fatos indiferentes à alma humana. Quem não lembrará a atitude limite de Machado de Assis, dando à natureza um rosto de esfinge a perseguir o pobre Brás Cubas no seu delírio?

Em termos de construção, houve descarnamento do processo expressivo, cortando-se as demasias romanescas de um Dickens e de um Balzac e considerando-se ponto de honra não intervir com a força dos próprios afetos na mimese do real (a poética da impessoalidade). Isso não significa que o autor se ausentasse, como queria polemicamente Flaubert, ou que de algum modo deixasse de projetar-se na elaboração da obra. O modo de formar, diz Umberto Eco, revela o grau de empenho do artista em face da realidade ([137]): a estruturação "impessoal" do romance mostra, como já vimos, os sentimentos amargos e, via de regra, certo fatalismo, que pesavam sobre o espírito de um Maupassant ou de nosso Machado. A tendência de tudo centrar na fatura indicava o retrair-se da concepção de realismo à esfera da formatividade mimética: o que era outra forma de dizer a impotência a que estavam relegados como homens diante do todo social. E nada melhor para explicar ou justificar essa impotência do que o férreo determinismo, filosofia oficial desses anos em todo o Ocidente.

O determinismo reflete-se na perspectiva em que se movem os narradores ao trabalhar as suas personagens. A pretensa neutralidade não chega ao ponto de ocultar o fato de que o autor carrega sempre de tons sombrios o destino das suas criaturas. Atente-se, nos romances desse período, para a galeria de

---

([137]) Cf. na edição brasileira de *Obra Aberta*, S. Paulo, Ed. Perspectiva, 1968, o ensaio "Do modo de formar como engajamento para com a realidade", pp. 227-277.

seres distorcidos ou acachapados pelo Fatum: o mulato Raimundo, a negra Bertoleza, Pombinha, o "Coruja", de Aluísio Azevedo; Luzia-Homem, de Domingos Olímpio; Sérgio, de Raul Pompéia; os protagonistas de *A Normalista* e de *O Bom Crioulo*, de Adolfo Caminha; Padre Antônio, de Inglês de Sousa...

Neles espia-se o avesso da tela romântica: Macedo e Alencar faziam passear as suas donzelas nas matas da Tijuca ou nos bailes da Corte; Aluísio não sai das casas de pensão e dos cortiços. O sertanejo altivo de Alencar não sofria das misérias que nos descrevem *A Fome*, de Rodolfo Teófilo, e *Luzia-Homem*, de Domingos Olímpio. Os costumes regionais, tão castos em Taunay e em Távora, tornar-se-ão licenciosos na selva amazônica, a ponto de transviar o missionário de Inglês de Sousa. A adolescência, fagueira e pura na pena de Macedo, conhecerá a tristeza do vício precoce no *Bom Crioulo*, de Caminha, e na *Carne*, de Júlio Ribeiro, sem contar as angústias sexuais da puberdade que latejam no *Ateneu*, de Raul Pompéia. Mas a suma, depurada e sóbria, do precário em que se resume toda a existência se espelharia no romance e no conto de Machado de Assis.

Assim, do Romantismo ao Realismo, houve uma passagem do vago ao típico, do idealizante ao factual. Quanto à composição, os narradores realistas brasileiros também procuraram alcançar maior coerência no esquema dos episódios, que passaram a ser regidos não mais por aquela sarabanda de caprichos que faziam das obras de um Macedo verdadeiras caixas de surpresa, mas por necessidades objetivas do ambiente (cf. *O Missionário*) ou da estrutura moral das personagens (cf. *Dom Casmurro*). Nem sempre, porém, a obediência aos princípios da escola impediu desvios melodramáticos ou distorções psicológicas grosseiras (*O Homem*, *O Livro de uma Sogra*, de Aluísio; *A Carne*, de Júlio Ribeiro). De um modo geral, contudo, a prosa de ficção ganhou em sobriedade e em rigor analítico com o advento da nova disciplina.

Nos fins do século XIX e nas primeiras décadas do nosso, começa a hipertrofiar-se o gosto de descrever por descrever, em prejuízo da seriedade que norteara o primeiro tempo do Realismo. Ornamental em Coelho Neto, banalizado em Afrânio Peixoto, esse estilo epigônico irá corresponder ao maneirismo ultraparnasiano da linguagem *belle époque*, para a qual concorreria não pouco a oficialização das letras operada pelo espírito que presidiu à fundação da Academia em 1897. É contra essa rotina que reagirão Lima Barreto, o último dos realistas do período e, naturalmente, os *modernos* de 1922.

Machado de Assis

O ponto mais alto e mais equilibrado da prosa realista brasileira acha-se na ficção de Machado de Assis ([138]).

([138]) Joaquim Maria Machado de Assis (Rio, 1839-1908). Nasceu no Morro do Livramento, filho de um pintor mulato e de uma lavadeira açoriana. Órfão de ambos muito cedo, foi criado pela madrasta, Maria Inês. Já na infância apareceram sintomas de sua frágil compleição nervosa, a epilepsia e a gaguez, que o acometiam a espaços durante toda a vida e lhe deram um feitio de ser reservado e tímido. Aprendidas as primeiras letras numa escola pública, recebeu aulas de francês e de latim de um padre amigo, Silveira Sarmento; mas foi como autodidata que construiu sua vasta cultura literária que incluía autores menos lidos no tempo como Swift, Sterne e Leopardi. Aos dezesseis anos, entrou na Imprensa Nacional como tipógrafo aprendiz, aos dezoito, na editora de Paula Brito para cuja revistinha, *A Marmota*, compôs seus primeiros versos. Pouco depois, é admitido à redação do *Correio Mercantil*. Trava conhecimento com alguns escritores românticos: Casimiro de Abreu, Joaquim Manuel de Macedo, Manuel Antônio de Almeida, Pedro Luís e Quintino Bocaiúva. Este o introduz, em 60, no *Diário do Rio de Janeiro* para o qual resenhará os debates do Senado usando de linguagem sarcástica em função de um ardente liberalismo. Na década de 60 escreve quase todas as suas comédias (V. tópico Teatro) e os versos ainda românticos das *Crisálidas* (64). Aos trinta anos de idade casa-se com uma senhora portuguesa de boa cultura, Carolina Xavier de Novais, sua companheira afetuosa até à morte e que lhe iria inspirar a bela figura de Dona Carmo do *Memorial de Aires*. Já amparado por uma carreira burocrática, primeiro no Diário Oficial (1867-73) e, a partir de 74, na Secretaria da Agricultura, o escritor pôde entregar-se livremente à sua vocação de ficcionista. De 70 a 80, aparecem *Contos Fluminenses* (70), *Ressurreição* (72), *Histórias da Meia-Noite* (73), *A Mão e a Luva* (74), *Helena* (76), *Iaiá Garcia*, contos e romances inexatamente chamados da "fase romântica", quando melhor se diriam "de compromisso" ou "convencionais". Com alguns poemas que enfeixaria nas *Ocidentais* e sobretudo a partir das *Memórias Póstumas de Brás Cubas* (1881), o escritor atinge a plena maturidade do seu realismo de sondagem moral que as obras seguintes iriam confirmar: *Histórias sem Data* (84), *Quincas Borba* (92), *Várias Histórias* (96), *Páginas Recolhidas* (99), *Dom Casmurro* (1900), *Esaú e Jacó* (1904), *Relíquias da Casa Velha* (1906). Considerado nos fins do século o maior romancista brasileiro, foi um dos fundadores e primeiro presidente da Academia Brasileira de Letras, animou a excelente *Revista Brasileira*, promoveu os poetas parnasianos e estreitou relações com os melhores intelectuais do tempo, de Veríssimo a Nabuco, de Taunay a Graça Aranha. Não obstante essa ativa sociabilidade no mundo literário, ficaram proverbiais a fria compostura pessoal e o absenteísmo político que manteve nos anos derradeiros: atitude paralela à análise corrosiva a que vinha submetendo o homem em sociedade desde as *Memórias Póstumas*. O último romance, mais "diplomático", *Memorial de Aires* (1908), foi escrito após a morte de Carolina, a quem pouco sobreviveu. Machado de Assis morreu vitimado por uma úlcera cancerosa, aos sessenta e nove anos de idade. Na Academia coube a Rui Barbosa fazer-lhe o elogio fúnebre.

Outras obras: *Falenas* (1870), *Americanas* (1875), *Poesias Completas* (1900). Póstumas: *Outras Relíquias* (1910), *Crítica* (1910), *Novas Relíquias* (1922), *Correspondência de M. de A. com Joaquim Nabuco* (1923), *A Semana* (1914), *Crônicas* (1936), *Crítica Teatral* (1936), *Crítica Literária* (1936). A partir de 1956 o historiador Raimundo Magalhães Jr. vem publicando pela Ed. Civilização Brasileira contos e crônicas de Machado que andavam esparsos em jornais e revistas: *Contos Recolhidos*, *Contos Esparsos*, *Contos sem Data*, *Contos Avulsos*, *Contos Esquecidos*, *Contos e Crônicas*, *Crônicas de Lélio*. V. também *Poesia e Prosa*, aos cuidados de J. Galante Sousa, Rio, Civ. Bras., 1957. A última edição de *Obras Completas* é a da Ed. Aguilar, em 3 volumes (Rio, 1962).

Sobre Machado de Assis: José Veríssimo, *Estudos Brasileiros*, II, Rio, Laemmert, 1894; Sílvio Romero, *Machado de Assis. Estudo Comparativo de Literatura Brasileira*, Rio, Laemmert, 1897; Labieno (Lafayette Rodrigues Pereira), *Vindiciae. O Sr. Sílvio Romero, Crítico e Filósofo* (escr. em 1898), 3ª ed., Rio, José Olympio, 1940; José Veríssimo, *Estudos de Literatura Brasileira*, 6ª série, Rio, Garnier, 1907; Oliveira Lima, "Machado de Assis et son oeuvre littéraire", no volume do mesmo nome, com prefácio de Anatole France e um estudo de Victor Orban, saído em Paris, pela Ed. Michaud, em 1909; Mário de Alencar, *Alguns Escritos*, Rio, Garnier, 1910; Alcides Maya, *Machado de Assis. Algumas Notas sobre o Humor*, Rio, Jacinto Silva, 1912; 2ª ed., pela Academia Brasileira de Letras, 1942; José Veríssimo, "Machado de Assis", na *História da Literatura Brasileira*, Rio, Francisco Alves, 1916; Alfredo Pujol, *Machado de Assis*, S. Paulo, Tipogr. Brasil, 1917; Graça Aranha, *Machado de Assis e Joaquim Nabuco. Comentários e Notas à Correspondência entre Estes Dois Escritores*, S. Paulo, Monteiro Lobato, 1923; Agripino Grieco, *Evolução da Prosa Brasileira*, Rio, Ariel, 1933; Mário Casassanta, *Machado de Assis e o Tédio à Controvérsia*, Belo Horizonte, Os Amigos do Livro, 1934; Viana Moog, *Heróis da Decadência*, Rio, Guanabara, 1934 (2ª ed., Porto Alegre, Globo, 1939); Augusto Meyer, *Machado de Assis*, Porto Alegre, Globo, 1935 (2ª ed., Rio, Simões, 1956); Lúcia Miguel-Pereira, *Machado de Assis. Estudo Crítico e Biográfico*, S. Paulo,. Cia. Ed. Nacional, 1936; 5ª ed., Rio, José Olympio, 1955; Peregrino Jr., *Doença e Constituição de Machado de Assis*, Rio, José Olympio, 1938; Olívio Montenegro, *O Romance Brasileiro*, Rio, J. Olympio, 1938; Revista do Brasil, *Número dedicado a Machado de Assis*, junho de 1939; Astrojildo Pereira, *Interpretações*, Rio, Casa do Estudante do Brasil, 1944; Afrânio Coutinho, *A Filosofia de Machado de Assis*, Rio, Vecchi, 1940; Mário de Andrade, *Aspectos da Literatura Brasileira*, Rio, Americ-Edit., s.d.; Sérgio Buarque de Holanda, *Cobra de Vidro*, S. Paulo, Martins, 1944; Augusto Meyer, *À Sombra da Estante*, Rio, José Olympio, 1947; Barreto Filho, *Introdução a Machado de Assis*, Rio, Agir, 1947; Bezerra de Freitas, *Forma e Expressão no Romance Brasileiro*, Rio, Pongetti, 1947; Eugênio Gomes, *Espelho contra Espelho*, S. Paulo, Ipê, 1949; Lúcia Miguel-Pereira, *Prosa de Ficção, de 1870 a 1920*, Rio, José Olympio, 1950; Eugênio Gomes, *Prata de Casa*, Rio, A Noite, 1953; Raimundo Magalhães Jr., *Machado de Assis Desconhecido*, Rio, Civilização Brasileira, 1955; Brito Broca, *Machado de Assis e a Política e Outros Estudos*, Rio, Simões, 1957; Augusto Meyer, *Machado de Assis*, 1935-1958, Rio, Livraria São José, 1958; Wilton Cardoso, *Tempo e Memória em Machado de Assis*, Belo Horizonte, Estab. Gráf. Sta. Maria, 1958; Eugênio Gomes, *Machado de Assis*, Rio, Livr. S. José, 1958; Revista do Livro,

O seu *equilíbrio* não era o goetheano — dos fortes e dos felizes, destinados a compor hinos de glória à natureza e ao tempo; mas o dos homens que, sensíveis à mesquinhez humana e à sorte precária do indivíduo, aceitam por fim uma e outra como herança inalienável, e fazem delas alimento de sua reflexão cotidiana.

O Machado que se indignara, quando jovem cronista liberal, ante os males de uma política obsoleta ([139]), foi mudando nos anos de maturidade o sentido do combate, e acabou abraçando como fado eterno dos seres o convívio entre egoísmos, até assumir ares de sábio estóico na pele do Conselheiro Aires.

Quer dizer: veio-lhe sempre do espírito atilado um *não* ao convencional, um *não* que o tempo foi sombreando de reservas, de *mas*, de *talvez*, embora permanecesse até o fim como espinha dorsal de sua relação com a existência. A gênese dessa posição, que vela as negações radicais com a linguagem da ambigüidade, interessa tanto ao sociólogo ao pesquisar os problemas de classe do mulato pobre que venceu a duras penas, como ao psicólogo para quem a gaguez, a epilepsia e a conseqüente timidez do escritor são fatores que marcaram primeiro o rebelde, depois o funcionário e o acadêmico de notória com-

---

Número dedicado a Machado de Assis, Rio, setembro de 1958; R. Magalhães Jr., *Ao Redor de Machado de Assis*, Rio, Civ. Bras., 1958; Dirce Cortes Riedel, *O Tempo no Romance Machadiano*, Rio, Livr. S. José, 1959, Agripino Grieco, *Machado de Assis*, Rio, José Olympio, 1959; Astrojildo Pereira, *Machado de Assis*, Rio, Livraria S. José, 1959; Miécio Tati, *O Mundo de Machado de Assis*, Rio, Secretaria de Educação e Cultura, 1961; Antônio Cândido, *Vários Escritos*, S. Paulo, Duas Cidades, 1970; Jean-Michel Massa, *A Juventude de M. de Assis*, Rio, Civ. Brasileira, 1971; Raimundo Faoro, *M. A., a pirâmide e o trapézio*, S. Paulo, C. E. Nacional, 1974; Roberto Schwarz, *Ao vencedor as batatas*, S. Paulo, Duas Cidades, 1977; Silviano Santiago, *Uma Literatura nos Trópicos*, Perspectiva, 1978; R. Magalhães Jr., *Vida e Obra de MA*, 4 vols., Rio, Civ. Brasileira, 1981; Alfredo Bosi, "A Máscara e a Fenda", em Vários Autores, *Machado de Assis*, Ática, 1982; e "Uma figura machadiana", em *Céu, Inferno*, Ática, 1988; John Gledson, *Machado de Assis: Ficção e História*, Rio, Paz e Terra, 1986; Roberto Schwarz, *Um Mestre na Periferia do Capitalismo*, Duas Cidades, 1990.

Bibliografias: José Galante de Sousa, *Bibliografia de Machado de Assis*, Rio, Instituto Nacional do Livro, 1955; *Fontes para o Estudo de Machado de Assis*, Rio, I.N.L., 1958; Jean-Michel Massa, *Bibliographie descriptive, analytique et critique de Machado de Assis*, 1957-58, Rio, Livraria São José, 1965. Este último trabalho é o IV de uma série que J.-M. Massa pretende publicar abrangendo toda a bibliografia machadina.

([139]) "De um ato do nosso Governo só a China poderá tirar lição. Não é desprezo pelo que é nosso, não é desdém pelo meu país. O país real, esse é bom, revela os melhores instintos; mas o país oficial, esse é caricato e burlesco. A sátira de Swift nas suas engenhosas viagens cabe-nos perfeitamente. No que respeita à política nada temos a invejar ao reino de Lilipute" (*Diário do Rio de Janeiro*, 29-12-1861).

postura. Creio que nada se ganha omitindo, por excesso de purismo estético, as forças objetivas que compuseram a *situação* de Machado de Assis: elas valem como o pressuposto de toda análise que se venha a realizar do tecido de sua obra. Mas, em última instância, foi a maneira pessoal de Machado-artista responder a essa situação de base, dada, que explica muito do que já se disse a respeito do humor, do micro-realismo, das ambivalências, da oculta sensualidade, das reiterações, do ressaibo vernaculizante, da fatura bizarra de alguns trechos seus e, até mesmo, daqueles "sestros pueris" que lhe descobrira, irritado, Lima Barreto ao negar que o tivera jamais por mestre de ironia.

E também a visão da obra machadiana em dois momentos, cujo divisor de águas seriam as *Memórias Póstumas de Brás Cubas*, compreende-se melhor se atribuída a uma reestruturação original da existência operada pelo homem que, se havia muito perdera as ilusões, ainda não encontrara a forma ficcional de desnudar as próprias criaturas, isto é, ainda não aprendera o manejo do distanciamento. Quando o romancista assumiu, naquele livro capital, o foco narrativo, na verdade passou ao defunto-autor Machado-Brás Cubas delegação para exibir, com o despejo dos que já nada mais temem, as peças de cinismo e indiferença com que via montada a história dos homens. A revolução dessa obra, que parece cavar um fosso entre dois mundos, foi uma revolução ideológica e formal: aprofundando o desprezo às idealizações românticas e ferindo no cerne o mito do narrador onisciente, que tudo vê e tudo julga, deixou emergir a consciência nua do indivíduo, fraco e incoerente. O que restou foram as memórias de um homem igual a tantos outros, o cauto e desfrutador Brás Cubas.

Depois das felizes observações de Lúcia Miguel-Pereira ([140]), já não se pode ignorar o vinco "machadiano" das obras ditas românticas ou da primeira fase: em oposição aos ficcionistas que faziam a apologia da paixão amorosa como único móvel de conduta, o autor de *A Mão e a Luva* e de *Iaiá Garcia*, transvestindo o problema pessoal em personagens femininas, defende a ambição de mudar de classe e a procura de um novo *status*, mesmo à custa de sacrifícios no plano afetivo. A ética ainda idealista que preside a esses enredos não esbate, porém, a ênfase posta em situações onde logra êxito o cálculo, "a fria eleição do espírito", como diz Guiomar em *A Mão e a Luva*.

É também verdade que os romances iniciais nos parecem fracos mesmo para o nível de consciência crítica do autor na época de redigi-los. É de 1878 a cerrada resenha do *Primo Basílio* de Eça, que nos dá um Machado senhor de critérios seguros para a apreciação da coerência moral de personagens que ele ainda não soubera plasmar. Mas livros como *A Mão e a Luva* e *Iaiá Garcia* tiveram um significado preciso na história do romance brasileiro: alargaram a perspectiva do melhor Alencar urbano no sentido de encarecer o relevo do

([140]) Em *Machado de Assis, cit.*, cap. XI.

papel social na formação do "eu", papel que vem a ser aquela segunda natureza, considerada em Iaiá Garcia "tão legítima e imperiosa como a outra".

O roteiro de Machado após a experiência dos romances juvenis desenvolveu essa linha de análise das máscaras que o homem afivela à consciência tão firmemente que acaba por identificar-se com elas.

O salto qualitativo das *Memórias Póstumas* foi lastreado por alguns textos escritos entre 1878 e 1880, verdadeiro intróito à prosa desmistificante do defunto-autor: o anticonto "Um cão de lata ao rabo", paródia e liquidação dos códigos "asmáticos e antitéticos" que se perpetuavam com os últimos condores; o diálogo "Filosofia de um par de botas", em que as classes e os ambientes do Rio imperial estão vistos por baixo e em tom de galhofa, pois são velhas botas lançadas à praia que contam as andanças dos antigos donos até serem recolhidas por um mendigo; o "Elogio da Vaidade", feito por ela mesma, embrião da psicologia explorada nas *Memórias*, além de conjunto de finos retratos morais à La Bruyère. Enfim, a passagem de uma fase a outra entende-se ainda melhor quando lidos alguns poemas das *Ocidentais*, já parnasianos pelo sóbrio do tom e pela preferência dada às formas fixas: em "Uma Criatura", em "Mundo Interior" e no célebre "Círculo Vicioso", uma linguagem composta e fatigada serve à expressão de um pessimismo cósmico que toca Schopenhauer e Leopardi pelo retorno ao mito da Natureza madrasta (imagem central no "Delírio" de Brás Cubas):

> Sei de uma criatura antiga e formidável,
> Que a si mesma devora os membros e as entranhas
> Com a sofreguidão da fome insaciável.
>
> . . . .
>
> Na árvore que rebenta o seu primeiro gomo
> Vem a folha, que lento e lento se desdobra,
> Depois a flor, depois o suspirado pomo
>
> Pois essa criatura está em toda a obra:
> Cresta o seio da flor e corrompe-lhe o fruto;
> e é desse destruir que as suas forças dobra.
>
> Ama de igual amor o poluto e o impoluto;
> Começa e recomeça uma perpétua lida,
> E sorrindo obedece ao divino estatuto.
> Tu dirás que é a Morte: eu direi que é a vida (Uma Criatura).

Nos sonetos de "O Desfecho", a desesperança vira um prometeísmo às avessas:

> Prometeu sacudiu os braços manietados
> E súplice pediu a eterna compaixão,
> Ao ver o desfilar dos séculos que vão
> Pausadamente, como um dobre de finados.
>
> . . . .

Uma invisível mão as cadeias dilui;
Frio, inerte, ao abismo um corpo morto rui:
Acabara o sacrifício e acabara o homem.

Enfim, a desforra do homem contra a Natureza e o gosto de destruir que sela o inferno da condição humana são os motivos dos melhores poemas das *Ocidentais*, "Suavi mari magno" e "A mosca azul"; e já que foi preciso citar versos pouco felizes, leiam-se agora estes, merecidamente antológicos:

Era uma mosca azul, asas de ouro e granada,
Filha da China ou do Industão,
Que entre as folhas brotou de uma rosa encarnada,
Em certa noite de verão.

E zumbia e voava, e voava e zumbia,
Refulgindo ao clarão do sol
E da lua — melhor do que refulgiria
Um brilhante do Grão-Mogol.

. . . .

Um poleá que a viu, espantado e tristonho,
Um poleá lhe perguntou:
"Mosca, esse refulgir, que mais parece um sonho,
Dize, quem foi que to ensinou?"

Então ela, voando e revoando, disse:
— "Eu sou a vida, eu sou a flor
Das graças, o padrão da eterna meninice,
E mais a glória, e mais o amor."

. . . .

Então ele, estendendo a mão calosa e tosca,
Afeita só a carpintejar,
Com um gesto pegou na fulgurante mosca,
Curioso de a examinar.

Quis vê-la, quis saber a causa do mistério.
E fechando-a na mão, sorriu
De contente, ao pensar que ali tinha um império,
E para casa se partiu.

Alvoroçado chega, examina, e parece
Que se houve nessa ocupação
Miudamente, como um homem que quisesse
Dissecar a sua ilusão.

Dissecou-a, a tal ponto, e com tal arte, que ela,
Rota, baça, nojenta, vil,
Sucumbiu; e com isto esvaiu-se-lhe aquela
Visão fantástica e sutil.

Hoje, quando ele aí vai, de áloe e cardamomo
Na cabeça, com ar taful,
Dizem que ensandeceu, e que não sabe como
Perdeu a sua mosca azul.

Foi esse o espírito com que Machado se acercou da matéria que iria plasmar nos romances e contos da maturidade: um permanente alerta para que nada de piegas, nada de enfático, nada de idealizante se pusesse entre o criador e as criaturas. O manejo do distanciamento abre-se nas *Memórias Póstumas* que, pela riqueza de técnicas experimentadas, ficou sendo uma espécie de breviário das possibilidades narrativas do seu novo modo de conhecer o mundo. Foi nesse livro surpreendente que Machado descobriu, antes de Pirandello e de Proust, que o estatuto da personagem na ficção não depende, para sustentar-se, da sua fixidez psicológica, nem da sua conversão em tipo; e que o registro das sensações e dos estados de consciência mais díspares veicula de modo exemplar algo que está aquém da *persona*: o contínuo da psique humana. Daí, a estrutura informal e aberta dessa nova experiência narrativa, tecido de lembranças casuais, *fait divers* e cortes digressivos entre banais e cínicos da personagem-autor, que não transcende nunca a "filosofia" do bom senso burguês congelada pela condição irreversível de defunto. Uma conseqüência notável para o miolo ideológico do romance é que a unidade, mascarada pela dispersão dos atos e das palavras, ultrapassa os indivíduos e acaba fixando-se em níveis impessoais: a *sociedade* e as *forças do inconsciente*. Deslocado, assim, o ponto de vista, um velho tema como o triângulo amoroso já não se carregará do pathos romântico que envolvia herói-heroína-o outro, mas deixará vir à tona os mil e um interesses de posição, prestígio e dinheiro, dando a batuta à libido e à vontade de poder que mais profundamente regem os passos do homem em sociedade. Da história vulgar de adultério de Brás Cubas-Virgínia-Lobo Neves à triste comédia de equívocos de Rubião-Sofia-Palha (*Quincas Borba*), e desta à tragédia perfeita de Bentinho-Capitu-Escobar (*D. Casmurro*) só aparecem variantes de uma só e mesma lei: não há mais heróis a cumprir missões ou a afirmar a própria vontade; há apenas destinos, destinos sem grandeza.

Machado teve mão de artista bastante leve para não se perder nos determinismos de raça ou de sangue que presidiriam aos enredos e estofariam as digressões dos naturalistas de estreita observância. Bastava ao criador de *Dom Casmurro*, como aos moralistas franceses e ingleses que elegeu como leitura de cabeceira, observar com atenção o amor-próprio dos homens e o arbítrio da fortuna para reconstruir na ficção os labirintos da realidade. Pois, se a reflexão se extraviasse pelas veredas da ciência pedante do tempo, adeus aquele *humor* de Machado que joga apenas com os signos do cotidiano...

Sem especular sobre o possível alcance metafísico do humor e aceitando, para hipótese de trabalho, a definição que lhe deu Pirandello, de "sentimento dos contrastes" (enquanto o *cômico* viria da simples percepção destes), é possível rastrear, a partir das *Memórias Póstumas*, um processo de inversão paródística dos códigos tradicionais que o Romantismo fizera circular durante quase um século. Quem diz de uma paixão de adolescente que "durou 15 meses e 11 contos de réis"; ou do espanto de um injustiçado que "caiu das nuvens", convindo em que é sempre melhor cair delas que de um terceiro andar; ou ainda, da fatuidade que "é a transpiração luminosa do mérito", está na verdade operando, no coração de uma linguagem feita de lugares-comuns, uma ruptura extremamente fecunda, pois, roída a casca dos hábitos expressivos, o que sobrevém é uma nova forma de dizer a relação com o outro e consigo mesmo. E, de fato, da pesquisa bem lograda das *Memórias* saíram duas obras-primas que deram a Machado de Assis um relevo na história do romance à altura de seus mestres europeus, *Quincas Borba* e *Dom Casmurro*.

Em *Quincas Borba* recupera-se a narração em terceira pessoa para melhor objetivar o nascimento, a paixão e a morte de um provinciano ingênuo. Rubião, herdeiro improvisado de uma grande fortuna, cai nos laços de um casal ambicioso; a mulher, a ambígua Sofia, vendo-o rico e desfrutável, dá-lhe esperanças, mas se abstém cautelosamente de realizá-las ao perceber no apaixonado traços de crescente loucura. Em longos ziguezagues se vão delineando o destino do pobre Rubião e a vileza bem composta do mundo onde triunfam Sofia e o marido; e não sei de quadro mais fino da sociedade burguesa do Segundo Reinado do que este, composto a modo de um mosaico de atitudes e frases do dia-a-dia. Desse mundo é expulso com metódica dureza o louco, o pobre, o diferente. As últimas páginas do romance, contando o fim do nosso anti-herói nas ladeiras de Barbacena, trazem na sua simplicidade patética o selo do gênio.

Dom Casmurro faz voltar o estilo das memórias, quase póstumas: "O meu fim evidente era atar as duas pontas da vida e restaurar na velhice a adolescência. Pois, senhor, não consegui recompor o que foi nem o que fui. Eu tudo, se o resto é igual, a fisionomia é diferente. Se me faltassem os outros, vá; um homem consola-se mais ou menos das pessoas que perde; mas falto eu mesmo, e esta lacuna é tudo" (Cap. II). Falta o adolescente Bentinho que, traído pela mulher amada e pelo melhor amigo, virou Dom Casmurro. Na verdade, um romance de Machado não se deve resumir: e como fazê-lo se o que neles importa não é o fato em si, mas a constelação de intenções e de ressonâncias que o envolve? Ainda que Capitu não houvesse cometido o adultério (e o romance não dá nenhuma prova decisiva), tudo nela era a possibilidade do engano, desde os olhos de ressaca oblíquos e dissimulados, que se deixavam estar nos momentos de raiva "com as pupilas vagas e surdas", até às mesmas idéias que já em menina se faziam "hábeis, sinuosas, surdas, e alcançavam o fim proposto, não de salto, mas aos saltinhos". O romance não padece do ritmo arrastado que em *Quincas Borba* tão bem se apegava às idas e vindas de Rubião na sua lenta trajetória para a loucura e o abandono. A história de Bentinho e Capitu dispõe de narração mais encorpada; e o gosto de marcar as personagens secundárias, como o tipo superlativo do agregado José Dias, dá-lhe um ar de romance de costumes que não destoa das referências precisas que nele se fazem à atmosfera e aos padrões familiares do Rio nos meados do século.

A atmosfera e os padrões continuarão presentes nos últimos romances, *Esaú e Jacó* e *Memorial de Aires*, em que já se consumou o maneirismo de um Machado clássico, igual a si mesmo, cada vez mais propenso a dissolver em meias-tintas e ironias paixão e entusiasmo: a figura absolutamente machadiana do Conselheiro Aires, que une os dois romances, remata em postura estóica a série dos desenganados aberta por Brás Cubas:

> Eu, se fosse capaz de ódio — diz o Conselheiro — era assim que odiava; mas eu não odeio nada nem ninguém, — *perdono a tutti*, como na ópera.

E falando de uma mulher capaz de inspirar amor: "Não pensei logo em prosa, mas em verso, e um verso justamente de Shelley, que relera antes, em casa, tirado de uma das suas estâncias de 1821:

> *I can give not what men call love.*"

Nem ódio nem amor. Lê-se, em *Esaú e Jacó*, uma confissão de fatalismo que explica a indiferença professada nas frases acima: "não se luta contra o destino: o melhor é deixar que nos pegue pelos cabelos e nos arraste até onde queira alçar-nos ou despenhar-nos."

Menos do que "pessimismo" sistemático, melhor seria ver como suma da filosofia machadiana um sentido agudo do relativo: nada valendo como absoluto, nada merece o empenho do ódio ou do amor. Para a antimetafísica do ceticismo, a moral da indiferença.

O itinerário das dúvidas em Machado de Assis está marcado por alguns contos admiráveis, todos escritos depois das *Memórias*: "O Alienista", quase novela pela sua longa seqüência de sucessos, é um ponto de interrogação acerca das fronteiras entre a normalidade e a loucura e resulta em crítica interna ao cientismo do século; "O Espelho" leva a corrosão da suspeita ao âmago da pessoa, mostrando exemplarmente como o papel social e os seus símbolos materiais (uma farda de Alferes, por exemplo) valem tanto para o *eu* quanto a clássica teoria da unidade da alma; "A Sereníssima República", alegoria política em torno dos modos de resolver ou de não resolver o problema da distância entre o Poder e o Povo; "O Segredo do Bonzo", apologia da ilusão como único bem a que aspiram as gentes. E haveria outros contos a citar, obras-primas de desenho psicológico ("Dona Benedita", "A Causa Secreta", "Trio em Lá Menor") e de sugestão de atmosferas ("Missa do Galo", "Entre Santos").

A ficção machadiana constitui, pelo equilíbrio formal que atingiu, um dos caminhos permanentes da prosa brasileira na direção da profundidade e da universalidade. Mas não deve ser transformada em ídolo; isso não conviria a um autor que fez da literatura uma recusa assídua de todos os mitos.

Raul Pompéia

Raul Pompéia ([141]) partilhava com Machado o dom do memorialista e a finura da observação moral, mas no uso desses dotes deixava atuar uma tal carga de passionalidade que o estilo de seu único romance realizado, O Ateneu, mal se pode definir, em sentido estrito, realista; e se já houve quem o dissesse impressionista, afetado pela plasticidade nervosa de alguns retratos e ambientações, por outras razões se poderiam nele ver traços expressionistas, como o gosto do mórbido e do grotesco com que deforma sem piedade o mundo do adolescente.

Que o livro guarde estreitas relações com o passado do autor, parece hoje verdade assente: "o romancista se vinga" — é a tese de Mário de Andrade; e

---

([141]) RAUL D'ÁVILA POMPÉIA (Angra dos Reis, Prov. do Rio de Janeiro, 1863 — Rio, 1895). Estudou no Colégio Pedro II e bacharelou-se pela Faculdade de Direito de Recife; iniciara, porém, seu curso em S. Paulo, onde militou nos movimentos abolicionista e republicano. Ocupou vários cargos públicos: diretor do *Diário Oficial*, professor de Mitologia da Escola Nacional de Belas-Artes, diretor da Biblioteca Nacional, posto de que foi exonerado por Prudente de Morais devido à oração fúnebre que pronunciou junto ao túmulo de Floriano Peixoto, exaltando este em detrimento daquele (1895). Iniciou-se nas letras muito cedo, com *Uma Tragédia no Amazonas* (1880), novela que, apesar de imatura, já refletia um temperamento angustiado em busca de uma tradução estilística impressionista. Essa mesma inquietude, traço fundamental da sua constituição, levou-o a contínuas polêmicas, ao duelo com Bilac e, finalmente, ao suicídio, aos trinta e dois anos de idade, na noite de Natal de 1895. Obras: *Canções sem Metro*, 1881; *O Ateneu*, 1888. Ainda não se editaram em livro: *Microscópicos*, contos publicados na *Comédia*, de S. Paulo; *Agonia*, romance (ms.); *Alma Morta*, meditações, publ. na *Gazeta da Tarde*, em 1888; *As Jóias da Coroa*, novela saída na *Gazeta de Notícias*. Consultar: Araripe Jr., "Raul Pompéia e o Romance Psicológico", ensaio escrito em 1888-89, agora em *Obra Crítica*, Rio, Casa de R. Barbosa, 1960, vol. II; Elói Pontes, *A Vida Inquieta de R. Pompéia*, Rio, J. Olympio, 1935; Mário de Andrade, *Aspectos da Literatura Brasileira*, Rio, Americ-Edit., 1943; J. Lins do Rego, *Conferências no Prata*, Rio, CEB, 1946; Lúcia Miguel-Pereira, *Prosa de Ficção, cit.*; Temístocles Linhares, *Apresentação a Raul Pompéia*, Trechos Escolhidos, Rio, Agir, 1958; Maria Luísa Ramos, *Psicologia e Estética de R. Pompéia*, B. Horizonte, tese, 1958; Eugênio Gomes, *Visões e Revisões*, Rio, I.N.L, 1958; Ledo Ivo, *O Universo Poético de R. Pompéia*, Rio, Livr. S. José, 1963; Flávio Loureiro Chaves, *O Brinquedo Absurdo*, S. Paulo, Polis, 1978; A. Bosi, *Céu, Inferno, cit.*; Leyla Perrone-Moisés, "Lautréamont e Raul Pompéia", *in Revista de Cultura Vozes*, ago. 1980.

a sondagem psicanalítica não hesita em detectar o complexo edipiano no afeto do menino Sérgio pela mulher de Aristarco, o diretor do "Ateneu", execrado como o pai tirano; nem, por outro lado, Pompéia ocultou o jogo masculino-feminino das relações entre os alunos em plena crise da puberdade. Mas as contribuições de conteúdo que a psicanálise faz à leitura do romance não devem induzir à tentação de transformá-lo em mero exemplário de recalques e neuroses.

Raul Pompéia era artista, e artista cônscio do seu ofício de plasmador de signos. Ficasse a sua obra no plano projetivo das angústias e no seu desafogo, por certo não teria ultrapassado o limiar da literatura de confidência e evasão que marcou quase toda a prosa romântica. Mas ela vai além da projeção: tematiza os escuros desvãos da memória em torno de ambientes, cenas, personagens, e molda as estruturas obtidas no nível da palavra descritiva, narrativa, dialogada. A distância que vai da vida à arte é palmilhada pelo estilista que formou seus ideais artísticos à sombra de Flaubert, dos Goncourt e dos parnasianos. E vem ao caso lembrar que Pompéia, hábil desenhista, foi também autor das *Canções sem Metro*, ensaio estetizante de prosa poética, que resultou menos rico do que a linguagem do *Ateneu*, mas vale como prova de um extremo cuidado no traço das formas.

O limite dessa atenção à frase pela frase e da esfera microestilística é certo intumescimento das metáforas e dos símiles, o domínio do "como", no dizer de Mário de Andrade. Colocando-se na perspectiva dessa poética, Raul Pompéia julgava Machado um "escritor correto e diminuído"... No *Ateneu*, a captação dos ambientes e das pessoas não dispensa o expressionismo da imagem:

> As mangueiras, como intermináveis serpentes, insinuavam-se pelo chão.
>
> As crianças (...), seguindo em grupos atropelados, como carneiros para a matança.
>
> Permitia, quando muito, que Rômulo a seguisse cabisbaixo e mudo, como um hipopótamo domesticado.
>
> Ele gozava como um cartaz que experimentasse o entusiasmo de ser vermelho ([142]).

As aproximações são, em geral, violentas e, no caso das pessoas, depressivas. A norma é o caricato, revelando o quanto de traumático devem ter marcado as experiências que lhes ficavam subjacentes.

"Vais encontrar o mundo", disse-me meu pai à porta do Ateneu. "Coragem para a luta." E tudo o que segue sublinha a ruptura com a vida familiar, definida como "conchego placentário" e "estufa de carinho". O dado original da ruptura

---

([142]) Cf. o ensaio de Artur de Almeida Torres, *Raul Pompéia (estudo psico-estilístico)*, Niterói, 1968.

foi matriz de infelicidade para o adulto. Raul Pompéia-Sérgio não perdoou à vida o ser lançado à indiferença cruel da escola, e à sociedade com os mais fortes. O seu único momento de abandono virá tarde, quando Ema o acarinha, convalescente, isto é, quando o sacrifício da vida social, competitiva e má, é posto de lado para não mais voltar. À cura de Sérgio se seguirá o incêndio da escola, fecho do romance. Também o suicida Pompéia não aceitou o fardo excessivo que lhe impunham as palavras do pai — "Coragem para a luta". O ato de incendiar o colégio é homólogo ao suicídio: um e outro significam uma recusa selvagem daquela vida adulta que começa no internato.

A descrição da experiência colegial é feita em termos de requisitório: a criança que subsiste no homem é o promotor e, vantagem do romancista, pode ser também o juiz final, manipulador do apocalipse. No primeiro plano de ataque, a fachada composta e brilhante do processo educativo, onde se pode ver em miniatura o decoro das instituições do Império que o ardente republicano Raul Pompéia então combatia:

> Afamado por um sistema de nutrida reclame, mantido por um diretor que de tempos em tempos reformava o estabelecimento, pintando-o jeitosamente de novidade, como os negociantes que liquidam para recomeçar com artigos da última remessa...

E sempre o vulto de Aristarco, medalhão consumado da arte da pose:

> Contemplávamos (eu com aterrado espanto), distendido em grandeza épica o *homem-sanduíche* da educação nacional, lardeado entre dois monstruosos cartazes. Às costas, o seu passado incalculável de trabalhos; sobre o ventre, para a frente, o seu futuro: a reclame dos imortais projetos.

Mas a substância, o *absolu* da vida burguesa, de que fala Balzac, é o dinheiro. São cômicos os momentos em que Aristarco gradua os olhares, os sorrisos, as predileções no sistema de chefia, e até mesmo a escolha do futuro genro, pelos critérios de guarda-livros como a pontualidade nos pagamentos:

> Às vezes, uma criança sentia a alfinetada no jeito da mão a beijar. Saía indagando consigo o motivo daquilo, que não achava em suas contas escolares... O pai estava dois trimestres atrasado.

A escola é microcosmo em vários níveis. No da direção, onde a mola do divino Aristarco é o dinheiro; mas também entre os alunos cujas atividades tecem uma rede de interesses econômicos:

> As especulações moviam-se como o bem conhecido ofício das corretagens. Havia capitalistas e usurários, finórios e papalvos... A principal moeda era o selo. No comércio do selo é que fervia a agitação de empório, contratos de cobiça, de agiotagem, de esperteza, de fraude. Acumulavam-se valores, circulavam, frutificavam; conspiravam os sindicatos, arfava o fluxo, o refluxo das altas e das depreciações;

os inexpertos arruinavam-se, e havia banqueiros atilados, espapando banhas de prosperidade.

Se, na teia da socialidade, tudo se prende ao prestígio da riqueza, que de fora vem precisar os contornos das diferenças individuais, na da vida afetiva, as matrizes dos gestos e das palavras são a *agressividade* e a *libido*. É ler a descrição da fauna que rodeia Sérgio: destruída a fachada que a cerimônia inicial levantara, o menino percebe espantado uma divisão entre fortes e fracos, que a crise pubertária vai colorir de matizes sexuais. As lideranças, já coadas pelo poder da riqueza, se farão por critérios musculares ou etários: os mais rijos, os mais velhos e calejados têm condições de dominar os novatos. "Tudo conspira contra o indefeso."

Mas o trágico é que a escola, como a sociedade, na sua dinâmica de aparências, finge ignorar a iniqüidade sobre que se funda. Tomando hipocritamente o dever-ser como a moeda corrente e o que é como exceção a ser punida, a praxe pedagógica não baixa o tom virtuoso que se ouve nos discursos de Aristarco e se perpetua nas máximas gravadas nos ladrilhos do colégio. São a eterna "boa consciência" e pairam acima da fealdade dos gestos violentos ou chulos que formam a rotina do meio adolescente. Mas, como todo sistema sempre à beira do desequilíbrio, a escola terá suas válvulas de escape. A figura agoniada de Franco, o rebelde castigado e reincidente, é um exemplo de bode expiatório, no qual todos exorcizam a má consciência que os rói em meio a tantas contradições... Como os criminosos e as meretrizes, que é preciso apontar à repulsa geral, para de algum modo esconjurar as tentações de ódio e de perversão que assediam a alma do homem comum, Franco deve ser escarmentado pelo colégio em peso:

> Num suplício de pequeninas humilhações cruéis, agachado, abatido sob o peso das virtudes alheias mais do que das próprias culpas, exemplar perfeito de depravação oferecido ao horror santo dos puros...
>
> — Nenhum de nós é como ele — é o alívio dos alunos reunidos à hora em que se lêem os boletins de notas.

E, pormenor sintomático, é com Franco que Sérgio se identifica em uma noite de pesadelos. E é sob os lençóis do réprobo morto que se achará a imagem de Santa Rosália, já descaída na devoção de Sérgio.

Tanto o esquema romanesco, fundado na memória dos episódios mais cruéis da vida colegial, como os tons sombrios que cobrem os perfis adolescentes, configuram o mundo de *ressentimento* em que estava mergulhada a personalidade de Pompéia; ao contrário dos livros de Machado que, no esgarçado da linha narrativa e no cinzento da linguagem, traem um esforço vigilante de distância e mediação.

Raul Pompéia não deixou ao arbítrio dos futuros intérpretes o trabalho de decifrar o sistema de idéias que se poderia depreender do *Ateneu*. Ele mesmo o expõe pela boca do Dr. Cláudio, a quem faz proferir nada menos que três conferências: a primeira sobre cultura brasileira, em que o republicano não perde o ensejo de fustigar o "pântano das almas" da vida nacional, sob a "tirania mole de um tirano de sebo"; a segunda sobre a arte, entendida pré-freudianamente como "educação do instinto sexual" e nietzscheanamente como "expressão dionisíaca": "Cruel, obscena, egoísta, imoral, indômita, eternamente selvagem, a arte é a superioridade humana — acima dos preceitos que se combatem, acima das religiões que passam, acima da ciência que se corrige; embriaguez como a orgia e como o êxtase." Enfim, a terceira, que mais de perto afeta o núcleo ideológico do romance, aponta os vínculos que prendem a escola à sociedade, fazendo refluir desta para aquela a lei da selva, a seleção dos mais fortes: "Não é o internato que faz a sociedade, o internato a reflete. A corrupção que ali viceja vai de fora." E esta peça de darwinismo pedagógico:

> A educação não faz as almas: exercita-as. E o exercício moral não vem das belas palavras de virtude, mas do atrito com as circunstâncias. A energia para afrontá-las é a herança de sangue dos capazes de moralidade, felizes na loteria do destino. Os deserdados abatem-se.

Não fora o seu talento excepcional de artista, Raul Pompéia teria naufragado no puro romance de tese. Aos naturalistas típicos, que lhe eram inferiores como estilistas, não foi poupada a armadilha: a obra de Aluísio (com exceção do *Cortiço*), a de Inglês de Sousa, a de Adolfo Caminha e a de Júlio Ribeiro caíram sob o peso de esquemas preconcebidos, pouco vindo a salvar-se do ponto de vista ficcional.

Aluísio Azevedo e os principais naturalistas

Em Aluísio Azevedo ([143]) a influência de Zola e de Eça é palpável; e, quando não se sente, é mau sinal: o romancista virou produtor de folhetins.

([143]) Aluísio Tancredo Gonçalves de Azevedo (S. Luís do Maranhão, 1857 — Buenos Aires, 1913). Filho do vice-cônsul português em São Luís, aí fez os estudos secundários. Chamado pelo irmão, o comediógrafo Artur Azevedo, foi para o Rio de Janeiro onde trabalhou como caricaturista nas redações de jornais políticos e humorísticos, *O Mequetrefe*, *Fígaro*, *Zig-Zag*. Com a morte do pai voltou a S. Luís. Escreve para a imprensa da oposição crônicas de sátira ao conservantismo do meio maranhense. Depois de uma tentativa frustrada de romance sentimental (*Uma Lágrima de Mulher*, 1880), publica sua primeira obra de relevo, *O Mulato* (1881), em que agride o preconceito racial, corrente nas famílias ricas da província. O livro, bem recebido na Corte como exemplo de Naturalismo, irritou os comprovincianos a ponto de o escritor resolver mudar-se para o Rio. De 1882 a 1895 vive exclusivamente da pena. Escreve sem interrupção romances, contos, operetas, revistas teatrais, alternando páginas de intenso e sóbrio realismo (*Casa de Pensão*,

Aliás, trata-se de um caso raro e precoce de profissionalização literária: "Aluísio Azevedo — disse Valentim Magalhães — é no Brasil talvez o único escritor que ganha o pão exclusivamente à custa da sua pena, mas note-se que apenas ganha o pão: as letras no Brasil ainda não dão para a manteiga" ([144]). Essa luta com a pena pelo pão certamente explica o desnível entre seus romances sérios (*O Mulato*, *Casa de Pensão*, *O Cortiço*) e os pastelões melodramáticos de "pura inspiração industrial", no dizer de José Veríssimo (*Condessa Vésper*, *Girândola de Amores*, *A Mortalha de Alzira*...). E talvez à mesma causa se possa atribuir o estranho abandono das letras que se lhe nota a partir dos quarenta anos, quando entra para a carreira diplomática e se elege membro da academia recém-fundada.

Seja como for, nos seus altos e baixos, Aluísio foi expoente de nossa ficção urbana nos moldes do tempo. O hábil tracejador de caricaturas nas folhas políticas do Rio precedeu o autor do *Mulato* e ensinou-lhe a arte da linha grossa que deforma o corpo e o gesto e perfaz a técnica do *tipo*, inerente à concepção

---

1884; *O Cortiço*, 1890) com folhetins românticos (*Mistérios da Tijuca*, chamado em 2ª ed., *Girândola de Amores*, 1882; *A Mortalha de Alzira*, 1894). Vencendo, em 1895, concurso para cônsul, percorreu a carreira diplomática servindo em Vigo, Nápoles, Tóquio e Buenos Aires, onde morreu, aos cinqüenta e cinco anos de idade. Durante esse período final não se dedicou à literatura. Outras obras: *Memórias de um Condenado*, 1882 (reed.: *A Condessa Vésper*), *Filomena Borges*, 1884; *O Homem*, 1887; *O Coruja*, 1890; *O Esqueleto* (em colaboração com Bilac), 1890; *O Livro de uma Sogra*, 1895; *Demônios* (contos), 1893; *O Touro Negro* (crônica), 1938. Para o teatro compôs, em colaboração com Artur Azevedo: *Os Doidos* (comédia), 1879; *Flor de Lis* (opereta), 1882; *Casa de Orates* (comédia), 1882; *Frizmark* (revista), 1888; *A República* (revista), 1890; *Um Caso de Adultério* (comédia), 1891; *Em Flagrante* (comédia), 1891; e, em colaboração com Emílio Rouède, *Venenos que Curam* (comédia), 1886; *O Caboclo* (drama), 1886. Consultar: Araripe Jr.: "O Mulato", em *Obra Crítica*, Rio, Casa de Rui Barbosa, vol. I, pp. 117-122; *A Terra de Zola e O Homem*, de Aluísio Azevedo, em *Obra Crítica*, *cit.*, II, pp. 25-90; Valentim Magalhães, *Escritores e Escritos*, Rio, Domingos de Magalhães, 2ª ed., 1894; José Veríssimo, *Estudos Brasileiros*, Rio, Laemmert, 1894, vol. II, pp. 2-41; Alcides Maya, *Romantismo e Naturalismo através da Obra de Aluísio Azevedo*, Porto Alegre, Globo, 1926; Olívio Montenegro, *O Romance Brasileiro*, Rio, José Olympio, 1938; Álvaro Lins, *Jornal de Crítica*, 2ª série, Rio, José Olympio, 1943, pp. 138-152; Josué Montello, *Histórias da Vida Literária*, Rio, Nosso Livro, 1944; Lúcia Miguel-Pereira, *Prosa de Ficção*, *cit.*, pp. 138-155; Raimundo de Menezes, *Aluísio Azevedo. Uma Vida de Romance*, S. Paulo, Martins, 1958; Eugênio Gomes, *Aspectos do Romance Brasileiro*, Bahia, Progresso, 1958; Josué Montello, *Aluísio Azevedo — Trechos Escolhidos*, Rio, Agir, 1963; Affonso Romano de Sant'Anna, *Análise Estrutural de Romances Brasileiros*, Ed. Vozes, 1973; Antônio Cândido, "A passagem do dois ao três", *in Revista de História*, USP, 1974, nº 100.

([144]) Valentim Magalhães escrevia de Lisboa, onde editou o opúsculo *A Literatura Brasileira, 1870-1895*, a que pertence o passo citado.

naturalista da personagem. Hoje é fácil torcer o nariz à estreiteza latente nessa forma de retratar os homens: saciaram *ad nauseam* as galerias de fantoches que os maus discípulos de Eça lançaram às mancheias em romances e novelas sem conta, não raro combinando com provinciano requinte os tipos "médios" e a descrição de ambientes "típicos". Mas o abuso não invalida o uso: em face de certa vaguidade romântica no trato das personagens, foi salutar o deslocamento do eixo para o homem comum, desfigurado, mais do que se acreditava, pelos revezes da herança biológica, da vida familiar, da profissão. Se a ótica naturalista capta de preferência a mediocridade da rotina, os sestros e mesmo as taras do indivíduo, ela não será por isso menos verossímil que a opção contrária dos românticos; e, o que mais importa, é tão *significativa* quanto ela, pois uma e outra são sintomas dos impasses criados no espírito do ficcionista quando se abeira da condição humana enleada na vida social. Os momentos de maior fermentação desta nos meios citadinos foram pontuados por uma vigorosa narrativa realista de tintas satíricas: o *Satyricon* de Petrônio, o *Decameron* de Boccaccio, as histórias de Diderot, os romances de Thackeray e Balzac, os contos de Maupassant e de Tchécov... E já se viu que há tipos e tipos: a mera soma de minúcias descritivas não dá para pôr de pé uma personagem ou uma situação ([145]) e o malogro estético de boa parte do romance naturalista deve-se precisamente à falta daquela coerência existencial mínima que já Machado de Assis reclamava de Eça em crítica ao *Primo Basílio* e que Zola augurara ao atribuir ao romancista o papel de "mostrar pela experiência como se comporta uma paixão em um meio social" ([146]).

A leitura de *O Mulato*, que passa pelo primeiro romance naturalista brasileiro, dá uma boa visão do meio maranhense do tempo, mas não cumpre a outra exigência de Zola, a de pintar como se comporta uma paixão. O protagonista, o mulato Raimundo, ignora a própria cor e a condição de filho de escrava: não consegue entender as reservas que lhe faz a alta sociedade de São Luís, a ele que voltara doutor da Europa. Aluísio cumula-o de encantos e de poder sedutor junto às mulheres e o faz amado e amante da prima, Ana Rosa, cuja família dá exemplo do mais virulento preconceito. A intriga, romântica pelo tema do amor que as tradições impedem de se realizar, admite um corte mais ousado no trato das relações entre Raimundo e Ana Rosa. O final de ópera, com a fuga dos amantes malograda pelo assassínio do mulato, volta a colorir a história de um romantismo gritante que Aluísio quis *in extremis* sufocar, mudando a ardente heroína em pacata mulher de um tipo imposto pela família e que sempre lhe parecera o mais sórdido dos homens. O autor, desejando provar de mais (no caso o preconceito vivo nas famílias brancas *e*

([145]) V. nota 136. Do mesmo Lukács, o ensaio "Narrar ou Descrever", em *Ensaios sobre Literatura*, Rio, Civilização Brasileira, 1965.

([146]) Em *Le roman expérimental*, 4e. éd., Paris, Charpentier, 1880, p. 24.

a oscilação psicológica da mulher), desfigura o par amoroso, emboneca o protagonista e deixa o leitor no escuro quanto à marcação de um possível "caso de temperamento" que nas mãos de um Zola poderia render a figura de Ana Rosa. Não falha, porém, na sátira dos tipos da capital maranhense: o comerciante rico e grosseiro, a velha beata e raivosa, o cônego relaxado e conivente. Por outro lado, embora se possa entrever a sombra de Eça no meneio da frase descritiva que resvala quase sempre para o grotesco, resta o mordente pessoal de Aluísio, então em luta aberta contra o conservantismo e as manhas clericais que entorpeciam a sua província.

O mérito do narrador que saiu de *O Mulato* estaria em saber aplicar a outros ambientes o dom de observação de que fizera prova. Aí estão o valor e o limite de Aluísio: o poder de fixar conjuntos humanos como a casa de pensão e o cortiço dos romances homônimos constitui o seu legado para a ficção brasileira de costumes; é pena que o peso das teorias darwinistas o tenha impedido de manejar com a mesma destreza personagens e enredos, deixando uns e outros na dependência de esquemas canhestros.

Em *Casa de Pensão*, a vida airada do estudante que vem do Norte para o Rio, o ambiente pegajoso da pensãozinha onde se instala, enfim o rumor dos jornais e da boêmia em volta do caso escandaloso em que se envolve, formam o coro, estruturalmente superior ao desenho flácido, do protagonista, cujas fraquezas são atribuídas desde as primeiras páginas à herança do sangue.

Só em *O Cortiço* Aluísio atinou de fato com a fórmula que se ajustava ao seu talento: desistindo de montar um enredo em função de *pessoas*, ateve-se à seqüência de descrições muito precisas onde cenas coletivas e tipos psicologicamente primários fazem, no conjunto, do cortiço a personagem mais convincente do nosso romance naturalista. Existe o quadro: dele derivam as figuras.

Já houve quem louvasse Aluísio como um dos raros romancistas de massas da literatura brasileira (147). Cabe perguntar de que forma a consciência do escritor percebia os grupos humanos. Assumindo uma perspectiva *do alto*, de narrador onisciente, ele fazia distinção entre a vida dos que já venceram, como João Romão, o senhor da pedreira e do cortiço, e a labuta dos humildes que se exaurem na faina da própria sobrevivência. Para os primeiros, o trabalho é uma pena sem remissão, pois a fome de ganho não se sacia e o frenesi do lucro — "uma moléstia nervosa, uma loucura", como a que empolga Romão — arrasta às mais sórdidas privações, a uma espécie de ascese às avessas, sem que um limite "natural" e "humano" venha dar ao cabo a desejada paz. Já nos pobres, na "gentalha", como os chama, o trabalho é o exercício de uma atividade cega, instintiva, não sendo raras as comparações com vermes ou com insetos, sempre que importa fixar o vaivém dos operários na pedreira ou das mulheres no cortiço. Os textos abaixo ilustram a obsessão do *germinal*, herdada do mestre francês:

---

(147) Lúcia Miguel-Pereira, *op. cit.*, p. 157.

E naquela terra encharcada e fumegante, naquela umidade quente e lodosa, começou a minhocar, a fervilhar, a crescer um mundo, uma coisa viva, uma geração, que parecia brotar espontânea, ali mesmo, daquele lameiro e multiplicar-se como larvas no esterco (Cap. I).

As corridas até à venda reproduziam-se, transformando-se num verminar constante de formigueiro assanhado (Cap. III).

Nas alusões a fatos e a tipos isolados, o processo reaparece:

... depois de correr meia légua, puxando uma carga superior às suas forças, caiu morto na rua, ao lado da carroça, estrompado como uma besta (Cap. I).

Daí a pouco, em volta das bicas era um zunzum crescente; uma aglomeração tumultuosa de machos e fêmeas.

A primeira que se pôs a lavar foi a Leandra, por alcunha a "Machona", portuguesa feroz, berradora, pulsos cabeludos e grossos, anca de animal do campo (Cap. III).

A franzina Nenén escapa "como enguia" dos rapazes; Paula, a cabocla mandingueira, tem "dentes de cão"; a mulatinha Florinda, "olhos luxuriosos de macaca"; e no cavoqueiro português, o pescoço é de touro e os olhos humildes, "como os de um boi de carga".

A redução das criaturas ao nível animal cai dentro dos códigos anti-românticos de despersonalização; mas o que uma análise mais percuciente atribuiria ao sistema desumano de trabalho, que deforma os que vendem e ulcera os que compram, à consciência do naturalista aparece como um fado de origem fisiológica, portanto inapelável. Como dá caráter absoluto ao que é efeito da iniqüidade social, o naturalista acaba fatalmente estendendo a amargura da sua reflexão à própria fonte de todas as suas leis: a natureza humana afigura-se-lhe uma *selva selvaggia* onde os fortes comem os fracos. Essa, a mola do *Cortiço*. Essa, a explicação das vilanias e torpezas que "naturalmente" devem povoar a existência da gente pobre. E essa também a causa do desfecho, que se quer trágico, mas é apenas teatral.

Descendo a casos fisiológicos em *O Livro de uma Sogra*, ou perdendo-se em simplismos de caracterização moral, *O Coruja*, o romancista não soube levar a efeito um vasto plano narrativo que viria a constituir-se na comédia humana do Segundo Reinado, sob o título geral de *Brasileiros Antigos e Modernos*. A série ficou no primeiro volume, justamente *O Cortiço*.

O primeiro romance, *O Cortiço*, faz-nos ver um colono analfabeto, que de Portugal vem com a mulher trabalhar no Brasil, trazendo consigo uma filhinha de dois anos. Essa criança vem a ser a *menina do cortiço*, um dos tipos mais acentuados da obra, o qual será ligado imediatamente a um tipo novo, o *tipo do vendeiro amancebado com a preta*. O colono deixa a mulher por uma mulatinha, e deste novo enlace surgem *O Felizardo* e *A Loureira*: participa deste grupo o tipo do *capadócio*, o pai-avô do *capoeira* que mais tarde é chefe de malta e força ativa nas eleições. Ligado a este chefe de malta está um tipo que contrasta com ele: é o antigo Conselheiro de Estado formado durante a minoridade do sr. D. Pedro II e graduado pelos seus serviços à causa da revolução mineira. Do Conselheiro nasce *A Família Brasileira*, composta de quatro figuras, a saber: o chefe, Conselheiro, de cinqüenta e tantos anos, conservador e lírico; a esposa deste, senhora de 40, muito apaixonada pela *História dos Girondinos* de Lamartine, sonhando reformas e lamentando não ser homem para desenvolver o que ela julga possuir de ambição política no seu espírito; a filha, moça de vinte anos, prática e interesseira, vendo sempre as coisas pelo prisma das comodidades e das conveniências sociais; e o filho, rapaz de 16 anos, presumido, filósofo e muito convencido de que está senhor de toda a ciência de Augusto Comte.

É sobre esta família que têm de agir o Felizardo e a Loureira, é nesta família que a Loureira vai buscar o amante, o filósofo de 16 anos, a quem não valerá toda a teoria científica de Comte e Spencer, e que dará um dos bilontras da *Bola Preta*; enquanto que o Felizardo, conseguindo casar com a filha do Conselheiro, e conseguindo, uma vez rico, fazer carreira política, vai influenciar nos destinos do Brasil e comprometer a situação do monarca, como se verá no último livro (148).

O plano ficou no papel. Mas, de qualquer forma, *O Cortiço* foi um passo adiante na história da nossa prosa. O léxico é concreto, o corte do período e da frase sempre nítido, e a sintaxe, correta, tem ressaibos lusitanizantes que, embora se possam explicar pela origem luso-maranhense de Aluísio, quadram bem ao clima de purismo que marcaria a língua culta brasileira até o advento dos modernistas.

Causídico respeitável e perito em letras de câmbio, **Inglês de Sousa** (149) não foi menos escrupuloso como narrador de casos amazônicos com que an-

---

(148) *In A Semana*, ano I, nº 44, Rio, 1885 (*apud* L. Miguel-Pereira, *op. cit.*, pp. 157-58.

(149) HERCULANO MARCOS INGLÊS DE SOUSA (Óbidos, Pará, 1853 — Rio, 1918). Fez os estudos secundários no Maranhão e Direito em Recife e S. Paulo. Ainda estudante, publicou, sob o pseudônimo de Luís Dolzani, *O Cacaulista e Histórias de um Pescador* (1876-77), documentos que testemunhavam seus pendores para o regionalismo. O mesmo se deu com *O Coronel Sangrado* que, escrito em 77, precede de quatro anos à publicação de *O Mulato*, de Aluísio, enquanto romance naturalista de costumes. Combinando inspiração regional e processos tomados a Zola, compôs o romance *O Missionário* (1888) e os *Contos Amazônicos* (93), suas obras mais conhecidas. Positivista e liberal, fez política durante o Império, alcançando a presidência de Sergipe e do Espírito Santo. Especialista em Direito Comercial, ensinou essa disciplina na Faculdade de Direito do Rio de Janeiro. Foi membro fundador da Academia Brasileira de Letras. Consultar: Araripe Jr., prólogo da 2ª ed. de *O Missionário*, Rio, Laemmert, 1899 (transcrito na *Obra Crítica*, Rio, Casa de Rui Barbosa, vol. II, pp. 365-382; José Veríssimo, *Estudos de Literatura Brasileira*, 3ª série, Rio, Garnier, 1903; Olívio Montenegro, *O Romance Brasileiro*, Rio, José Olympio, 1938; Aurélio Buarque de Holanda, Prefácio da 3ª ed. de *O Missionário*, Rio, José Olympio, 1946; Lúcia Miguel-Pereira, *Prosa de Ficção*, *cit.*, pp. 155-164; Sérgio Buarque de Holanda, *Inglês de Sousa — "O Missionário"*, em *O Romance Brasileiro* (coord. de Aurélio B. de Holanda), *cit.*, pp. 167-174.

tecipou o próprio Aluísio no manejo da prosa analítica. As datas de publicação dos seus primeiros romances, 1876 (*O Cacaulista*) e 1877 (*O Coronel Sangrado*) fazem-no contemporâneo dos regionalistas, Taunay e Franklin Távora, mas Inglês de Sousa já mostrara nessas páginas de juventude um temperamento frio, inclinado ao exame dos "fatos", como convinha ao futuro positivista, sem qualquer centelha de paixão romântica pela matéria da sua arte: exatamente o oposto do autor do *Cabeleira*.

Tudo fazia dele o compositor ideal de um caudaloso romance de tese, como *O Missionário*, em que se expõem os mínimos aspectos da "evolução moral" do sacerdote e não se poupa ao leitor nenhum detalhe da sua ascensão e queda na selva amazônica.

Sóbrio e meticuloso em excesso, não logra, por isso mesmo, transmitir o sentimento de conjunto da paisagem tropical. É notação feliz de Sérgio Buarque de Holanda que Inglês de Sousa nunca foi espontaneamente um paisagista: "É sensível seu desconcerto todas as vezes em que se trata de descrever esse mundo cheio de mistérios e onde a vida civil parece mero acidente."

O fundo vinco urbano que marcava o positivismo de Inglês de Sousa não conseguia, de fato, abrir-se à cor e ao perfume da vida selvagem, cor e perfume que Alencar, com todas as suas distorções, captara tantas e tantas vezes. Já a mornidão do vilarejo de Silves e a variedade das suas figuras provincianas encontraram a versão justa na prosa lenta e unida do escritor paraense. Nessa miúda reprodução dos costumes amazonenses, encetada nos romances juvenis e presente até os últimos *Contos Amazônicos*, aprecia-se a parte viva da obra de Inglês de Sousa, pouco ou nada valendo o retrato espiritual do missionário, cuja conduta já estava prefigurada na "irresolução e fraqueza que a mãe lhe transmitira no sangue"...

Nesse romance, o Naturalismo, repuxado até o limite, faz o processo à Natureza, o que nos dá conta da carência de frescor nas descrições além da queda fatal dos homens, duplamente sujeitos à lei do sangue e às pressões do ambiente.

Do Naturalismo tomou **Adolfo Caminha** (150) a crença na fatalidade do meio e o gosto dos temas escabrosos. *A Normalista* e *O Bom Crioulo* cen-

---

(150) ADOLFO FERREIRA CAMINHA (Aracati, Ceará, 1867 — Rio, 1897). Passou a infância na província natal, atribulado pela orfandade, por doenças e pela seca de 77. Muda-se para o Rio onde, sob a tutela de um parente, cursa a Escola Naval. Como guarda-marinha, conhece em 1886 os Estados Unidos, viagem que lhe deu matéria para um livro de crônicas, *No País dos Ianques* (1894). Voltando ao Ceará, envolve-se num caso passional (rapto da esposa de um alferes com a qual passa a viver e que lhe dá duas filhas). Obrigado a dar baixa na Marinha, parte para a Capital, onde trabalha como funcionário. Em Fortaleza, foi um dos mentores da Padaria Espiritual, grêmio que promoveu, de 92 a 98, os naturalistas da província. Morreu tuberculoso aos 29 anos de

tram-se em casos de corrupção que a marcha da narrativa mostra como inevitável.

Não se deve, porém, reduzir o escritor cearense ao tributo que manifestamente pagou à leitura de Eça e Aluísio, seus modelos mais próximos. Há notas pessoais válidas em ambos os romances. Em *A Normalista*, o ressentimento do autor, apoucado pela vida de amanuense no meio hostil de Fortaleza, leva-o a nivelar todas as personagens no sentido das pequenas vilezas que a hipocrisia do meio se esforça em vão por encobrir. O nivelamento, borrando os limites das figuras humanas, acaba compondo o quadro naturalista e pessimista da vida citadina, "esse acervo de mentiras galantes e torpezas dissimuladas, esse cortiço de vespas que se denomina — sociedade". E o andamento moroso da narração, os interiores mornos e a baixa temperatura moral das criaturas traduzem bem a intuição geral do romancista.

Mas a crítica, de fundo emotivo, não tinha condições para sair do âmbito provinciano: a última parte da história, passada no campo onde Maria, a normalista, fora morar por ordem do sedutor, canta alencarianamente os eflúvios balsâmicos da natureza, aos quais se vêm misturar os não menos balsâmicos anúncios da proclamação da República, uns e outros bastantes para fazer da protagonista, há pouco abismada na desonra e no luto pelo filho natimorto, a lépida noiva de um alferes que surge inopinado para bem acabar a história.

O Bom Crioulo não padece de tais inverossimilhanças. Mais denso e enxuto que o romance anterior, resiste ainda hoje a uma leitura crítica que descarte os vezos da escola e saiba apreciar a construção de um tipo, o mulato Amaro, coerente na sua passionalidade que o move, pelos meandros do sadomasoquismo, à perversão e ao crime (151).

O Naturalismo e a inspiração regional

Do Ceará, terra de Adolfo Caminha, também provieram outros naturalistas que dariam à região da seca e do cangaço uma fisionomia literária bem marcada

---

de idade. Deixou publicados: *Judith e Lágrimas de um Crente*, contos, 93; *A Normalista*, 93; *O Bom Crioulo*, 95; *Tentação*, 96, romances; *Cartas Literárias* (95), crítica de fundo taineano, mas aberta ao simbolismo de Cruz e Sousa. Inéditos: *Ângelo, O Emigrado*, romances; versos e contos. Consultar: Waldemar Cavalcanti, "O Enjeitado A. C.", em *O Romance Brasileiro*, *cit.*, pp. 179-90; Lúcia Miguel-Pereira, *Prosa de Ficção*, *cit.*, pp. 164-72; Sabóia Ribeiro, *Roteiro de Adolfo Caminha*, Rio, Livr. S. José, 1957.

(151) Meros apêndices do Naturalismo devem considerar-se a obra mais conhecida de Júlio Ribeiro, *A Carne* (1888) e o minitratado de fisiologia romanceada, *O Cromo*, de Horácio Carvalho, onde se explicam ao pé da página, em termos biológicos, as reações das personagens.

e capaz de prolongamentos tenazes até o romance moderno. Manuel de Oliveira Paiva, Domingos Olímpio, Rodolfo Teófilo e, pouco depois, Antônio Sales, abeiraram-se do interior cearense num período em que tudo concorria para acelerar o declínio do Nordeste, desde as repetidas secas (a de 77, por exemplo, passou a *leitmotiv* da poesia oral), até a conjuntura econômica, que atraía para novos ímãs de riqueza, como o café em São Paulo e a borracha na Amazônia, boa parte da população rural.

Fortaleza conheceu, nos primeiros anos do Realismo, uma vida literária ativa, fermentada por ideais abolicionistas e republicanos: é sabido que o Ceará foi a primeira província brasileira a libertar os escravos, em 1884. Data de 1872 a fundação de uma *Academia Francesa* e entre esta e o grupo militante da *Padaria Espiritual*, reunido em 1892, formaram-se vários grêmios políticos e literários ([152]), onde se colava a moda naturalista com as lutas ideológicas do tempo.

A vivacidade desse contexto cultural permitiu virem à luz alguns romances regionais: *Luzia-Homem* (1903), de Domingos Olímpio Braga Cavalcanti (1850-1906), ingênua e bela história de uma retirante de 77, cujos modos másculos ocultavam sentimentos bem femininos; *A Fome* (1890), *Os Brilhantes* (1895) e *O Paroara* (1899), de Rodolfo Teófilo, livros atulhados do jargão científico do tempo, mas que valem como retorno literário ao pesadelo da seca e da imigração. Este último fenômeno recebe tratamento mais feliz em *Aves de Arribação* (1913), romance de Antônio Sales, epígono provinciano, mas que se lê ainda hoje com agrado.

Não alcançou a mesma fortuna de publicação imediata o melhor escritor do grupo, **Manuel de Oliveira Paiva** ([153]). O seu romance, *Dona Guidinha do Poço*, escrito por volta de 1891, só veio a ser editado em 1951, graças ao

---

([152]) Entre outros, a Sociedade Libertadora Cearense, Editora de "O Libertador" (1883) e o Clube Literário cujo órgão era "A Quinzena" (1888).

([153]) Manuel de Oliveira Paiva (Fortaleza, 1861 — Sertão do Ceará, 1892). Fez o curso ginasial no Seminário do Crato. Mudando-se para o Rio, começou a freqüentar a Escola Militar, mas não pôde prosseguir por causa da sua compleição enfermiça. Tuberculoso, volta a Fortaleza, onde se empenha na luta abolicionista e faz jornalismo literário. Em 1888 funda o Clube Literário. Por volta de 90, piorando dos pulmões, vai para o interior do Ceará, onde escreve seus dois romances, *Dona Guidinha do Poço* e *A Afilhada*, publicados postumamente, o primeiro em edição Saraiva (S. Paulo, 1952), o segundo pela Ed. Anhambi (S. Paulo, 1961). A *Obra Completa*, org. por Rolando Morel Pinto, saiu em 1993 (Rio, Graphia Editora). Cf. Lúcia Miguel-Pereira, *Prosa de Ficção, cit.*; João Pacheco, *O Realismo*, S. Paulo, Cultrix, 1964; Rolando Morel Pinto, *Experiência e Ficção de Oliveira Paiva*, Instituto de Estudos Brasileiros da Univ. de S. Paulo, 1967; Paula Beiguelman, *Viagem Sentimental a Dona Guidinha do Poço*, S. Paulo, Ed. Centro Universitário, 1966.

empenho de Lúcia Miguel-Pereira que o apresentou com um prefácio elogioso. E merecido. Oliveira Paiva era prosador terso, que sabia descrever e narrar com mão certeira e intervir no momento azado com talhos irônicos de inteligência fina e crítica.

Para sentir as relações concretas entre o meio e o homem, será preciso esperar pela linguagem incisiva de Graciliano Ramos para se ter algo que supere as densas notações de *Dona Guidinha*:

> Entrou março, novenas de São José.
>
> O calor subira despropositadamente. A roupa vinha da lavadeira grudada de sabão. A gente bebia água de todas as cores; era antes uma mistura de não sei que sais ou não sei de quê. O vento era quente como a rocha nua dos serrotes. A paisagem tinha um aspecto de pêlo de leão, no confuso da galharia despida e empoeirada, a perder de vista sobre as ondulações ásperas de um chão negro de detritos vegetais tostados pela morte e pelo ardor da atmosfera.
>
> O pobre emigrava com as aves, que vivem ambos do suor do dia. Eram pelas estradas e pelos ranchos aquelas romarias, cargas de meninos, um pai com o filho às costas, mães com os pequenos a ganirem no bico dos peitos chuchados — tudo pó, tudo boca sumida e olhos grelados, fala tênue, e de vez em quando a cabra, a derradeira cabeça do rebanho, puxada pela corda, a berrar pelos cabritos (Cap. I).

Excelente no traçar a figura central, Guidinha, inteiriça na virtude e no pecado ([154]), o autor não foi menos feliz no desenho dos tipos secundários que compõem essa água-forte do latifúndio nordestino, com seu ritmo vegetativo, seus agregados e retirantes, enfim, seu pequeno mas concentrado mundo de interações morais.

Passada a tempestade modernista, retomariam o mesmo veio, já agora sem os sestros do Naturalismo, José Américo de Almeida, com *A Bagaceira* (1928) e Raquel de Queirós, com *O Quinze* (1930), romances que abrem o longo e afortunado roteiro da ficção regionalista moderna.

Naturalismo estilizado: "art nouveau"

Na década de 80 afirmara-se o Naturalismo entre nós: canhestro ainda nos primeiros romances de Aluísio, acertou o passo com *O Cortiço*, *O Missionário* e *O Bom Crioulo*, mas nesses frutos dá o melhor de si, involuindo em seguida no mesmo ritmo da cultura brasileira da Primeira República.

Alcançadas as metas políticas da Abolição e do novo regime, a maioria dos intelectuais cedo perdeu a garra crítica de um passado recente e imergiu

---

([154]) Leia-se a acurada reconstrução psicológica de Dona Guidinha feita por Beiguelman, *op. cit.*, pp. 7-65.

na água morna de um estilo ornamental, arremedo da *belle époque* européia e claro signo de uma decadência que se ignora.

Estetismo, evasionismo, "pureza" verbal precariamente definida, sertanismo de fachada, lugares-comuns herdados à divulgação de Darwin e de Spencer, resíduos da dicção naturalista de cambulhada com clichês do romance psicológico à Bourget carreiam para a prosa de um Coelho Neto e de um Afrânio Peixoto os vícios do Decadentismo de que na Europa davam exemplo os livros cintilantes mas ocos de Oscar Wilde e Gabriele D'Annunzio.

Desenvolve-se um estilo mundano, meio jornalístico, meio sofisticado, aquele "sorriso da sociedade" como entendia a literatura Afrânio Peixoto em um trecho do *Panorama da Literatura Brasileira* que vale a pena transcrever como índice da *forma mentis* da época:

> A literatura é como o sorriso da sociedade. Quando ela é feliz, a sociedade, o espírito se lhe compraz nas artes e, na arte literária, com ficção e com poesias, as mais graciosas expressões da imaginação. Se há apreensão ou sofrimento, o espírito se concentra, grave, preocupado, e então, histórias, ensaios morais e científicos, sociológicos e políticos, são-lhe a preferência imposta pela utilidade imediata (155).

Dos fins do século à guerra de 1914-18, a corrente mestra de nossa literatura, a que vivia em torno da Academia, dos jornais, da boêmia carioca e da burocracia, admirou supremamente esse estilo floreal, réplica nas letras do "art nouveau" arquitetônico e decorativo que então exprimia as resistências do artesanato à segunda revolução industrial (156).

Redefinindo um termo bivalente, *pré-modernismo*, diria que é efetiva e organicamente pré-modernista tudo o que rompe, de algum modo, com essa cultura oficial, alienada e verbalista, e abre caminho para sondagens sociais e estéticas retomadas a partir de 22: em plano de destaque, a incursão de Euclides da Cunha na miséria sertaneja, o romance crítico de Lima Barreto, a ficção e as teses de Graça Aranha, as pesquisas de Oliveira Viana, as campanhas nacionais de Monteiro Lobato (157). Com exceção desses poucos homens, lúcidos apesar dos seus limites, a história do período "intervalar" é melancolicamente marcada por autores epigônicos, e, como a seu tempo se verá, não seriam os nossos simbolistas capazes de mover as águas estagnadas de uma cultura a reboque, estando eles próprios imersos no clima do Decadentismo europeu. Para transfigurar e *converter* o Naturalismo (158) em Supra-realismo, Expres-

---

(155) Em *Panorama da Lit. Brasileira*, S. Paulo, Cia. Ed. Nacional, p. 5.

(156) Leia-se o vivo quadro que dá desse período Brito Broca em *A Vida Literária no Brasil — 1900.*

(157) V. adiante o capítulo *Pré-Modernismo e Modernismo.*

(158) V. o capítulo "A Conversão do Naturalismo" em Otto Maria Carpeaux, *História da Literatura Ocidental*, Rio, Ed. O Cruzeiro, 1963, vol. V, cap. III.

sionismo e Futurismo, isto é, para operar a revolução que operariam um Picasso, um Stravinsky, um Pirandello, um Proust ou um Maiakóvski, far-se-ia mister viver a angústia que oprimiu o artista europeu quando o fantasma da crise mundial rondou a paz enganosa da *belle époque*. E revelou afinal sua face sangrenta no conflito dos imperialismos que foi a Guerra de 14. E seria necessário ter vivido com a mesma profundidade a dialética burguês/antiburguês que se exprimiu o Simbolismo de Rimbaud e de Mallarmé, no romance religioso de Dostoievski, no teatro de Ibsen e de Strindberg, na pintura de Van Gogh, no pensamento agonístico de Nietzsche.

Nas letras brasileiras o complexo espiritual que condicionou a existência desses superadores de gênio... simplesmente não existiu, ou antes, apareceu pelas vias transversas da pose irracionalista, a mesma que ainda afetaria alguns fautores da Semana de 22. Não havia no Brasil do começo do século aquela espessura cultural que faz do fenômeno artístico um *encontro permanente de significados sociais, existenciais e propriamente estéticos*. Tomavam-se de empréstimo atitudes, formas de pensamento e de estilo, na falta de uma percepção radicalmente nova do real. É verdade que as mesmas falhas já se reconheciam nos naturalistas de 80 como Aluísio e Adolfo Caminha; mas o fato de eles se oporem à visão romântico-idealista e à estrutura escravocrata lhes conferia uma consistência literária e ideológica, que acabou resultando numa fisionomia cultural inequívoca. Tal fisionomia falta ao fecundo Coelho Neto e ao raso Afrânio Peixoto, para citar apenas os nomes então mais relevantes. Dessa indefinição adveio uma prosa ficcional compósita, misto de documento e ornamento, aquém do Naturalismo na medida em que se perdia em veleidades fantasistas, mas igualmente incapaz de se fixar no Simbolismo pela carência de uma imaginação realmente criadora.

Coelho Neto [159]

A fortuna crítica de Coelho Neto [160] conheceu os extremos do desprezo e da louvação, desde "o sujeito mais nefasto que tem aparecido no nosso meio

---

(159) Transcrevo com poucos retoques formais o texto que dediquei a Coelho Neto, Afrânio Peixoto e Xavier Marques em *O Pré-Modernismo*, S. Paulo, Cultrix, 1966, pp. 75-88.

(160) Henrique Maximiniano Coelho Neto (Caxias, Maranhão, 1864 — Rio, 1934). Romances: *A Capital Federal*, 1893; *Miragem*, 1895; *O Rei Fantasma*, 1895; *Inverno em Flor*, 1897; *O Morto*, 1898; *O Paraíso*, 1898; *O Rajá de Pendjab*, 1898; *A Conquista*, 1899; *Tormenta*, 1901; *O Arara*, 1905; *Turbilhão*, 1906; *Esfinge*, 1906; *Rei Negro*, 1914; *O Mistério* (em colaboração com Afrânio Peixoto, Medeiros e Albuquerque e Viriato Correia), 1920; *O Polvo*, 1924; *Fogo-Fátuo*, 1929. Lendas: *Saldunes*, 1900; *Imortalidade*, 1926.

intelectual", de Lima Barreto ([161]), a "o maior romancista brasileiro", de Otávio de Faria ([162]).

É verdade que, depois dos ataques modernistas, se tornou sensível certo desejo de ponderação, de meio-termo, ao se falar nos malsinados medalhões do Pré-Modernismo. Muito louvável, porque justo, o cuidado de não se repetirem preguiçosamente anátemas implacáveis. Mas, quando se usa a palavra "reabilitação", carregando-lhe o acento valorativo, também se faz mister outro tanto de ponderação e meio-termo. Reabilitar, em que sentido? Se em nome de uma determinada doutrina estética, então urge primeiro demonstrar a sua validade para ontem e para hoje; mas, se em nome de um pensamento causalista (Coelho Neto teria escrito como o exigia seu tempo), já não seria o caso de revalorizá-lo, senão apenas de situá-lo e compreendê-lo. Veja-se, pois, como é tarefa crítica delicada — bem pouco amiga de improvisações culturais e sentimentais — reivindicar glórias que o tempo foi contrastando ou esquecendo.

Contemplado *sub specie historiae*, Coelho Neto sobressai como a grande presença literária entre o crepúsculo do Naturalismo e a Semana de 22. Só Rui Barbosa, na oratória política, e Euclides, no chamado à consciência da terra e do homem, ocuparam lugar tão relevante na cultura pré-modernista. O prosador maranhense parecia talhado a propósito para polarizar as características de gosto que se soem atribuir ao leitor culto médio da Primeira República. Um leitor que julga amar a realidade, quando em verdade não procura senão as suas aparências menos triviais ou menos trivialmente apresentadas; um leitor que se compraz na superfície e no virtuosismo: um leitor, em suma, funda-

---

Contos: *Rapsódias*, 1891; *Praga*, 1894; *Baladilhas*, 1894; *Fruto Proibido*, 1895; *Sertão*, 1896; *Álbum de Caliban*, 1897; *Romanceiro*, 1898; *Seara de Rute*, 1898; *Apólogos*, 1904; *A Bico de Pena*, 1904; *Água de Juventa*, 1905; *Treva*, 1906; *Fabulário*, 1907; *Jardim das Oliveiras*, 1908; *Vida Mundana*, 1909; *Cenas e perfis*, 1910; *Banzo*, 1913; *Melusina*, 1913; *Contos Escolhidos*, 1914; *Conversas*, 1922; *Vesperal*, 1922; *Amor*, 1924; *O Sapato de Natal*, 1927; *Contos da Vida e da Morte*, 1927; *Velhos e Novos*, 1928; *A Cidade Maravilhosa*, 1928; *Vencidos*, 1928; *A Árvore da Vida*, 1929. Não se citam aqui as obras de crônicas, de memórias, de teatro e as conferências cívicas e didáticas. Referências completas em Paulo Coelho Neto, *Bibliografia de Coelho Neto*, Rio, Borsoi, 1956. Consultar: José Veríssimo, *Estudos de Literatura Brasileira*, 4ª série, 2ª ed., Rio, Garnier, 1910; Péricles de Morais, *Coelho Neto e Sua Obra*, Porto, Lello, 1926; Paulo Coelho Neto, *Coelho Neto*, Rio, Zélio Valverde, 1942; Brito Broca, "Coelho Neto, romancista", em *O Romance Brasileiro* (coord. de Aurélio Buarque de Holanda), *cit.*; Otávio de Faria, "Apresentação" a *Coelho Neto — Romance*, Rio, Agir, 1958; Herman Lima, "Coelho Neto: As Duas Faces do Espelho", Introdução a *Coelho Neto, Obra Seleta*, Rio, Aguilar, 1958.

([161]) "Histrião ou Literato?", *in Rev. Contemporânea*, 15-2-1918.

([162]) "Coelho Neto", *in Jornal de Letras*, ano I, nº 3, Rio, set. de 1949.

mentalmente hedonista. As qualidades mestras de Coelho Neto ajustavam-se-lhe como a mão e a luva: *curiosidade*, *memória* e *sensualidade verbal*, que o escritor confundia com *imaginação*:

> A minha faculdade essencial é a imaginação. Vivo a sonhar, as idéias pululam no meu cérebro e sinto que são as sementes antigas que se fazem floresta. Comecei a estudar em livros orientais. Foram *As Mil e Uma Noites* a obra que mais funda impressão deixou em meu espírito quando se ia formando, depois as histórias que me contavam nos serões tranqüilos, e, finalmente, as leituras. Eu procurava, de preferência nos poetas, as descrições da vida levantina — em Byron o *D. João*, *A Noiva de Abidos*, o *Giaour*; em Gautier o seu grande mundo fantástico; em Flaubert *Salammbô*, e assim sucessivamente (*A Conquista*, Porto, Chardron, 1928, p. 396).

A confissão revela antes o espírito voraz que saberá reter e gozar o mundo das sensações do que a mente intuitiva, criadora de novas e fortes imagens.

A inquieta curiosidade, apoiada em uma memória invulgar, foi o pressuposto psicológico do "realismo" exaustivo do prosador; já ao seu evidente parnasianismo serviu o gosto sensual da palavra. Documento e ornamento levados às últimas conseqüências. Perseguir o roteiro narrativo de Coelho Neto é ilustrar essas afirmações.

Em 1893, saiu seu primeiro romance: *A Capital Federal*. A simples conferência das datas afasta a hipótese de tomar como fontes *A Cidade e as Serras* ou *A Capital* de Eça de Queirós. Coelho Neto tinha o que dizer de seu naquele romance juvenil. Brito Broca, no excelente ensaio que escreveu sobre o romancista, chama-lhe "crônica romanceada". A estrutura é, de fato, mista: em torno das surpresas e decepções do jovem Anselmo, vindo da província para o Rio de Janeiro, o autor alinhavou os seus capítulos, cuja insistência nos elementos descritivos e pitorescos lhes trai a natureza de verdadeiras crônicas, ornados documentos da vida carioca onde não são pessoas que se movem, mas tipos, e onde os ambientes crescem do escritor para o leitor, à força de minúcias acumuladas.

À primeira experiência seguiu-se um romance até certo ponto feliz, pela relativa sobriedade dos meios utilizados: *Miragem* (1895). A história de uma família atribulada pela morte do chefe é conduzida através de narrações convincentes da vida doméstica, embora o fato crucial da morte do pai tenha dado a Coelho Neto a oportunidade para um desafogo verbal excessivo. A ler com atenção, descobre-se que o velho estilo de José de Alencar, escorado no *adjetivo* [163] e no *advérbio de modo*, continuou a propor fórmulas descritivas e narrativas até o advento da revolução modernista. O que Coelho Neto acrescenta à lin-

---

[163] Em entrevista concedida a João do Rio, Coelho Neto declarou: "A palavra escrita vive do adjetivo, que é a sua inflexão" (*O Momento Literário*, Rio, Garnier, s.d., p. 54).

guagem romântica é a novidade das imagens veiculadas pelo seu realismo burguês, sem dúvida diverso em extensão, se não em profundidade, do "realismo" alencariano. No fundo, há um notável alargamento temático (e, portanto, léxico), sem, porém, qualquer transformação ideológica radical. Em *Miragem*, o interesse pelo documento concentra-se na reprodução de uma cena a que o narrador de fato presenciou: a proclamação da República, vista pelos olhos do soldado Tadeu. É o momento mais equilibrado do livro; seguem-no a doença e o fim de Tadeu, cuja narração se insere no plano da exploração sentimental, em termos prolixos, de uma vida infeliz. O que, em certa medida, caracteriza o romance e o estrema dos demais, conferindo-lhe uma cor romântica acentuada, que só reaparecerá, em nível aliás superior, em *Turbilhão*.

Depois de *Miragem*, o escritor lançou-se a uma criação ficcional febril, datando de 1895 seu primeiro romance-lenda (*O Rei Fantasma*), experiência que se mostrou fecunda ao longo de sua carreira literária e que se mesclaria a vagas tendências para o espiritismo, desde *O Rajá de Pendjab* (1898) até *Imortalidade* (1923), passando por *Esfinge* (1908), além de várias coleções de novelas e de contos que não cabe aqui analisar.

De relevância, e seguindo sempre a cronologia, aparece, em 1897, *Inverno em Flor*. Os tons românticos, que, à guisa de ornamento, sombreavam a tessitura de *Miragem*, cedem aqui lugar a uma viva coloração naturalista. Reponta a curiosidade pelos aspectos mórbidos da psique, julgados por Aluísio, Caminha e Júlio Ribeiro como inerentes ao romance experimental à Zola. A hereditariedade doentia gera a loucura e um amor incestuoso: eis a tese documentada e dramatizada neste *Inverno em Flor*. Não deixa de ser instrutivo o confronto com os naturalistas precedentes: explorando matéria que lhe parecia menos fantasiosa, Coelho Neto buscou no romance certo grau de concisão, saindo-lhe às vezes uma prosa realmente enxuta. O método naturalista fê-lo trabalhar a biografia da personagem central, Jorge Soares, com os cuidados de um elaborador de fichas clínicas: nascimento, infância, primeiros brinquedos e estudos, insistindo na aparente normalidade da vida de um *filius familiae*, que, no entanto (e aí entra o determinismo biológico), trazia em si os germes do desequilíbrio herdados da mãe, cuja insanidade só se manifesta quando Jorge chega à juventude. Para o prosador maranhense, o essencial, porém, era a possibilidade de descrever e amplificar os vários aspectos da degeneração erótica e da loucura. E, ao fixar o gesto, a aparência reveladora, em sua minúcia expressiva, supera, de fato, aqueles naturalistas em cuja esteira se pusera. Mas no conjunto, e sobretudo na determinação da realidade social e de seus reflexos morais, não atinge a força máscula do Aluísio de *O Cortiço*.

O horizonte, literário *stricto sensu*, de Coelho Neto, obstruía-lhe outras perspectivas que não fossem a da expressividade fragmentada, própria da mente parnasiana. Por outro lado, a sensualidade difusa na psicologia do escritor é responsável por um deter-se entre folhetinesco e mundano no universo dos objetos: vestes, móveis, alfaias e ninharias de alcova onde se respira um pesado odor de *belle époque* e onde se põem entre parênteses, com muita freqüência, o desenrolar dos fatos e a vida interior das personagens.

O Morto (1898) é um romance todo documental, embora sem as intenções naturalistas de *Inverno em Flor*. Narrando a revolta da Armada, Coelho Neto reconstituiu as hesitações e as fraquezas de um período ainda infantil da vida republicana. E fê-lo com fluência. O episódio sentimental do protagonista que, refugiado em Minas, aí encontra uma adolescente enfermiça que por ele se apaixona, parece antes apêndice bucólico do que cerne dessa autêntica crônica histórica.

Em 1899, Coelho Neto escreve mais um romance-documento, desta vez fortemente autobiográfico: *A Conquista*. A memória da sua juventude boêmia, que coincidiu com as lutas finais da Abolição e da República, acha-se presente em muitíssimos passos da sua obra, mas domina soberana dois de seus romances: *A Conquista* e *Fogo-Fátuo*. Avultam as figuras de Patrocínio, Paula Ney (Neiva), Pardal Mallet (Pardal), Guimarães Passos (Fortúnio), Aluísio Azevedo (Ruy Vaz), Olavo Bilac (Otávio Bivar), Muniz Barreto (Montezuma), além do próprio autor (Anselmo), envoltos em uma aura de *panache* que, no entanto, não chega a ofuscar o verossímil da reminiscência. Toda a escala de valores do jovem Coelho Neto, as idiossincrasias do literato *fin de siècle*, as mazelas de uma boêmia de jornal e café, que vive entre veleidades políticas e literárias: eis o cenário e a substância de *A Conquista*, que irão avivar-se ainda mais em *Fogo-Fátuo* com aquelas mesmas figuras centrais. Para o historiador de nossa vida literária valerão sempre esses dois testemunhos na medida em que entremostram as implicações sociais e psicológicas de um estilo de vida onde aflora, pontilhadamente, o hibridismo de medíocre realidade e evasão verbal.

Do documento de uma geração passou de novo ao caso psicológico, à patologia da vida doméstica, que havia tentado em *Inverno em Flor*. Trata-se de *Tormenta* (1901). A "anomalia" explorada agora é a memória constante da esposa morta que não consente ao protagonista a plena fruição de suas segundas núpcias. "Anomalia" complementar: os ciúmes. Mas o realismo descritivo que circunda o enredo e se arrisca a abafá-lo lembra um Eça decadente, infenso a vigorosas sínteses expressivas e perdido em um mar de solicitações igualmente sedutoras que não tem força para reduzir e escolher. Apesar disso, é um livro rico de certeiras observações morais, que preludiam os bons momentos narrativos de *Turbilhão*.

> *Turbilhão*, publicado em 1906, assinala o ponto culminante dessa carreira tão cheia de altos e baixos. Que tal obra seja ignorada, como tenho constantemente testemunhado, que não a levem em conta os que pretendem negar por completo a produção do escritor, nem citada em primeiro lugar pelos que lhe procuram fazer algumas concessões, é coisa que, francamente, não compreendo. Só esse livro, pa-

rece-me, bastaria para dar a Coelho Neto um lugar de destaque no ficcionismo brasileiro (164).

O escritor, procurando recusar-se à prolixidade conatural a seu temperamento, pôde ser fiel à frase com que acompanhou o título da obra: "Simples como a verdade". O entrecho é uno: um lar pobre, composto de viúva, filha e filho; o rapaz labuta na revisão de um jornal para sustentar-se e aos seus, mas o medo à miséria e o chamado da carne (difuso, como vimos, em toda a obra de Coelho Neto) corroem a modéstia digna da família. A moça foge com um sedutor rico, e o irmão, acabrunhado de vergonha, retira-se do trabalho e começa a involuir para uma vida vil, que a figura oleosa e lúbrica da mulata Ritinha encarna com perfeição. O enredo propiciava encontros fatais: o irmão pobre em busca do ouro da irmã rica; a filha prostituída diante da mãe humilhada. Mas o romancista soube contornar os efeitos melodramáticos, fixando toda a sua atenção na verossimilhança das situações e dos gestos, no constrangimento agudo das frases ditas à pressa ou com afetada desenvoltura. Embora reapareçam, indefectíveis, os encaixes ornamentais na evocação assídua dos ambientes, o fenômeno não chega a comprometer o nível do romance que emerge das relações sócio-morais projetadas em forma de imagens, cenas e diálogos, no comportamento das personagens. Além disso, boa parte das descrições obedece àquela concepção mais despojada que presidiu a todo o romance: leiam-se, por exemplo, as que reproduzem uma sessão espírita (cap. X) e o jogo no cassino (cap. XIII), ambas excelentes pela singeleza e pertinência dos diálogos.

Depois de *Turbilhão*, Coelho Neto demorou quase dez anos para escrever outro romance de fôlego: *Rei Negro* (1914): andanças políticas, conferências e o ensino de Literatura no Colégio Pedro II haviam-lhe tomado o tempo e as atenções. Mas nesse novo trabalho, a quem chamou "romance bárbaro", é sensível o desejo de construir uma obra épica, pelas dimensões do herói: o negro Macambira, de nobre estirpe, isolado e grande na senzala, infinitamente superior à abjeção e à luxúria sem freios dos outros cativos e, por fim, vítima e vingador da desonra conjugal que o sinhozinho branco lhe infligira.

Coelho Neto carregou como nunca as tintas, não apenas na mimese dos ambientes da fazenda, especialmente os mais sórdidos, como na exaltação moral do protagonista. É um romance que, à força de querer-se objetivo, trai demasias e ingenuidades românticas. Serve, por outro lado, de paradigma daquele estilo coelhonetano, que pareceu à posteridade a única herança expressiva

---

(164) Brito Broca, "Coelho Neto, romancista", *cit.*

do prosador: linguagem virtuosística e acumulativa por excelência ([165]), voltada para o efeito plástico e sonoro.

Alguns exemplos, começando por uma dança dos negros:

> Um som rascante, estralejado, vinha crescendo estrídulo como um rolar de pedrouços, vozes confusas, guais em coro, trons de tambores, rechuchado de chocalhos, soídos ríspidos e, sobretudo, perene, um rouco e lúgubre grugulho.
>
> ....
>
> E ribombaram tambores, o som arranhado do gazá, ringiu, cascavelaram trépidos chocalhos e, entre archotes de palma, a farândula surgiu em zanguizarra — negros e negras aos pulos, reboleados, uns com plumas à cabeça, colares de cocos, manilhas e pulseiras de penas, esgrimindo paus à maneira de zarguncho, atirando, aparando golpes em duelos; outros corcoveando aos arremessos felinos, rugindo roucos; velhos, em passos arrastados, altivos, com entono senhoril de chefes; mulheres bracejando aos guinchos e, retroando, puítas, marimbas, urucungos e as vozes estrugindo em burburinho horríssono que, por vezes, descaíam em dolência fúnebre como um canto de morte (Cap. IV).

Reproduzindo os ruídos da noite:

> A noite enchia-se de vozes estranhas, os sapos coaxavam, gargarejavam, malhavam; eram trissos, zizios sutis, estrilos, pios crebos e, de quando em quando, numa lufada mais forte, o farfalho das ramas escachoava como num rebojo dáguas (Cap. V).

As sombras:

> As sombras animavam-se despegando-se das paredes como papel solto, subindo do soalho em fumaradas, afetando formas bizarras, esguias, aladas, pairando, rastejando, esvoaçando (Cap. VI).

Uma tarde de calor:

> O mormaço era sufocante. O ar, parado e denso, abafava como as fumaradas de agosto. Quando o sol aparecia, amarelo e fusco, acendia-se um calor de febre (Cap. VI).

Uma tempestade:

> Longínquos, com reboante fragor, tronavam trovões soturnos. (...) Cresceu a aflição das árvores: os bambuais vergavam-se em mesuras e o estrondo ribombava à fulguração sulfúrea dos relâmpagos. Mas um estampido seco estalou ríspido, violenta rajada arrepiou a paisagem e a chuva áspera, grossa, chegou estrepitosa, tão densa que fechou a vista a tudo, como um muro de aço. Acre e morno subiu da terra um bafio de barro virgem (Cap. VIII).

([165]) Cf. o estudo de Fausto Cunha, “Recursos Acumulativos em C. Neto”, *in Folha da Manhã*, S. Paulo, 25-8-1957 e 8-9-1957.

As nuvens da tarde:

> No ar cerúleo da tarde, sob o vôo errático dos morcegos, aqui, ali, esgarçando-se das moutas, fluíam fumos diáfanos fundindo-se no espaço nevoado (Cap. X).

São trechos que bastam para delimitar o estilo típico de Coelho Neto: evidentemente *sincrético*, na medida em que tende a amalgamar a intenção documental com o brilho da palavra plástica e sonora. Não se deve reduzir toda a prosa de Coelho Neto a esse módulo, se bem que mais vistoso e freqüente, tal a variedade de aspectos de sua obra. Também não parece lícito negar-lhe o dom de um genuíno talento expressivo, condição primeira de todo artista. Coelho Neto não era um escritor arbitrário e falho enquanto homem que usava da palavra como instrumento semântico; sua linguagem é correta e precisa até ao pedantismo, à obscuridade, ao preciosismo. O que validamente se lhe contesta é aquela qualidade rara de atingir sem escórias um nível de profundidade. Sem essa virtude, forma superior da concisão, não se chega a resistir ao tempo, isto é, à consciência dos valores, cujos caminhos levam cada vez mais para a concentração no essencial.

Reabilitá-lo incondicionalmente tem, por tudo isso, ares de quixotismo digno de melhor causa; mas compreendê-lo em sua situação histórica é tarefa que o crítico de hoje pode e deve tentar.

Afrânio Peixoto

Partilhando com Coelho Neto os caracteres mais notáveis do realismo epigônico, Afrânio Peixoto (166) não deixou, porém, uma obra de ficção tão volumosa, dadas as suas múltiplas curiosidades de divulgador e erudito.

Escreveu romances de costumes rurais, continuando uma tradição que vinha de Alencar e Taunay. Seu realismo sertanejo é, portanto, de extração romântica; de um romantismo, entenda-se, temperado, nascido de uma personalidade alheia a violências, observadora, maliciosa mas sem fel, no fundo tolerante e epicurista: em suma, *belle époque*.

---

(166) Júlio Afrânio Peixoto (Lençóis, Bahia, 1876 — Rio, 1947). Ficção: *A Esfinge*, 1908; *Maria Bonita*, 1914; *Fruta do Mato*, 1920; *Bugrinha*, 1922; *As Razões do Coração*, 1925; *Uma Mulher como as Outras*, 1928; *Sinhazinha*, 1929. Consultar: Tristão de Ataíde, *Primeiros Estudos*, 2ª ed., Rio, Agir, 1948; Leonídio Ribeiro, *Afrânio Peixoto*, Rio, E. Condé, 1950; Lúcia Miguel-Pereira, *Prosa de Ficção*, *cit.*; Afrânio Coutinho, "Introdução Geral" aos *Romances Completos*, Rio, Aguilar, 1962; Luís Viana Filho, "Apresentação" a *Afrânio Peixoto — Romance*, Rio, Agir, 1963.

Quanto às suas tentativas insistentes e insinuantes de fazer "psicologia feminina" ([167]), a verdade é que nunca ultrapassaram os lugares-comuns do provincianismo cultural de festejado acadêmico. Entretanto, mais direto e mais diplomático no uso da linguagem que Coelho Neto, distante dos extremos e propenso à ironia, o autor de *Maria Bonita* pôde estabelecer, com êxito rápido, contato com um público despretensioso, o que deve ser dito em seu favor, pois respirou na juventude uma atmosfera de requinte parnasiano-decadente, como atesta seu primeiro e único livro de versos, *Rosa Mística*, editado em cinco cores por uma tipografia de Leipzig...

Largos trechos de suas histórias citadinas (*A Esfinge*, *Uma Mulher como as Outras*, *As Razões do Coração*) semelham crônicas mundanas, tal a fluência jornalística e um pouco fácil demais dos episódios. Os contrastes entre as personagens e, em particular, entre estas e as circunstâncias, não se interiorizam, isto é, não se transformam em conflitos, diluindo-se entre *flashes* da vida em sociedade ou comentários acacianos que se pretendem finos e argutos.

Nos romances de ambientação baiana e sertaneja (*Maria Bonita*, *Fruta do Mato* e *Bugrinha*), essa facilidade agrada, pois tem algo de naturalmente bucólico, causando efeito inverso ao do regionalismo prolixo e arrebicado que tanto se deplora nos contos de Coelho Neto e Alcides Maya. Seja como for, Afrânio Peixoto guardava distâncias psicológicas e estilísticas dos ambientes evocados: sabia deter-se no meio do caminho entre o preciosismo e a transcrição folclórica, entre o ornamento e o documento. Daí a elegância simples e corrente dos seus melhores romances: *Maria Bonita* e *Fruta do Mato*.

Em *Sinhazinha*, seu último romance, Afrânio Peixoto, seguindo ainda o rico veio de Alencar, deu um exemplo de reconstituição histórica, narrando as lutas sangrentas entre duas famílias tradicionais do alto São Francisco; mas aquele mesmo mundanismo diplomático que lhe desvirilizara os primeiros romances o impediu aqui de ascender à epicidade bronca que o argumento propiciava.

Xavier Marques

A Bahia sertaneja de Afrânio Peixoto não é a de Xavier Marques ([168]). Este, idílico marinista, povoou sua novela *Jana e Joel* com os gênios e as sereias da Ilha de Itaparica.

([167]) Em quase todas as suas obras: Lúcia (*Esfinge*), Olímpia e Helena (*Uma Mulher como as Outras*), Maria (*Maria Bonita*), Joaninha (*Fruta do Mato*), Bugrinha e Sinhazinha, nos romances homônimos.

([168]) Francisco Xavier Ferreira Marques (Itaparica, Bahia, 1861 — Salvador, 1942). *Uma Família Baiana*, 1888; *Boto & Cia.*, 1897 (reed. como *O Feiticeiro*, 1922); *Praieiros — Jana e Joel*, 1889; *Pindorama*, 1900; *Holocausto*, 1900; *O Sargento Pedro*, 1902; *A Boa Madrasta*, 1919; *As Voltas da Estrada*, 1930. Consultar: David Salles, *O Ficcionista Xavier Marques*, Rio, Civ. Bras., 1977.

Também o regionalismo de Xavier Marques está permeado de tons românticos, tanto que os amadores de fontes literárias já lhe apontaram influências de Bernardin de Saint-Pierre e de Chateaubriand, a que se deve acrescentar o grande filtro lingüístico que foi José de Alencar.

Há, porém, uma nota original na prosa do novelista baiano: a estilização do folclore praieiro. As lendas da sereia e do boto (no conto "A Noiva do Golfinho"), com seus componentes eróticos e fantásticos, emprestam um caráter insolitamente mítico à prosa documental e parnasiana do autor, também responsável por uma acadêmica *Arte de Escrever* e por dois romances históricos, alencarianos no espírito, mas estritamente castiços na linguagem: *Pindorama* e *O Sargento Pedro*.

O regionalismo como programa

Apesar do prestígio acadêmico de Coelho Neto e de Afrânio Peixoto, nem toda literatura regionalista perdeu-se nos extremos do precioso ou do banal. Em alguns contistas cuja produção aparece no começo do século, a matéria rural é *tomada a sério*, isto é, assumida nos seus precisos contornos físicos e sociais dentro de uma concepção mimética de prosa. É o caso do regionalismo de Valdomiro Silveira, de Simões Lopes Neto, de Hugo de Carvalho Ramos, que resultou de um aproveitamento literário das matrizes regionais.

Na medida em que esse trabalho foi consciente acrescentou algo à práxis literária herdada ao Naturalismo. Este algo pode interpretar-se como o lado brasileiro da oscilação pendular nacional-cosmopolita, que marca as culturas de extração colonial. Na maré parnasiano-decadente do fim do século, a configuração polêmica e até certo ponto neo-romântica da vida rústica precede o nacionalismo exaltado dos modernistas. E se um Valdomiro e um Simões Lopes não puderam fazê-lo por meio de uma revolução formal em virtude da sua própria história intelectual, toda século XIX, o fato de terem pensado a terra e o homem do interior já era um sintoma de que nem tudo tinha virado *belle époque* no Brasil de 1900. O projeto explícito dos regionalistas era a *fidelidade ao meio a descrever*: no que aprofundavam a linha realista estendendo-a para a compreensão de ambientes rurais ainda virgens para a nossa ficção.

Voltando as costas para as modas que as elites urbanas importavam, tantas vezes por mero esnobismo, puseram-se a pesquisar o folclore e a linguagem do interior, alcançando, em alguns momentos, efeitos estéticos notáveis, que a cultura mais moderna e consciente de um Mário de Andrade e de um Guimarães Rosa não desdenharia. Chamá-los de "pré-modernistas" é, no entanto, arriscar-se a qüiproquós. O autor destas linhas não pôde, a certa altura ([169]), evitar os escolhos da ambígua etiqueta, mas sempre é tempo de desfazer equívocos. E o melhor modo de desfazê-los neste caso é situar o problema à luz das componentes dinâmicas do Modernismo.

(O Modernismo, tomado na acepção estrita do movimento nascido em torno da Semana de 22, significou, em um primeiro tempo, a *ruptura* com a rotina acadêmica no pensamento e na linguagem, rotina que isolara as nossas letras das grandes tensões culturais do Ocidente desde os fins do século. Conhecendo e respirando a linguagem de Nietzsche, de Freud, de Bergson, de Rimbaud, de Marinetti, de Gide e de Proust, os jovens mais lúcidos de 22 fizeram a nossa vida mental dar o salto qualitativo que as novas estruturas sociais já estavam a exigir. Nesse abrir-se ao mundo contemporâneo, o Brasil reiterava a condição de país periférico, semicolonial, buscando normalmente na Europa, como o fizera em 1830 com o Romantismo ou em 1880 com o Realismo, as chaves de interpretação de sua própria realidade. Entretanto, *a mesma corrente que fora aprender junto à arte ocidental modos novos de expressão refluiu para um conhecimento mais livre e direto do Brasil: o nacionalismo seria o outro lado da práxis modernista.*

Pode-se hoje insistir numa ou noutra opção, e contestar nos homens de 22 certo exotismo estético, ou, na linha oposta, o seu amor às soluções folclóricas, neo-indianistas, neo-românticas... Mas o que não parece muito inteligente é condenar com arbítrio a-histórico o caráter dúplice que deveria fatalmente assumir a cultura entre provinciana e sofisticada dos anos de 20 em São Paulo. Na sua vontade de acertar o passo com a Europa, sem deixar de ser brasileiro, o intelectual modernista criou como pôde uma nova poesia, um novo romance, uma nova arte plástica, uma nova música, uma nova crítica; e a seu tempo se verá o quanto ainda lhe devemos.)

A digressão acima tem um sentido: mostrar em que alguns dos nossos regionalistas precederam, em contexto diferente, o vivo interesse dos modernos pela realidade brasileira total, não apenas urbana. Hoje, quando já se incorporaram à nossa consciência literária o alto regionalismo crítico de Graciliano Ramos e a experiência estética universal do regionalista Guimarães Rosa, é mais fácil reconhecer o trabalho paciente e amoroso de um Valdomiro e de um Simões Lopes, voltados para a verdade humana da província; e tanto mais convence esse esforço quando nele entrevemos, para além da fruição do pitoresco, a pesquisa de uma possível poética da oralidade. Nem seria razoável pedir-lhes mais, que todos foram prosadores crescidos na tradição do conto oitocentista.

([169]) Em *O Pré-Modernismo*, *cit.*, cap. III.

Afonso Arinos [170]

Afonso Arinos [171] é o primeiro escritor regionalista de real importância a considerar nesse período. Histórias e quadros sertanejos constituem o grosso de seu livro *Pelo Sertão*. Não se lhe pode negar brilho descritivo, não obstante a minudência pedante e não raro preciosa da linguagem. No afã de caracterizar paisagens e ambientes, chega a distrair a atenção do leitor, perdendo em força os efeitos patéticos dos finais. Nele, é evidente um compromisso entre os processos descritivos do Realismo e o sal vernaculizante dos parnasianos. Sirva de exemplo este período:

> Um, de passagem, atiçava o fogo, outro carregava o ancorote cheio dágua fresca; qual corria a lavar os pratos de estanho, qual indagava pressuroso se era preciso mais lenha.

Às vezes, predomina o homem culto, de dicção "nobre". Cantando a glória do buriti, em hino escolarmente antológico à árvore solitária, vêm-lhe à mente aproximações retóricas com o mundo grego:

> Nem rapsodistas antigos, nem a lenda cheia de poesia do cantor cego da Ilíada, comovem mais do que tu, vegetal ancião, cantor mudo da vida primitiva dos sertões.

E, alguns períodos adiante, acrescenta um grito báquico às suas exclamações:

> Poeta dos desertos, cantor mudo da natureza, virgem dos sertões, evoé.

Aflora nesses trechos a pátina culta, a *forma mentis* parnasiana do seu regionalismo. Não raro, colocando entre parênteses a intenção sertanista que dá título ao livro, o prosador abandona-se à própria tendência de erudito brilhante, compondo reconstituições históricas que têm sua elegância. É o caso de "A Cadeirinha", crônica de um *virtuose* em torno de um objeto rococó dos tempos coloniais, esquecido no fundo de uma sacristia de Ouro Preto. O mesmo senso de observação histórica faz de *O Contratador de Diamantes* ("episódio do século XVIII — fragmento") um esboço de romance histórico à Alencar,

---

(170) Transcrevo com retoques as páginas dedicadas a Afonso Arinos e aos outros regionalistas em *O Pré-Modernismo, cit.*

(171) Afonso Arinos de Melo Franco (Paracatu, Minas, 1868 — Barcelona, 1916). *Pelo Sertão*, 1898; *Os Jagunços*, 1898; *Lendas e Tradições Brasileiras*, 1917; *O Mestre de Campo*, 1918; *Histórias e Paisagens*, 1921. Cf. Tristão de Ataíde, *Afonso Arinos*, Rio, Leite Ribeiro & Maurílio, 1922; Eduardo Frieiro, *Letras Mineiras*, Os Amigos do Livro, 1937.

gênero para o qual Arinos demonstrou vocação, como o atesta sua crônica *Os Jagunços*.

De resto, era consciente no escritor certo saudosismo que oscilava entre o erudito e o sentimental:

> Nesta nossa terra, onde as tradições tão depressa se apagam, tão cedo se esquecem as velhas usanças, — o encontro muito raro de algum objeto antigo tem sempre para mim cousa de delicado e comovente. Móveis ou telas, papéis ou vestuários — na sua fisionomia esmaecida, no seu todo de dó — eles me falam no sentido como uma música longínqua e maviosa, onde se contam longas histórias de amor, ou se referem dramas pungentes de não sabidas lutas e misérias (*Pelo Sertão* — "A Velhinha").

No entanto, a face propriamente regionalista é respeitável em *Pelo Sertão*. Em alguns "causos" do sertão mineiro, Arinos soube comunicar com exatidão e contido sentimento a vida agreste dos tropeiros, campeiros e capatazes, pintando-lhes os hábitos, as abusões, o fundo moral a um tempo ingênuo e violento. Soube, além disso, visualizar como poucos a paisagem mineira, de sorte que, abstraindo um ou outro rebuscamento de linguagem, explicável pela cultura em que se formara, Afonso Arinos ainda pode ser considerado um dos bons "descritores" do conto brasileiro.

Quanto à narração, os seus momentos altos são, naturalmente, aqueles em que predomina a simplicidade, colhendo o autor a vida ambiente à superfície dos fatos ("Assombramento" — Parte III, "Joaquim Mironga" e "Pedro Barqueiro") e assumindo-a em um nível estilístico médio, acima da mera transcrição folclórica, mas abaixo de uma intuição profunda da condição humana subjacente ao "tipo regional". São momentos de equilíbrio literário, que confirmam a reputação de bom escritor que os próprios modernistas não negaram ao prosador de *Pelo Sertão*.

A crítica, a começar pelo livro clássico de Tristão de Ataíde, foi, em geral, laudativa, mas apresenta uma voz discordante: o inteligente e irreverente Eduardo Frieiro, cujo ceticismo é francamente hostil à personalidade do escritor, preferindo recortar os períodos artificiais, friamente parnasianos, que pontilham os contos de *Pelo Sertão*. Será o caso de dizer: é verdade, *ma non troppo*. A presença de uma *ars dictandi* hoje antiquada, na fatura lingüística do livro, não invalida o acerto descritivo nem a fluência narrativa daqueles momentos pelos quais Afonso Arinos tem permanecido na história da prosa brasileira. Por outro lado, se o compararmos a outros sedizentes regionalistas no romance e no conto de seu tempo, não nos será lícito subestimar o equilíbrio que o "patriarca" mineiro soube manter entre os dois pólos da sua formação literária.

Valdomiro Silveira

Valdomiro Silveira (172) compartilha com Afonso Arinos o mérito de ter iniciado em nossas letras uma prosa regional ao mesmo tempo patética e veraz (173).

De velha cepa paulista, caipira de coração e cultura, este juiz e homem público sem mácula consagrou o melhor de seu talento na expressão do meio caboclo, logrando alcançar efeitos de aderência à vida e ao falar sertanejo em verdade admiráveis.

Arinos temperava a transcrição da linguagem mineira com um sensível comprazimento de prosa clássica; já em Valdomiro Silveira predomina o gosto da fala regional em si mesma: sintaxe, modismos, léxico, fonética, quase tudo acha-se colado à vivência dos homens e das coisas do interior.

Devem-se distinguir, para melhor apreciar criticamente a sua obra, os contos em que o amor às vozes semidialetais supera de muito a trama romanesca (ex.: "O Truco", em *Leréias*) e aqueles cuja camada verbal serve do instrumento dúctil e eficaz à representação dos dramas caboclos.

Exemplo magnífico deste segundo tipo é o conto "Camunhengue", inserto em *Os Caboclos*, história de um sitiante que, contraindo lepra, deve abandonar a própria família afundando-se no mato como um réprobo. Ambiente, *pathos* e palavra fundem-se nos diferentes momentos da história, desde a consulta na tapera do curandeiro, ao cair da noite (trecho exemplar de fixação de uma atmosfera), até o episódio final, no meio da tempestade:

---

(172) Valdomiro Silveira (Cachoeira Paulista, 1873 — Santos, 1941). *Os Caboclos*, 1920; *Nas Serras e nas Furnas*, 1931; *Mixuango*, 1937; *Leréias. Histórias Contadas por Eles Mesmos*, 1945. Cf. *O Mundo Caboclo de Valdomiro Silveira*, Rio, José Olympio, 1977; Carmen Lydia de Souza Dias, *Paixão de Raiz*, Ática, 1984.

(173) Agenor Silveira reivindica para Valdomiro Silveira a prioridade na composição de contos regionalistas. Reproduzo, a título de documentação, palavras suas endereçadas a Monteiro Lobato, o primeiro editor de *Os Caboclos*:

"Antes de tudo, é bom ir-te dizendo que Valdomiro foi o criador da literatura regionalista no Brasil. Quero fazer-lhe justiça, que outros demoram tanto em praticar, correndo-lhes, mais que a mim mesmo, o desempenho de tão leve obrigação. De fato, até 1891, data em que aparece no *Diário Popular de São Paulo*, o seu primeiro conto intitulado "Rabicho", não me consta que nenhum escritor brasileiro manifestasse qualquer pendor para o regionalismo que desde então se tornou a nota mais viva das duas produções, estampadas no *Diário da Tarde*, no *País*, na *Gazeta de Notícias*, na *Bruxa* e na *Revista Azul*. (...) A escola por ele fundada, prestigiou-a desde logo a pena ilustre de Afonso Arinos, honrou-a com seus trabalhos o imortal patrício Coelho Neto, e nela se inscreveram muitos e muitos outros nomes, inclusive o do fulgurante autor dos *Urupês* ("Prefácio" à 1ª ed. de *Os Caboclos*).

Sá Januária chamava-o chorando desesperada. E ele perguntou-lhe de repente:

— Eu volto, sim, eu volto: você quer que eu deite na sua cama? Ah? não quer, pois antão? O mundo é mesmo assim!

Recomeçara a chover miudamente, o sol passava frouxo e sem quentura pelas cordinhas d'água, quando o Zeca Estevo bateu o talão nas ancas da mula e disse com voz em que havia uma tristeza infinita e um desespero inenarrável:

— Adeus, antão, meu povo dalgum tempo!

Voltou a ventania, primeiro quase mansa, depois furiosa e uivante. E enquanto ele se sumia na reviravolta do caminho, a chuva engrossava, pouco a pouco, até se fazer outra vez um poder de tempestade:

— ... Ai meu São Bom Jesus do Pirapora!

Dentro dessa linha de intenção e de realização, situa-se quase toda a prosa de Valdomiro Silveira: quadros de paixões elementares ("Desespero de Amor"; "Velha Dor"), tendência para o patético ("Esperando") e para o trágico ("Curiangos", uma obra-prima), e, onipresente, a preocupação com o registro exato dos costumes interioranos.

Simões Lopes Neto

João Simões Lopes Neto ([174]) é o patriarca das letras gaúchas.

Dentro do quadro global do regionalismo antemodernista é nele que se reconhece imediatamente um valor que transcende a categoria em que a história literária sói fixá-lo. É o *artista* enquanto homem que tem algo de si a transmitir, ainda quando pareça fazer apenas documentário de uma dada situação cultural. Seus contos fluem num ritmo tão espontâneo, que o caráter semidialetal da língua passa a segundo plano, impondo-se a verdade social e psicológica dos entrechos e das personagens.

O caso do tropeiro que perdeu numa barranca as trezentas onças de ouro do patrão é narrado com a singeleza de um conto ao pé do fogo, mas as imagens e metáforas que nele campeiam atestam a força pessoal de um estilo que domina a própria matéria. Ao dar pela perda, diz o gaúcho:

([174]) João Simões Lopes Neto (Pelotas, Rio Grande do Sul, 1865-1916). *Cancioneiro Guasca*, 1910; *Lendas do Sul*, 1913; *Contos Gauchescos*, 1926; *Casos do Romualdo*, 1952. Consultar: Manoelito de Ornelas, *Símbolos Bárbaros*, Porto Alegre, Globo, 1943; Augusto Meyer, "Prefácio" à ed. crítica de *Contos Gauchescos e Lendas do Sul*, P. Alegre, Globo, 1950; Aurélio Buarque de Holanda, "Linguagem e Estilo de S. L. N.", Introdução à ed. cit.; Carlos Reverbel, "J. Simões Lopes Neto, Esboço Biográfico", Posfácio à ed. cit.; Lúcia Miguel-Pereira, *Prosa de Ficção, cit.*; Moisés Vellinho, "Apresentação" a *Contos e Lendas de S. L. N.*, Rio, Agir, 1957; Lígia Chiappini Leite de Moraes, *Regionalismo e Modernismo*, S. Paulo, Ática, 1978; e *No entretanto dos tempos*, S. Paulo, Martins Fontes, 1987.

> E logo passou-me pelos olhos um clarão de cegar, depois uns coriscos, tirante a roxo... depois tudo me ficou cinzento, para escuro...

Nas descrições o colorido sai sempre natural, nunca empastado pelo amor do pinturesco a todo custo:

> A estrada estendia-se deserta; à esquerda, os campos desdobravam-se a perder de vista, serenos, verdes, clareados pela luz macia do sol morrente, machucados de pontas de gado que iam-se arrolhando nos paradouros da noite; à direita, o sol, muito baixo, vermelho, dourado, entrando em massa de nuvens de beiradas luminosas.

E há narrações de desfechos trágicos, cujas imagens permanecerão na história de nossa prosa de arte: a morte da jovem no pântano, perseguida pelo sedutor e acompanhada da rosa vermelha a boiar sobre o lodo ("No Manancial"); o fim sangrento do boi velho, página doída e feroz, hoje página obrigatória de antologia ("O Boi Velho"); ou a do contrabandista que fora buscar o vestido de noiva para a filha a qual recebe o pai morto e o trajo nupcial empapado de sangue ("O Contrabandista").

Não se infira, porém, que os contos do prosador gaúcho se construam apenas em função desses efeitos impressionantes: eles crescem harmonicamente, integrando a paisagem e os caracteres no entrecho. Essa arte, que faz de cada inflexão de estilo um modo necessário de exprimir o homem e as coisas, é uma arte viril alheia às tendências da prosa ornamental de seu tempo.

Das lendas do folclore gaúcho que Simões Lopes Neto fixou, respeitoso da oralidade poética que as anima, lembremos em primeiro lugar a de *A M'Boitatá* (a cobra-de-fogo), cujo belíssimo princípio pede transcrição:

> Foi assim: num tempo muito antigo, muito, houve uma noite tão comprida que pareceu que nunca mais haveria luz do dia.
>
> Noite escura como breu, sem lume no céu, sem vento, sem serenada e sem rumores, sem cheiro dos pastos maduros nem das flores da mataria.
>
> Os homens viveram abichornados na tristeza dura; e porque churrasco não havia, não mais sopravam labaredas nos fogões e passavam comendo canjica insossa, os borralhos estavam se apagando e era preciso poupar os tições...
>
> Os olhos andavam tão enfarados da noite, que ficavam parados, horas e horas, olhando, sem ver as brasas vermelhas do nhanduvaí... as brasas somente, porque as faíscas, que alegram, não saltavam, por falta do sopro forte das bocas contentes.

E a lenda gaúcha por excelência, "O Negrinho do Pastoreio", em que o grande escritor soube infundir andamento de bíblica solenidade:

> Caiu a serenada silenciosa e molhou os pastos, as asas dos pássaros e a casca das frutas. Passou a noite de Deus e veio a manhã e o sol encoberto. E três dias houve cerração forte, e três noites o estancieiro teve o mesmo sonho.

Simões Lopes é o caso limite de uma tradição ou cultura que se encarna em uma sensibilidade riquíssima sem perder nem desfigurar (ao contrário, sublinhando) seus traços específicos. É o exemplo mais feliz de prosa regionalista no Brasil antes do Modernismo.

Alcides Maya

Numa direção aparentemente igual à de Simões Lopes, mas em substância diversa, o gaúcho Alcides Maya ([175]) representa o regionalismo artificioso dentro de um estilo entre parnasiano e decadente. Não se deve explicar o preciosismo à Coelho Neto de Alcides Maya por uma situação cultural provinciana. Ele era intelectual de razoável espírito crítico, como provam suas páginas sobre o humor machadiano. O seu provincianismo derivava da própria tradição parnasiana ainda em vigor e representada com êxito nacional por aquele mesmo Coelho Neto, que, aliás, prefaciou *Tapera*. Inteligência menos inventiva que assimiladora, Alcides Maya serviu-se da matéria regional para projetar uma preocupação de estilo "elegante" e frondoso, caro à literatura da época.

Diz Moisés Vellinho:

> ... ele recorre a palavras como "deslumbroso" por deslumbrante, "cabeladura" por cabeleira, "resplendorar" por resplandecer, "fúlvido" por fulvo, "colorizar" por colorir, "aligar-se" por ligar-se, "revolutos" por revoltos, "espavorecidos" por espavoridos, "remordaz" por mordaz, e assim por diante, até o infinito (*Letras da Província*, *cit.*, p. 19).

Esse mesmo caráter assimilador, que desfigurava em vez de orientar a imaginação do contista, levava-o a "analisar" as suas personagens, insistindo em motivações patológicas, de cunho naturalista retardado, mas que continuavam como ingrediente constante na ficção anterior à Primeira Guerra.

Trata-se, em suma, de um caso extremo de mistura parnasiano-regionalista, incapaz de abrir caminhos, ao contrário de Simões Lopes Neto, cuja força artística não cessou até hoje de obter reconhecimento.

([175]) ALCIDES CASTILHO MAYA (São Gabriel, Rio Grande do Sul, 1878 — Rio, 1944). *Ruínas Vivas*, 1910; *Tapera*, 1911; *Alma Bárbara*, 1922. Cf. Augusto Meyer, *Prosa dos Pagos*, São Paulo, Martins, 1943; Moisés Vellinho, *Letras da Província*, P. Alegre, Globo, 1944; Floriano Maia D'Ávila, *O Meio Ambiente na Obra de Alcides Maya*, Rio, Instituto Brasileiro de Educação, Ciência e Cultura, 1958.

Hugo de Carvalho Ramos

A vida dos tropeiros goianos encontrou seu narrador no malogrado Hugo de Carvalho Ramos (176), jovem hipersensível que morreu suicida aos vinte e seis anos. Seus contos, reunidos em *Tropas e Boiadas*, revelam plena aderência aos mais variados aspectos da natureza e da vida social goiana que reponta vigorosa em toda parte, não obstante certa estilização preciosa a que, aliás, dificilmente poderia subtrair-se o adolescente inseguro recém-vindo da província para a Capital.

De seu e de bom, Hugo de Carvalho Ramos trouxe o frescor da memória e um andamento sem pressa, que dá tempo ao leitor para ver também ele uns campos verdes e ondulados brilhando ao sol, e ouvir uns silêncios de mata cinzenta e enluarada que não se esquecem.

E a presença e a inteligência do folclore em seus melhores contos ("Mágoa de Vaqueiro" e "Gente da Gleba") terá sido provavelmente a razão pela qual Mário de Andrade, em conferência célebre sobre o Modernismo, apontou a leitura de *Tropas e Boiadas* como exigência cultural das novas gerações, interessadas em conhecer de perto a realidade brasileira.

Monteiro Lobato

Deixamos de propósito em último lugar, nesta resenha de escritores de intenções regionalistas, o nome de Monteiro Lobato (177).

O papel que Lobato exerceu na cultura nacional transcende de muito a sua inclusão entre os contistas regionalistas. Ele foi, antes de tudo, um intelectual participante que empunhou a bandeira do progresso social e mental de nossa gente. E esse pendor para a militância foi-se acentuando no decorrer da sua produção literária, de tal sorte que às primeiras obras narrativas (*Urupês*, *Cidades Mortas*, *Negrinha*) logo se seguiram livros de ficção científica à Orwell

---

(176) Hugo de Carvalho Ramos (Goiás, Est. de Goiás, 1895 — Rio, 1921). *Tropas e Boiadas*, 1917; *Obras Completas*, 1950. Consultar: Afonso Félix de Sousa, "Apresentação" aos *Textos Escolhidos*, Rio, Agir, 1959.

(177) José Bento Monteiro Lobato (Taubaté, S. Paulo, 1882 — S. Paulo, 1948). Obras de ficção: *Urupês*, 1918; *Cidades Mortas*, 1919; *Negrinha*, 1920; *O Macaco que se Fez Homem*, 1923; *O Presidente Negro ou O Choque das Raças*, 1926. Consultar: Tristão de Ataíde, *Primeiros Estudos*, Rio, Agir, 1948 (o estudo é de 1919); José Maria Belo, *À Margem dos Livros*, Rio, Anuário do Brasil, 1923; Sud Menucci, *Rodapés*, S. Paulo, Piratininga, 1934; Agripino Grieco, *Gente Nova do Brasil*, Rio, José Olympio, 1935; Edgard Cavalheiro, *Monteiro Lobato, Vida e Obra*, S. Paulo, Cia. Ed. Nacional, 1955, 2 vols.; A. Bosi, "Lobato e a criação literária", *in Boletim da Biblioteca Mário de Andrade*, vol. 43, n. 1/2.

e à Huxley, de polêmica econômica e social, que desembocariam, por fim, na originalíssima fusão de fantasia e pedagogia que representa a sua literatura juvenil.

Moralista e doutrinador aguerrido, de acentuadas tendências para uma concepção racionalista e pragmática do homem, Lobato assumiu posição ambivalente dentro do Pré-Modernismo. Na medida em que a cultura do imediato pós-guerra refletia o aprofundamento de um filão *nacionalista*, o criador do Jeca mantinha bravamente a vanguarda; com efeito, depois de Euclides e de Lima Barreto, ninguém melhor do que ele soube apontar as mazelas físicas, sociais e mentais do Brasil oligárquico e da Primeira República, que se arrastava por trás de uma fachada acadêmica e parnasiana. Nessa perspectiva, Lobato encarnou o divulgador agressivo da Ciência, do progressismo, do "mundo moderno", tendo sido um demolidor de tabus, à maneira dos socialistas fabianos, com um *superavit* de verve e de sarcasmo.

Entretanto... essa mesma nota moralista e didática afastava-o do Modernismo de 22, ou ao menos das correntes irracionalistas que lhe permeavam a estética. Lobato sentiria a vida toda, em nome do bom senso e da razão (como se fora um velho acadêmico), total repulsa pelos "ismos" que definiram as grandes aventuras e as grandes conquistas da arte novecentista: futurismo, cubismo, expressionismo, surrealismo, abstracionismo...

A sua obra de narrador entronca-se na tradição pós-romântica: retalhos de costumes interioranos, muita intenção satírica, alguma piedade e efeitos variamente sentimentais ou patéticos. Apesar de pontilhada de raro em raro por certas ousadias impressionistas, é uma prosa que não rompe, no fundo, nenhum molde convencional. O modelo não atingido é Eça de Queirós, pela carga irônica e o gosto da palavra pitoresca. Um resto de purismo (que ele tão bem satirizou em "O Colocador de Pronomes") levava-o a catar em Camilo vozes e torneios castiçamente lusos. Só esse fato estilístico já bastaria para denunciar a contradição moderno-antimoderno que dividiu o pensamento e a arte de Lobato.

Permanece, contudo, o ficcionista de *Urupês*, *Cidades Mortas* e *Negrinha*, embora não na íntegra, em virtude daqueles pendores doutrinários que, nos últimos volumes, introduzem no corpo dos enredos mais de uma digressão explicativa ou polêmica.

Mas não se deve procurar, mesmo nos momentos mais felizes do contista, a categoria da profundidade, enquanto projeção de dramas morais que revelem um destino ou configurem uma existência. Lobato era escritor de outro estofo: sabia narrar com brilho um caso, uma anedota e sobretudo um desfecho de acaso ou violência. Daí decorrem seus riscos mais comuns: o ridículo arquitetado dos contrastes e o paroxismo patético não menos arquitetado dos finais imprevistos e sinistros. De resto, o ridículo e o patético, e às vezes o ridículo patético, são quase os únicos efeitos em função dos quais se articulam suas histórias.

Em *Urupês*, predomina a preocupação de desenlaces deprimentes e chocantes: Lobato quis mesmo intitulá-lo *Dez Histórias Trágicas*. Já em *Cidades Mortas*, o desejo de reproduzir cenas e tipos vistos nos vilarejos decadentes do Vale do Paraíba força a nota da sátira local, emergindo caricaturas que têm lá a sua comicidade. Por fim, *Negrinha*, que toma o título do conto inicial, é um livro heterogêneo onde reponta com maior insistência o documento social acompanhado do costumeiro sentimento polêmico e da vontade de doutrinar e reformar.

No que tange à composição, querendo imitar a objetividade de Maupassant, sem o gênio do mestre, Lobato concentrava-se no retrato físico, na busca dos defeitos do corpo ou dos aspectos risíveis do temperamento ou do caráter. Um anti-romantismo algo pragmático, que o desviava continuamente da interioridade, fazia-o descansar na superfície dos seres e dos fatos cuja seqüência se revela por isso desumanamente funcional, no sentido daqueles mesmos efeitos de cômico e patético que o autor queria produzir.

A indicação dos limites da arte lobatiana parece colidir com a relevância da figura humana que vive na história brasileira onde já assumiu um papel simbólico. A verdade, porém, é que os limites estéticos derivam de um tipo de personalidade cuja direção básica não era a estética. Compreendê-la em sua natureza específica, sem confundir os planos, é sempre a mais honesta das formas de lembrá-la.

A POESIA

No decênio de 70 espraia-se com menos arte e mais gosto de abstrações a corrente social hugoana que atingira seu ponto alto na poesia de Castro Alves. Os promotores da Escola de Recife, Tobias Barreto e Sílvio Romero, e alguns poetas forrados de ingênuo materialismo e fortes convicções antimonárquicas, pretendiam demolir, à força de versos libertários, os pilares do conservantismo romântico que se ajustara tão bem ao sistema de valores do Segundo Império.

Há boa messe da nova poesia participante nos *Cantos do Fim do Século* (1878), de Sílvio Romero, nos *Cantos Tropicais* (1878), de Teófilo Dias, nos *Cantos e Lutas* de Valentim Magalhães (1879), em *Parisina*, de Carvalho Jr., nas *Telas Sonantes* (1879), de Afonso Celso, nas *Visões de Hoje*, de Martins Jr. (1881), nas *Opalas*, de Fontoura Xavier (1884). Presente em todos, além dos ritmos hugoanos, o ideário do grupo de Coimbra cuja versão poética encontravam na *Visão dos Tempos*, de Teófilo Braga (1864) e nas *Odes Modernas*, de Antero de Quental (1865).

O *Diário do Rio de Janeiro* registra nas suas colunas literárias o momento agudo da febre: é a "Batalha do Parnaso" (que nada tem a ver com parnasianismo), na qual se protestam os direitos da Idéia Nova, expressão igual a realismo, a democracia, a liberdade. Dos versos grandíloquos então compostos nada restou, a não ser um ou outro exemplo antológico de mau gosto, citado para escarmento da poesia de programa:

A poesia de ontem de Abreus e de Varelas,
Coberta com o véu do triste idealismo,
Só fazem-nos (sic) do amor as mórbidas querelas
Sem olhar que a nação caminha pr'um abismo.

. . . .

O moderno ideal por sol tem as ciências
Que as sendas lh'iluminam;
O velho só tem flor, extratos e essências,
Passarinhos que trinam... [178]

Ou, de Martins Jr., este hino a Augusto Comte:

Vendo atrás Simon, Burdin, Turgot
E Kant e Condorcet e Leibniz — voou
Ele pra cumeada elétrica da Glória,
Após ter arrancado ao pélago da História
A vasta concha azul da Ciência Social!

"Cumeada elétrica da Glória"... "concha azul da Ciência Social"... nunca os velhos românticos desceriam tanto. Mas o ato de negar é, como se sabe, fecundo. Reagindo ao que havia de caduco na pieguice dos últimos intimistas, não se caía fatalmente na retórica infeliz dos versos citados; abria-se também caminho para o exercício de uma outra linguagem, mais aderente aos sentidos, ao corpo, aos objetos que nos cercam.

Por outro lado, mesmo no contexto da poesia romântica, as imagens de Victor Hugo já eram mais fortes e vivas que as de Lamartine; e foi a arte visual cintilante dos *Châtiments* que seduziu Théophile Gautier e Baudelaire e os ensinou a superar os chavões do Ultra-romantismo. Lembrem-se estas palavras do último, em honra da poesia hugoana:

> A música dos versos de Victor Hugo adapta-se à profundas harmonias da natureza: escultor, ele recorta nas suas estrofes a forma inesquecível das coisas; pintor, ilumina-as com a sua cor justa. E, como se viessem diretamente da natureza, as três impressões penetram simultaneamente no cérebro do leitor. Dessa tríplice impressão resulta a *moral das coisas*. Nenhum outro artista é mais universal, mais capaz de

---

[178] Versos de Arnaldo Colombo, publicados na "Batalha do Parnaso" do *Diário do Rio de Janeiro*, 16-5-1878 (*apud* Manuel Bandeira, *Antologia dos Poetas Brasileiros da Fase Parnasiana*, Prefácio).

se pôr em contato com as forças da vida universal, mais disposto a tomar um banho de natureza. Ele não só exprime nitidamente, traduz literalmente a letra nítida e clara; mas exprime com a obscuridade indispensável o que é obscuro e confusamente revelado ([179]).

De Baudelaire assimilam os nossos poetas *realistas*, Carvalho Jr. e Teófilo Dias, precisamente os traços mais sensuais, desfigurando-os por uma leitura positivista que não responde ao universo estético e religioso das *Flores do Mal*. O eros baudelairiano, macerado pelo remorso e pela sombra do pecado, está longe destas expansões carnais, quando não carnívoras, de Carvalho Jr.:

> Como um bando voraz de lúbricas jumentas,
> Instintos canibais refervem-se no peito
> ("Antropofagia"),

ou de Teófilo Dias,

> ... da presa, enfim, nos músculos cansados
> cravam com avidez os dentes afiados
> ("A Matilha").

Assim, é de um Baudelaire treslido que decorre o primeiro veio realista-parnasiano entre nós; dele e da poesia ainda romântica, mas contida e correta, de Luís Delfino e de Guimarães Jr., poeta dos *Corimbos* (1869) e dos *Sonetos e Rimas* (1880) e, enfim, de Machado de Assis, que abrigou a nova geração nas suas crônicas literárias e deu exemplo de um estilo sóbrio e reflexivo em alguns poemas escritos à roda de 1880, enfeixados mais tarde nas *Ocidentais*.

Quanto ao nexo literatura-sociedade: atuando-se entre 1880 e 90 os princípios liberais e republicanos e fixando-se como forma de vida do escritor a díade burocracia-boêmia, vai perdendo terreno a poesia de combate e triunfando a escola oficial do verso parnasiano.

O Parnasianismo

É na convergência de ideais anti-românticos, como a objetividade no trato dos temas e o culto da forma, que se situa a poética do Parnasianismo.

O nome da escola vinha de Paris e remontava a antologias publicadas a partir de 1866, sob o título de *Parnasse Contemporain*, que incluíam poemas de Gautier, Banville e Leconte de Lisle. Seus traços de relevo: o gosto da descrição nítida (a mimese pela mimese), concepções tradicionalistas sobre

---

([179]) Das *Réflexions sur mes contemporains*, ensaio que saiu na *Revue Fantaisiste* de 15 junho de 1861 e integrou mais tarde *L'art romantique*.

metro, ritmo e rima e, no fundo, o ideal da impessoalidade que partilhavam com os realistas do tempo.

Depois de Teófilo Dias ([180]), cujas *Fanfarras*, de 1882, podem chamar-se, de direito, o nosso primeiro livro parnasiano, a corrente terá mestres seguros em Alberto de Oliveira, Raimundo Correia, Olavo Bilac, Francisca Júlia. Renovada pelo forte lirismo de Vicente de Carvalho, ela perduraria tenazmente até o segundo decênio do século XX, mercê de uma geração de epígonos a que se costuma dar o nome de neoparnasianos, nascidos todos, à exceção do último, depois de 1880: José Albano, Goulart de Andrade, Martins Fontes, Hermes Fontes, Moacir de Almeida, Amadeu Amaral...

Alberto de Oliveira

Alberto de Oliveira ([181]) encetou o seu longo roteiro poético parecendo um romântico retardatário. E embora, a partir do segundo livro, *Meridionais* (1884), já se afirmasse o "culto da forma" com que ele próprio definiria a natureza do Parnaso, a nota intimista da estréia repontaria esparsamente até os últimos poemas, provando que não fora possível, nem ao primeiro dos mestres parnasianos, a impassibilidade que a escola preconizava.

Na verdade, a teoria do "poeta impassível" era uma chochice que só a mediocridade da reflexão estética de todo esse período seria capaz de engendrar. Na origem, a poesia que se seguiu à dos românticos tendeu a diferenciar

---

([180]) V. Antônio Cândido, Introdução às *Poesias Escolhidas* de Teófilo Dias, S. Paulo, Comissão Estadual de Cultura, 1960.

([181]) Antônio Mariano Alberto de Oliveira (Palmital de Saquarema, Província do Rio de Janeiro, 1859 — Niterói, 1937). Começou o curso de Medicina, mas interrompeu-o, passando para o de Farmácia em que se diplomou. Exerceu cargos públicos ligados ao ensino: Diretor Geral da Instrução, Professor de Português e de Literatura Brasileira. De sólido prestígio nos meios literários, membro fundador da Academia Brasileira de Letras (1897), foi, em 1924, eleito príncipe dos poetas brasileiros. Morreu octogenário sobrevivendo ao Parnasianismo e à própria glória. Obras: *Canções Românticas*, 1878; *Meridionais*, 1884; *Sonetos e Poemas*, 1885; *Versos e Rimas*, 1895; *Poesias*, 1900; *Poesias*, 2ª série, 1905; *Poesias*, 3ª série, 1913; 4ª série, 1927; *Poesias Escolhidas*, 1933; *Póstuma*, 1944. Consultar: José Veríssimo, *Estudos de Literatura Brasileira*, 2ª série, Rio, Garnier, 1901; 6ª série, 1907; Mário de Andrade, "Mestres do Passado — IV — Alberto de Oliveira" (escr. em 1921), reprod. em Mário da Silva Brito, *História do Modernismo Brasileiro. I — Antecedentes da Semana de Arte Moderna*, S. Paulo, Saraiva, 1958, pp. 241-250; Péricles Eugênio da Silva Ramos, "A Renovação Parnasiana na Poesia", em *A Lit. do Brasil* (dir. de Afrânio Coutinho) e *cit.*; Phocion Serpa, *Alberto de Oliveira*, Rio, Livr. S. José, 1957; João Pacheco, *O Realismo*, S. Paulo, Cultrix, 1964.

o momento emotivo pelo registro mais atento das sensações e das impressões, deslocando assim a tônica dos *sentimentos vagos* para a *visão do real*. Baudelaire falava em "moral das coisas", o que não significava impassibilidade, mas objetividade. Desta última, mal-entendida, passou-se em pouco tempo ao *fetichismo do objeto, à reificação*, de que fala a crítica dialética ao analisar o espírito da sociedade burguesa nos seus aspectos autofruidores.

O parnasiano típico acabará deleitando-se na nomeação de alfaias, vasos e leques chineses, flautas gregas, taças de coral, ídolos de gesso em túmulos de mármore... e exaurindo-se na sensação de um detalhe ou na memória de um fragmento narrativo.

Entre a sua atitude estética e a de um pintor impressionista há uma diferença de peso: a mão deste é mais leve e pura, menos carregada de intenções; mas subsiste em ambos como fundo comum a ambição de fixar meridianamente o jogo das impressões visuais.

De tal poética nasce a composição do *quadro*, da *cena*, do *retrato*:

> Estranho mimo aquele vaso! Vi-o,
> Casualmente, uma vez, de um perfumado
> Contador sobre o mármor luzidio,
> Entre um leque e o começo de um bordado.
>
> Fino artista chinês, enamorado,
> Nele pusera o coração doentio
> Em rubras flores de um sutil lavrado,
> Na tinta ardente de um calor sombrio.
>
> Mas, também por contraste à desventura,
> Quem o sabe?... de um velho mandarim
> Também lá estava a singular figura;
>
> Que arte em pintá-la! a gente acaso vendo-a
> Sentia um não sei que com aquele chim
> De olhos cortados à feição de amêndoa
>
> ("Vaso Chinês")

A *arte pela arte*, aspirando a desfazer-se de qualquer compromisso com os níveis da existência que não os do puro fazer mimético, na sua concepção parnasiana acaba especializando-se em uma *arte sobre a arte* que se concentra na reprodução de objetos decorativos: lá o vaso chinês, aqui a copa e a estátua grega:

> Esta de áureos relevos, trabalhada
> De divas mãos, brilhante copa, um dia,
> Já de aos deuses servir como cansada,
> Vinda do Olimpo, a um novo deus servia.
>
> ("Vaso Grego")

Mas, quando consegue livrar-se do bizantinismo desses motivos, o poeta produz versos expressivos, belamente sóbrios:

É um velho paredão, todo gretado,
Roto e negro, a que o tempo uma oferenda
Deixou num cacto em flor ensangüentado
E num pouco de musgo em cada fenda.
("O Muro")

Quando voltado para a natureza, Alberto de Oliveira é, em geral, mais vibrante. Falando da palmeira livre na montanha, um dos seus tópicos, ou da fonte na mata, o parnasiano não se subtraía ao fascínio da tradição romântica que, sem dúvida, fora a grande redescobridora do mundo selvagem e da possibilidade de os homens nele se evadirem guiados pela poesia.

O ato de objetivar-se retoma a senda da identificação animista:

Ser palmeira! existir num píncaro azulado,
Vendo as nuvens mais perto e as estrelas em bando;
Dar ao sopro do mar o seio perfumado,
Ora os leques abrindo, ora os leques fechando;
. . . .

E isto que aqui não digo então dizer: — que te amo,
Mãe natureza! mas de modo tal que o entendas,
Como entendes a voz do pássaro no ramo
E o eco que têm no oceano as borrascas tremendas.

E pedir que, ou no sol, a cuja luz referves,
Ou no verme do chão ou na flor que sorri,
Mais tarde, em qualquer tempo, a minh'alma conserves,
Para que eternamente eu me lembre de ti!
("Aspiração")

Texto quase todo fraco, mas significativo como tema. A regressão romântica ainda mais se acentua quando se casam o hino à natureza e os sons das memórias juvenis, nos cantos de "Alma em Flor".

O que, entretanto, sela a constância do parnasiano em Alberto de Oliveira é a fidelidade a certas leis métricas que a leitura de Castilho (*Tratado de Versificação*) e dos franceses mais rígidos como Banville e Heredia pusera em voga e os conselhos acadêmicos de Machado de Assis tinham vivamente estimulado. Forrados de tais princípios, os nossos parnasianos entraram a deplorar, com ralo senso histórico, a "frouxidão" e a "incorreção" dos românticos, sem perceberem que estes tinham no ouvido outros ritmos, mais próximos dos modelos medievais e populares, e estavam mais inclinados ao fluido e sugestivo da melodia que à mecânica do metro ([182]).

([182]) V. os meticulosos estudos de Péricles Eugênio da Silva Ramos em *O Verso Romântico*, São Paulo, Conselho Estadual de Cultura, 1959, e em *Do Barroco ao Modernismo*, São Paulo, C. E. S., 1967.

No código novo condena-se o *hiato*, responsável pelo afrouxamento dos elos entre as palavras; em conseqüência, rejeita-se a diérese, que dilui a pronúncia dos ditongos. Acatando essas proibições, Alberto de Oliveira cai no extremo oposto, a contração sistemática das vogais que resulta no verso duro e martelado.

Releia-se este verso de "Aspiração":

E o eco que têm no oceano as borrascas tremendas.

A contagem parnasiana do alexandrino une com violência as três primeiras vogais (eoé) e elimina o hiato de "oceano", escandindo *o-cea-no.*

A rigidez no nível prosódico ajustava-se àquelas pretensões de impassibilidade de Alberto de Oliveira que, como homem, foi saudosista e sempre se alheou dos problemas nacionais, chegando mesmo a declarar em um dos seus últimos livros: "Eu hoje dou a tudo de ombros, pouco me importam paz ou guerra e não leio jornais" ([183]).

Aliás, não só na métrica procurou ser duro o mestre fluminense; também a sua sintaxe mais de uma vez se contrai em inversões neoclássicas quando não em verdadeiras sínquises barrocas, como se vê atentando para a primeira quadra de "Vaso Grego" acima transcrita.

Com todos os seus limites, porém, Alberto de Oliveira representava algo que ia além dos modismos do Parnaso: aquela mudança de eixo que se operou na poesia ocidental a partir de Gautier e de Baudelaire — da expressão romântica do *ego* para a invenção formalizante do objeto poético.

Raimundo Correia

Menos fecundo e mais sensível, Raimundo Correia ([184]) esbateu os tons demasiado claros do Parnasianismo e deu exemplo de uma poesia de sombras e luares que inflectia amiúde em meditações desenganadas.

([183]) *Apud* Geir Campos, *Alberto de Oliveira — Poesia*, Rio, Agir, 1959, p. 11. O texto encontra-se nas *Poesias*, 4ª série ("Cheiro de Flor").

([184]) Raimundo da Mota Azevedo Correia (Costas do Maranhão, 1859 — Paris, 1911). Fez Humanidades no Colégio Pedro II e Direito em S. Paulo. No período acadêmico foi ardente liberal e admirador de Antero socialista. Formado, ingressou na magistratura. Durante algum tempo secretariou a legação brasileira em Lisboa. Embora reconhecido pelos coetâneos como um dos melhores poetas do fim do século, pouco participou da vida literária escudando a própria timidez com a reserva que lhe facultavam as funções de juiz. Morreu em Paris para onde fora em tratamento. Obras: *Primeiros Sonhos*, 1879; *Sinfonias*, 1883; *Versos e Versões*, 1887; *Aleluias*, 1891; *Poesias*, 1898. Consultar: Alberto de Oliveira, "O Culto da Forma na Poesia Brasileira", *in* Anais da Biblioteca Nacional, vol. XXXV, Rio, 1913; Mário de Andrade, "Raimundo Correia" (escr. em 1921), reproduzido em Mário da Silva Brito, *História do Modernismo Brasileiro, I, cit.*, pp. 234-241; Péricles Eugênio da Silva Ramos, "A Renovação Parnasiana

Estreou com uma coleção de versos em que Machado de Assis sentiu "o cheiro romântico da decadência", os *Primeiros Sonhos*, versos de adolescente que o autor não incluiria na edição definitiva das *Poesias*. Mas note-se que em meio a cadências casimirianas, há um soneto à Idéia Nova, que já então anunciava o republicano e o progressista.

Com *Sinfonias* já temos o sonetista admirável de "As Pombas", "Mal Secreto", "Anoitecer", "A Cavalgada", "Vinho de Hebe", "Americana". Falando do sortilégio verbal do poeta, Manuel Bandeira ([185]) nos ensinou a ver nele o autor de "alguns dos versos mais misteriosamente belos da nossa língua", versos que, repetidos em tantas antologias escolares, nem por isso perderiam o encanto de suas combinações semânticas e musicais:

> Raia sangüínea e fresca a madrugada ("As Pombas").

(Bandeira comenta: "Quem não vê nesse decassílabo todas as celagens e orvalhos da aurora?")

Neste, sublinha o efeito do hiato:

> A toalha friíssima dos lagos ("Ária Noturna").

Aqui, a repetição do dáctilo:

> a lua
> Surge trêmula, trêmula... Anoitece ("Cavalgada").

Outros exemplos de magia plástica e sonora podem-se acrescentar aos citados pelo crítico-poeta:

> As cabeleiras líquidas ondulam ("Missa Universal"),
>
> Por céus de ouro e de púrpura raiados ("Anoitecer"),
>
> O sangrento perfil traço por traço ("Luz e Treva"),
>
> Ilha isolada como um dorso de baleia ("A Ilha e o Mar"),
>
> De um sanguinoso abutre a rubra garra viva
> ("O Povo"),
>
> Dos cabelos a surda catadupa
> ("Americana"),
>
> A pomba da volúpia, a treva densa
> ("Na Penumbra"),
>
> Na extrema raia do horizonte infindo
> ("Despedida").

---

na Poesia", em *A Lit. no Brasil* (dir. de Afrânio Coutinho), *cit*., vol. II; Waldir Ribeiro do Val, *Vida e Obra de Raimundo Correia*, Rio, Instituto Nacional do Livro, 1960; João Pacheco, *O Realismo, cit.*

(185) M. Bandeira, "Raimundo Correia e o Seu Sortilégio Verbal", Introdução a Raimundo Correia — *Poesia Completa e Prosa*, Rio, Aguilar, 1961, pp. 12-32.

Mesmo fora de contexto, esses versos resistem por seu poder de transmitir sensações raras, complexas, às vezes agrupadas em sinestesias.

Era constante em Raimundo a capacidade de assimilar estilos alheios, dom que lhe custou por vezes a pecha injusta de plagiário. Fino tradutor, fez seguir às *Sinfonias*, os burilados *Versos e Versões* em que dá forma vernácula a poemas de Lope, Byron, Heine, Gautier, Hugo, Leconte de Lisle, Catulle Mendès, Heredia e Rollinat.

Com o tempo, a poesia de Raimundo foi acentuando traços que a estremam do espírito parnasiano tal como se aclimou entre nós e a aproximam de Leconte de Lisle pela filosofia amarga que revelam. Dessa percepção negativa do mundo, chamado "agra região da dor", há exemplos vários nas *Aleluias* que, apesar do título, são um breviário de desengano: "Homem, embora exasperado brades", "Nirvana", "Imagem da dor", "Desiludido", "Vana", o schopenhaueriano "Amor Criador" e estes versos das "Harmonias de uma noite de verão", onde sopra um pessimismo cósmico:

Esta, de fel mesclada e de doçura,
Melancolia augusta e vespertina,
Que, com a sombra, avulta, cresce, invade
E enche de luto a natureza inteira...
Esse outro bardo, o sabiá, não trina

Nos galhos de cheirosa laranjeira;
E, ao silêncio e ao torpor cedendo, cerra
O dia os olhos no Ocidente absortos;
E fuma um negro incenso,
Que envolve toda a terra
— Sepultura comum, túmulo imenso,
Dos vivos e dos mortos...
E Eu do trono das névoas, do cimério

Sólio de ébano, aos pés do qual, na altura,
Toda essa poesia cósmica fulgura,
Vou já descendo; e, aos poucos, lentamente,
Arrasto, desdobrada
Sobre este amplo hemisfério,
A minha solta clâmide tamanha,
Negra como remorso, e a que, somente,
Da lua crescentígera e chanfrada
A ponta da unha luminosa arranha.

Por outro lado, cadências pré-simbolistas aparecem inequívocas em "Banzo", soneto que Mário de Andrade admirava sem reservas, e num dos últimos poemas que escreveu, "Plenilúnio", onde os clarões do astro se manifestam em sugestões reiteradas, obsedantes, até alcançarem um clima de delírio:

Além nos ares, tremulante,
Que visão branca das nuvens sai!
Luz entre as franças, fria e silente;
Assim nos ares, tremulamente,
Balão aceso subindo vai...

. . . .

Lunárias flores, ao feral lume,
— Caçoilas de ópio, de embriaguez —
Evaporavam letal perfume...
E os lençóis d'água, do feral lume
Se amortalhavam na lividez...

Fúlgida névoa vem-me ofuscante
De um pesadelo de luz encher,
E a tudo em roda, desde esse instante,
Da cor da lua começo a ver.

E erguem por vias enluaradas
Minhas sandálias chispas a flux...
Há pó de estrelas pelas estradas...
E por estradas enluaradas
Eu sigo às tontas, cego de luz...

Um luar amplo me inunda, e eu ando
Em visionária luz a nadar,
Por toda a parte, louco arrastando
O largo manto do meu luar...

Olavo Bilac

Fechando a tríade e herdando o coro dos louvores acadêmicos, veio Olavo Bilac (186), o mais antológico dos nossos poetas.

---

(186) OLAVO BRÁS MARTINS DOS GUIMARÃES BILAC (Rio, 1865-1918). Começou Medicina no Rio de Janeiro e Direito em São Paulo, mas não terminou nenhum curso. Cedo atraíram-no o jornalismo e a boêmia, brilhando em ambos pelo engenho verbal de que era dotado. Por ocasião da Revolta da Armada, em 1893, Bilac, antiflorianista, refugiou-se em Minas, aí escrevendo *Crônicas e Novelas*. Mais tarde, tido nos meios oficiais como o nosso maior poeta vivo, foi honrado com várias missões públicas: jornalista acreditado junto a Campos Sales, na viagem à Argentina em 1902; secretário da Conferência Pan-americana do Rio, em 1906, delegado à mesma Conf. em Buenos Aires, em 1910; secretário do Prefeito do Distrito Federal, em 1907. Nos últimos anos assumiu conscientemente o papel de poeta cívico entregando-se todo a uma campanha em prol

Neste literato de veia fácil potencia-se a tendência parnasiana de cifrar no brilho da frase isolada e na chave de ouro de um soneto a mensagem toda da poesia.

Hoje parece consenso da melhor crítica reconhecer em Bilac não um grande poeta, mas um poeta eloqüente, capaz de dizer com fluência as coisas mais díspares, que o tocam de leve, mas o bastante para se fazerem, em suas mãos, literatura.

No portal das *Poesias*, a "Profissão de Fé", juramento apoético de que o autor morrerá "em prol do Estilo", define a palavra como algo que não se identifica com a substância das coisas, mas "veste-a" magnificamente:

> Torce, aprimora, alteia, lima
>   A frase, e enfim,
> No verso de ouro engasta a rima.
>   Como um rubim.
> Quero que a estrofe cristalina,
>   Dobrada ao jeito
> Do ourives, saia da oficina
>   Sem um defeito.
> . . . .
> Assim procedo. Minha pena
>   Segue esta norma,
> Por te servir, Deusa serena,
>   Serena forma.

Tal indiferença torna viável o trato de motivos diversos como puro exercício literário: o *índio*, de que Bilac é cantor tardio na esteira de Gonçalves Dias ("A Morte de Tapir"), a *guerra*, paixão curiosa nesse refinado homem de letras ("Guerreira") e enfim, copiosa temática greco-romana, haurida nos parnasianos franceses: "A Sesta de Nero", "O Incêndio de Roma", "O Sonho de Marco Antônio", "Lendo a Ilíada", "Messalina", "Delenda Cartago"...

---

do serviço militar obrigatório. Foi eleito o primeiro "príncipe dos poetas brasileiros". Obras: *Poesias*, 1888; *Poesias Infantis*, 1904; *Crítica e Fantasia*, 1906; *Conferências Literárias*, 1906; *Ironia e Piedade*, 1916; *A Defesa Nacional*, 1917; *Tarde*, 1919. Em colaboração com Guimarães Passos: *Pimentões*, 1897; *Tratado de Versificação*, 1910; *Dicionário de Rimas*, 1913. Em colaboração com Manuel Bonfim e Coelho Neto, *Através do Brasil* (livro didático), 1913. Consultar: José Veríssimo, *Estudos de Literatura Brasileira*, 2ª ed., Rio, Garnier, 1910; Tristão de Ataíde, *Primeiros Estudos* (o estudo sobre Bilac é de 1919), Rio, Agir, 1948; Amadeu Amaral, *Discursos Acadêmicos*, IV, Rio, 1936 (o "Elogio de Bilac" é de 1919); Mário de Andrade, "Mestres do Passado — V — Olavo Bilac" (escr. em 1921), reproduzido em Mário da Silva Brito, *História do Modernismo Brasileiro, cit.*, pp. 251-261; Afonso de Carvalho, *Poética de Olavo Bilac*, Rio, Civ. Brasileira, 1934; 2ª ed., aumentada, José Olympio, 1945; Elói Pontes, *A Vida Exuberante de Olavo Bilac*, Rio, José Olympio, 1944; Alceu de Amoroso Lima "Apresentação" a Olavo Bilac — *Poesia*, Rio, Agir, 1957; Fernando Jorge, *Vida e Poesia de Olavo Bilac*, S. Paulo, Exp. do Livro, 1963.

Nos trinta e cinco sonetos de *Via Láctea*, o poeta encontra o seu motivo mais caro, o amor sensual, vivido numa fugaz exaltação. Vaza-o em ritmos neoclássicos, próximos de Bocage e, mais raramente, de Camões. Figuram na coleção algumas de suas peças mais felizes: "Como a floresta secular sombria", "Em mim também, que descuidado vistes", "Ora (direis) ouvir estrelas!", "Viver não pude sem que o fel provasse", "Lá fora a voz do vento ulule, rouca!", "Olha-me! O teu olhar sereno e brando" e "Tu, que no pego impuro das orgias".

Não é difícil apontar nesses e noutros sonetos uma estrutura intencional, toda voltada para a *chave de ouro*, que deve sustentar a impressão do fim como acorde de grande efeito:

> Na maior alegria andar chorando (son. VI),
>
> Capaz de ouvir e de entender estrelas (XIII),
>
> Saiba, chorando, traduzir no verso (XXV),
>
> Como um jorro de lágrimas ardentes (XXIX).

Aliás, a obsessão do efeito (sempre relativo ao sistema de valores estéticos do tempo) leva o poeta pela mão através de toda a obra posterior e vai marcar os seus pontos altos mas também os seus limites. Bilac supre a carência de uma real fantasia artística e de um sentimento fundo da condição humana com o intenso brilho descritivo, que conserva graças a um jogo hábil de sensações e impressões. A sua melodia, embora linear, não chega a cair na banalidade, seu risco permanente. Não escapa, entretanto, à sorte de toda poesia acadêmica: é iterativa, amplificadora.

Os temas que versou com mais assiduidade, como a beleza física da mulher, os amplos cenários, os momentos épicos da história nacional, ajustavam-se bem a esse traço exterior e retórico do seu modo de ser artístico; e deram-lhe leitores fiéis que representavam o gosto das gerações resistentes ao impacto modernista.

Do ponto de vista ideológico, foi o poeta que melhor exprimiu as tendências conservadoras vigentes depois do interregno florianista. À política renovadora que animara alguns fautores da República seguiu-se um meufanismo estático e vazio, amante da tradição pela tradição considerada em si mesma como beleza. Bilac, poeta dos nautas portugueses em *Sagres* e dos bandeirantes no "Caçador de Esmeraldas", será também o cantor cívico da bandeira, das armas nacionais e o didata hosanante das *Poesias Infantis*.

Quanto à sua poesia lírica, também sofre uma inflexão, não direi intimista, que a rigor nunca o foi, mas crepuscular, nos sonetos de *Tarde*, no qual o exaltado nacionalismo ("Pátria, latejo em ti") sobreleva os ardores sensuais em declínio ("Sou como um vale, numa tarde fria") e avultam as sombras do outono. Digam-no os títulos de alguns sonetos: "Sonata ao Crepúsculo", "O Crepúsculo da Beleza", "O Crepúsculo dos Deuses", "A um triste", "Respostas na sombra", "Milton cego", "Miguel-Ângelo Velho", "A Velhice de Aspásia", "Marcha Fúnebre"... Falando desse crepúsculo bilaqueano, observou Manuel

Bandeira com o sal da ironia: "Desejaríamos menos clangor de metais nessa grave sinfonia da tarde" (187). Aludia, de certo, ao fecho de "Sinfonia", o último soneto do livro:

> Hoje, meu coração, num scherzo de ânsias, arde
> Em flautas e oboés, na inquietação da tarde,
> E entre esperanças foge e entre saudades erra...
> E, heróico, estalará num final, nos clamores
> dos arcos, dos metais, das cordas, dos tambores
> Para glorificar tudo que amou na terra!

Outros parnasianos

Além da tríade, o Parnaso contou com um número considerável de poetas, que apesar de "menores", merecem leitura, pois nem sempre se limitaram a repetir os modelos consagrados. Assim, há muito de pessoal nos *Cromos* (1881), de B. Lopes que, antes de se perder no estetismo esnobe dos *Brasões* e de *Val de Lírios*, desenvolveu uma linha rara entre nós: a poesia das coisas domésticas, os ritmos do cotidiano.

Merece igualmente atenção Augusto de Lima (1859-1934) que percorreu as várias etapas da poesia pós-romântica, desde experiências juvenis de literatura social até a vertente religiosa dos simbolistas, mas deixou o melhor de si nas *Contemporâneas* (1887), que partilham com os poemas de Raimundo Correia o matiz filosofante, menos comum entre os nossos parnasianos. Da mesma geração que o mineiro Augusto de Lima, os gaúchos Fontoura Xavier (1856-1922) e Múcio Teixeira (1857-1928) contribuíram com suas paráfrases de Baudelaire para encorpar o veio realista e erótico do Parnasianismo.

Francisca Júlia

Vinda após a consagração dos mestres, Francisca Júlia (188) estreou com um livro, *Mármores*, que logo a alçou ao nível daqueles, tal a fidelidade, e

---

(187) Em *Apresentação da Poesia Brasileira*, Rio, Casa do Estudante do Brasil, 1946, p. 113.

(188) Francisca Júlia da Silva Munster (Xiririca, atual Eldorado Paulista, S. Paulo, 1874 — S. Paulo, 1920). *Mármores*, 1895; *Esfinges*, 1903. Edição completa: *Poesias*, Conselho Estadual de Cultura, S. Paulo, 1961. Consultar: Mário de Andrade, "Mestres do Passado — I — Francisca Júlia" (escr. em 1921), reprod. em Mário da Silva Brito, *História do Modernismo Brasileiro, cit.*; Péricles Eugênio da Silva, *Introdução* à ed. citada de 1961.

mesmo a rigidez, com que praticava os princípios da escola. No entender do seu melhor crítico moderno, Péricles Eugênio da Silva Ramos, talvez só ela tenha atingido sistematicamente as condições de impassibilidade que o Parnasianismo, em tese, reclamava:

Musa! um gesto sequer de dor ou de sincero
Luto jamais te afeie o cândido semblante!
Diante de Jó, conserva o mesmo orgulho; e diante
De um morto, o mesmo olhar e sobrecenho austero.

Em teus olhos não quero a lágrima; não quero
Em tua boca o suave e idílico descante.
Celebra ora um fantasma angüiforme de Dante,
Ora o vulto marcial de um guerreiro de Homero.

Dá-me o hemistíquio d'ouro, a imagem atrativa;
A rima, cujo som, de uma harmonia crebra,
Cante aos ouvidos d'alma; a estrofe limpa e viva;

Versos que lembrem, com seus bárbaros ruídos,
Ora o áspero rumor de um calhau que se quebra,
Ora o surdo rumor de mármores partidos.

("Musa Impassível")

Como alguns dos neófitos de segunda hora, porém, a poetisa atravessou a fronteira que a separava do Simbolismo, cujo ideário se afinava com as inquietações religiosas da sua maturidade: em *Esfinges*, já aparecem exemplos nítidos dessa nova postura espiritual e artística.

Artur Azevedo

Um nome à parte, pelo tom humorístico que soube dar à sua magra mas viva produção poética, é o de Artur Azevedo, irmão de Aluísio, e mais conhecido como jornalista e comediógrafo.

Parodiando com verve os resquícios ultra-românticos espalhados na poesia e no teatro do tempo, Artur Azevedo nos mostra um retrato fiel da sociedade carioca dos últimos vinte anos do século, precisamente a face boêmia, o avesso daquela gravidade burocrática com que posavam os medalhões parnasianos.

Seus versos de circunstância satirizam a cena melodramática:

Que dramalhão! Um intrigante ousado,
Vendo chegar da Palestina o conde,
Diz-lhe que a pobre da condessa esconde
No seio o fruto de um amor culpado.

Naturalmente o conde fica irado:
— O pai quem é? pergunta. — Eu! lhe responde
Um pajem que entra. — Um duelo! — Sim! Quando? Onde?
No encontro morre o amante desgraçado.

Folga o intrigante... Porém surge um mano,
E, vendo morto o irmão, perde a cabeça:
Crava um punhal no peito do tirano!

É preso o mano, mata-se a condessa,
Endoidece o marido.. e cai o pano
Antes que outra catástrofe aconteça.
("Impressões de Teatro")

Faz uso da própria verve trocadilhesca para denunciar as pequenas e grandes mazelas do país. Pequenas, como os buracos da rua onde morava:

Ó tu
Que és presidente
Do Conselho Mu-
Nicipal,
Se é que tens mu-
Lher e filhos,
Manda tapar os bu-
Racos da rua dos Junquilhos (189)

Ou grandes, como os golpes de força com que se pretendiam resolver os problemas da nação:

Desde 15 de novembro
Estamos na ditadura...
Há muito tempo
Que a dita dura,
Não há?

E diz agora um boato
que só no século vinte
Chamada a postos
A Constituinte
Será...

Ditadura!... Há muita gente
Que a considera ventura!
Concordo: é dita,
Mas dita dura
De roer... (190)

---

(189) *Apud* Raimundo de Magalhães Jr., *Artur Azevedo e Sua Época*, *cit.*, p. 25.
(190) *Apud* Raimundo de Magalhães Jr., *op. cit.*

Vicente de Carvalho

Renovando com brio a poética realista a cavaleiro do novo século, Vicente de Carvalho ([191]) partilhou com Bilac um vasto círculo de entusiastas, sendo até hoje um dos poucos poetas anteriores do Modernismo que sobrevivem no gosto do leitor médio. O seu pensamento e a sua praxe estética não eram originais; apesar das reiteradas profissões de fé primitivista, como a "Carta a V. S.", onde canta a regressão à vida do bugre pescador, e dos acentos garrettianos de sua melhor lírica ("Rosa, rosa de amor"), foi parnasiano convicto e homem de sua geração, admirador de Comte e de Spencer.

Euclides da Cunha, prefaciando os *Poemas e Canções*, viu com clareza o traço definidor de Vicente: poeta naturalista; no caso, o adjetivo significa *naturista*. A visão do oceano, da mata e da montanha e o encanto pela beleza da mulher são traços comuns do romântico e do parnasiano. Vicente, enquanto fiel à última poética, pretende ser mais objetivo, mas nem sempre logra, no ato de compor, separar as puras sensações do fascínio propriamente espiritual que lhe inspira a aparência do mundo. Da fusão do sensorial e do emotivo nasce uma linguagem nova, rica em imagens da natureza e em ressonâncias psicológicas. O naturismo de Vicente está em pôr em relevo as primeiras, contrariamente ao que fariam ultra-românticos e simbolistas. Transcrevo dois exemplos de *situações objetivas* e *reações tonais diversas*, mas que ilustram bem a ênfase dada aos estímulos exteriores:

Ao pôr-do-Sol, pela tristeza
Da meia-luz crepuscular,
Tem a toada de uma reza
A voz do mar.

Aumenta, alastra e desce pelas
Rampas dos morros, pouco a pouco,
O ermo de sombra, vago e oco,

([191]) Vicente Augusto de Carvalho (Santos, 1866 — S. Paulo, 1924). Cursou Direito em São Paulo. Ainda estudante, publicou *Ardentias* (1885). De 1888 é *Relicário*. Militou na campanha republicana, fase em que abraçou o Positivismo. Mudado o regime, elegeu-se deputado da primeira Constituinte Paulista e exerceu por um ano a Secretaria do Interior do Estado. Opondo-se ao golpe de Deodoro, afasta-se da vida pública, em 1892. Vive então cinco anos como fazendeiro de café na cidade paulista de Franca, só regressando a Santos quando o atinge uma crise financeira. Na sua terra, à frente de uma numerosíssima família, exercerá o cargo de Juiz de Direito. Conheceu êxito literário a partir de *Rosa, Rosa de Amor* (1902), confirmado pela acolhida que receberam os *Poemas e Canções*, em 1908. Pertenceu às Academias Brasileira e Paulista de Letras. Consultar: Mário de Andrade, "Mestres do Passado — VI — Vicente de Carvalho", em Mário da Silva Brito, *História do Modernismo Brasileiro, cit.*, pp. 262-270; Maria Conceição e Arnaldo Vicente de Carvalho, *Vicente de Carvalho*, Rio, Academia Brasileira de Letras, 1943; Hermes Vieira, *Vicente de Carvalho, o Sabiá da Ilha do Sol*, 2ª ed., São Paulo, Revista dos Tribunais, 1943.

Do céu sem sol e sem estrelas.
Tudo amortece; a tudo invade
Uma fadiga, um desconforto...
Como a infeliz serenidade
Do embaciado olhar de um morto.
. . . .

("Sugestões do Crepúsculo")

Mar, belo mar selvagem
Das nossas praias solitárias! Tigre
A que as brisas da terra o sono embalam,
A que o vento do largo erriça o pêlo!
Junto da espuma com que as praias bordas,
Pelo marulho acalentada, à sombra
Das palmeiras que arfando se debruçam
Na beirada das ondas — a minha alma
Abriu-se para a vida como se abre
A flor da murta para o sol do estio.

Quando eu nasci, raiava
O claro mês das garças forasteiras:
Abril, sorrindo em flor pelos outeiros,
Nadando em luz na oscilação das ondas,
Desenrolava a primavera de ouro:
E as leves garças, como folhas soltas
Num leve sopro de aura dispersadas,
Vinham do azul do céu turbilhonando
Pousar o vôo à tona das espumas...

É o tempo em que adormeces
Ao sol que abrasa: a cólera espumante,
Que estoura e brame sacudindo os ares,
Não os sacode mais, nem brame e estoura;
Apenas se ouve, tímido e plangente,
O teu murmúrio; e pelo alvor das praias,
Langue, numa carícia de amoroso,
As largas ondas marulhando estendes...
. . . .

Condenado e insubmisso
Como tu mesmo, eu sou como tu mesmo
Uma alma sobre a qual o céu resplende
— Longínquo céu — de um esplendor distante.
Debalde, ó mar que em ondas te arrepelas,
Meu tumultuoso coração revolto
Levanta para o céu, como borrifos,
Toda a poeira de ouro dos meus sonhos.
. . . .

("Palavras ao Mar")

Em movimento paralelo ao predomínio dos sentidos, o poeta de "Velho Tema" sobrepôs ao seu intenso desejo de evasão

> pelo agitado mar sem praias do Universo,

uma poética de rigor formal, ciosa de efeitos estéticos e espelho de uma consciência literária que se vigia e crê no valor da arte enquanto arte. Rejeitando, na maturidade, o estilo frouxo e eivado de clichês de seu livro de estréia, *Ardentias*, Vicente de Carvalho dava ênfase ao apuro verbal:

> Não creio que haja poetas da forma e poetas de outra espécie. Não sei de poeta digno desse título que valha por obra em estilo atamancado.

E em outro passo da introdução aos *Versos da Mocidade*: "... a perfeição da forma é uma necessidade e a ambição de a realizar uma condição da capacidade criadora."

Palavras que indicam a perpetuação de uma atitude anti-romântica em um escritor que se julgava "espontâneo" e "primitivo". Escritas em 1908, têm um significado histórico, porque vêm provar que, apesar do interlúdio simbolista dos fins do século, os cânones do Parnaso tinham vingado firmemente entre nós.

Neoparnasianos

À geração de poetas que estreara entre 1880 e 1890 (Alberto de Oliveira, Raimundo Correia, Olavo Bilac) iria suceder-se outra que se tem batizado como neoparnasiana, mas que, no fundo, é *ainda* parnasiana, epigônica.

Disse com acerto Otto Maria Carpeaux: "O Neoparnasianismo é fenômeno particular da literatura brasileira. Aqui e só aqui fracassou o Simbolismo; e por isso, o movimento poético precedente sobreviveu, quando já estava extinto em toda parte do mundo" ([192]).

Por que se teria prolongado em nossa poesia a linguagem parnasiana durante o primeiro vintênio do século XX, quando fora do Brasil o movimento simbolista de todo a superara? A resposta deverá procurar-se na sociologia da literatura.

Quem escrevia e para quem se escreviam poemas no período antemodernista? O Parnasianismo é o estilo das camadas dirigentes, da burocracia culta e semiculta, das profissões liberais habituadas a conceber a poesia como "linguagem ornada", segundo padrões já consagrados que garantam o bom gosto da imitação. Há um academismo íntimo veiculado à atitude espiritual do poeta parnasiano; atitude que tende a enrijecer-se nos epígonos, embora se dilua nas vozes mais originais. Os mesmos temas, as mesmas palavras, os mesmos ritmos

---

([192]) Otto Maria Carpeaux, *Pequena Bibliografia Crítica da Literatura Brasileira*, 3ª ed., Rio, Letras e Artes, 1964, p. 247.

confluem para criar uma tradição literária que age *a priori* ante a sensibilidade artística, limitando ou mesmo abolindo a sua originalidade: basta considerar, nessa época áurea da Academia Brasileira de Letras, a voga imensa do soneto descritivo, ou descritivo-narrativo, ou didático-alegórico, fenômeno a que um modernista daria o nome de "sonetococcus brasiliensis"... Essa *maneira* revelava uma cultura provinciana e infecunda, e foi contra ela que o Modernismo se rebelou com maior virulência: o próprio Mário de Andrade, cuja intuição e senso ético da crítica o impediam de cometer injustiças, compôs, em uma série de artigos bem pensados, o elogio fúnebre dos "mestres do passado", como chamava os maiores parnasianos (193).

Para os menores, a piedade não pareceu aos modernistas tão justificada. Vivendo em um mundo cada vez mais aberto a inquietações de toda ordem, contemporâneos de homens agônicos e lúcidos como Euclides da Cunha, Lima Barreto e Farias Brito, representava, sem dúvida, indício de pobreza cultural e de insensibilidade às angústias do próprio tempo aquele fechar-se na gaiola dourada dos catorze versos e cultivar um descritivismo requintado ou um lirismo de curto fôlego.

Vista em conjunto, a poesia neoparnasiana traduz, em suma, a persistência de uma concepção estética obsoleta, que o Simbolismo europeu já ultrapassara, abrindo caminho para as grandes correntes poéticas do novo século: futurismo, surrealismo, expressionismo... Mas o estudo isolado dos melhores poetas de certo arredondará as arestas dessa apreciação geral negativa, apontando aqui e ali momentos de feliz expressão artística (194).

---

(193) Mário de Andrade, "Mestres do Passado", *in Jornal do Comércio*, ed. Paulista, agosto, 1921, *apud* Mário da Silva Brito, *História do Modernismo Brasileiro. Antecedentes da Semana de Arte Moderna*, S. Paulo, Saraiva, 1958.

(194) Não cabe neste roteiro deter-me nos incontáveis epígonos do Parnasianismo brasileiro. Remeto ao estudo, já citado, *O Pré-Modernismo* (pp. 21-33) onde se consideram algumas figuras significativas: o purista José Albano (1882-1923), o grave e sentencioso Amadeu Amaral (1875-1929), o *virtuose* Goulart de Andrade (1881-1936), o sonoro Martins Fontes (1884-1917), o retórico Moacir de Almeida (1902-1925), o filosofante Hermes Fontes (1888-1930). A historiografia literária mais minudente poderia lembrar outros nomes de poetas que produziram desde os fins do século passado e resistiram, em geral, ao impacto do Modernismo: Alberto Ramos (1871-1941), precursor do verso livre entre nós; Bastos Tigre (1882-1957); Batista Cepelos (1872-1915), que se realizou também como simbolista; Belmiro Braga (1872-1937), bom compositor de trovas; Ciro Costa (1879-1937); Gilka Machado (1893); Gustavo Teixeira (1881-1937); Heitor Lima (1887-1945); José Oiticica (1882-1957); Luís Carlos (1880-1932); Paulo Gonçalves (1887-1927); Ricardo Gonçalves (1883-1916); Rosalina Coelho Lisboa (1889 —)...; enfim, o mais independente de todos, Olegário Mariano (1889-1958), que, perpetuando o verso tradicional até à morte, deu exemplo de um lirismo aberto e simples (*Toda Uma Vida de Poesia — 1911-1955*, Rio, José Olympio, 1957).

Raul de Leoni

Da poesia de Raul de Leoni ([195]) ficou a imagem que sugere o nome de seu único livro: *Luz Mediterrânea*. Imagem de um mundo luminoso, apreendido por uma sensibilidade plástica, amante da forma e da cor: na lisa superfície, os aspectos solares da arte helênica e do Renascimento italiano; no fundo, um ideal de sereno hedonismo, inspirado em Renan e em Anatole France.

Sem dúvida, a "Ode a Bilac" e os poemas que abrem *Luz Mediterrânea* induzem a essa interpretação: o "Pórtico" e os versos a Florença são ambos variações do mesmo tema da graça pagã, da ática clareza, da elegância florentina.

> Cidade de Ironia e da Beleza,
> Fica na dobra azul de um golfo pensativo,
> Entre cintas de praias cristalinas,
> Rasgando iluminuras de colinas,
> Com a graça ornamental de um cromo vivo.
>
> ("Pórtico")

> Trago-te a minha gratidão latina
> Porque foi no teu seio que se fez
> Toda a ressurreição da Vida luminosa:
> Ó Florença! Ó Florença!
> A mais humana das cidades vivas!
> A mais divina das cidades mortas!
>
> ("Florença")

Mas não se explicaria a estima que a Raul de Leoni dedicaram críticos modernistas e pós-modernistas, se a sua arte se esgotasse no estetismo, fosse este embora de gosto mais apurado que o dos demais helenizantes da época.

Sobre os neoparnasianos não há um estudo sistemático, mas podem-se ler com proveito as notações de Agripino Grieco, na *Evolução da Poesia Brasileira* (Rio, Ariel, 1932). A melhor antologia é a de Fernando Góis, *Panorama da Poesia Brasileira, vol. V, O Pré-Modernismo*, Rio, Ed. Civilização Brasileira, 1960.

([195]) Raul de Leoni Ramos (Petrópolis, 1895 — Itaipava, RJ, 1926). Feitos os estudos secundários, viajou para a Europa (trazendo vivas impressões da arte clássica e renascentista). Cursou Direito no Rio de Janeiro, distinguindo-se pela finura de espírito e, caso raro no tempo, pelo amor aos esportes. Apadrinhado por Nilo Peçanha, teve acesso fácil à diplomacia, servindo em Montevidéu e no Vaticano, mas por pouco tempo. Eleito deputado estadual (RJ), não pôde prosseguir na carreira política por motivo de doença. Sabendo-se tísico, retirou-se para Itaipava, no interior do seu Estado, aí falecendo aos trinta e um anos de idade. Obra: *Luz Mediterrânea*, 1922. Cf. Agripino Grieco, *Vivos e Mortos*, Rio, Ariel; Nestor Vítor, *Os de Hoje*, S. Paulo, Cultura Moderna, 1938; Carlos Dante de Morais, *Realidade e Ficção*, Rio, Ministério de Educação e Saúde, 1952; Germano de Novais, *Raul de Leoni*, Porto Alegre, tese universitária, 1956.

Há em *Luz Mediterrânea* a mão do artista capaz de versos soberbos de visualização e de ritmo: o dom da expressão nítida, da palavra dúctil, da imagem plasmada sem rugas nem manchas assistia no jovem poeta. Por isso, seus versos resistem em meio à geral caducidade da poesia neoparnasiana:

Eu era uma alma fácil e macia,
Claro e sereno espelho matinal
Que a paisagem das cousas refletia,
Com a lucidez cantante do cristal.
("Adolescência")

Espírito flexível e elegante,
Ágil, lascivo, plástico, difuso,
Entre as cousas humanas me conduzo
Como um destro ginasta diletante.

Comigo mesmo, único e confuso,
Minha vida é um sofisma espiralante;
Teço lógicas trêfegas e abuso
do Equilíbrio na Dúvida flutuante.

Bailarino dos círculos viciosos,
Faço jogos sutis de idéias no ar
Entre saltos brilhantes e mortais.

Com a mesma petulância singular
Dos grandes acrobatas audaciosos
E dos malabaristas de punhais...
("Mefisto")

O mundo das formas em Raul de Leoni não se arma, porém, sobre o puro vazio do estetismo: anima-o uma contida vibração (que mais sobressai em um temperamento não-romântico) diante da vida que passa, ilusória e fugaz, como sombra de desengano a seguir necessariamente a fruição da beleza terrena.

Convém insistir nesse outro Raul de Leoni, "secreto", que sabe modular em cadências penumbristas o conceito de pensamento como quintessência da vida:

Os sentidos se esfumam, a alma é essência
E entre fugas de sombras transcendentes,
O Pensamento se volatiza.
("A Hora Cinzenta")

Sou mais leve do que a euforia de um anjo,
Mais leve do que a sombra de uma sombra
Refletida no espelho da Ilusão.
. . . .
Alma, o estado divino da matéria...
("De um Fantasma")

Foi essa inflexão simbolista que, avizinhando *animus* e *anima*, luz e sombra, propiciou o aparecimento de seus versos reflexivos, embora nunca abstratos nem didáticos, tal era no poeta a força de ver e de configurar as sensações mais diversas. Não sendo um poeta sentimental, nem por isso se transformou em um "poeta de idéias", pois levava em si o artista que funde o conceito na imagem e o pensamento na palavra em que todo se compraz.

Eis como "define" a Vida:

> Viste que a Vida é uma aparência vaga
> E todo o imenso sonho que semeias,
> Uma legenda de ouro, distraída,
> Que a ironia das águas lê e apaga,
> Na memória volúvel das areias!...
>
> ("*Et omnia vanitas*")

Falando da Verdade:

> Foi a sombra de um vôo refletida
> No espelho da água trêmula de um rio...
> Sombra de um vôo na água trêmula: Verdade!
>
> ("Ao menos uma vez em toda a vida")

Ou das idéias:

> São as sombras das cousas flutuando
> No espelho móvel do teu pensamento!
>
> ("Do Meu Evangelho")

A luz mediterrânea de Raul de Leoni recortara com nitidez os contornos da paisagem, mas seu crepúsculo abria caminho às sombras da intimidade.

Nos fragmentos em prosa que deixou esse leitor assíduo de Valéry, é possível rastrear uma atitude cética ante o fluxo do pensamento e do ser:

> Afinal, tudo o que se disser sobre as coisas pode ser verdade. Preferimos sempre a filosofia do nosso temperamento. As filosofias são os diferentes climas do espírito. A Ironia, se não é a mais razoável de todas as filosofias, é pelo menos a mais cômoda, a mais elegante e a menos ridícula.

Não é de estranhar que no seu relativismo haja entendido com invulgar lucidez o movimento modernista, articulando-o com o espírito dos novos tempos. Vale a pena reproduzir estas linhas de um artigo seu, a propósito das correntes estéticas revolucionárias:

> A ciência moderna, provocando uma espantosa aceleração de todos os ritmos da vida exterior, criou, logicamente, para o homem uma necessidade de síntese extrema de todos os movimentos e operações do seu mundo psíquico. Obrigado a viver mais depressa, ele teve de sentir, de pensar e de agir mais depressa, e, em conseqüência, de dar uma expressão mais rápida ao que sente, ao que pensa, ao que

faz, ao que vive. Sua arte, para ser uma coisa viva, *deverá portanto ser extremamente sintética, intensa, dinâmica, livre, consistindo, quase, em pura sugestão,* em que se condense, no recorte de uma imagem, todo um mundo de idéias associadas. Economia de formas; Arte de um homem que não pode perder tempo interior...

Raul de Leoni, poeta de formas antigas, era inteligência ousadamente moderna.

TEATRO

A comédia de costumes que desde Martins Pena e Macedo vinha espelhando alguns estratos da sociedade brasileira, especialmente os que convergiam para a Corte, continua, durante o Realismo, a atrair o interesse do público, apesar da concorrência do *vaudeville parisiense* e da ópera italiana, ambos em plena voga na segunda metade do século.

O nome de **Artur Azevedo** (196) impõe-se então como o do continuador ideal de Martins Pena. Já o vimos saboroso poeta humorístico, mas ele mesmo declarava que os melhores versos que escrevera estavam espalhados em suas quase duzentas *revistas.* Metido na vida teatral desde a adolescência, Artur Azevedo conseguiu que fossem levadas à cena suas primeiras comédias como *Amor por Anexins* e *Horas de Humor.* O êxito fácil destas contribuiu para marcar os limites da sua criação, nivelando-a com o gosto do público médio; em contrapartida, desenvolveu-lhe os dotes de comunicabilidade, o que é quase tudo para um comediógrafo.

Para a história do nosso teatro, não só como texto, mas principalmente como uma estrutura complexa que abrange fatores vários, desde o substrato

---

(196) ARTUR NABANTINO GONÇALVES DE AZEVEDO (São Luís do Maranhão, 1855 — Rio de Janeiro, 1908). Irmão de Aluísio Azevedo, precedeu este na transferência para a Corte, onde se dedicou ao jornalismo e sobretudo ao teatro, de que foi o maior animador em sua época. Pouco antes de falecer foi nomeado diretor do Teatro da Exposição Nacional, cargo de que se valeu para divulgar comediógrafos brasileiros do Romantismo. Além de peças, escreveu crônicas e contos humorísticos. Obra teatral: *Amor por Anexins*, s. d. (1872?); *Horas de Humor*, 1876; *A Pele do Lobo*, 1877; *A Jóia*, s. d.; *A Princesa dos Cajueiros*, 1880; *O Liberato*, 1881; *A Mascote na Roça*, 1882; *A Almanjarra*, 1888; *O Tribofe*, 1892; *Revelação de Um Segredo*, 1895; *O Major*, 1895; *A Fantasia*, 1896; *A Capital Federal*, 1897; *Confidências*, 1898; *O Jagunço*, 1898; *O Badejo*, s. d.; *Gavroche*, 1899; *A Viúva Clark*, 1900; *Comeu!*, 1902; *A Fonte Castália*, 1904; *O Dote*, 1907; *O Oráculo*, 1907. Obs.: A partir de 1955, vêm sendo publicadas peças inéditas de Artur Azevedo pelos Cadernos da *Revista* da SBAT (Sociedade Brasileira de Amigos do Teatro). Contos: *Contos Fora da Moda*, 1894; *Contos Efêmeros*, 1897; *Contos Possíveis*, 1908. Consultar: R. Magalhães Jr., *Artur Azevedo e Sua Época*, Rio, 1953; Josué Montello, *Artur Azevedo e a Arte do Conto*, Rio, Livr. S. José, 1956.

material da empresa até problemas de encenação e de interpretação, o papel de Artur Azevedo foi relevante: basta dizer que escreveu e fez representar comédias suas e alheias de 1873 até às vésperas de sua morte, ocorrida em 1908.

Quando o escritor maranhense encetou a sua carreira, o teatro pós-romântico exibia os *dramas de casaca*, assim chamados por mostrarem no palco a vida burguesa da época e não mais os quadros históricos que a tradição clássica e, depois, romântica, tinha privilegiado. Mas, graças à ação do novo Ginásio Dramático, fundado em 1855, a esses dramas vieram acrescentar-se peças, já romântico-realistas, vindas de Paris e assinadas por Dumas Filho, Scribe, Augier, Sardou: assim, *A Dama das Camélias*, que tanto êxito alcançara, estréia no Rio aos 7 de fevereiro de 1856, apenas quatro anos depois da sua apresentação em Paris.

Artur Azevedo tentou inserir-se nessa corrente dramática escrevendo "teatro sério", algumas peças em verso que, segundo o seu próprio testemunho, não resistiram ao teste da representação. Ao contrário, enveredando pelos gêneros ligeiros da revista política e da bambochata, e parodiando dramas franceses em voga, atingiu o supremo alvo, o aplauso do público, que não mais lhe foi regateado. Assim, quando um jornalista ranzinza o acusou de acelerar a "decadência" do teatro brasileiro com as suas revistas e paródias, defendeu-se em termos que valem como um atestado da interação autor-sociedade na história da cena brasileira:

> Quando aqui cheguei do Maranhão, em 1873, aos 18 anos de idade, já tinha sido representada centenas de vezes no Teatro S. Luís, *A Baronesa de Caiapós*, paródia d'*A Grã-Duquesa de Gerolstein*. Todo o Rio de Janeiro foi ver a peça, inclusive o imperador, que assistiu, dizem, a umas vinte representações consecutivas...
>
> Quando aqui cheguei, já tinham sido representadas com grande êxito duas paródias do *Barbe-Bleu*, uma, o *Barba de Milho*, assinada por Augusto de Castro, comediógrafo considerado, e outra, o *Traga-Moças*, por Joaquim Serra, um dos mestres do nosso jornalismo.
>
> Quando aqui cheguei, já o Vasques tinha feito representar, na Fênix, o *Orfeu na Roça*, que era a paródia do *Orphée aux Enfers*, exibida mais de cem vezes na Rua da Ajuda.
>
> Quando aqui cheguei, já o mestre que mais prezo entre os literatos brasileiros, passados e presentes, havia colaborado, embora anonimamente, nas *Cenas da Vida do Rio de Janeiro*, espirituosa paródia d'*A Dama das Camélias*.
>
> Antes da *Filha de Maria Angu* apareceram nos nossos palcos aquelas e outras paródias, como fossem *Faustino*, *Fausto Júnior*, *Geralda Geraldina* e outras, muitas outras, cujos títulos não me ocorrem.
>
> Já vê o Sr. Cardoso da Mota que não fui o primeiro.
>
> Escrevi *A Filha de Maria Angu*, por desfastio, sem intenção de exibi-la em nenhum teatro. Depois de pronta mostrei-a a Visconti Coaracy, e este pediu-me que

lha confiasse, e por sua alta recreação leu-a a dois empresários, que disputaram ambos o manuscrito. Venceu Jacinto Heller, que a pôs em cena. O público não foi da opinião do Sr. Cardoso da Mota, isto é, não a achou desgraciosa; aplaudiu-a cem vezes seguidas, e eu, que não tinha nenhuma veleidade de autor dramático, embolsei alguns contos de réis que nenhum mal fizeram nem a mim nem à Arte.

Pobre, paupérrimo, e com encargos de família, tinha o meu destino naturalmente traçado pelo êxito da peça; entretanto, procurei fugir-lhe. Escrevi uma comédia literária, *A Almanjarra*, em que não havia monólogos nem apartes, e essa comédia esperou catorze anos para ser representada; escrevi uma comédia em 3 atos, em verso, *A Jóia*, e, para que tivesse as honras da representação, fui coagido a desistir dos meus direitos de autor; mais tarde escrevi um drama com Urbano Duarte, e esse drama foi proibido pelo Conservatório; tentei introduzir Molière no nosso teatro: trasladei *A Escola dos Maridos* em redondilha portuguesa, e a peça foi representada apenas onze vezes. Ultimamente a empresa do Recreio, quando, obedecendo a um singular capricho, desejava ver o teatro vazio, anunciava uma representação da minha comédia em verso, *O Badejo*. O meu último trabalho, *O Retrato a Óleo*, foi representado meia dúzia de vezes. Alguns críticos trataram-me como se eu houvesse cometido um crime; um deles afirmou que eu insultara a família brasileira!

Em resumo: todas as vezes que tentei fazer teatro sério, em paga só recebi censuras, apodos, injustiças e tudo isto a seco; ao passo que, enveredado pela bambochata, não me faltaram nunca elogios, festas, aplausos, proventos. Relevem-me citar esta última fórmula de glória, mas — que diabo! — ela é essencial para um pai de família que vive da sua pena.

Não, meu caro Sr. Cardoso da Mota, não fui eu o causador da *débacle*: não fiz mais do que plantar e colher os únicos frutos de que era susceptível o terreno que encontrei preparado ([197]).

Pouco antes de Artur Azevedo, escreveu França Júnior (1839-1890) algumas comédias cheias de verve, mas presas à mentalidade saudosista do fluminense que não vê com bons olhos o progresso dos costumes burgueses na Corte e procura em tudo o lado ridículo para chamar junto a si o bom senso do público.

As cenas das suas comédias exploram patuscamente vários tipos do Brasil Imperial: o fazendeiro paulista, o comerciante português, o político loquaz e matreiro, o imigrante espertalhão. Em *As Doutoras*, aborda o tema do feminismo, mas não foge ao tom convencional que a matéria inspirava às rodas conservadoras.

França Jr. terá deixado o melhor de si não ao teatro, mas à crônica jornalística dos *Folhetins* que evocam o Rio dos meados do século.

([197]) *Apud* J. Galante de Sousa, *O Teatro no Brasil*, 2ª ed., Rio, Ed. de Ouro, 1968, pp. 276-278. O artigo foi publicado em *O País*, Rio, 16 de setembro de 1904, sob o título de “Em Defesa”.

Machado de Assis ([198])

Das primeiras comédias de Machado disse Quintino Bocaiúva ao próprio autor que lhe pedira um parecer franco: "são para serem lidas e não representadas" ([199]). Era opinião sensata que o tempo confirmou, pois, fora dos salões onde estrearam, as peças do nosso maior romancista quase não voltariam a recitar-se.

No entanto, Machado sempre amou o teatro, foi censor e crítico inteligente durante longos anos e deu à cena suas primeiras produções empenhadas: a comédia *Hoje Avental, Amanhã Luva* e a "fantasia dramática" *Desencantos*, escritas quando ele mal contava vinte e um anos de idade.

A precocidade da experiência, se deu ao futuro narrador um bom manejo do diálogo, foi nociva ao dramaturgo que cedo se viu preso a esquemas de convenção mundana e semi-romântica, só de raro em raro superados nas melhores comédias, *Quase Ministro* e *Os Deuses de Casaca*. O desvencilhamento que se opera nessas obras deve-se, porém, antes à finura do observador dos costumes políticos que a uma possível evolução formal do escritor dramático.

O Machado das primeiras comédias, *Desencantos* e *O Caminho da Porta*, "modeladas ao gosto dos provérbios franceses" (Q. Bocaiúva), traz de original para a época (estamos ainda em 1860!) o gosto de opor, nos episódios amorosos, o cálculo feminino ao sentimento. O processo, como já vimos, iria marcar os seus primeiros romances e guarda sempre valor de índice psicológico para a biografia espiritual de um homem em busca de uma ética que fosse capaz de justificá-lo do afastamento das suas origens. Em ambas as peças vence ainda certo moralismo romântico e pune-se a mulher "realista" para glória das personagens apaixonadas e sonhadoras. Também a ameaça de um adultério, tema caro aos "dramas de casaca", é conjurada a tempo em *O Protocolo*, e tudo se resolve em tiradas sentenciosas, mas que, no conjunto, revelam o observador

---

([198]) Cronologia do teatro machadiano: 1860 — *Hoje Avental, Amanhã Luva*, "comédia imitada do francês"; 1861 — *Desencantos*; 1863 — *O Caminho da Porta*; 1863 — *O Protocolo*; 1864 — *Quase Ministro*; 1866 — *Os Deuses de Casaca*; 1870 — *Uma Ode de Anacreonte* (versos incluídos nas *Falenas*); 1878 — O *Bote de Rapé* (incl. em *Contos Sem Data*); 1878 — *Antes da Missa*, conversa de duas damas, em um ato (incl. em *Páginas Recolhidas*); 1880 — *Tu, Só Tu, Puro Amor*; 1896 — *Não Consultes Médico*; 1906 — *Lição de Botânica*; 1865? — *As Forcas Caudinas* (incl. nos *Contos Sem Data*). Consultar: Décio de Almeida Prado, "A Evolução da Literatura Dramática", em *A Literatura no Brasil*, *cit.*, vol. II; Joel Pontes, *Machado de Assis e O Teatro*, Rio, Serviço Nacional do Teatro, 1960; Sábato Magaldi, *Panorama do Teatro Brasileiro*, S. Paulo, Difusão Européia do Livro, 1962.

([199]) Em "Carta ao Autor", preposta à ed. de *Teatro* (*O Caminho da Porta* e *O Protocolo*), Rio, Tipografia do *Diário do Rio de Janeiro*, 1863.

atento da família burguesa do II Império já em fase de plena e bem composta sociabilidade. E é instrutivo observar em todas essas comédias alusões irônicas ao novo estilo econômico do regime: fala-se em *agiotas* para contrapô-los aos *românticos*, e em *políticos* para contrapô-los aos homens de coração puro, exatamente como o fazia José de Alencar nos romances urbanos do mesmo período.

Os bastidores da vida política são o objeto da comédia *Quase Ministro*, elenco divertido de tipos parasitários que se apressam a cumprimentar o futuro ministro, propondo-lhe plano, inventos e poemas, e com a mesma presteza viram-lhe as costas ao sabê-lo fora do cargo. Parece-me esta a mais legível e, talvez, a única representável dentre as peças mencionadas.

A comédia *Os Deuses de Casaca* é prova cabal do caráter literário de Machado dramaturgo. Foi escrita em alexandrinos rimados e, pelo prefácio, datado de 1866, depreende-se que o autor dava um peso especial a essa experiência métrica, incluindo-se entre os seus pioneiros na história da nossa poesia (200). Mas a obra vale por algo mais. É uma espécie de paródia dos épicos concílios dos deuses, agora forçados a descer do Olimpo onde vegetam esquecidos e a vestir a casaca burguesa em plena corte do Rio de Janeiro. Apolo, não querendo sujeitar-se ao gosto vil do público, será crítico literário; Marte, decaído herói de guerra, vê no triunfo do papel um signo dos novos tempos e resolve fundar um jornal político, tendo Mercúrio, correio olímpico, como o homem "da intriga e do recado"; ao talento multiforme de Proteu não resta senão ser deputado ("Vermelho de manhã, sou de tarde amarelo. / Se convier, sou bigorna, e se não, sou martelo"); enfim, a Júpiter caberá, como de direito, o melhor quinhão: será banqueiro.

Pretexto também literário é *Tu Só Tu, Puro Amor*, episódio da vida de Camões, composto por ocasião das festas organizadas no Rio no tricentenário da morte do poeta (1880).

As últimas comédias, *Não Consultes Médico* e *Lição de Botânica*, voltam ao clima sentimental das primeiras, embora lhes sejam superiores pela maior correnteza dos diálogos e no corte das cenas. Confrontadas, porém, com os

---

(200) "O autor fez falar os seus deuses em versos alexandrinos: era o mais próprio. Tem este verso alexandrino seus adversários, mesmo entre os homens de gosto, mas é de crer que venha a ser finalmente estimado e cultivado por todas as musas brasileiras e portuguesas. Será essa a vitória dos esforços empregados pelo ilustre autor das "Epístolas à Imperatriz", que tão paciente e luzidamente tem naturalizado o verso alexandrino na língua de Garrett e de Gonzaga. O autor teve a fortuna de ver os seus "Versos a Corina", escritos naquela forma, bem recebidos pelos entendedores.

"Se os alexandrinos desta comédia tiverem igual fortuna, será essa a verdadeira recompensa para quem procura empregar nos seus trabalhos a consciência e a meditação" (*Teatro*, Rio, Jackson Ed., 1955, p. 187).

romances e os contos que Machado já escrevera a esta altura, só se entendem como *divertissements*.

QORPO-SANTO, UM CORPO ESTRANHO (*)

A nossa história literária comove-se de quando em quando com uma boa surpresa. Depois de cem anos de esquecimento descobriu-se o originalíssimo dramaturgo gaúcho José Joaquim de Campos Leão, que a si mesmo se alcunhava Qorpo-Santo.

Suas comédias, lidas tanto tempo depois de escritas, beneficiaram-se de uma perspectiva moderna: o olho crítico, já treinado em Pirandello, em Jarry, em Ionesco, vê *nonsense* e absurdo como fenômenos ideológicos e estéticos válidos em si, além de testemunhos de resistência à lógica da dominação burguesa. E o aspecto descosido daquelas comédias, o efeito de delírio que às vezes produzem, a força do instinto que nelas urge, enfim o desmantelo do quadro familiar decoroso do Segundo Império que nelas se vê, tudo se presta a uma leitura radical no sentido de atribuir a Qorpo-Santo uma ideologia, ou melhor, uma contra-ideologia, corrosiva, se não subversiva dos valores cor-

---

(*) Qorpo-Santo, pseudônimo de José Joaquim de Campos Leão (Vila do Triunfo, então Província de São Pedro, 1829 — Porto Alegre, 1883). Órfão de pai aos onze anos, foi estudar em P. Alegre. Exerceu o cargo de professor primário em escolas públicas fixando-se, por último, na capital da província. A partir de 1862 as autoridades escolares passaram a suspeitar da sua sanidade mental submetendo-o a mais de uma internação, até que em 1868 foi julgado inapto não só para lecionar como para gerir família e bens. Não se conformando com o interdito, protestou com veemência no jornal que ele mesmo fundara, *A Justiça*. Já então redigia a sua compósita e desnorteante *Enciclopédia ou Seis Meses de uma Enfermidade*, em nove tomos dos quais se conhecem, até o presente, o I, o II, o IV, o VII, o VIII e o IX. Editou-a em 1877 em tipografia própria. O IV volume contém as suas comédias, todas brevíssimas, e compostas em 1866: *Mateus e Mateusa*, *As Relações Naturais*, *Hoje sou um; e amanhã outro*, *Eu sou vida: eu não sou morte*, *A separação de dois esposos*, *O marido extremoso ou o pai cuidadoso*, *Um credor da Fazenda Nacional*, *Certa entidade em busca de outra*, *Uma pitada de rapé*, *Um assovio*, *Lanterna de fogo*, *Um parto*, *O hóspede atrevido ou o brilhante escondido*, *A impossibilidade da santificação ou a santificação transformada*, *O Marinheiro escritor*, *Duas páginas em branco*, *Dous irmãos*. Consultar: Aníbal Damasceno Ferreira, "Qorpo-Santo e a singularidade", *in Correio do Povo*, de P. Alegre, 21-2-68. (A este estudioso cabe a prioridade na série dos descobridores de Qorpo-Santo); Yan Michalski, "O sensacional Qorpo-Santo", *in Jornal do Brasil*, 8-2-68; Luís Carlos Maciel, "[illegible]o' Qorpo-Santo", *in Correio da Manhã*, 26-5-68; Guilhermino César, Introdução [illegible]*lações Naturais e Outras Comédias*, P. Alegre, Universidade Federal do R. [illegible]l, 1969; Flávio Aguiar, *Os Homens Precários*, P. Alegre, A Nação, 1975.

rentes no teatro brasileiro do tempo. O dado biográfico tem também seu poder de ressonância: a marginalização do homem interdito na provinciana Porto Alegre do fim do século XIX empresta-lhe uma aura extremamente simpática em tempos de contracultura.

Ao lado dessa interpretação, que acentua o significado de ruptura com os padrões da época, os melhores críticos de Qorpo-Santo lembram as potencialidades da forma-comédia e especialmente da farsa e da pantomima que sempre se aliaram à sátira dos costumes e à paródia dos estilos. No autor de *Enciclopédia* sátira e paródia concorrem para produzir um efeito ambíguo, na medida em que a agressão da palavra ou do gesto não se separa de uma pungente obsessão moralista cujo centro é o instinto ao mesmo tempo sancionado e regrado pela instituição do matrimônio. A "loucura" e o *nonsense* de Qorpo-Santo devem, pois, ser historicizados à luz do contexto familiar do século XIX e, mais largamente, à luz dos conflitos entre o capricho individual e a conduta instituída; conflito de que a farsa é expressão e válvula de escape.

Como na comédia antiga, a linguagem cá e lá desabusada faz contraponto necessário com as notações tradicionalistas. Mas em Qorpo-Santo, a série veloz das falas e o truncado das cenas deixam conviver mais intensamente os opostos do *Id* e da censura; misturam-se o cômico e a sublimação retórica num andamento estranho que beira a vertigem e o caos (*). E essa não é a menor das razões por que estamos hoje mais abertos à voz de Qorpo-Santo do que os seus contemporâneos.

A CONSCIÊNCIA HISTÓRICA E CRÍTICA

Os anos de 70 trouxeram a viragem anti-romântica que se definiu em todos os níveis. Chamou-se realista e depois naturalista na ficção, parnasiana na poesia, positiva e materialista em filosofia. Com Tobias Barreto e a Escola de Recife (v.), toma forma um ideário que sobreviveria até os princípios do século XX. É toda uma geração que começa a escrever por volta de 1875-80 e a afirmar o novo espírito crítico, aplicando-o às várias faces da nossa realidade: Capistrano de Abreu no trato da História; Sílvio Romero, cobrindo com sua fortíssima paixão intelectual a teoria da cultura, as letras, a etnografia e o folclore; Araripe Jr. e José Veríssimo, voltados de modo intensivo para a crítica; Clóvis Bevilacqua, Lafayette Rodrigues Pereira e Pedro Lessa, juristas de sólida doutrina e gosto pelo fenômeno literário; Miguel Lemos e Teixeira Freitas, apóstolos do Positivismo sentido como "religião da Humanidade"; enfim, Joaquim Nabuco (v.) e Rui Barbosa, que exprimiram superiormente a

(*) Leia-se a brilhante análise das comédias de Qorpo-Santo em *Os Homens Precários*, de Flávio Aguiar, *cit*.

vida social brasileira dos fins do século passado e dela participaram não só como escritores, mas também como grandes homens públicos de estirpe liberal.

Crescidos também nessa cultura, João Ribeiro, Euclides da Cunha, Alberto Torres, Oliveira Viana e Manuel Bonfim souberam, porém, transcendê-la em certos aspectos, motivo por que é preferível estudá-los imediatamente antes dos modernistas.

Nenhum deles foi alheio à literatura no sentido amplo do termo. Todos contribuíram para fixar uma prosa mais direta, menos pesada e enfática do que a que se depara nos eruditos românticos como Varnhagen, Pereira da Silva ou Melo de Morais Filho. Por outro lado, aprofundam o esforço desses, depurando-lhes os resultados graças à aplicação de métodos mais precisos e fazendo ceder os mitos indianistas e patrioteiros a golpes do "espírito positivo".

Capistrano de Abreu

Ainda muito jovem, Capistrano de Abreu (201) esboçou uma teoria da literatura nacional em termos puramente taineanos: do *clima*, do *solo* e da *mes-*

---

(201) João Capistrano de Abreu (Maranguape, Ceará, 1853 — Rio, 1927). Terminados os estudos secundários em Fortaleza, Capistrano partiu para o Recife para fazer os preparatórios ao curso de Direito. Aluno irregular e leitor de matérias extracurriculares, não obteve êxito nos exames e voltou para a sua província. Aí se dedica à crítica literária e funda com Rocha Lima, Araripe Jr. e outros jovens precoces a *Academia Francesa*, órgão de cultura e debates, progressista e anticlerical, que durou de 1872 a 1875 e que, ressalvadas as proporções, exerceu no Ceará uma função paralela à da "Escola do Recife" de Tobias, Sílvio e Bevilacqua. Já senhor de uma sólida cultura humanística, em grande parte autodidática, orienta-a para o determinismo, postura que conservaria até a morte. Em 1875 vai para o Rio, onde ocupará o cargo de oficial da Biblioteca Nacional e, por concurso, a cadeira de História do Brasil no Colégio Pedro II, com uma tese, depois clássica, sobre a não-casualidade do descobrimento do Brasil pelos portugueses. Dedica-se absorventemente à pesquisa estudando anos a fio a nossa história colonial. Ficou matéria de anedotário a negligência e distração com que se portava na vida prática. Obras: *O Descobrimento do Brasil e Seu Desenvolvimento no Século XVI*, 1883; *Fr. Vicente do Salvador*, 1887; *Capítulos de História Colonial*, 1907; *A Língua dos Caxinauás*, 1914. Publicados depois de sua morte: *Caminhos Antigos e Povoamento do Brasil*, 1930; *Ensaios e Estudos* (*Crítica e História*), 1ª série, 1931; 2ª série, 1932; 3ª série, 1938. *Correspondência* (org. e prefácio de José Honório Rodrigues), 1º vol., 1954; 2º vol., 1954; 3º vol., 1956. Consultar: Pinto do Carmo, *Bibliografia de Capistrano de Abreu*, Rio, I. N. L., 1942; José Pedro Gomes de Matos, *Capistrano de Abreu. Vida e Obra do Grande Historiador*, Fortaleza, A. Batista Fontenelle, 1953; Hélio Viana, *Capistrano de Abreu. Ensaio Biobibliográfico*, Rio, Ministério da Educação, 1955; Afrânio Coutinho, *Euclides, Capistrano e Araripe*, Rio, MEC, 1959; José Honório Rodrigues, *A Pesquisa Histórica no Brasil*, Rio, Depto. de Imprensa Nacional, 1952.

tiçagem adviriam os traços negativos do homem brasileiro, a indolência, a labilidade nervosa, a exaltação súbita mas efêmera, presentes, segundo ele, nos vários momentos da nossa poesia.

Lendo avidamente Buckle e Taine, os mais influentes historiadores da época, o nosso erudito cearense introjetava, sem o perceber, uma série de clichês pessimistas em relação ao homem dos trópicos que o colonialismo europeu disseminara na cultura ocidental, invertendo o mito do bom selvagem, outrora caro e útil aos pré-românticos na luta contra as hierarquias do *ancien régime*. Essa visão negativa do homem tropical e especialmente do mestiço passava então por *científica* e *realista* e permaneceu na abordagem do caráter brasileiro até o quartel de entrada do século XX, transmitindo-se quase incólume nas obras de Sílvio Romero, José Veríssimo, Nina Rodrigues, Euclides da Cunha, Oliveira Viana e Paulo Prado. Só o esforço crítico da Antropologia e da Sociologia dos anos de 1930, com Artur Ramos, Roquette Pinto, Gilberto Freyre e Sérgio Buarque de Holanda, para citar apenas os mais relevantes, faria uma revisão desses pressupostos (202).

Revelando numa carta a Veríssimo um momento capital para o desencadear-se de sua vocação, escreveu Capistrano: "Pensei em consagrar-me à História do Brasil, resultado de uma leitura febricitante de Taine e Buckle e da viagem de Agassiz feita ainda no Ceará..." E manteve-se fiel aos critérios historiográficos que o inspiraram nos estudos de estréia: foi exato até os últimos escrúpulos na pesquisa e datação das fontes, positivista na concepção do *fato* histórico e determinista na explicação deste como produto de fatores transindividuais: ambiente e herança racial.

Do ponto de vista ideológico procurou ser neutro, como convinha ao ideal do cientista puro do tempo; mas sendo isso possível apenas em teoria, caiu-lhe por vezes a máscara da abstrata isenção entrevendo-se nesse pacato materialista e ateu simpatias pelo centro conservador. Leia-se, por exemplo, o que disse a propósito do Duque de Caxias atacado pelos liberais na crise de 1868, ou o passo em que narra as manobras da ala radical em face de Luís XVI (ambos os escritos acham-se em *Ensaios e Estudos*, 2ª série), ou, enfim, recorde-se a sua famosa ojeriza por Tiradentes e pelos membros jacobinos da Revolução Pernambucana de 1817.

Mas, sendo antes um homem curioso do Brasil colonial que espírito amante de abstrações, Capistrano pouco se perde como teórico. São palavras suas: "No Brasil não precisamos de História, precisamos de documentos." De onde,

---

(202) Ver Dante Moreira Leite, *O Caráter Nacional Brasileiro, História de Uma Ideologia*, 2ª ed., S. Paulo, Pioneira, 1969. Trata-se de uma crítica sistemática e lúcida às várias tentativas de interpretar o nosso povo à luz de categorias psicológicas. Para o tópico em questão, cf. o capítulo XX, "Realismo e Pessimismo".

a utilidade funcional das suas monografias nas quais, além da paciente reconstrução do passado, se louva o mérito de uma prosa limpa e serena.

Entre os frutos da sua operosidade contam-se algumas excelentes edições de textos coloniais que incorporou de vez às letras históricas: a obra magistral de Fr. Vicente do Salvador, *História do Brasil*, que anotou profusamente; os tratados de Fernão Cardim e Magalhães Gândavo e os *Documentos Relativos à Visitação do Santo Ofício à Bahia e a Pernambuco*. Além disso, desvendou, com a ajuda de Rodolfo Garcia, a autoria dos *Diálogos das Grandezas do Brasil*, de Ambrósio Fernandes Brandão, que se atribuía a Bento Teixeira, o poeta da *Prosopopéia*; e com igual argúcia se houve em relação ao saboroso *Cultura e Opulência do Brasil*, cujo autor, o jesuíta João Antônio Andreoni, se ocultara sob os pseudônimos de Antonil e Anônimo Toscano.

Sílvio Romero

O gosto da pesquisa e da mais variada leitura também o tinha Sílvio Romero (203); mas, ao contrário do cearense, o crítico sergipano amava apaixonadamente as idéias gerais e não fazia história do documento isolado senão para ilustrar as grandes leis étnicas e sociais que aprendera junto a seus mestres deterministas.

---

(203) Sílvio Vasconcelos das Silveira Ramos Romero (Lagarto, Sergipe, 1851 — Rio, 1914). Passou a infância na província natal, fez os estudos secundários no Rio e Direito em Recife (1868-1873). No período acadêmico, sensível à viragem da época, combateu os resquícios do Romantismo sentimental, fez-se evolucionista e, em política, ardente liberal. Data dessa fase o conhecimento de Tobias Barreto em quem viu sempre o maior renovador do pensamento brasileiro. *Os Cantos do Fim do Século*, de 1878, "poesia científica", traduzem em versos infelizes os entusiasmos do neófito em face das últimas doutrinas. Fixando-se no Rio, dedicou-se ao magistério, lecionando Filosofia no Colégio Pedro II e na Faculdade de Direito. Proclamada a República, ingressou na política elegendo-se deputado por Sergipe. Deu ao prelo ininterruptamente, de 1878 a 1914, mais de meia centena de escritos, entre livros, opúsculos e prefácios, fruto de suas pesquisas e das polêmicas a que seu temperamento fogoso amiúde o impelia. Tiveram-no por desabrido opositor Teófilo Braga, José Veríssimo, Lafayette Rodrigues Pereira e Laudelino Freire. Obras principais: *A Filosofia no Brasil*, 1878; *A Literatura Brasileira e a Crítica Moderna*, 1880; *O Naturalismo na Literatura*, 1882; *Cantos Populares do Brasil*, 1883; *Estudos sobre a Poesia Popular no Brasil*, 1888; *História da Literatura Brasileira*, 1888 (3ª ed., 5 volumes, organizada por Nelson Romero, Rio, José Olympio, 1943); *Doutrina Contra Doutrina. O Evolucionismo e o Positivismo na República do Brasil*, 1ª série, 1894; *Machado de Assis*, 1897; *Ensaios de Sociologia e Literatura*, 1901; *Martins Pena*, 1901; *Compêndio de História da Literatura Brasileira* (em colab. com João Ribeiro), 1906; *A América Latina*, 1906; *O Brasil Social*, 1907; *Zeverissimações Ineptas da Crítica*, 1909; "Da Crítica e Sua Exata Definição", *in Revista Americana*, Ano I, nº 2, nov. de 1909; *Provocações e Debates*, 1910; *Minhas Contradições*, 1914.

Sílvio Romero é a consciência ativa e vigilante da Escola do Recife que ele não cessaria de sustentar em um sem-número de artigos e polêmicas, como um ponto de honra pessoal... Na *História da Literatura Brasileira*, as generalidades, quando muito brilhantes, de Tobias Barreto fazem-se temas fecundos de exegese e critérios de apreciação literária. Hoje podem-se deplorar os limites estéticos a que o conduziram esses caminhos: quem não viu a superioridade de Castro Alves sobre Tobias, ou não percebeu toda a força crítica de Machado de Assis por certo havia de estar obnubilado por apriorismos letais. Mas é forçoso reconhecer a outra face da moeda, isto é, o apaixonado labor histórico e crítico de Sílvio que, durante mais de quarenta anos de publicações, vincou fundamente a cultura realista e nos deu bases sólidas para construir uma história literária entendida como *expressão das raças, das classes e das vicissitudes do povo brasileiro*.

As linhas de força do pensamento romeriano no que toca às letras brasileiras podem resumir-se nas seguintes premissas:

a) a literatura — como as demais artes e o folclore — exprime diretamente fatores naturais e sociais: o clima, o solo, as raças e seu processo de mestiçagem (*determinismo bio-sociológico*);

b) a seqüência dos fatos na História ilustra a interação dos fatores mencionados; mas ela não é cega, tem um sentido: o progresso da Humanidade (*evolucionismo*);

c) a melhor crítica literária será, portanto, genética e não formalista. Os critérios de juízo darão valor ao poder, que a obra deve possuir, de espelhar o meio, e não a seus caracteres de estilo (*crítica externa* vs. *crítica retórica*).

O enfoque de Romero foi, assim, o primeiro passo decisivo para uma crítica sociológica de estreita observância. Rejeitando as teses românticas e indianistas por subjetivas (Magalhães, Alencar) e os resíduos de uma leitura acadêmica (Sotero dos Reis), Sílvio propôs vigorosamente uma abordagem da obra em função das realidades antropológicas e sociais, vistas como *fatos* primeiros e inarredáveis.

Por outro lado, ignorando Hegel, Engels e Marx (aliás subestimados pela filosofia francesa e, mesmo, alemã dos meados do século), Sílvio estava jun-

---

Consultar: Araripe Jr., "Sílvio Romero polemista", *in Revista Brasileira*, 1898-99, transcrito em Araripe Jr., *Teoria Crítica e História Literária*, Rio, LTC, 1978; Labieno (Lafayete Rodrigues Pereira), *Vindiciae*, Rio, Livr. Cruz Coutinho, 1899 (3ª ed., José Olympio, 1940); Clóvis Bevilacqua, *Sílvio Romero*, Lisboa, A Editora, 1905; José Veríssimo, *Estudos de Literatura Brasileira*, 6ª série, Rio, 1907; Carlos Süssekind de Mendonça, *Sílvio Romero. Sua Formação Intelectual* (1851-1880), S. Paulo, Cia. Ed. Nac., 1938; Sílvio Rabelo, *Itinerário de Sílvio Romero*, Rio, José Olympio, 1944; Antônio Cândido, *O Método Crítico de Sílvio Romero*, Fac. de Filosofia, Ciências e Letras da Universidade de S. Paulo, Boletim nº 266, 1963; Luís Washington Vita, *Tríptico de Idéias*, S. Paulo, Grijalbo, 1967; S. Romero, *Teoria, Crítica e História Literária*, seleção e apresentação de Antônio Cândido, Rio, LTC, 1978.

gido a uma visão analítica e parcelarizadora dos fenômenos espirituais: faltava-lhe uma concepção totalizante e dialética da cultura que lhe teria permitido lançar as necessárias pontes entre aqueles "fatos" brutos da ciência e a estrutura complexa, altamente diferenciada, da obra literária.

O que o determinismo de Taine oferecia como forma de mediação entre aqueles "fatos" e a obra era uma psicologia dos autores, bastante genérica aliás, e reduzida à análise dos temperamentos e à sondagem da *faculdade dominante*: imaginação, sensibilidade, inteligência. Mas Romero, embora falasse do indivíduo como núcleo indispensável da criação, pouco se valeu dessa possibilidade de matizar as relações entre os fatores externos e os internos do processo artístico.

Nas suas páginas sobre folclore ([204]) são as raças e a mestiçagem que determinam em última instância a natureza dos gêneros e o conteúdo dos exemplos colhidos. E se na obra capital, a *História da Literatura Brasileira*, amplia a faixa dos componentes genéticos da literatura, somando aos hereditários os mesológicos e propriamente culturais (Livro I), pouco avança no sentido de ver por dentro a temática ou a linguagem das obras tomadas em si mesmas.

Dentro dos seus limites, porém, a *História* permanece a primeira visão orgânica das nossas letras. Sílvio procedeu a um levantamento exaustivo de tudo o que se escrevera até então no Brasil, incluindo matérias afastadíssimas do que o consenso geral entende por arte literária: livros de Geologia, de Botânica, de Medicina, de Direito... O seu conceito elástico de arte como expressão indiscriminada das energias mentais de um povo não lhe permitia grandes escrúpulos de ordem estética; o que, afinal, redundou em bem para a formação da consciência do nosso passado espiritual visto como um todo fortemente preso às estruturas materiais.

Hoje os cânones evolucionistas já estão em crise ou, pelo menos, relativizados; as reservas para-racistas que Sílvio tinha em comum com os antropólogos do tempo já não nos fazem mal; enfim, não cessam de refinar-se os métodos de análise da obra literária: temos, portanto, armas para reler criticamente os escritos do mestre sergipano e deles extrair o muito que ainda podem oferecer em documentação e, o que mais importa, em interesse constante por todas as faces de nossa realidade. É a partir de Sílvio que se deve datar a *paixão inteligente* pelo homem brasileiro, pedra de toque de uma linhagem de pesquisadores e críticos que se estenderia até os nossos dias contando, entre outros, com os nomes de Euclides da Cunha, João Ribeiro, Nina Rodrigues, Oliveira Viana e, a partir do Modernismo, Mário de Andrade, Roquette Pinto, Gilberto Freyre, Artur Ramos, Josué de Castro, Câmara Cascudo, Caio Prado Jr., Nelson Werneck Sodré, Cavalcanti Proença, Cruz Costa, Sérgio Buarque de Holanda, Florestan Fernandes e Antônio Cândido.

([204]) *Estudos sobre a Poesia Popular no Brasil*, Rio, Laemmert, 1888.

Araripe Jr.

Apesar de ter recebido a mesma formação teórica de Sílvio Romero, Araripe Jr. (205) revelou-se desde os seus primeiros ensaios um leitor mais sensível aos aspectos propriamente artísticos da literatura.

Devemos-lhe boas monografias sobre Alencar, Raul Pompéia, Gregório de Matos e uma longa série de resenhas e artigos, compilados postumamente, em que acompanhou de perto as estréias dos romancistas do fim do século e dos poetas simbolistas.

Crítico militante, Araripe mostra-se bem informado a respeito das novidades européias, buscando sempre entender o alcance das teorias e polêmicas que se entrecruzavam no seu tempo.

Por temperamento e ofício, esse leitor foi-se deixando penetrar por um largo ecletismo, como ele mesmo confessa no prefácio ao *Gregório de Matos*, escrito em 1894:

> O método que adotei, na preparação deste ensaio, é o mesmo que tenho seguido desde 1878. Orientado no evolucionismo spenceriano e adestrado nas aplicações de Taine, procurei depois fortalecer-me no estudo comparado dos críticos vigentes. Todos os pontos de vista da exegese moderna têm sido objeto de minhas preocupações. Toda idéia, boa ou má, aproveitável ou inexeqüível, é sempre humana. Assim, pois, acostumei-me a nada desprezar. O próprio pessimismo, e os seus variadíssimos dialetos literários, ocultismo, decadismo, pré-rafaelismo, wagnerismo, têm-me ensinado a discernir melhor as coisas humanas e a dirigir o espírito pondo de lado o que é fortuito. Devo declarar também que muito continuo a aprender relendo Aristóteles, Longino, Horácio e principalmente o bom Quintiliano. O *Laocoonte* de Lessing fez época na minha carreira de crítico, apesar de havê-lo conhecido quando já estava muito familiarizado com a estética de Taine. Lessing, pelo menos, convenceu-me de que os princípios da arte, os elementos simples, já eram conhecidos da antiguidade grega, e que a crítica moderna apenas desenrolou, equilibrando-os, e agora trata de adaptá-los à vida complexa do espírito secular.

---

(205) Tristão de Alencar Araripe Jr. (Fortaleza, Ceará, 1848 — Rio, 1911). Descendente de abastada família cearense, foi, menino ainda, para o Recife onde fez Humanidades e Direito, formando-se em 1869. Exerceu a magistratura em Santa Catarina, no Ceará e no Rio, ocupando nos últimos anos o cargo de Consultor Geral da República. Obras principais: *José de Alencar, Perfil Literário*, 1882; *Gregório de Matos*, 1894; *Literatura Brasileira. Movimento de 1893*, 1896; *Ibsen*, 1911; os ensaios anteriores, mais a coletânea dos artigos dispersos, estão em *Obra Crítica*, org. por Afrânio Coutinho, 4 vols., Rio, Casa de Rui Barbosa, 1958, 60, 63 e 66. Consultar: Martín García Merou, *El Brasil Intelectual*, Buenos Aires, Felix Lajouane, 1900; José Veríssimo, *Estudos de Literatura Brasileira*, 1ª série, Rio, Garnier, 1901; Afrânio Coutinho, *Euclides, Capistrano e Araripe*, Rio, MEC, 1959; Araripe Jr., *Teoria, Crítica e História Literária*, seleção e apresentação de A. Bosi, Rio, LTC, 1978.

O ecletismo de Araripe, feliz enquanto lhe estendia o campo das leituras e das experiências estéticas, deixou-o, porém, oscilante nos julgamentos entre critérios díspares: o *nacionalista*, que trouxera da juventude, de fundo romântico, conforme o qual a obra vale pelo seu *quantum* de brasilidade; e o *psicoestético*, permeado de análises taineanas e propenso a valorizar as qualidades sensoriais e plásticas do texto. Pelo primeiro critério apreciou Gregório de Matos e Alencar; pelo segundo, compreendeu a arte nervosa de Raul Pompéia e, apesar das reservas, a poesia dos primeiros simbolistas.

José Veríssimo

Com José Veríssimo (206) a ênfase nos fatores externos cede a um tipo de apreciação eclética que, à falta de melhor termo, poderia ser definida *humanística*.

---

(206) José Veríssimo Dias de Matos (Óbidos, Pará, 1857 — Rio, 1916). Passou a infância na província natal, dela saindo para o Rio de Janeiro onde fez preparatórios no Colégio Pedro II e freqüentou por algum tempo a Escola Central, hoje Politécnica. Adoecendo, deixa os estudos e retorna, em 1876, ao Pará. São operosos os seus anos de juventude: funda a *Gazeta do Norte* e a *Revista Amazônica*, órgãos progressistas; ocupa a Diretoria da Instrução do Pará e pesquisa seriamente a história e os costumes dos índios e mestiços da região: os *Quadros Paraenses* (1878), as *Cenas da Vida Amazônica* (1886) e a 1ª série dos *Estudos Brasileiros* (1889) dão cabal testemunho da atenção que votava ao homem da sua terra. De grande interesse para a história da nossa cultura é o seu ensaio *Educação Nacional*, publicado em Belém, em 1890. Mudando-se para o Rio no ano seguinte, aproxima-se dos melhores escritores da época, Machado, Nabuco e os parnasianos, renova a *Revista Brasileira* (3ª fase) e passa a viver definitivamente do magistério, lecionando Português e História, no Colégio Pedro II. São desse período os livros de crítica e história literária. Outras obras: *Emílio Littré*, 1882; *A Amazônia. Aspectos Econômicos*, 1892; "A Instrução Pública e a Imprensa" *in Livro do Centenário*, 1900; *Estudos de Literatura Brasileira*, 6 séries, 1901-1907; *Homens e Cousas Estrangeiras*, 1902; *Estudos Brasileiros*, 2ª série, 1904; *Que é Literatura? e Outros Escritos*, 1907; *Interesses da Amazônia*, 1915; *História da Literatura Brasileira*, 1916 (ed. póst.); *Letras e Literatos*, 1936 (ed. póst.). Consultar: Francisco Prisco, *José Veríssimo. Sua Vida e Sua Obra*, Rio, Bedeschi, 1936; *Autores e Livros*, Suplemento Literário de *A Manhã*, 31-5-1942; Álvaro Lins, *Jornal de Crítica*, 3ª série, Rio, José Olympio, 1944; Wilson Martins, *A Crítica Literária no Brasil*, S. Paulo, Depto. de Cultura, 1952; Olívio Montenegro, *José Veríssimo — Crítica*, Rio, Agir, 1958; João Pacheco, *O Realismo, cit.*; Inácio José Veríssimo, *J. V. visto por dentro*, Manaus, Ed. do Governo do Amazonas, 1966; João Alexandre Barbosa, *A Tradição do Impasse*, S. Paulo, Ática, 1974; J. Veríssimo, *Teoria, Crítica e História Literária*, seleção e apresentação de João Alexandre Barbosa, Rio, LTC, 1978.

A arte é signo das eternas emoções do Homem. Expressão articulada, visa a provocar o prazer do Belo. "Literatura é arte literária. Somente o escrito com o propósito ou a intuição dessa arte, isto é, com os artifícios de invenção e de composição que a constituem, é, a meu ver, literatura" ([207]).

Reintegrando a literatura na esfera das belas-artes, Veríssimo opera nos *Estudos* e na *História da Literatura Brasileira* uma seleção de autores bem mais rigorosa que a de Sílvio Romero. Ao crítico paraense interessavam, de um lado o lavor da forma, de outro a projeção de constantes psicológicas como a imaginação, a sensibilidade e a fantasia. "*Ora, a literatura para que valha alguma coisa, há de ser o resultado emocional da experiência humana*" ([208]).

Mas, não dispondo de módulos novos de julgamento, contenta-se com as qualidades propostas pela retórica tradicional: o estilo deve ser elegante, os enredos bem construídos, os dramas verossímeis, etc. Do critério de beleza diz que "podendo sofrer variações infinitas, se conserva no fundo sempre o mesmo" ([209]).

Veríssimo lembra em mais de um ponto os seus mestres franceses, Lanson e Brunetière, que se seguiram à primeira geração positivista. É um erudito consciencioso cujo gosto pessoal ficou preso aos momentos áureos do Classicismo e às vertentes mais sóbrias do Romantismo. Prova-o a sua simpatia pelos escritores estilisticamente maduros como Gonzaga, Gonçalves Dias e Machado de Assis, de quem foi admirador sem reservas; prova-o o torneio clássico da sua sintaxe e, com menos acerto, o uso de alguns termos arcaizantes: "convinhável", "caroável", "quejandos"...

Seguindo o lema acadêmico do *in medio virtus*, aborrecia todo e qualquer desequilíbrio: a poesia condoreira de Tobias Barreto, por excesso de ênfase; o teatro de Alencar pelo abuso do tom moralizante; o romance de Júlio Ribeiro como naturalismo mal avisado e "parto monstruoso de um cérebro artisticamente enfermo".

Mas nem sempre andou bem com a rigidez desse critério. Avesso por temperamento e cultura à experiência religiosa e, igualmente, às novidades estéticas radicais, não soube apreciar no momento devido a renovação simbolista: o seu primeiro impulso ao ler Cruz e Sousa foi tachá-lo de decadente, forçando a nota pejorativa do termo. O mesmo se deu com o verso livre do qual afirmou que jamais vingaria em língua portuguesa. Veríssimo assinaria com gosto estas palavras de Anatole France:

"Não acredito no êxito de uma escola literária que exprima pensamentos difíceis numa linguagem obscura."

([207]) *História da Literatura Brasileira,* Introdução.

([208]) *Id.*, p. 308.

([209]) *Estudos de Literatura Brasileira*, 6ª série, p. 216.

Na *História da Literatura Brasileira*, foge da adesão a qualquer movimento ou grupo ideológico. Assim, embora veja na esteira dos românticos o *sentimento de nacionalidade* como traço que distingue as letras brasileiras das portuguesas, deplora os excessos do indianismo; e, se encarece a ação do "espírito moderno" (isto é, da cultura realista) como salutar reação às ingenuidades românticas, nem por isso deixa de externar o receio que lhe inspira a voga do cientismo.

Atuava na mente de Veríssimo uma perene desconfiança, talvez de origem acadêmica, das opções filosóficas mais definidas ou cortantes. À doutrina seca dos teóricos do Positivismo preferia as suas encarnações literárias, Renan e Anatole, os "céticos amáveis" que tanto seduziram as elites latino-americanas dos fins do século. Daí, o seu escorar-se em critérios fugidios, difíceis de determinar, *bom gosto, senso comum, prazer intelectual,* aos quais, entretanto, se atinha com proverbial intolerância. O resultado foi uma crítica que se situava a meio caminho entre o reconhecimento dos dados psico-sociais [210] e a leitura vagamente estética de algumas obras.

Na verdade, escondia-se por trás desse ecletismo humanístico o problema nodal da crítica literária, e o mais espinhoso de todos: relacionar com êxito

---

[210] Na compreensão da nossa realidade global, Veríssimo é menos atilado que Sílvio Romero. Assim, nega de maneira categórica a influência espiritual e emotiva do negro e do índio, raças que, como Sílvio e os evolucionistas do tempo, julgava "inferiores": "Absolutamente se não descobriu até hoje, mau grado as asseverações fantasistas e gratuitas em contrário, não diremos um testemunho, mas uma simples presunção que autorize a contar quer o índio quer o negro como fatores da nossa literatura. Apenas o teriam sido mui indiretamente como fatores da variedade étnica que é o brasileiro. (...) Em todo caso, as duas raças inferiores apenas influíram pela via indireta da mestiçagem e não com quaisquer manifestações claras de ordem emotiva (*sic!*), como sem nenhum fundamento se lhes atribuiu" (Cap. I, "A primitiva sociedade colonial"). Navegando também nas águas da ciência européia, pessimista em relação ao homem dos trópicos, Veríssimo arrola entre as constantes do brasileiro traços psicológicos negativos contra os quais nada puderam fazer o "espírito científico" e o "pensamento moderno": *"a sensibilidade fácil, a carência, não obstante o seu ar de melancolia, de profundeza e seriedade, a sensualidade levada até a lascívia, o gosto da retórica e do reluzente. Acrescentem-se como característicos mentais a petulância intelectual substituindo o estudo e a meditação pela improvisação e invencionice, a leviandade em aceitar inspirações desencontradas e a facilidade de entusiasmos irrefletidos por novidades estéticas, filosóficas ou literárias. À falta de outras qualidades, estas emprestam ao nosso pensamento e à sua expressão literária, a forma de que, por míngua de melhores virtudes, se reveste. Aquelas revelam mais sentimentalismo que raciocínio, mais impulsos emotivos que consciência esclarecida ou alumiado entendimento, revendo também as deficiências da nossa cultura. Mas por ora, e a despeito da mencionada reação do espírito científico e do pensamento moderno dele inspirado, somos assim, e a nossa literatura, que é a melhor expressão de nós mesmos, claramente mostra que somos assim*" (H. L. B. introdução).

os pólos genético e estrutural do processo artístico. Não seria José Veríssimo o homem capaz de resolvê-lo, nem tinha sequer as condições culturais necessárias para o formular. Seja como for, evitando o puro sociologismo de Sílvio Romero, mostrou-se sensível àquele *quid* peculiar à literatura, mérito que ainda hoje lhe creditamos.

AS LETRAS COMO INSTRUMENTO DE AÇÃO

Iniciado ao tempo das campanhas pela Abolição (v. Joaquim Nabuco) e pela República, e coincidindo com a mudança do regime e as agitações dos seus primeiros anos, o período realista conheceu amplamente o uso da palavra como forma de ação política. O que, em alguns casos, interessa à história literária, conforme a maneira pela qual se comunicam e se configuram os materiais ideológicos.

A linha mestra de toda essa fase foi a luta pela liberdade. Em nome dela discutiam e escreveram líderes antiescravocratas como Nabuco, José do Patrocínio e André Rebouças. Vinculando-a ao progresso e ao ensino leigo, tiveram-na por bandeira os ideólogos republicanos de estofo positivista, Alberto Sales, Medeiros e Albuquerque, Pereira Barreto. Até mesmo um monarquista e católico tradicional, Eduardo Prado, reclamou-a para seu credo ao desafiar o militarismo de Deodoro nos *Fastos da Ditadura Militar no Brasil* ([211]). Eram homens que provinham de classes e grupos diversos e que professavam ideologias opostas: Patrocínio, descendente de cativos; Eduardo Prado, filho de senhores de escravos; Medeiros, rebento da burguesia. No entanto, no século do liberalismo, prolongado até o fim da I Guerra, opções contrastantes valiam-se de retóricas afins: impunha-se a todas as faixas o princípio de respeito ao indivíduo, de tal sorte que se pode afirmar que o culto à democracia jurídica teve nesses anos o seu momento áureo.

Esbatiam-se, por outro lado, as cores do Positivismo dogmático: este, desertado por "heréticos", deixava de ser um corpo rígido de princípios filosóficos para diluir-se em algo mais genérico, a mentalidade liberal, agnóstica, "centrista", da Primeira República. Diluindo-se, não morria: assegurava a sua sobrevivência como um dos componentes (*). Algumas vozes isoladas e férvidas opuseram-se à maré de indiferentismo religioso que, vinda de longe, parecia subir a seu ponto máximo sob o regime republicano: o Pe. Júlio Maria, Jackson de Figueiredo e outros menores. Mas a pregação desse *renouveau catholique* ecoava uma Igreja ainda passadista e autoritária ([212]) e não logrou entrar em diálogo vivo com a cultura leiga do país; o que só ocorreria depois de 1930 ou mais recentemente.

([211]) A primeira edição, de 1890, foi confiscada pelo governo federal.

(*) Reestudei o tema da presença da cultura positivista na Primeira República em "Arqueologia do Estado-Providência" (*Dialética da Colonização, cit.*).

([212]) Ver, no capítulo *Simbolismo*, o tópico respectivo.

Nesse contexto há um nome que testemunhou quase miticamente o modo de pensar das elites brasileiras que construíram a República: o de **Rui Barbosa** ([213]).

([213]) Rui Caetano Barbosa de Oliveira (Salvador, 1849 — Petrópolis, 1923). Filho de um médico baiano de minguadas posses. Fez os estudos secundários no Ginásio Baiano, de Abílio César Borges, revelando desde cedo invulgar memória e talento verbal. Cursou Direito em Recife (1866-68) e, depois, em São Paulo (68-70), onde foi colega de Castro Alves e de Joaquim Nabuco. Advogou por algum tempo na Bahia e encetou a sua carreira política em 1877, como deputado provincial. Em 1878, já deputado à Assembléia Geral, muda-se para o Rio. É dessa época a tradução prefaciada que faz de *O Papa e o Concílio*, de Dollinger, obra hostil ao dogma da infalibilidade papal. Rui professa nesses anos uma religiosidade deísta, bem distante da ortodoxia católica da qual se aproximará mais tarde. Na década de 1880, impõe-se como orador abolicionista e liberal. Estuda, ademais, reformas de ensino, elaborando um plano para o ensino médio e superior, em 1882, e para o primário, em 1883. Proclamada a República, assume o Ministério da Fazenda. Seu plano financeiro teve efeitos gerais negativos: inflação excessiva, especulações, conhecidas com o nome de "Encilhamento"; mas significava um esforço de impulsionar o processo de industrialização nacional. Opondo-se ao governo forte de Floriano Peixoto, exila-se em Londres de onde manda, para o *Jornal do Comércio*, as *Cartas de Inglaterra* das quais consta um lúcido parecer sobre o *affaire Dreyfus*. Voltando em 1895, dedica-se à imprensa e às letras jurídicas. Faz reparos à redação do Projeto do Código Civil, que fora revista por seu antigo mestre de Português, Ernesto Carneiro Ribeiro; defendendo-se este, responde-lhe com a volumosa *Réplica* (1902), testemunho dos seus estudos de vernáculo afetados por um acentuado purismo. Em 1907, enviado à Conferência de Paz em Haia, na qualidade de embaixador do Brasil, sustenta a tese da igualdade jurídica das nações menores. Por duas vezes candidata-se sem êxito à Presidência da República depois de memoráveis campanhas ditas "civilistas" por serem militares os adversários, o Marechal Hermes Fontes, em 1909, e Epitácio Pessoa, em 1919. É eleito Juiz da Corte Permanente de Justiça Internacional, em Haia, no mesmo ano de 1921, em que se celebrou o seu jubileu de atividades jurídicas. Rui Barbosa faleceu em Petrópolis aos setenta e três anos de idade. Obras principais: *O Papa e o Concílio*, 1877; *Cartas de Inglaterra*, 1896; *Réplica às Defesas de Redação do Projeto do Código Civil*, 1902; *Discursos e Conferências*, 1907; *Eleição Presidencial*, 1912; *Páginas Literárias*, 1918; *Cartas Políticas e Literárias*, 1919; *Oração aos Moços*, 1920; *A Queda do Império*, 1921. As obras completas vêm sendo editadas pela Casa de Rui Barbosa, sob a direção de Américo Jacobina Lacombe. Consultar: Batista Pereira, *Rui Barbosa. Catálogo das Obras*, s. e., 1929; José Maria Belo, *Inteligência do Brasil*, S. Paulo, Cia. Ed. Nacional, 1935; João Mangabeira, *Rui, Estadista da República*, Rio, José Olympio, 1943; Astrojildo Pereira, *Interpretações*, Rio, Casa do Estudante do Brasil, 1944; Luís Delgado, *Rui Barbosa, Tentativa de Compreensão e de Síntese*, Rio, José Olympio, 1945; Gladstone Chaves de Melo, *A Língua e o Estilo de Rui Barbosa*, Rio, Simões, 1950; Américo Jacobina Lacombe, *Formação Literária de Rui Barbosa*, Coimbra, Universidade, 1954; Raimundo Magalhães Jr., *Rui. O Homem e o Mito*, Rio, Civ. Brasileira, 1964; Ernesto Leme, *Rui e a Questão Social*, S. Paulo, Martins, 1965.

Rui é todo século XIX, mas também o Brasil continuou a sê-lo, em substância, até às vésperas de sua morte, quando os modernistas encetaram uma luta contra o estilo que ele soube encarnar superiormente.

O seu ideário aparece hoje esquemático: a democracia jurídica, formalizada nos princípios de liberdade de pensamento e expressão, e no direito de propriedade; ética tradicionalista, leicizada em contato com o Positivismo, mas respeitosa das instituições e da ordem, graças à admiração que sempre votou ao Direito Romano e à política inglesa, os dois arquétipos supremos de sua visão da sociedade.

No caso particular do grande baiano, tais idéias, apesar de poucas e de escassa originalidade, reboaram formidavelmente em virtude do talento verbal que as defendia.

O combate no Fórum, nas câmaras, nos congressos intercontinentais, na imprensa e na praça pública, forjou o estilo de Rui, dando-lhe aquela feição nimiamente *oratória e solene*, pressuposto de todas as análises de linguagem que se venham a fazer de escritos seus. O advogado e o político absorveram o artista, dirigindo-lhe a memória invulgar e subordinando a si a inteligência crítica e o entusiasmo de compor um texto literário. O próprio Rui reconhecia a prevalência das instâncias jurídicas sobre as literárias em sua obra, como deixou claro em palavras proferidas por ocasião de seu jubileu na vida pública:

> Mas qual é, na minha existência, o ato da sua consagração essencial às letras? Onde o trabalho, que assegure à minha vida o caráter de predominante ou eminentemente literário? Não conheço. Traços literários lhe não minguam, mas em produtos ligeiros e acidentais, como o "Elogio do Poeta", a respeito de Castro Alves; a oração do centenário do marquês de Pombal; o ensaio acerca de Swift; a crítica do livro de Balfour; o discurso do Colégio Anchieta; o discurso do Instituto dos Advogados; o parecer e a réplica acerca do Código Civil; umas duas tentativas de versão homométrica da poesia inimitável de Leopardi; a adaptação do livro de Calkins, e alguns artigos esparsos de jornais literários pelo feitio ou pelo assunto.
>
> Que mais? Não sei ou de pronto não me lembra. Tudo o mais é política, é administração, é direito, são questões morais, questões sociais, projetos, reformas, organizações legislativas. Tudo o mais demonstra que esses cinqüenta anos me não correram na contemplação do belo nos laboratórios da arte, no culto das letras pelas letras ([214]).

Consciente de que escrevia para convencer, de que o seu gênero conatural deveria ser a eloqüência, Rui armou-se dos instrumentos que a tradição retórica lhe oferecia: do mundo clássico hauriu a doutrina de composição de Isócrates, Cícero e Quintiliano; das letras vernáculas, a sintaxe seiscentista de Vieira e

---

([214]) Discurso proferido aos 13 de agosto de 1918, transcrito em *Coletânea Literária*, org. por Batista Pereira, 6ª ed., Cia. Ed. Nacional, 1952, p. 21.

Bernardes e o léxico opulento de Herculano, Castilho e sobretudo Camilo. Tais preferências foram, em parte, responsáveis por um fenômeno cultural relevante em nossa vida literária: o purismo lingüístico que, durante todo o período antemodernista, viu em Rui o seu corifeu e na *Réplica* o seu paradigma.

Por outro lado, a vasta erudição histórica e científica que acumulou em decênios de proverbial zelo nos estudos, não a aproveitou para a construção de um sistema de pensar ou de analisar organicamente o homem e o mundo: servia-lhe apenas de material, imenso e amorfo, para os exemplos ou os "tópicos", com a função específica de ilustrar teses de defesa ou de ataque.

Não só a matéria subordinava-se às exigências do polemista; também a forma estruturava-se consoante as necessidades da *oratio*: Rui propunha, desenvolvia e perorava, ainda quando o gênero não fosse o oratório. Carecendo, porém, de gênio autenticamente dialético, o seu processo de composição caminhava à força de *amplificar*. Partindo quase sempre de uma convicção apriorística, Rui passava a provar, justapondo palavras, frases, períodos; de onde a prolixidade e a ênfase como vícios inerentes a muitas de suas páginas.

As cadeias de sinônimos constituíam, por isso, seu título de honra; e sabe-se o que de encômios lhe valeu a cópia de vocábulos com que nomeou as meretrizes na "Pornéia" e os azorragues na "Rebenqueida".

Um dos recursos mais consentâneos com o estilo polêmico-enfático é a enumeração triádica. Rui dele usou e abusou:

> A abolição é uma necessidade urgente, imediata, absorvente (*Coletânea Literária, cit.*, p. 38, grifos nossos).
>
> *A maior, a mais profunda, a mais vital* das nossas necessidades é a imigração européia (*id.*, *ib.*).
>
> Existem, sim, direitos *eternos, inauferíveis, essenciais* ao desenvolvimento liberal do homem (*id.*, p. 43).
>
> ... o Estado é apenas a grande proteção comum, a vigilância *coletiva, organizada e permanente* (*id.*, *ib.*).
>
> Em toda a parte, até hoje, tem sido o sentimento religioso, a *inspiração*, a *substância* ou o *cimento* das instituições livres, onde quer que elas *duram*, enraízam-se e *florescem* (*id.*, p. 44).
>
> Por toda essa área imensa o poio do *fanatismo*, da *beataria*, do *farisaísmo* religioso (*id.*, *ib.*).

Exemplos que seria fácil multiplicar.

A substância polêmica desse estilo, animado repetidas vezes pelo sentimento da indignação, encontra meio de expressão adequado nas imagens e nas metáforas grandiosas, tão gratas a esse leitor de Hugo, de Carlyle e do nosso Castro Alves a quem teceu elogios incondicionais. Atestam-no os numerosos símiles com oceanos, catadupas, serros alcantilados, geleiras, incêndios e cataclismos, que indicam o desejo de impressionar pelo agigantamento da realidade.

Apesar dos riscos de automatismo em que incorria o orador no uso do esquema, seria injusto subestimar a força de persuasão dos seus momentos áureos, como a "Lei de Caim" e o "Credo Político", páginas incisivas onde vibra a paixão da justiça que realmente o aquecia (lembremos o *Caso Dreyfus*, cuja odiosidade Rui foi o primeiro a denunciar), tenha ele ou não prevaricado — problema biográfico que foge à nossa competência. Não fogem, infelizmente, a uma periódica atualidade as violações aos direitos humanos que ele anatematizou no seu "Credo":

> Rejeito as doutrinas de arbítrio; abomino as ditaduras de todo o gênero, militares ou científicas, coroadas ou populares; detesto os estados de sítio, as suspensões de garantias, as razões de Estado, as leis de salvação pública; odeio as combinações hipócritas do absolutismo dissimulado sob as formas democráticas e republicanas; oponho-me aos governos de seita, aos governos de facção, aos governos de ignorância; e quando esta se traduz pela abolição geral das grandes instituições docentes, isto é, pela hostilidade radical à inteligência do país nos focos mais altos da sua cultura, a estúpida selvageria dessa fórmula administrativa impressiona-me como o bramir de um oceano de barbárie ameaçando as fronteiras de nossa nacionalidade.

Exasperando as próprias qualidades, Rui tê-las-ia transformado em defeitos; assim, ao menos, sentiram-no as gerações que se seguiram à sua morte, respeitosas embora daquelas virtudes. Há algum tempo, porém, o próprio "mito" começou a desintegrar-se. Restará, de certo, o símbolo de um estilo de pensar e dizer em que se reconhece de pronto a mentalidade de uma época. Para a história da cultura, não é pouco.

VI

O SIMBOLISMO

CARACTERES GERAIS

O Parnaso legou aos simbolistas a paixão do efeito estético. Mas os novos poetas buscavam algo mais: transcender os seus mestres para reconquistar o *sentimento de totalidade* que parecia perdido desde a crise do Romantismo. A arte pela arte de um Gautier e de um Flaubert é assumida por eles, mas retificada pela aspiração de integrar a poesia na vida cósmica e conferir-lhe um estatuto de privilégio que tradicionalmente caberia à religião ou à filosofia.

Visto à luz da cultura européia, o Simbolismo reage às correntes analíticas dos meados do século, assim como o Romantismo reagira à Ilustração triunfante em 89. Ambos os movimentos exprimem o desgosto das soluções racionalistas e mecânicas e nestas reconhecem o correlato da burguesia industrial em ascensão; ambos recusam-se a limitar a arte ao objeto, à técnica de produzi-lo, a seu aspecto palpável; ambos, enfim, esperam ir além do empírico e tocar, com a sonda da poesia, um fundo comum que susteria os fenômenos, chame-se Natureza, Absoluto, Deus ou Nada.

O *símbolo*, considerado categoria fundante da fala humana e originariamente preso a contextos religiosos, assume nessas correntes a função-chave de vincular as partes ao Todo universal que, por sua vez, confere a cada uma o seu verdadeiro sentido.

Na cultura ocidental, a partir das revoluções burguesas da Inglaterra e da França, os grupos que se achavam na ponta de lança do processo foram perdendo a vivência religiosa dos símbolos e fixando-se na imanência dos dados científicos ou no prestígio dos esquemas filosóficos: empirismo, sensismo, materialismo, positivismo. Os pontos de resistência viriam dos estratos pré-burgueses ou antiburgueses, isto é, dos aristocratas ou das baixas classes médias, postas à margem da industrialização ([215]). Dessas fontes provêm o mal-estar e as recusas à concepção técnico-analítica do mundo: o Romantismo nostálgico de Chateaubriand e de Scott; o Romantismo idealista de Novalis e de Coleridge; o Romantismo erótico e fantástico de Blake, Hoffmann, Nerval e Poe, de quem Baudelaire, os *boêmios* e os "*malditos*" receberiam tantas sugestões.

A crise repropõe-se no último quartel do século XIX, quando a segunda revolução industrial, já de índole abertamente capitalista, traz à luz novos correlatos ideológicos: cientismo, determinismo, realismo "impessoal". Do âmago

([215]) Retomo aqui a tese de Mannheim, já aplicada na interpretação do Romantismo.

da inteligência européia surge uma oposição vigorosa ao triunfo da coisa e do fato sobre o sujeito — aquele a quem o otimismo do século prometera o paraíso mas não dera senão um purgatório de contrastes e frustrações. É um poderoso *élan* antiburguês, e não raro místico, que atravessa os romances de Dostoievski (conhecido no Ocidente depois de 1880), o teatro de Strindberg, a música do último Wagner, a filosofia de Nietzsche, a poesia de Baudelaire, de Hopkins, de Rimbaud, de Blok.

As novas atitudes de espírito almejam a apreensão direta dos valores transcendentais, o Bem, o Belo, o Verdadeiro, o Sagrado, e situam-se no pólo oposto da *ratio* calculista e anônima. Não tentam, porém, superá-la pelo exercício de outra razão, mais alta e dialética, que Hegel já havia ensinado no princípio do século; as suas armas vão ser as da paixão e do sonho, forças incônscias que a Arte deveria suscitar magicamente.

O Simbolismo surge nesse contexto como um sucedâneo, para uso de intelectuais, das religiões positivas; e a liturgia, que nestas é a prática concreta e diária das relações entre a Natureza e a Graça, nele reaparece em termos de analogias sensórias e espirituais, as "correspondências" de que falava Baudelaire:

La Nature est un temple où de vivants piliers
Laissent parfois sortir de confuses paroles;
L'homme y passe à travers des forêts de symboles
Qui l'observent avec des regards familiers.

Comme de longs échos qui de loin se confondent
Dans une ténébreuse et profonde unité,
Vaste comme la nuit et comme la clarté,
Les parfums, les couleurs et les sons se répondent.

(*Les Fleurs du Mal* — "Correspondances").

E, em tom oposto, mas reafirmando a coesão última de todos os seres, a voz do nosso Cruz e Sousa:

Tudo na mesma ansiedade gira,
rola no Espaço, dentre a luz suspira
e chora, chora, amargamente chora...

Tudo nos turbilhões da Imensidade
se confunde na trágica ansiedade
que almas, estrelas, amplidões devora.

(*Últimos Sonetos* — "Ansiedade")

E do mesmo poeta das *Flores do Mal* as reflexões que seguem, tomadas à prosa crítica da *Arte Romântica*:

Fourier veio, um dia, muito pomposamente, revelar-nos os mistérios da *analogia*... Mas Swedenberg, alma bem maior, já nos ensinara que *o céu é um homem grandíssimo*; e que tudo, forma, movimento, número, cor, perfume, *no espiritual* como *no material*, é significativo, recíproco, conversível, *correspondente*. Lavater, limitando a demonstração da verdade universal ao rosto humano, traduzira o sentido espiritual do contorno, da forma, da dimensão. Se estendermos a demonstração (e não só temos o direito de fazê-lo como seria infinitamente difícil pensar de outro modo), chegaremos a esta verdade: tudo é hieroglífico, e sabemos que os símbolos são obscuros apenas de modo relativo, isto é, segundo a pureza, a boa vontade ou a clarividência nativa das almas. Ora, o que é um poeta (tomo a palavra na sua acepção mais ampla), senão um tradutor, um decifrador? Nos poetas excelentes não há metáfora, similitude ou epíteto que não se ajuste, com matemática exatidão, à circunstância atual, porque aquelas similitudes, aquelas metáforas são extraídas da inexaurível profundeza da *analogia universal* e não podem ser tiradas de outra fonte.

Em Rimbaud vai a teoria ao encontro dos sons vocálicos:

A noir, E blanc, I rouge, U vert, O bleu.

Mais radical, a experiência de Stéphane Mallarmé pretende atravessar o caos do mundo sensível e do *eu*, para atingir um absoluto de pureza que se revela, afinal, o próprio Nada:

Passei um ano espaventoso: o meu Pensamento se pensou a si mesmo e aportou a uma Concepção pura. Tudo o que, em contragolpe, o meu ser tem sofrido durante essa longa agonia, é inenarrável, mas, felizmente, estou perfeitamente morto, e a região mais impura em que possa aventurar-se o meu Espírito é a Eternidade; o meu Espírito, este solitário familiar à própria pureza, não mais obscurecida sequer pelo reflexo do tempo. (...) Confesso, de resto, mas só a ti, que tenho ainda necessidade, tais foram os tormentos do meu triunfo, de olhar-me no espelho para pensar; que, se ele estivesse diante da mesa na qual te escrevo esta carta, eu voltaria a ser o Nada. Isso equivale a comunicar-te que sou agora impessoal, e não mais Stéphane que tu conheceste — mas uma disposição que tem o Universo Espiritual de ver-se e desenvolver-se através daquilo que foi um *eu*.

Frágil, como é a minha aparição terrestre, não posso sofrer mais que os desenvolvimentos indispensáveis para que o Universo reencontre neste *eu* a sua identidade. Por isso delimitei, na hora da Síntese, a obra que será a imagem deste desenvolvimento. Três poemas em verso, dos quais *Hérodiade* é a abertura, mas de uma pureza tal que o homem não atingiu — e não atingirá talvez nunca, pois poderá dar-se que eu seja apenas o joguete de uma ilusão, e que a máquina humana não seja bastante perfeita para chegar a tais resultados. E quatro poemas em prosa sobre a concepção espiritual do nada. Preciso de dez anos: vou tê-los? (*Carta a Cazalis*, 14 de maio de 1867).

Nessa tensão para o Absoluto-Nada está a raiz das suas analogias, em que o poema aparece como janela para o não-ser, espelho e cristal partido que refletem apenas a ascese para tocar o infinito. Daí, também, os módulos novos da sua arte, de substância negativa, feita de *pausas*, *espaços brancos* e *rupturas sintáticas*, que significam a morte das velhas retóricas e entendem desaguar no silêncio metafísico, única saída válida para o poeta.

Mas a lição de Mallarmé só daria frutos nas poéticas de vanguarda do século XX que, através da leitura abstracionista de Valéry, herdariam do mestre menos os pressupostos ideológicos que alguns dos seus resultados formais.

Os coetâneos dos "poetas malditos" ([216]) chamaram-lhes *decadentes*. Como evasão, e mesmo loucura, foi sentido o esforço desses homens que voltavam as costas ao prestígio das realidades "positivas" e se apoiavam em uma fé puramente verbal, em uma liturgia magramente literária, enfim, numa "oração" veleitária e narcisista. O malogro do Simbolismo, como visão do mundo, foi sensível em toda parte. Mas, despojado das suas ambições de abraçar a totalidade do real, o que restou dele? Um modo de entender e de fazer poesia, isto é, aquela face estetizante do movimento que lembra de perto o Parnasianismo, a arte pela arte, e, nos momentos de entropia, o culto das fórmulas, o dandismo à Wilde e à D'Annunzio, epígonos nos quais se aguou o vinho forte dos profetas e fundadores.

Pode-se perguntar qual o sentido desse rápido empobrecimento de uma corrente estética que descendia de gênios universais como Dostoievski e Nietzsche e de poetas da envergadura de Baudelaire, Rimbaud e Mallarmé. Arrisco uma explicação: o horror à mentalidade positivista da práxis burguesa pode inspirar belas imagens e melodias, fragmentos de uma concentrada paixão; pode dar novo brilho à prosa poética e fazer vibrar os ritmos que o gosto acadêmico enrijecera em formas métricas; pode, enfim, dinamizar o léxico, acentuando a carga emotiva de certas palavras, diluindo o prosaico de outras, ou trazendo à poesia conotações inesperadas. Mas toda essa floração estética, para suster-se à tona das águas móveis da cultura, precisa afundar suas raízes no chão firme da realidade histórica, respondendo às contradições desta, e não apenas a uma ou outra exigência de certos grupos culturais.

O irracionalismo literário não é capaz de substituir em força e universalidade as crenças tradicionais; nem o seu alheamento da ciência e da técnica vai ao encontro das necessidades das massas que ocuparam o cenário da História neste século e têm clamado por uma cultura que promova e interprete os bens advindos do progresso. Daí, os limites fatais da sua influência. No entanto, o irracionalismo dos decadentes valeu (e poderá ainda valer) como sintoma de algo mais importante que os seus mitemas: o incômodo hiato entre os sistemas pretensamente "racionais" e "liberais" da sociedade contemporânea e a efetiva liberdade do homem que as estruturas socioeconômicas vão lesando na própria essência, reduzindo-o a instrumento de mercado e congelando-o em

---

([216]) A expressão vem do título que Verlaine deu à sua antologia de simbolistas: *Poètes maudits*, Paris, 1884.

papéis sociais cada vez mais oprimentes. Os Simbolistas — como depois as vanguardas surrealistas e expressionistas — tiveram esta função relevante: dizer do mal-estar profundo que tem enervado a civilização industrial; e o fato de terem oferecido remédios inúteis, quando não perigosos, porque secretados pela própria doença, não deve servir de pretexto para tardias excomunhões.

A carência ideológica já é visível na segunda geração européia do movimento em que figuram Gustave Kahn, Viélé Griffin e Stuart-Merrill, muito lidos pelos simbolistas brasileiros; e se faz ainda mais patente nos teóricos, René Ghil (*Traité du Verbe*, 1886) e Jean Moréas (*Manifeste du Symbolisme*, 1886): inventores de doutrinas abstrusas sobre o símbolo e a sinestesia, acabaram numa verbolatria parnasiana, que não causa espécie, pois é comum a ambas as correntes a tentação do estetismo.

Mas nem tudo é veleidade nessa inflexão decadente: há poetas que aceitam a própria impotência em face da sociedade e exilam-se numa atmosfera penumbrosa onde salvam quanto podem a intimidade das suas vidas frustres: é o veio *crepuscular* do Simbolismo. Fazendo uma poesia voluntária e sinceramente menor, o crepuscularismo foi responsável pela erosão da métrica acadêmica e de toda a retórica oitocentista levando à prática do *verso livre*, pedra de toque das poéticas modernas. Poetas em surdina, Jules Laforgue (tão amado de Ungaretti e de Eliot) ensinou a fusão de lírica e ironia; Francis Jammes, Albert Samain, Rodenbach e Maeterlinck, elegíacos da Bélgica provinciana; Antônio Nobre, saudosista; Gozzano e Corazzini, *crepuscolari* italianos — todos, com seus ritmos esgarçados e seus tons melancólicos, chegaram até nossa poesia e não é difícil descobrir traços de sua presença nos maiores modernistas, Bandeira e Mário de Andrade.

E não só o verso livre. As principais técnicas literárias da vanguarda, como o *monólogo interior* e a *corrente de consciência* de Joyce, a *sondagem infinitesimal na memória* de Proust, a *desarticulação sintática* de Apollinaire e a *linguagem automática* do Inconsciente dos surrealistas não seriam possíveis sem a pressão que o Simbolismo exerceu sobre as convenções de estilo dos naturalistas.

O Simbolismo no Brasil

Contemporâneos ou vindos pouco depois dos poetas parnasianos e dos narradores realistas, Cruz e Sousa, Alphonsus de Guimaraens e os simbolistas da segunda geração não tiveram atrás de si uma história social diversa da que viveram aqueles. O que nos propõe um problema de gênese literária: o movimento teria nascido aqui por motivos internos, ou foi obra de imitação direta de modelos franceses?

José Veríssimo, que não apreciava nem o ideário nem a estética simbolista, chamou à corrente "produto de importação". E, na verdade, não é fácil indicar homologias entre a vida brasileira do último decênio do século e a nova poesia, considerada também como visão da existência. Os escritores que chegaram à vida adulta no período agudo das campanhas abolicionista e republicana, Aluísio Azevedo, Raul Pompéia, Adolfo Caminha, Raimundo Correia, Vicente de Carvalho e os outros naturalistas e parnasianos, entendem-se bem como expressão, mais ou menos radical, da sociedade tal como se apresentava nos fins do II Império; e até a impassibilidade pregada por alguns (ou o tom pessimista de quase todos) poderá explicar-se como reação programática às ingenuidades românticas. Liberais e agnósticos, são todos *homens representativos* do seu tempo.

Na biografia do nosso maior simbolista, Cruz e Sousa, há também um momento, juvenil, que coincide com os combates pela Abolição: os poemas desse período têm a mesma cadência retórica que marcou a literatura meio condoreira, meio "realista" dos anos de 70, saturada de ideais libertários. Sabe-se igualmente que, pouco antes da Lei Áurea, houve um recrudescimento de ódio racista por parte de alguns grupos mais retrógrados: Cruz e Sousa, nomeado promotor em Laguna, Santa Catarina, em 1884, foi impedido de assumir o posto, mas prosseguiu no bom combate, dentro e fora da província, em conferências, artigos e crônicas literárias: uma destas, talvez a mais candente, "O Padre", pode-se ler nos *Tropos e Fantasias*, que publicou em 1885, de parceria com Virgílio Várzea. A pesquisa dos seus inéditos trouxe à luz composições de forte sabor polêmico, "A Consciência Tranqüila" e "Crianças Negras", que ao lado da "Litania dos Pobres" bastariam para desfazer a lenda de um Cruz e Sousa alheio aos dramas de sua raça. Paralelamente, as leituras que fez antes da publicação de *Broquéis* (1893) eram as mesmas que tinham dado aos naturalistas instrumentos de crítica à tradição: Darwin, Spencer, Haeckel, Taine, pensadores; Flaubert, Zola, Eça, romancistas; Baudelaire, Antero, Guerra Junqueiro, Cesário Verde, poetas. E parece não ter conhecido até essa época Rimbaud, Verlaine, Mallarmé...([217])

Assim, o roteiro do fundador do Simbolismo brasileiro e o dos seus mais fiéis seguidores foi paralelo ao dos principais poetas parnasianos: na mocidade, todos participaram da oposição ao Império escravocrata e a certos padrões mentais antiquados com que o Romantismo sobrevivia entre nós. Mas, alcançadas as metas em 88 e 89, entraram a percorrer a linha européia do estetismo, passando muitas vezes do Parnaso ao Simbolismo e outras tantas voltando ao ponto de partida. Vista desse ângulo, é apenas de *grau* a diferença entre o parnasiano e o decadentista brasileiro: naquele, o *culto da Forma*; neste, a *religião do Verbo*. Em outros termos: alarga-se de um para o outro o hiato entre

---

([217]) É o que sugerem as pesquisas de Andrade Muricy (v. a Introdução Geral deste autor à *Obra Completa de Cruz e Sousa*, Rio, Aguilar, 1961, pp. 17-64).

a práxis e a atividade artística. O poeta, inserindo-se cada vez menos na teia da vida social, faz do exercício da arte a sua única missão e, no limite, um sacerdócio. A rigor, o caso brasileiro nada tem de excepcional e ilustra uma tendência formalizante pela qual o estilista Flaubert é o melhor precursor do hermético Mallarmé, o neoclássico Carducci daria lições ao decadente D'Annunzio; em suma, o Simbolismo, como técnica, é o sucedâneo fatal do Parnasianismo.

O divisor de águas acompanha, como já vimos, a passagem da tônica, *no nível das intenções*: do objeto, nos parnasianos, para o sujeito, nos decadentes, com toda a seqüela de antíteses verbais: matéria-espírito; real-ideal; profano-sagrado; racional-emotivo... Mas, se pusermos entre parênteses as veleidades dos simbolistas de realizarem, através da arte, um projeto metafísico; e se atentarmos só para a sua concreta atualização verbal, voltaremos à faixa comum do "estilismo" onde se encontram com os parnasianos.

Há, por outro lado, uma diferenciação temática no interior do Simbolismo brasileiro: a vertente que teve Cruz e Sousa por modelo tendia a transfigurar a condição humana e dar-lhe horizontes transcendentais capazes de redimir os seus duros contrastes; já a que se aproximou de Alphonsus, e preferia Verlaine a Baudelaire, escolheu apenas as cadências elegíacas e fez da morte objeto de uma liturgia cheia de sombras e sons lamentosos. Quanto aos crepusculares, distantes de ambas, preferiram esboçar breves quadros de sabor intimista: mas a sua contribuição ao verso brasileiro não foi pequena, pois abafaram o pedal das excessivas sonoridades a que se haviam acostumado os imitadores de Cruz e Sousa.

Não obstante essas conquistas e o seu ar geral de novidade, o Simbolismo não exerceu no Brasil a função relevante que o distinguiu na literatura européia, na qual o reconheceram por legítimo precursor o imagismo inglês, o surrealismo francês, o expressionismo alemão, o hermetismo italiano, a poesia pura espanhola. Aqui, encravado no longo período realista que o viu nascer e lhe sobreviveu, teve algo de surto epidêmico e não pôde romper a crosta da literatura oficial. Caso o tivesse feito, outro e mais precoce teria sido o nosso Modernismo, cujas tendências para o primitivo e o inconsciente se orientaram numa linha bastante próxima das ramificações irracionalistas do Simbolismo europeu ([218]).

([218]) Um considerável fundo anárquico-decadente persistiria nas primeiras obras modernas de Manuel Bandeira (*Ritmo Dissoluto*, *Libertinagem*), de Mário de Andrade (*Paulicéia Desvairada*, cujo "Prefácio Interessantíssimo" é uma apologia do subconsciente na elaboração do poema) e nos romances da "trilogia do exílio" de Oswald de Andrade.

Resíduos crepusculares afetariam a lírica de Guilherme de Almeida e, em dosagem mais alta, a de Ribeiro Couto. Dannunziano seria sempre Menotti del Picchia. E um programa neo-simbolista foi o que defenderam Tasso da Silveira e o grupo de *Festa*.

Em todos, porém, os traços do movimento teriam origem européia e apareciam marcados pelo contexto novo da I Guerra Mundial.

O fenômeno histórico do insulamento simbolista no fim do século XIX não deve causar estranheza. O movimento, enquanto atitude de espírito, passava ao largo dos maiores problemas da vida nacional, ao passo que a literatura realista-parnasiana acompanhou fielmente os modos de pensar, primeiro progressistas, depois acadêmicos, das gerações que fizeram e viveram a Primeira República. E é instrutivo notar: a expansão dos grupos simbolistas no começo do século correu paralela à do Neoparnasianismo. A *novidade* de Cruz e Sousa precisou descer ao nível de *maneira* e academizar-se para comover a vida literária de alguns centros menores do país e partilhar, modestamente aliás, a sorte dos epígonos parnasianos.

POESIA

Antes dos "Broquéis"

Os nomes de Medeiros e Albuquerque (1867-1934) e Wenceslau de Queirós (1865-1921) costumam ser lembrados como de precursores do Simbolismo entre nós.

Ambos conheceram, de fato, as novas literárias francesas desde o decênio de 80; o primeiro, porém, apesar dos seus maus *Pecados* e das *Canções da Decadência* (89), nunca aderiu ao novo espírito e, ao contrário, deu mostras assíduas de imaginação vasqueira e sensualona; no segundo, houve um bom leitor e tradutor de Baudelaire, de quem recebeu e exasperou os traços satanistas nos seus livros *Versos* (1890), *Heróis* (1898), *Sob os Olhos de Deus* (1901) e *Rezas do Diabo* (póstumo, 1939). Interessam ambos como ponte do Parnaso para o Simbolismo construída com materiais tomados a um poeta ambivalente como Baudelaire ([219]).

Cruz e Sousa

Nada, porém, se compara em força e originalidade à irrupção dos *Broquéis* com que Cruz e Sousa ([220]) renova a expressão poética em língua portuguesa.

([219]) Para a história da fase imediatamente anterior à publicação dos *Broquéis*, de Cruz e Sousa, recomendo a leitura de Péricles Eugênio da Silva Ramos (*Poesia Simbolista. Antologia*, Melhoramentos, 1965) e de Massaud Moisés (*O Simbolismo*, Cultrix, 1966).

([220]) João da Cruz e Sousa (Desterro, atual Florianópolis, Santa Catarina, 1861 — Sítio, Minas Gerais, 1898). Seus pais, escravos negros, foram libertos pelo Marechal Guilherme Xavier de Sousa que tutelou o poeta até a adolescência. Recebeu apreciável instrução secundária na cidade natal, mas, com a morte do protetor, teve que deixar os

Os Simples, de Guerra Junqueiro, e o *Só*, de Antônio Nobre, ambos de 1892, eram, no fundo, obras neo-românticas, signos do saudosismo que iria vincar a poesia em Portugal antes dos anos modernistas. Mas a linguagem de Cruz e Sousa foi revolucionária de tal forma que os traços parnasianos mantidos acabam por integrar-se num código verbal novo e remeter a significados igualmente novos.

Assim, a angústia sexual, manifesta em vários passos, não é apenas resíduo naturalista porque recebe, em geral, tratamento platonizante e abre caminho para um dos processos psicológicos mais comuns no poeta: a *sublimação*:

> Para as estrelas de cristais gelados
> as ânsias e os desejos vão subindo,
> galgando azuis e siderais noivados
> de nuvens brancas a amplidão vestindo.
>
> ("Siderações")

---

estudos: milita na imprensa catarinense, escrevendo crônicas abolicionistas e percorre o país como ponto de uma companhia teatral. Os versos que escreve nos anos 80 ressentem-se de leituras várias, que vão dos condoreiros e da poesia libertária de Guerra Junqueiro aos parnasianos (v. "Dispersas", na edição definitiva, Aguilar, 1961). Em 1885, de parceria com Virgílio Várzea, escreve as prosas de *Tropos e Fantasias*, onde se alternam páginas sentimentais e anátemas contra os escravistas. Todo o período catarinense de Cruz e Sousa foi, aliás, marcado pelo combate ao preconceito racial de que fora vítima em mais de uma ocasião e que o impediu de assumir o cargo de Promotor em Laguna para o qual fora nomeado. Mudando-se para o Rio de Janeiro, em 1890, colaborou na *Folha Popular*, aí formando com B. Lopes e Oscar Rosas o primeiro grupo simbolista brasileiro. Obtido um emprego mísero na Estrada de Ferro Central, casa-se com uma jovem negra, Gavita, cuja saúde mental logo se revelou muito frágil. O casal terá quatro filhos, dois dos quais mortos antes do poeta. Minado pela tuberculose, Cruz e Sousa retira-se, em 1897, para a pequena estação mineira de Sítio à procura de melhor clima. Aí falece, no ano seguinte, aos trinta e seis anos de idade. Outras obras: *Broquéis* (1893), *Missal* (1893), *Evocações* (1898), *Faróis* (1900), *Últimos Sonetos* (1905). A edição da *Obra Completa* pela Ed. Aguilar (Rio, 1961), organizada por Andrade Muricy, inclui vários inéditos grupando-os sob os títulos gerais de *O Livro Derradeiro* (versos), *Outras Evocações* e *Dispersos* (prosa). Sobre Cruz e Sousa, consultar: Tristão de Araripe Jr., *Literatura Brasileira, Movimento de 1893*, Rio, Ed. Democrática, 1896; Nestor Vítor, *Cruz e Sousa*, Rio, s.e., 1899; Nestor Vítor, Introdução das *Obras Completas*, Rio, Anuário do Brasil, 1923; Fernando Góis, Introdução das *Obras*, S. Paulo, Ed. Cultura, 1943; Roger Bastide, *Poesia Afro-Brasileira*, S. Paulo, Martins, 1943; Andrade Muricy, Introdução das *Obras Poéticas*, Rio, I. N. L., 1945; Tasso da Silveira, Apresentação a *Cruz e Sousa — Poesia*, Rio, Agir, 1957; Raimundo Magalhães Jr., *Poesia e Vida de Cruz e Sousa*, S. Paulo, Ed. das Américas, 1961; Massaud Moisés, *O Simbolismo*, S. Paulo, Cultrix, 1966.

Comparem-se o primeiro e o segundo quarteto de "Lésbia":

Cróton selvagem, tinhorão lascivo,
planta mortal, carnívora, sangrenta,
da tua carne báquica rebenta
a vermelha explosão de um sangue vivo.

Nesse lábio mordente e convulsivo,
ri, ri risadas de expressão violenta
o Amor, trágico e triste, e passa, lenta,
a morte, o espasmo gélido, aflitivo...

O naturalismo exasperado dos primeiros versos contrai-se no "espasmo gélido e aflitivo" em que se fundem amor e morte. A passagem é confirmada nos tercetos de "Braços":

Braços nervosos, tentadoras serpes
que prendem, tetanizam como os herpes,
dos delírios na trêmula coorte...

Pompa de carnes tépidas e flóreas,
braços de estranhas correções marmóreas,
abertos para o Amor e para a Morte.

A sublimação (que o poeta diria "transfiguração") começa por assumir a *libido*, isto é, tudo o que significara a ênfase sensual dos parnasianos, e acaba atingindo o *sofrimento*, constante dos *Últimos Sonetos*: nesse livro maduro e complexo a palavra seria portadora de todo um universo de humilhação que teve por nomes a cor negra, a pobreza, o isolamento, a doença, a loucura da mulher, a morte prematura dos filhos:

As minhas carnes se dilaceraram
e vão, das Ilusões que flamejaram,
com o próprio sangue fecundando as terras
("Clamando")

Embora caias sobre o chão, fremente,
afogado em teu sangue estuoso e quente,
ri! Coração, tristíssimo palhaço.
("Acrobata da dor")

Era de esperar que a poética implícita nesse roteiro fosse uma poética de estofo romântico, que supõe um intervalo entre a finitude da expressão e o infinito da vida interior. Para o parnasiano, tudo pode ser dito com clareza: não há transcendência em relação às palavras, pois estas se apresentam em estreita mimese com a realidade empírica. Mas um poeta como Cruz e Sousa, que se vê dilacerado entre matéria e espírito, dará à palavra a tarefa de reproduzir a sua própria tensão e acabará acusando os limites expressionais do verbo humano.

Ó Sons intraduzíveis, Formas, Cores!...
Ah! que eu não possa eternizar as dores
nos bronzes e nos mármores eternos!
("Tortura eterna")

Mas, apesar da confissão de impotência expressiva (*Ah! que eu não possa...*), o artista vale-se de todos os recursos lingüísticos veiculados pela nova poética para sugerir o seu desejo do transcendente. Eros, padecendo embora as limitações da matéria, precisa encarnar-se... A camada fônica move-se para reter sensações inquietas que tudo abraçam sem nada aferrar. Alternam-se vogais nasaladas e consoantes líquidas ou sibilantes que prolongam a duração do fluxo sonoro, já intensificado por aliterações, rimas e ressonâncias internas:

Visões, salmos e cânticos serenos,
surdinas de órgãos flébeis, soluçantes...
Dormências de volúpicos venenos
sutis e suaves, mórbidos, radiantes...
. . . .

Vozes, veladas, veladoras, vozes,
volúpias dos violões, vozes veladas,
vogam nos velhos vórtices velozes
dos ventos, vivas, vãs, vulcanizadas
("Violões que choram")

. . . .

E fria, fluente, frouxa claridade
flutua como as brumas de um letargo...
("Lua")

O metro perde o rigor exigido pelo Parnaso e, ainda que predomine o soneto e, portanto, o decassílabo, este afrouxa o ritmo, deslocando os acentos tradicionais, como se percebe nos versos abaixo, transcritos da profissão de fé simbolista, o poema "Antífona":

e as emoções, todas as castidades
os mais estranhos estremecimentos.

Não são raros nos *Broquéis* e nos *Faróis* exemplos da última cadência, menos marcada, que se apóia apenas na 4ª sílaba (como obrigatória):

deram-te as asas e a serenidade
("Em sonhos")

estranhamente se purificasse
("Lubricidade")

Ó Formas vagas, nebulosidades!
("Carnal e místico")

diafaneidades e melancolias...
("*Angelus*")

Lânguida Noite da melancolia
("Cabelos")

as Aleluias glorificadoras
("Mar de Lágrimas")

que pelos Astros se cristalizaram!
(*ib.*)

O aspecto gráfico altera-se pela profusão de maiúsculas, usadas para dar valor absoluto a certos termos, e pela não menor cópia de reticências. Das primeiras colhem-se exemplos ao acaso: *Céus, Dons, Desejos, Horas, Aleluias, Visões, Almas, Urnas, Azul, Mar, Sonho, Crimes, Refúgios, Infernos, Astros...*

Um dos recursos morfológicos ou, a rigor, morfo-semânticos, freqüentes em Cruz e Sousa, e que os seus discípulos repetiram sem critério, é o emprego insólito do substantivo abstrato no plural capaz de sugerir uma dimensão sensível no universo das idéias: *diafaneidades, melancolias, quintessências, diluências, cegueiras.* Às vezes a oposição do adjetivo concreto ao nome abstrato alcança efeitos raros:

nevroses amarelas
azuis diafaneidades
fulvas vitórias
triunfamentos acres
brancas opulências
agres torturas
aladas alegrias
doçuras feéricas
negras nevrastenias.

Daí para os processos sinestésicos é um passo: *acres aromas, brilhos errantes, cavo clangor, sonoras ondulações, fragrância crua, verdes e acres eletrismos...*

Do léxico de Cruz e Sousa, especialmente o dos primeiros livros, já se disse que, além da presença explicável de termos litúrgicos, traía a obsessão do *branco*, fator comum a tantas de suas metáforas em que entram o lírio e a neve, a lua e o linho, a espuma e a névoa. Ao que se pode acrescer a não menor freqüência de objetos luminosos ou translúcidos: o sol, as estrelas, o ouro, os cristais. À explicação um tanto simplista dos que viram nessa constante apenas o reverso da cor do poeta, um intérprete mais profundo, o sociólogo francês Roger Bastide, preferiu outra, dinâmica, pela qual todas as barreiras existenciais da vida de Cruz e Sousa — e não só a cor — o levaram a um esforço de superação e de cristalização, fazendo-o percorrer um caminho inverso ao de Mallarmé, poeta do anulamento e do vazio. São palavras de Bastide:

> O drama de Cruz e Sousa vai, portanto, ser ainda mais patético que o de Mallarmé, e na sua posição vai ser de outra originalidade, pois que para ele não se tratará unicamente de achar a expressão possível do inefável, de criar para si, uma experiência psicológica, mas essa experiência psicológica, para se constituir, terá de lutar incessantemente com uma primeira educação absolutamente oposta a ela e que, a cada momento, a porá em risco de ser aniquilada. (...) Mallarmé continua contemplativo, ao passo que o que domina em Cruz e Sousa é a origem e a subida, é o dinamismo do arremesso, e isso porque ele era brasileiro, do país da saudade, e de origem africana, de uma raça essencialmente sentimental. (...) O chefe da escola francesa, por apuro extremo, chegará à palavra que dá a conhecer uma ausência, enquanto o processo de Cruz e Sousa será o da cristalização. A cristalização é purificação e solidificação na transparência, podendo assim guardar na sua branca geometria alguma coisa da pureza das Formas eternas, das Essências das coisas. (...) Destruição de formas (no plural) nas cerrações da noite, cristalização da Forma (no singular) ou solidificação do espiritual numa geometria do translúcido, tais são, afinal, os dois processos antitéticos e complementares ao mesmo tempo, que permitiram a Cruz e Sousa trazer aos homens a mensagem da sua experiência e apresentá-la em poesia de beleza única, pois que é acariciada pela asa da noite e, todavia, lampeja com todas as cintilações do diamante [221].

O poeta não percorreu de um só lance o itinerário que o levaria à plena expressão de si mesmo. *Broquéis* e *Missal*, livro de prosa, acham-se refertos de exercícios literários, como se o autor estivesse ainda experimentando a nova técnica simbolista de construir. Mas, nos poemas coligidos por Nestor Vítor nos *Faróis*, já figuram algumas páginas em que Cruz e Sousa faz direto e vigoroso o tratamento da matéria biográfica: "Recolta de Estrelas", poema dedicado ao filho; "Pandemonium", onde a angústia do escravo se projeta em repetições alucinatórias; "Tédio", invento onírico que se presta a uma sondagem psicanalítica de motivações; "Ressurreição", canto a Gavita que voltava do hospício após meses de reclusão:

> Alma! Que tu não chores e não gemas,
> teu amor voltou agora.
> Ei-lo que chega das mansões extremas,
> lá onde a loucura mora!
>
> Veio mesmo mais belo e estranho, acaso,
> desses lívidos países,
> mágica flor a rebentar de um vaso
> com prodigiosas raízes.
>
> . . . .

---

(221) Em *A Poesia Afro-Brasileira*, S. Paulo, Martins, 1943.

Ah! foi com Deus que tu chegaste, é certo,
com sua graça espontânea

que emigraste das plagas do Deserto
nu, sem sombra e sol, de Insônia!

E ainda, esta "Litania dos Pobres", que, se lembra motivos análogos de Baudelaire, tem de pessoal um acento sombrio de protesto que se podem comparar aos versos libertários do genial simbolista russo, Alexandre Blok:

Os miseráveis, os rotos
são as flores dos esgotos.

São espectros implacáveis
os rotos, os miseráveis.

São prantos negros de furnas
caladas, mudas, soturnas.

As sombras das sombras mortas,
cegas, a tatear nas portas.

Procurando o céu aflitos
e varando o céu de gritos.

Faróis à noite apagados
por ventos desesperados.

. . . .

Bandeiras rotas, sem nome,
das barricadas da fome.

Bandeiras estraçalhadas
das sangrentas barricadas.

. . . .

Ó pobres, o vosso bando
é tremendo, é formidando!

Ele já marcha crescendo,
o vosso bando tremendo!

Nos *Últimos Sonetos*, a visão do mundo de Cruz e Sousa toma forma definitiva. As imagens solares ou noturnas já não se perdem no fluxo de uma sonoridade válida por si mesma: elas organizam-se teleologicamente para a construção de um pensamento coerente que sustenta e unifica as sensações e impressões, matéria primeira do trabalho estético.

As raízes desse pensamento são religiosas. Mas, ao contrário do que ocorrerá com Alphonsus de Guimaraens, não se trata de uma devoção haurida no convívio do catolicismo tradicional, com hábitos e liturgias definidas, não raro esvaziadas em fórmulas. Do Cristianismo Cruz e Sousa incorpora o Amor como alfa e ômega da conduta humana. Mas não é à união com a Pessoa divina, que conduz o seu roteiro espiritual. O termo da viagem ele o entrevê na *liberação* dos sentidos, "cárcere das almas", e, portanto, de toda dor: algo semelhante ao Nirvana búdico a que tendia a opção irracionalista dos românticos alemães e de Schopenhauer. É nesse contexto que se entendem as suas profissões de renúncia, de ascese, de estóica ataraxia. Com serenidade, o poeta olha a morte de frente como retorno fatal à matéria inorgânica, único modo de alcançar a glória silente do Nada; mas, diferentemente da ascese mallarmeana, há fervor e extrema vibração na prática desse caminho:

> Erguer os olhos, levantar os braços
> para o eterno Silêncio dos Espaços
> e no Silêncio emudecer olhando
> ("Imortal atitude")
>
> Abre-me os braços, Solidão radiante,
> funda, fenomenal e soluçante,
> larga e búdica Noite redentora!
> ("Êxtase búdico")

O tom de confiança absoluta na salvação pelo exercício da "vida obscura" e pelo percurso da "via dolorosa" está presente nos mais belos sonetos de Cruz e Sousa que, com os de Antero, dão à língua portuguesa do século passado um alto exemplo de poesia existencial: "Vida Obscura", "Caminho da Glória", "Supremo Verbo", "Coração confiante", "Ódio sagrado", "Cavador do Infinito", "Triunfo Supremo". E este "Sorriso Interior", testamento espiritual que escreveu pouco antes de morrer:

> O ser que é ser e que jamais vacila
> nas guerras imortais entra sem susto,
> leva consigo este brasão augusto
> do grande amor, da grande fé tranqüila.
>
> Os abismos carnais da triste argila
> ele os vence sem ânsias e sem custo...
> Fica sereno, num sorriso justo
> enquanto tudo em derredor oscila.
>
> Ondas interiores de grandeza
> dão-lhe esta glória em frente à Natureza,
> esse esplendor, todo esse largo eflúvio.
>
> O ser que é ser transforma tudo em flores...
> e para ironizar as próprias dores
> canta por entre as águas do Dilúvio!

Alphonsus de Guimaraens

De Cruz e Sousa para Alphonsus de Guimaraens (222) sentimos uma descida de tom. Tristão de Ataíde chamou "solar" ao primeiro para contrapô-lo ao segundo, "poeta lunar". De fato, a poesia do autor de *Kyriale* nos aparece iluminada por uma luz igual e suave, constante no seu nível, quase sem surpresas na sua temática. Alphonsus de Guimaraens foi poeta de um só tema: a morte da amada. Nele centrou as várias esferas do seu universo semântico: a natureza, a arte, a crença religiosa. Mas não devemos cair na tentação de chamá-lo poeta monótono, a não ser que se dê à monotonia o valor positivo que ela assume em poetas maiores, um Petrarca ou um Leopardi, que souberam aprofundar até às raízes o seu motivo inspirador, permanecendo-lhe sempre fiéis. Quanto a Alphonsus, o fantasma da amada (sublimação de seu afeto pela prima Constança, morta adolescente?) coloca-o em face da morte enquanto dado insuperável, que a sua religião estática não logra transcender. A morte se repropõe ao poeta como presença do corpo morto, com o luto circunstante, os círios, os cantochões, o esquife, o féretro, os panos roxos, o réquiem, o sepultamento no campo-santo, as orações fúnebres. *Kyriale* é um dobre de finados: pelos títulos dos poemas ("Luar sobre a cruz da tua cova", "À meia-noite", "Ocaso — impressões de véspera de finados", "*Spectrum*", "*Ossa Mea*"); pela atmosfera pesada e pesadelar que nele se respira; enfim, pela própria linguagem seletiva no léxico e no ritmo solene no qual a vagas sugestões barrocas se mescla a voz elegíaca de Verlaine:

---

(222) ALPHONSUS DE GUIMARAENS (Afonso Henriques da Costa Guimarães) (Ouro Preto, MG, 1870 — Mariana, MG, 1921). O pai do poeta era português e a mãe, brasileira, sobrinha do romancista Bernardo Guimarães. Depois de ter começado Engenharia na sua província, abandonou o curso preferindo Direito, em São Paulo, cidade a cujo grupo simbolista (Freitas Vale, Ferreira de Araújo) se manteria ligado por toda a vida. Voltando para Minas, depois de uma rápida viagem ao Rio aonde fora para conhecer Cruz e Sousa, optou pela carreira de magistrado. Foi promotor em Conceição do Serro e, de 1906 até a morte, juiz municipal em Mariana. Aí viveu modestamente com a esposa e catorze filhos. A maior parte da sua obra foi escrita e publicada nos anos anteriores à sua ida para Mariana. Obras: *Septenário das Dores de Nossa Senhora*, 1899; *Dona Mística*, 1899; *Kyriale*, 1902 (escrito antes dos precedentes); *Pauvre Lyre*, 1921; *Pastoral aos Crentes do Amor e da Morte*, 1923. A edição completa dos seus poemas, organizada por Alphonsus de Guimaraens Filho, inclui os inéditos de *Escada de Jacó*, *Pulvis*, *Nova Primavera* (tradução de Heine) e *Salmos da Noite* (*Obra Completa*, Rio, Aguilar, 1960). Consultar: José Veríssimo, *Estudos de Literatura Brasileira*, 2ª série, Rio, Garnier, 1903; João Alphonsus, "Notícia Biográfica", na ed. das *Poesias*, org. por Manuel Bandeira, Rio, Ministério da Educação, 1938; Henriqueta Lisboa, *Alphonsus de Guimaraens*, Rio, Agir, 1945; Eduardo Portella, "O Universo poético de Alphonsus de Guimaraens", na ed. da *Obra Completa*, Aguilar, *cit.*, pp. 17-27.

Meus pobres sonhos que sonhei, já tão sonhados,
Que vento de desdita e de luto vos leva?
Que fúria de pavor, sedenta de pecados,
Vos guia em turbilhões de poeira e de treva?
("Pobres Sonhos")

Já se percebe nesse livro juvenil um maneirismo do fúnebre que roça o macabro, traço do romantismo gótico recuperado pelos decadentes. Um exemplo probante dessa atitude e do seu cortejo de imagens acessórias encontra-se no poema "O Leito" que, pela cadência narrativa, evoca um conto de Poe:

Ontem, à meia-noite, estando junto
A uma igreja, lembrei-me de ter visto
Um velho que levava às costas isto:
Um caixão de defunto.

O caso nada tem de extraordinário.
Quem um velho a levar um caixão tal
Inda não viu? É um fato quase diário
Em qualquer bairro de uma capital.

Mas é que ia de modo tal curvado
Para o chão, e a falar tão baixo e tanto,
Que, manso e manso, e trêmulo de espanto,
Fui seguindo a seu lado.

Disse-lhe assim: "Talvez seja a demência
Que guia os passos todos que tu dês;
Ou és então, na mísera existência,
Um miserável bêbedo, talvez."

O olhar fito no chão, como desfeito
Em sangue, o velho, sem me olhar seguia,
E ouvi-lhe a única frase que dizia:
"Vou levando o meu leito."

A atmosfera criada é absolutamente romântica. Por outro lado, o apelo constante à memória e à imaginação força em Alphonsus, como em outros simbolistas, as portas do subconsciente, de onde emergem os monstros da infância e os desejos reprimidos da adolescência: às vezes, dentre as litanias de *Kyriale*, irrompem cadeias de imagens surreais como estas:

. . . .
Espectros que têm voz, sombras que têm tristeza,
Perseguem-me: e acompanho os apagados traços
De semblantes que amei fora da natureza.

Vós haveis de fugir ao som de padre-nossos,
Fruto da carne infiel, seios, pernas e braços,
E vós, múmias de cal, dança macabra de ossos!
("Espírito mau")

Bastaria a leitura do soneto acima para entender a diferença de perspectiva entre Alphonsus e Cruz e Sousa. No poeta mineiro, passadista e decadente, há um homem preso às franjas de uma religiosidade espantada, cuja função última é a de evocar o fantasma da morte para reprimir os assaltos obsedantes dos três "inimigos da alma": diabo, carne e mundo. No "Dante negro", a tensão corpo-alma faz-se dialeticamente, mudando-se a libido e o instinto de morte em fervor espiritual. Daí a diversidade de tom que separa ambos: Cruz e Sousa, denso e entusiasta; Alphonsus, fluido e depressivo. De certos momentos de evocação, porém, criou uma imagem perfeita:

Hão de chorar por ela os cinamomos,
Murchando as flores ao tombar do dia.
Dos laranjais hão de cair os pomos,
Lembrando-se daquela que os colhia.

As estrelas dirão: — "Ai, nada somos,
Pois ela se morreu silente e fria..."
E pondo os olhos nela como pomos,
Hão de chorar a irmã que lhes sorria.

A lua, que lhe foi mãe carinhosa,
Que a viu nascer e amar, há de envolvê-la
Entre lírios e pétalas de rosa.

Os meus sonhos de amor serão defuntos...
E os arcanjos dirão no azul ao vê-la,
Pensando em mim: — "Por que não vieram juntos?"

Nas obras posteriores a *Kyriale*, o motivo da amada ausente sobreleva a todos, conservando-se, porém, a atitude básica de se exorcizarem as imagens corpóreas pela invocação de um mundo lunar que circunda como um halo a figura feminina, desmaterializada em *Rosa Mística*, ungida e santa no *Septenário das Dores de Nossa Senhora*. Este, verdadeiro poema litúrgico, obedece à seriação canônica das dores da Virgem, cantada cada uma em sete sonetos sobre modelos clássicos, menos a concisão destes. De todos é mais conhecido, e talvez mais belo, o que começa assim: "Mãos que os lírios invejam, mãos eleitas, / Para aliviar de Cristo os sofrimentos" (son. VI da Segunda Dor).

Na *Pastoral aos Crentes do Amor e da Morte*, o tradutor de Heine e de poetas chineses, lidos em versão francesa, experimenta novos arranjos rítmicos ou trata com ciente frouxidão velhos metros medievais, tendência que, nascida com o Simbolismo europeu, iria desaguar no verso livre. O espírito que preside à obra é literário (no sentido estrito de formal) e menos voltado para o aprofundamento de temas que o das obras anteriores: uma pesquisa de conteúdos, aliás, pouco encontraria além dos motivos que se definem no título da coletânea: amor e morte. Fica assim delineada a evolução formal de Alphonsus no sentido de romper cadências e de jogar com estrofes melodicamente sinuosas, ricas de encadeamentos, capazes, portanto, de traduzir o abandono sentimental, a confidência, o devaneio:

Rosas que já vos fostes, desfolhadas
Por mãos também que já se foram, rosas
Suaves e tristes! rosas que as amadas,
Mortas também, beijaram suspirosas...

Umas rubras e vãs, outras fanadas,
Mas cheias do calor das amorosas...
Sois aroma de alfombras silenciosas,
Onde dormiram tranças destrançadas.

Umas brancas, da cor das pobres freiras,
Outras cheias de viço e de frescura,
Rosas primeiras, rosas derradeiras!

Ai! quem melhor que vós, se a dor perdura,
Para coroar-me, rosas passageiras,
O sonho que se esvai na desventura?

A difusão do Simbolismo

Cruz e Sousa e Alphonsus de Guimaraens foram as matrizes diretas do Simbolismo brasileiro e, de certo modo, também os responsáveis pela procura das fontes francesas, belgas e portuguesas (Antônio Nobre, Guerra Junqueiro, Eugênio de Castro) que, mais tarde, iriam diferenciar os grupos de simbolistas menores reunidos após a morte do poeta catarinense.

A história desses grupos e a apresentação dos seus membros mais conspícuos já foi feita no excelente *Panorama do Movimento Simbolista Brasileiro* por Andrade Muricy (223), a quem se deve o renovado interesse pela corrente e, sobretudo, pela figura de Cruz e Sousa. A partir do trabalho de Muricy retoma força o estudo do Simbolismo cuja bibliografia conta hoje com seletas e ensaios minudentes (224) aos quais remeto o leitor erudito ou curioso.

---

(223) Rio de Janeiro, Instituto Nacional do Livro, 1952, 3 vols.
(224) Cf. na bibliografia final as obras citadas de Fernando Góis, Manuel Bandeira, Péricles Eugênio da Silva Ramos e Massaud Moisés.

Ao lado de Cruz e Sousa, cultuando-lhe a memória e muitas vezes repetindo os traços mais evidentes do seu estilo, estão os poetas que fundaram a Revista *Rosa Cruz* no Rio de Janeiro (1901-1904): Saturnino de Meireles, C. D. Fernandes, Castro Meneses, Tavares Bastos, Gonçalo Jácome, Félix Pacheco, Pereira da Silva, Tibúrcio de Freitas, Rocha Pombo, entre outros. Há em quase todos uma exasperação da maneira baudelaireana do Cruz e Sousa inicial, quer no modo de conceber as relações entre corpo e alma, quer na pose estetizante, pseudomística.

No Paraná, de onde viera um dos maiores admiradores de Cruz e Sousa, Emiliano David Perneta, constituem-se grupos em torno de efêmeras revistas: *O Cenáculo*, *O Sapo*, *Pallium*, *Turris Eburnea*. Nelas colaboraram Silveira Neto, autor de *Luar de Hinverno* (o *H* era então requinte estético); e Dario Veloso, poeta das *Esotéricas* (1900), mestre em ocultismo pela Escola Superior de Ciências Herméticas de Paris, criada por Papus, e fundador do Instituto Neopitagórico de Curitiba onde iniciava os discípulos nas doutrinas cabalísticas então enfunadas na Europa pelos novos sopros do irracionalismo ([225]). E mais: Jean Itiberê (João Itiberê da Cunha), educado na Bélgica, conhecedor de Maeterlinck, poeta de um só livro, e em francês (*Préludes*, Bruxelas, 1890), precoce difusor do crepuscularismo belga; Euclides Bandeira, presa fácil de delírios estetizantes, como se constata pelos seus *Ditirambos* (1901) e não menos di-

---

([225]) Os ingredientes da moda ocultista na Europa eram díspares. Os círculos mais sofisticados cultivaram o Wagner das óperas místicas e medievais (*Lohengrin*, *Parsifal*): sai em fevereiro de 1885 o nº 1 da *Révue Wagnérienne* que apresenta entre seus colaboradores Mallarmé e Villiers de l'Isle Adam e o pré-joyceano Dujardin, e onde o músico alemão é exalçado a filósofo e sacerdote de arcanos mistérios. Outros grupos divulgam fragmentos do hinduísmo (o Parnaso preferira a China, racional e formalista), amalgamados num composto para uso de ocidentais, a Teosofia: é na Inglaterra que aparece, em 1893, a *Doutrina Secreta* de Madame Blavatsky, lida e admirada por Yeats. Em Paris a moda é o ocultismo, herdeiro da Cabala e dos Rosa-Cruzes de Hermes Trimegisto: o mestre moderno, o Dr. Papus, cujo *Traité élémentaire de Science occulte*, publicado em 1888, mereceu um prefácio de Anatole France, veladamente irônico: "Um certo conhecimento das ciências ocultas faz-se necessário para a inteligência de bom número de obras literárias deste tempo. A Magia ocupa largo espaço na imaginação de nossos poetas e de nossos romancistas. A vertigem do invisível aferra-os, persegue-os a idéia do desconhecido, e voltaram os tempos de Apuleio e de Phlegon de Tralles" (*apud* Michaud, *Message poétique du Symbolisme*, Paris, Nizet, 1947, vol. II, p. 372).

Outro divulgador de grande público, Schuré, escreveu *Os Grandes Iniciados*, em 1889.

Na verdade, Cabala, Astrologia e Teosofia caminhavam numa direção para a qual tenderiam, ao mesmo tempo, mas em termos rigorosamente científicos, a Etnologia de Frazer e a Psicanálise de Freud e de Jung. As linhas são opostas, opostos os métodos, mas tudo é sintoma de um interesse alerta pelos fenômenos psíquicos não-conscientes comum nesse período de crise do Naturalismo.

tirâmbicos *Ouropéis* (1906); Santa Rita, Ricardo Lemos, Tiago Peixoto, Leite Jr., José Gelbcke, Ismael Martins, Aristides França, Adolfo Werneck, Cícero França, menores e mínimos.

Mas de todos os simbolistas paranaenses o único realmente original foi Emiliano Perneta ([226]). Filho de um cristão-novo português, amigo fraterno de Cruz e Sousa e dos primeiros a redigir manifestos simbolistas pela *Folha Popular*, antes ainda da publicação dos *Broquéis*. Os sestros da escola, apesar de numerosos, não abafaram em Emiliano Perneta a nota pessoal, expressionista, de homem arrastado pelo desejo intenso de conhecer o próprio fim; *cupio dissolvi* que deixou marcas indeléveis em alguns dos seus melhores poemas: "Azar", em que reveste o mito judaico de Aasverus com a imagem do cavaleiro que corre pregando a Morte; "Fogo Sagrado", sonetilho de octossílabos de ritmo encantatório, e este "Corre mais que uma vela", síntese das suas ânsias de autodestruição:

> Corre mais que uma vela, mais depressa,
> Ainda mais depressa do que o vento,
> Corre como se fosse a treva espessa
> do tenebroso véu do esquecimento.
>
> — Eu não sei de corrida igual a essa:
> São anos e parece que é um momento;
> Corre, não cessa de correr, não cessa,
> Corre mais que a luz e o pensamento.
>
> É uma corrida doida, essa corrida,
> Mais furiosa do que a própria vida,
> Mais veloz que as notícias infernais...
>
> Corre mais fatalmente do que a sorte,
> Corre para a desgraça e para a morte.
> Mas eu queria que corresse mais!

A poesia de Emiliano Perneta, lida e valorizada por poucos, espera um estudo analítico à sua altura.

No Rio Grande do Sul, o movimento conheceu a nota singular da presença italiana: o decadentismo de Gabriele D'Annunzio seduziu os jovens que formavam as rodas literárias de Porto Alegre no começo do século. O que não

---

([226]) Emiliano David Perneta (Pinhais, Paraná, 1866 — Curitiba, 1921). *Músicas*, 1888; *Carta à Condessa D'Eu*, 1899; *Ilusão*, 1911; *Pena de Talião*, poema dramático, 1914; *Setembro*, 1934. *Obras*, ed. por Andrade Muricy, 2 vols., Rio, Zélio Valverde, 1945. Consultar: Nestor Vítor, *A Crítica de Ontem*, Rio, Leite Ribeiro & Maurílio, 1919; Andrade Muricy, *O Suave Convívio*, Rio, Anuário do Brasil, 1922; Id., Introdução à ed. cit. das *Obras*, I, pp. I-XVII; Erasmo Piloto, *Emiliano*, Curitiba, Gerpa, 1945; Massaud Moisés, *O Simbolismo*, *cit.*

é de estranhar, se lembrarmos de um lado que a imigração italiana naquela província foi pioneira, datando de 1875, e mais conservadora que em São Paulo, e de outro, a feição geral não-brasileira da corrente simbolista. Para Muricy, o grupo gaúcho foi, "no conjunto do Simbolismo brasileiro, o de expressão mais imediatamente europeizante". Constata-se a observação lendo, por exemplo, Zeferino Brasil, que alterna o tom decadente com retornos ao Parnaso; Marcelo Gama, tipo acabado de boêmio provinciano de que há indícios no tom faceto de alguns versos da *Via Sacra e Outros Poemas*, Álvaro Moreyra, que logo se integraria no grupo carioca de *Fon-Fon!* e, sobrevivendo a todos os companheiros, lhes contaria a vida e a obra nas belas memórias... *As Amargas, Não* (1954); Felipe d'Oliveira, também egresso do Sul para o mesmo grupo, e poeta em que se distinguem duas fases, a "crepuscular" de *Vida Extinta* (1911) e a modernista, mais original, de *Lanterna Verde* (1926); Homero Prates, estetizante e oco *(As Horas Coroadas de Rosas e de Espinhos*, 1912; *Nos Jardins dos Ídolos e das Rosas*, 1920, etc.); Alceu Wamosy, poeta muito próximo de Cruz e Sousa nas suas primeiras composições (*Flâmulas*, 1913; *Na Terra Virgem*, 1914), mas logo envolvido pelo intimismo à Samain que lhe ditou um dos sonetos mais populares entre nós, "Duas Almas" (Ó tu, que vens de longe, ó tu, que vens cansada...).

Nenhum deles compara-se, porém, a Eduardo Guimaraens ([227]), cuja cultura literária vasta e o gosto exigente levaram cedo a tocar mais fundo no trabalho poético como criador e, ainda mais, como fino tradutor.

Na *Divina Quimera* temos um rico inventário das possibilidades do verso português desde os solenes alexandrinos do "Túmulo de Baudelaire",

> Entre a aridez da terra e a solidão noturna,
> fundo abismo, do espaço ao lúgubre esplendor,
> fendem-se do Desejo as largas fauces de urna,

até os bissílabos de irônico penumbrismo que compõem "Na tarde morta":

> a esta hora
> triste,
> divina-
> mente
> . . . .
> dos ninhos
> no alto

([227]) Eduardo Guimaraens (Porto Alegre, 1892 — Rio, 1928). *Divina Quimera*, 1916; *A Divina Quimera*, com a reunião de outros poemas, mas sem as traduções, Porto Alegre, Globo, 1944. Consultar: Mansueto Bernardi, Prefácio à 2ª ed., de *A Divina Quimera*, *cit.*; Rodrigo Otávio Filho, "O Penumbrismo", em *A Literatura no Brasil* (org. por Afrânio Coutinho), *cit.*, vol. III, t. 1, pp. 351-356.

dos galhos
tortos...

e sobre-
tudo
das cria-
turas!

Eduardo Guimaraens traduziu o Conto V do *Inferno*, oitenta e três poemas de Baudelaire e uma antologia de versos de Rabindranath Tagore (*Poemas Escolhidos*, Globo, 1925).

Do grupo mineiro, naturalmente próximo de Alphonsus e de sua poesia religiosa, citam-se: José Severiano de Resende, egresso da vida sacerdotal, de resto constante na sua poesia oratória, de fundo bíblico; Álvaro Viana, que fundou a revista *Horus*, de curtíssima duração (julho-agosto de 1902); Arcângelus de Guimaraens, irmão do poeta; Mamede de Oliveira e Edgar Mata, ambos desmaiantes penumbristas.

Ligados aos mineiros desde os anos acadêmicos estão os poetas de São Paulo: Jacques d'Avray (pseudônimo de Freitas Vale), que versejava em francês e era chamado por Alphonsus "grand poète inconnu, Prince Royal du Symbole"; Adolfo Araújo, fundador de *A Gazeta*, Júlio César da Silva, irmão de Francisca Júlia e co-autor dos poemas didático-religiosos desta; Antônio de Godói..., todos ecoando a maneira do patriarca de Mariana.

Poetas paulistas não vinculados a esse último grupo, pois traem influências mais diretas de Cruz e Sousa: Batista Cepelos, que começou parnasiano, mas se fez simbolista em *Vaidades* (1908) e Rodrigues de Abreu, que oscilou entre a maneira do vate negro e um confidencialismo de ritmos livres que já tem algo de modernista (*A Sala dos Passos Perdidos*, 1924; *A Casa Destelhada*, 1927).

O grupo da Bahia, reunido em torno das revistas *Nova Cruzada* (1901-11) e *Os Anais* (1911), teve um precursor em Pethion de Vilar (pseud. de Egas Moniz Barreto de Aragão, 1870-1924), cuja obra foi editada postumamente, aos cuidados do simbolista português Eugênio de Castro (*Poesias Escolhidas*, Lisboa, 1925). É poeta realmente secundário cujo mérito reside menos na produção literária que no fato de ter veiculado cedo a nova estética: escreveu um poema das vogais que enviou a Rémy de Gourmont.

Em compensação veio da Bahia uma das vozes mais originais do Simbolismo brasileiro, Pedro Kilkerry (1885-1917). Quase desconhecido na época, apresentado pela prosa vibrante mas pouco lúcida de Jackson de Figueiredo, Kilkerry, poeta sem obra publicada, teve de esperar o reconhecimento tardio da inclusão do *Panorama* de Muricy e dos elogios que este lhe fez no ensaio sobre os simbolistas constante em *A Literatura no Brasil* ([228]). Mais recentemente, redescobriu-o a vanguarda concretista pela voz de um dos seus críticos mais atentos, Augusto de Campos. Fato que atesta a modernidade do poeta. Modernidade no sentido de ter ele explorado de modo intenso e consciente os recursos formais de que dispunha a técnica simbolista. Aliterações, homofonias, onomatopéias, no campo sonoro; palavras-chave e neologismos, no léxico; e, o que lhe dá uma feição muito atual, a capacidade de distanciar-se da matéria literária para poder referir-se a ela, metalingüisticamente:

Olha-me a estante em cada livro que olha.
E a luz nalgum volume sobre a mesa...
Mais o sangue da luz em cada folha.

E a câmara muda. E a sala, muda, muda...
Afonamente rufa. A asa da rima
Paira-me no ar. Quedo-lhe como um Buda
Novo, um fantasma ao som que se aproxima.
Cresce-me a estante, como quem sacuda
Um pesadelo de papéis acima.
("É o silêncio")

Outros poetas baianos filiados ao Simbolismo: Francisco Mangabeira, que, tendo participado como enfermeiro na expedição contra Canudos, sobre ela escreveu uma *Tragédia Épica* (1900); Durval de Moraes, que começou materialista e acabou poeta devoto, por isso louvado por Jackson de Figueiredo no seu *Durval de Moraes e Os Poetas de Nossa Senhora* (Rio, 1925); Galdino de Castro, epígono retórico, dividido entre Cruz e Sousa e Alphonsus; Artur de Sales, bom tradutor de *Macbeth*, e Álvaro dos Reis, também tradutor, mas de parnasianos e simbolistas franceses (*Musa Francesa*, 1917).

Do Norte: Maranhão Sobrinho e Xavier de Carvalho, maranhenses; Henrique Castriciano e Auta de Sousa, potiguares; Da Costa e Silva, piauiense; Flexa Ribeiro, paraense: todos, pelo que pude colher de exemplos antológicos, bastante influenciados por Cruz e Sousa. Da Costa e Silva involuiria mais tarde para o Neoparnasianismo.

No Ceará, o grupo da *Padaria Espiritual*, tão operoso na publicação dos naturalistas, também editou um simbolista da terra, Lívio Barreto. E no mesmo

---

([228]) *Op. cit.*, vol. III, t. 1. Tenho notícia de que a Revista da Academia de Letras da Bahia, nos seus números 2-3, de 1931, 4-5, de 1932, e 6-7 de 1933, publicou um ensaio de Carlos Chiacchio, crítico modernista, sobre Kilkerry. Infelizmente não pude vê-lo, mas, dada a natureza da revista, é certo que não teve repercussão bastante para divulgar o poeta.

Para a crítica mais recente, v. Augusto de Campos, "Re-visão de Kilkerry", S. Paulo, Fundo Estadual de Cultura, 1970.

grupo sobressai a voz de Adolfo Caminha, o autor de *A Normalista*, que apesar de discípulo de Eça, deixou algumas páginas simpáticas ao Simbolismo e a Cruz e Sousa (*Cartas Literárias*, 1895).

Enfim, o último órgão propriamente simbolista editou-se no Rio de Janeiro, a revista *Fon-Fon!* Seus animadores, tendo à frente o poeta Mário Pederneiras, diluíram o verso e aplicaram-no à expressão de conteúdos intimistas, razão por que é comum vê-los agrupados sob o rótulo de "penumbristas" ou "crepusculares".

Mário Pederneiras (Rio, 1868-1915) costuma ser apontado como o introdutor do verso livre no Brasil. Não é bem verdade: ele apenas o aplicou sistematicamente nas *Histórias do Meu Casal* (1906), livro até certo ponto novo quando situado na atmosfera estetizante do tempo, avessa aos motivos simples, domésticos, nele presentes. Mas o jogo de ritmos irregulares e de uma nova métrica vinha do século anterior, por sugestões de Whitman, Rimbaud, Verlaine, Laforgue e Gustave Kahn, e já aparecera entre nós nas traduções que o poeta parnasiano e neoclássico Alberto Ramos fizera de alguns poemas de Heine (*Poemas do Mar do Norte*, 1894). Alguns anos depois, o simbolista gaúcho Guerra Duval publica, em Bruxelas, sob a influência direta dos penumbristas belgas, as *Palavras que o Vento Leva* (1900), onde é constante o uso do verso irregular (229).

Dentre os colaboradores de *Fon-Fon!* figuram os nossos melhores intimistas, aliás, já citados nos grupos regionais, como Eduardo Guimaraens, Álvaro Moreyra e Felipe d'Oliveira. Avançando nessa linha, encontraríamos poetas que aderiram (ou quase...) ao Modernismo: Rodrigo Otávio Filho, Ribeiro Couto, Olegário Mariano, Guilherme de Almeida, Ronald de Carvalho, Onestaldo de Pennafort...

Fora e acima desses vários grupos encontramos o mais original dos poetas brasileiros entre Cruz e Sousa e os modernistas: Augusto dos Anjos.

Augusto dos Anjos (230) foi poeta de um só livro, *Eu*, cuja fortuna, extraordinária para uma obra poética, atestam as trinta edições vindas à luz até o momento em que escrevemos.

Essa popularidade deve-se ao caráter original, paradoxal, até mesmo chocante, da sua linguagem, tecida de vocábulos esdrúxulos e animada de uma

---

(229) O leitor achará mais esclarecimentos sobre as experiências métricas de Alberto Ramos e Guerra Duval em Péricles Eugênio da Silva Ramos, *Do Barroco ao Modernismo*, S. Paulo, Com. Est. de Cult., 1967, pp. 221-235.

(230) Sintetizo o que escrevi sobre o poeta paraibano em *O Pré-Modernismo*, *cit.*, pp. 43-51.

virulência pessimista sem igual em nossas letras. Trata-se de um poeta poderoso, que deve ser mensurado por um critério estético extremamente aberto que possa reconhecer, além do "mau gosto" do vocabulário rebuscado e científico, a *dimensão cósmica* e a *angústia moral* da sua poesia.

Dimensão cósmica, em primeiro lugar. A. dos Anjos centrava, de modo obsedante, no ser humano, todas as energias do universo que se teriam encaminhado para a construção desse mistério que é o "eu". O evolucionismo parece encontrar sua transcrição poética em versos como estes:

Eu, filho do carbono e do amoníaco
("Psicologia de um Vencido")

De onde ela vem?! De que matéria bruta
Vem essa luz, que sobre as nebulosas
Cai de incógnitas criptas misteriosas
Como as estalactites de uma gruta?!

Vem da psicogenética e alta luta
De feixe de moléculas nervosas,
Que, em desintegrações maravilhosas,
Delibera, e depois, quer e executa!
("A Idéia")

AUGUSTO DE CARVALHO RODRIGUES DOS ANJOS (Engenho Pau D'Arco, Paraíba, 1884 — Leopoldina, MG, 1914). Com o pai, bacharel, aprendeu as primeiras letras. Fez os estudos secundários no Liceu Paraibano: os testemunhos da época já o dão como enfermiço e nervoso. Cursou Direito em Recife e, apenas formado, casou-se; não advogou, porém; vivia de lecionar Português, primeiro no seu Estado, depois no Rio, para onde se mudou em 1910. Nos últimos meses de sua vida obteve o lugar de diretor de um grupo escolar em Leopoldina, aí vindo a falecer, de pneumonia, aos trinta anos de idade. Obras: *Eu*, 1912; *Eu e Outras Poesias*, 1919, 30ª ed., Livraria S. José, 1965. Consultar: Orris Soares, "Elogio de Augusto dos Anjos", Prefácio a *Eu* e *Outras Poesias*, *cit.*; Antônio Torres, "O Poeta da Morte", Pref. à 4ª ed., 1928; Agripino Grieco, *Evolução da Poesia Brasileira*, Rio, Ariel, 1932; Gilberto Freyre, *Perfil de Euclides e Outros Perfis*, Rio, José Olympio, 1944; Álvaro Lins, *Jornal de Crítica*, 6ª série, Rio, José Olympio, 1951; João Pacheco, *O Mundo que José Lins do Rego Fingiu*, Rio, Simões, 1958; Cavalcanti Proença, *Augusto dos Anjos e Outros Ensaios*, Rio, José Olympio, 1959; Anatol Rosenfeld, *Doze Estudos*, S. Paulo, Comissão Estadual de Cultura, 1959; Antônio Houaiss, *Seis Poetas e um Problema*, Rio, MEC, 1960; Horácio de Almeida, *Augusto dos Anjos. Razões de Sua Angústia*, Rio, Gráfica Ouvidor, 1962; Humberto Nóbrega, *Augusto dos Anjos e Sua Época*, João Pessoa, 1962; José Paulo Paes, *As Quatro Vidas de Augusto dos Anjos*, S. Paulo, 1957.

O interesse pelo poeta recrudesceu na década de 70, em que saíram: *Toda a Poesia de Augusto dos Anjos* e um estudo crítico de Ferreira Gullar, Rio, Paz e Terra, 1976; A. dos Anjos, *Poesia e Prosa*, ed. crítica de Zenir Campos Reis, S. Paulo, Ática, 1977; Magalhães Jr., *Poesia e Vida de Augusto dos Anjos*, Rio, Civilização Brasileira, 1977.

Mas a postura existencial do poeta lembra o inverso do cientismo: uma angústia funda, letal, ante a fatalidade que arrasta toda carne para a decomposição. E já não será lícito falar em Spencer ou em Haeckel para definir a sua cosmovisão, mas no alto pessimismo de Arthur Schopenhauer, que identifica na vontade-de-viver a raiz de todas as dores. Fundem-se visão cósmica e desespero radical produzindo esta poesia violenta e nova em língua portuguesa:

Triste a escutar, pancada por pancada,
A sucessividade dos segundos,
Ouço em sons subterrâneos, do orbe oriundos,
O choro da Energia abandonada!

É a dor da força desaproveitada,
O cantochão dos dínamos profundos,
Que, podendo mover milhões de mundos,
Jazem ainda na estática do Nada.

É o soluço da forma ainda imprecisa...
Da transcendência que se não realiza...
Da luz que não chegou a ser lampejo...

É, em suma, o subconsciente ai formidando
Da natureza que parou chorando
No rudimentarismo do desejo!...

("O Lamento das Coisas")

Como Baudelaire (excluindo embora as profundas diferenças de forma), Augusto dos Anjos canta a miséria da carne em putrefação. Mas não há, no atormentado paraibano, nenhuma convicção estética amadurecida, nem, por outro lado, complacência satanista. Para o poeta do *Eu*, as forças da matéria, que pulsam em todos os seres e em particular no homem, conduzem ao Mal e ao Nada, através de uma destruição implacável; ele é o espectador em agonia desse processo degenerescente cujo símbolo é o *verme*:

Já o verme — este operário das ruínas —
Que o sangue podre das carnificinas
Come, e à vida em geral declara guerra,

Anda a espreitar meus olhos para roê-los,
E há de deixar-me apenas os cabelos,
Na frialdade inorgânica da terra!

("Psicologia de um Vencido")

Ah! Para ele é que a carne podre fica,
E no inventário da matéria rica
Cabe aos seus filhos a maior porção!

("O Deus-Verme")

Se a vida (carne, sangue, instinto) não tem outro destino senão o de fabricar miasmas de morte, qual poderá ser a concepção do amor ou do prazer em

Augusto dos Anjos? Há no poema *Queixas Noturnas* resposta para ambas as perguntas.

Sobre o amor:

> Sobre histórias de amor o interrogar-me
> É vão, é inútil, é improfícuo, em suma;
> Não sou capaz de amar mulher alguma,
> Nem há mulher talvez capaz de amar-me.

E acerca do prazer, estes versos justamente célebres:

> Se algum dia o Prazer vier procurar-me,
> Dize a este monstro que eu fugi de casa!

O asco da volúpia ele o exprimiu com palavras de fogo, ao visualizar na relação entre os sexos apenas *a matilha espantada dos instintos*, ou, *parodiando saraus cínicos, / bilhões de centrossomas apolínicos / na câmara promíscua do vitellus.* Reduzindo o amor humano a cega e torpe luta de células, cujo fim não é senão criar um projeto de cadáver, o que resta a esse impiedoso desprezador das energias vitais? Uma aspiração contorcida para a imortalidade gélida, mas luminosa, de outros mundos onde não lateje a vida-instinto, a vida-carne, a vida-corrupção:

> As minhas roupas, quero até rompê-las!
> Quero, arrancado das prisões carnais,
> Viver na luz dos astros imortais,
> Abraçado com todas as estrelas!
>
> ("Queixas Noturnas")

Nesse momento, em que sentimos o reflexo de um outro romantismo — o idealista e espiritualista —, aproximam-se o blasfemo Augusto dos Anjos e o crente Cruz e Sousa.

O poeta do *Eu* é um poeta eloqüente. O dramático das suas tensões, que às vezes tende para trágico do inelutável, encontra forma ideal em quartetos de decassílabos fortemente cadenciados, em que são copiosos os versos sáficos, de manifesta sonoridade, as rimas ricas e as palavras raras e esdrúxulas. São versos que ficaram no ouvido de gerações de adolescentes, pois de adolescentes conservam um quê do pedantismo dos autodidatas verdes, em geral acerbos e solitários. É verdade que ao gosto de nossos dias repugnam versos violentamente prosaicos como estes:

> Busca exteriorizar o pensamento
> Que em suas fronetais células guarda!
>
> ("O Martírio do Artista")

Ou

> Cresce-lhe a intracefálica tortura,
> E de su'alma na caverna escura,
> Fazendo ultra-epilépticos esforços,
> . . . .
>
> ("Monólogo de uma Sombra")

Mas não se trata de aceitar certas palavras como *poéticas* e de rejeitar outras por *apoéticas*. A crítica, depois de interpretar a cosmovisão de um artista, não lhe deve pedir senão uma virtude: a *expressividade*. E toda expressividade leva, quando repuxada até às raízes, à invenção, à construção, à formalização. Nessa perspectiva, é que as palavras serão ou não necessárias esteticamente. Em Augusto dos Anjos, o jargão científico e o termo técnico, tradicionalmente prosaicos, não devem ser abstraídos de um contexto que os exige e os justifica. Ao poeta do cosmos em dissolução, ao artista do mundo podre, fazia-se mister uma simbiose de *termos que definissem toda a estrutura da vida* (vocabulário físico, químico e biológico) e *termos que exprimissem o asco e o horror ante essa mesma existência imersa no Mal*.

Ambas as dimensões — cósmica e moral — determinam, assim, a linguagem que lhes é conatural. Exemplos probantes vão transcritos abaixo (grifos meus):

> E a consciência do sátiro se inferna,
> Reconhecendo, bêbedo de sono,
> Na própria ânsia dionisíaca do gozo,
> *Essa necessidade do horroroso*
> *Que é talvez propriedade do carbono.*
>
> E *autopsiando* a *amaríssima existência*.

Analisem-se estas aproximações nominais:

miséria anatômica, espécies sofredoras, desespero endêmico, mecânica nefasta, estranguladora lei, agregados perecíveis, apodrecimentos musculares, herança miserável de micróbios, cuspo afrodisíaco, intracefálica tortura, aspereza orográfica do mundo, fonemas acres, fotosferas mortas, gêiser deletério, sangue podre, câmara promíscua do vitellus, microorganismos fúnebres, atômica desordem, energia abandonada.

Em todas as expressões, as realidades cósmicas e vitais acham-se vinculadas a qualificações depressivas; ou, vice-versa, a substantivos que indicam o mal e a morte estão apostos adjetivos que lhes dão dimensões universais.

Um inventário mais minucioso apontaria as múltiplas formas forjadas pelo poeta para criar efeitos de paradoxo e de paroxismo, pois o contraste e a hipérbole são os pilares da sua expressão convulsa. Eis alguns versos estruturados em função de um clímax semântico-sonoro:

> Tísica, tênue, mínima, raquítica.
>
> Sáxeo, de asfalto rijo, atro e vidrento.
>
> Cinzas, caixas cranianas, cartilagens
>
> . . . .
>
> de aberratórias abstrações abstrusas.

Arda, fustigue, queime, corte, morda!

Bruto, de errante rio, alto e hórrido, o urro
Reboava.
A híspida aresta sávea áspera e abrupta.

É fato, também, que, levado por sua hipersensibilidade sonora, algumas vezes o poeta cria efeitos musicais que tendem a valer por si mesmos, independentes (no que é possível) da sua função semântica. É o que justifica estudos minudentes como o de Cavalcanti Proença, que arrolou as numerosas aliterações e os jogos fonéticos de A. dos Anjos, indicando, também, com muita felicidade, a filiação de certos ritmos seus à poesia de Cesário Verde e de Guerra Junqueiro (231). A rigor, porém, não se trata de um cultor da arte pela arte, entendida à maneira parnasiana. Seus processos literários, basicamente projetivos, situam-no entre a retórica "científica" dos anos de 70 e a inflexão simbolista dos princípios do século. Esse encontro, irregular para o tempo, deu-lhe a marca da originalidade pela qual ainda hoje é estimado.

A PROSA DE FICÇÃO

Pela origem e natureza da sua estética, o Simbolismo tendia a expressar-se melhor na poesia do que nos gêneros em prosa, em geral mais analíticos e mais presos aos padrões do verossímil e do coerente. E, de fato, a prosa narrativa, que no último quartel do século XIX chegara a um ponto de alta maturação em Raul Pompéia, Aluísio Azevedo e Machado de Assis, não continuará a dar frutos de valor a não ser em escritores deste século, de formação realista, como Lima Barreto, Graça Aranha e Simões Lopes Neto.

Isto não quer dizer que os nossos decadentes não hajam tentado as várias sendas da prosa: o romance, o conto, a crônica, a prosa de arte, a crítica. Fizeram-no difusa e copiosamente, mas com precários resultados, à exceção, talvez, de Nestor Vítor, o maior crítico do Simbolismo (v.). O "poema em prosa", de que haviam dado exemplos Baudelaire e Rimbaud, é gênero difícil, pois não se tolera por muito tempo a indefinição ou a vaguidade no discurso não rítmico, a não ser que essas características sejam compensadas por uma força rara de fantasia. As *Canções sem Metro* de Raul Pompéia, embora inferiores ao *Ateneu*, parecem-me de leitura mais agradável que as próprias *Evocações* de Cruz e Sousa, não obstante a grandeza deste como poeta. Mas foi o modelo menos feliz que proliferou nos primeiros anos do século. É fato lamentado por um especialista em "literatura 1900", Brito Broca: "... as boas

---

(231) "O Artesanato em Augusto dos Anjos", em *Augusto dos Anjos e Outros Ensaios*, pp. 85-149.

heranças da poesia simbolista poucos as colheram, enquanto as más heranças da prosa encontraram terreno fértil e propício para desenvolver-se entre nós. Desde o começo do século que se implantou em nossas revistas literárias e mundanas, com vinhetas e ilustrações, um gênero de crônica meio poemática, espécie de divagação fantasista sobre motivos abstratos, mero jogo de palavras, em que se exercitavam a habilidade e o engenho verbal dos autores. Era assimilação do pior Simbolismo pelo pior Parnasianismo, e o tipo perfeito desse mal da literatice, que se tornou um dos principais alvos dos modernistas"(232).

A revista *Fon-Fon!*, refúgio dos crepusculares da última geração simbolista, dá exemplo desses periódicos de que fala Brito Broca. É a época áurea do *art nouveau*, ou *liberty*, estilo arquitetônico e decorativo que se pode considerar uma resistência do artesanato e do ornamento floreal à seriação anônima a que a indústria começava a reduzir as artes aplicadas (233).

A prosa ornamental de Coelho Neto, incerta entre o Realismo e o Decadentismo, já prenunciava essa linha que iria prolongar-se por toda a *belle époque*. Mas viria de simbolistas de estreita observância, como Lima Campos, Gonzaga Duque, Rocha Pombo e Nestor Vítor, o esforço mais sistemático de criar uma prosa poética em moldes realmente originais. Em nossa língua, antes das experiências de Cruz e Sousa (*Missais*, 1893), conhecia-se a obra do escritor português João Barreira, *Gouaches*, apólogos e fantasias intimistas; mas os modelos mais influentes vinham, naturalmente, da França: os poemas em prosa de Aloysius Bertrand e de Baudelaire, as *Illuminations* (que significam "iluminações", mas também "iluminuras") de Rimbaud, *Axel* de Villiers de l'Isle Adam, as páginas ocultistas de Sâr Péladan, assistente rosa-cruz em Paris, e, na prosa ficcional de estofo ideológico neo-romântico, *À Rebours*, *En route* e *La Cathédrale* de Huysmans, retratos consumados de um ideal de vida evasionista.

Da mole de contos, quadros, fantasias e devaneios em prosa escritos nessa época, é justo que se ressalvem algumas obras representativas da *forma mentis* simbolista entre nós:

Signos (1897), de Nestor Vítor, em que o atilado crítico do movimento trabalha uma linguagem expressionista *avant la lettre*, cujo exemplo mais sério é a novela "Sapo", história de um rapaz que se alheia radicalmente da sociedade até ver-se um dia transformado em um animal repelente "de malhas amarelas e verde-escuras a cobrirem-lhe o corpo". Quem não lembrará, ao menos pela alegoria final, a *Metamorfose*, que Kafka escreveria vinte anos depois?

---

(232) Brito Broca, "Quando teria começado o Modernismo?", *in Letras e Artes*, Supl. Literário de *A Manhã*, Rio, 20-7-1952.

(233) V. o excelente ensaio de Flávio Motta, *Contribuição ao Estudo do "Art Nouveau" no Brasil*, tese universitária, Faculdade de Arquitetura e Urbanismo da U.S.P., 1967.

Confessor Supremo (1904), de Lima Campos, contos fantásticos ou oníricos, mas elaborados em uma prosa frouxa e retórica que dilui o impacto da mensagem psicológica; e

Horto de Mágoas (1914), de Gonzaga Duque, livro de contos nefelibatas.

Tentativas mais ambiciosas de romance anti-realista fizeram-nas o mesmo Gonzaga Duque, com *Mocidade Morta* (1897), Nestor Vítor, com *Amigos* (1900), e Rocha Pombo, com *No Hospício* (1906). O livro de Gonzaga Duque tem importância documental: narra as aventuras de um grupo esteticizante, os "Cavaleiros da Espiritualidade", boêmios intoxicados de poesia e de pintura francesa *fin de siècle*, paradigmas daquela atitude na verdade muito sensual e nada espiritual que levaria o severo Croce a definir o imaginoso D'Annunzio "*dilettante di sensazioni*". A diferença está na qualidade literária, no caso o melhor divisor de águas: se o decadente italiano era um estilista culto e vigoroso, o nosso Gonzaga Duque não ultrapassava, em geral, a mera verborragia.

Também o romance de Nestor Vítor centra-se na história mórbida de um grupo de jovens, todos estigmatizados por tiques e taras bastantes para empurrá-los a uma existência irregular e marginal, em busca de impossíveis evasões. É sintomático o apelo que os simbolistas fazem à esfera da anormalidade, tanto física quanto espiritual, situação que, em vez de acachapar as personagens à moda de Zola, permite-lhes o acesso a uma vida "diferente" e "superior". O elogio da loucura, sobretudo quando esta aparece com matizes esquizofrênicos, vira lugar-comum nessa ficção que dá resolutamente as costas ao cotidiano e ao terra-a-terra. O que não soa tão estranho em poesia, pela própria tradição sublimadora e distanciadora da lírica ocidental, choca no romance que, desde o século XVIII, se tem mostrado comprometido com as realidades sócio-históricas, mesmo na sua variante passional e romântica.

Enfim, prova cabal do vezo de referir sublimes demências encontra-se no romance *No Hospício* cujo autor foi, curiosamente, um dos nossos mais conspícuos historiadores, José Francisco da Rocha Pombo. Os críticos que lhe têm dedicado mais atenção [234] falam de Poe e de Hoffmann como influências prováveis no espírito e na fatura da obra. É observação que se deve tomar *cum grano salis*, pois desses românticos intensamente criadores o nosso Rocha Pombo herdou apenas o gosto do quadro narrativo excepcional (um hospício onde um jovem sensível foi criminosamente internado pelo pai), mas não foi capaz de imitar-lhes a arte de sugerir atmosferas pesadelares, pois carecia de recursos formais para tanto.

---

(234) Andrade Muricy, *op. cit.*, pp. 204-209, e Massaud Moisés, *op. cit.*, pp. 250-258.

O PENSAMENTO CRÍTICO

A crítica oficial dos fins do século XIX, representada pela tríade Sílvio Romero-José Veríssimo-Araripe Jr., foi, em geral, hostil aos simbolistas; e, mesmo quando se mostrou tolerante ou, excepcionalmente, simpática à figura isolada de Cruz e Sousa, não pôde, nem poderia tornar-se a consciência reflexa de uma corrente que se afirmara contra o Realismo em literatura e o Positivismo em filosofia. Foi do interior do movimento que nasceram os critérios conaturais aos valores encarecidos por seus poetas ([235]). Daí, terem sido militantes simbolistas seus melhores críticos: Gonzaga Duque e Nestor Vítor.

O primeiro só nos interessa obliquamente. Foi um amador das artes plásticas, escrevendo suas impressões finas e lúcidas sobre pintores e decoradores do tempo. Folheando *Graves e Frívolos* (1910) e *Contemporâneos* (1929), entramos em contato com um *connaisseur* de gosto afinado com os impressionistas, entusiasta de Puvis de Chavannes e do *art nouveau* que chegara ao Rio na pena dos ilustradores da *Careta*, do *Fon-Fon!*, do *Malho*, da *Avenida*, da *Renascença*, do *Kosmos*, e do pincel ornamental de Eliseu Visconti que lhe traçou um belo retrato. Dada a contínua imbricação do gosto simbolista com as artes em geral (lembre-se a doutrina das "correspondências"), não se deve subestimar o papel exercido por Gonzaga Duque como crítico especializado, talvez o primeiro na história da nossa cultura.

Mas é só com Nestor Vítor ([236]) que a corrente encontra o seu claro espelho.

([235]) V. "Da Crítica do Simbolismo pelos Simbolistas", *in* Anais do I Congresso Brasileiro de Crítica e História Literária, Rio, Tempo Brasileiro, 1964, pp. 235-266.

([236]) NESTOR VÍTOR DOS SANTOS (Paranaguá, Paraná, 1868 — Rio, 1932). Fez as primeiras letras na cidade natal e aí, adolescente, tomou parte ativa em campanhas abolicionistas e republicanas. Indo para o Rio de Janeiro, freqüentou o Externato João de Deus e passou a militar na imprensa. A partir de 1893 liga-se a Cruz e Sousa por vínculos de amizade e admiração, de que dará testemunhos após a morte do poeta dedicando-lhe dois ensaios, *Cruz e Sousa* (1899) e *O Elogio do Amigo* (1921), e publicando-lhe *Faróis* e *Últimos Sonetos* além da edição da obra completa, em 1923. De 1902 a 1905 esteve em Paris como correspondente do *Correio Paulistano* e de *O País* para os quais redigiu crônicas sobre a vida e a arte francesa. Retornando ao Brasil, reparte as suas atividades entre o magistério (Colégio Pedro II), a política (Campanha Civilista de Rui Barbosa, 1909; Liga Brasileira pelos Aliados, junto com Rui e José Veríssimo, 1914; representação junto à Câmara Legislativa do Paraná, 1917, 1923) e a crítica literária, voltada primeiro para a exaltação dos simbolistas e nos últimos anos também para a inteligência dos novos. Outras obras: *A Hora*, 1901; *Paris*, 1911; *A Terra do Futuro*, 1913; *O Elogio da Criança*, 1915; *Três Romancistas do Norte*, 1915; *Farias Brito*, 1917; *A Crítica de Ontem*, 1919; *Folhas que Ficam*, 1920; *Cartas à Gente Nova*, 1924; *Os de Hoje. Figuras do Movimento Modernista Brasileiro*, 1938. Consultar:

Com efeito, tudo o predispunha a esse papel: a sensibilidade vibrátil, expressa nos versos decadentes de *Transfigurações* (1902), nas novelas de *Signos* e nas páginas sobre a cidade de Paris (*Paris*, 1911), que lhe valeram do insuspeito Sílvio Romero o elogio de "no gênero, o mais complexo dos escritores brasileiros"; a preferência absoluta que dava às leituras apaixonadas e individualistas (Nietzsche, Ibsen, Maeterlinck, do qual traduziu *A Sabedoria e o Destino*); enfim, o espiritualismo e o intimismo inerentes à sua concepção de poesia.

A sua presença na cultura brasileira não se restringiu à defesa do autor de *Faróis* ante a incompreensão parnasiana. Nestor Vítor foi também um leitor sensível e inteligente de grandes escritores estrangeiros mal conhecidos entre nós como Novalis e Emerson, em cujas páginas julgava reconhecer os mesmos traços líricos e místicos da sua personalidade. É claro que uma alta dose de impressionismo orientava as suas interpretações; o que não impede o fato de serem algumas delas fundamentalmente justas. Eis, por exemplo, o fecho de uma página sua sobre Nietzsche:

> Louco embora, sua loucura, entanto, é venerável; Nietzsche agora ficará no mundo como um olho rubro, sem pálpebras, a perseguir todos os comediantes com pretensões a serem tomados a sério, todas as fofidades, todas as falsas quantidades pretendentes a uma cotação.
>
> Se não tiveres confiança em teu valor, não o leias; se a tens, encontra-te com ele: na volta hás de confessar que reconheces valer menos um pouco do que supunhas.
>
> Quem fixa atentamente os olhos deste louco, nunca mais o abandona. Para quem tenha valor, eles serão sempre uns olhos duros, implacáveis, mas amigos; para os seres falsos, para as falsas inteligências, para os falsos corações, eles serão sempre uma ironia corrosiva, um sarcasmo dissolvente, impiedosos e fatais (*A Crítica de Ontem*).

Espírito aberto às várias tendências do pensamento e da arte pós-naturalista, Nestor Vítor parece-nos hoje, um pouco talvez como Araripe Jr., mais um semeador eclético de idéias que, a rigor, um crítico dos valores estritamente literários da obra. Pode-se, porém, confiar no tacto do seu impressionismo. Ele compreendeu, por exemplo, que o interesse pelos problemas nacionais traçara um sulco inapagável antes do Modernismo; e, sobrevindo este, soube logo discernir os seus pontos altos: é um prazer vê-lo, sexagenário, entusiasmar-se com a leitura de *Macunaíma* de Mário de Andrade ou dos poemas afro-nordestinos de Jorge de Lima.

Tristão de Ataíde, *Primeiros Estudos* (1919), Rio, Agir, 1948; Jackson de Figueiredo, Prefácio das *Cartas à Gente Nova, cit.*; Wilson Martins, *A Crítica Literária no Brasil*, S. Paulo, Depto. de Cultura, 1952; Tasso da Silveira, Apresentação a *Nestor Vítor — Prosa e Poesia*, Rio, Agir, 1963; Massaud Moisés, *O Simbolismo, cit.*; Salete de Almeida Cara, *A Recepção Crítica*, Ática, 1983.

A meio caminho entre o psicologismo e a análise ideológica, N. Vítor não se perdeu, por isso, em obras esteticamente inferiores. A escolha prévia de um Ibsen, de um Novalis ou do nosso Cruz e Sousa já é garantia do nível de seu gosto; e, o que importa numa perspectiva histórica mais lata, era sinal de uma crítica afastada dos padrões parnasianos vigentes no começo do século. O seu Simbolismo lúcido, dando as costas aos valores acadêmicos, pode aproximar-se com simpatia das vanguardas modernistas.

O Simbolismo e o "renouveau catholique" (237)

Os simbolistas brasileiros, a exemplo dos seus modelos, entenderam restaurar o culto dos valores espirituais e, entre estes, o religioso.

Não se tratava, é óbvio, de uma opção confessional: as instituições religiosas oficiais, isto é, as igrejas, ignoraram quando não hostilizaram o surto estético-místico a que nos referimos páginas atrás (v. nota 225), falando do ocultismo de alguns decadentes. Mas a faixa comum da crença no mistério aproximava os simbolistas e as almas religiosas na reação contra a mentalidade agnóstica que prevaleceu entre as elites da segunda metade do século XIX. Essas elites, primeiro na Europa, depois em um país periférico como o nosso, eram, em geral, de extração burguesa, progressistas e liberais em política (daí terem apressado aqui a Abolição e a República), positivas e evolucionistas em filosofia, maçônicas e anticlericais em face das estruturas religiosas. Em luta contra o catolicismo romântico de Monte Alverne e Magalhães, os líderes da Escola do Recife, Tobias Barreto, Sílvio Romero e, lateralmente, Capistrano de Abreu deram o tom ao que seria a mentalidade dos realistas e parnasianos, voltados para a exploração da imanência social e psicológica. Céticos foram Machado de Assis, Raul Pompéia, Aluísio Azevedo e Adolfo Caminha; indiferentes, Bilac, Raimundo, Alberto de Oliveira; positivistas confessos, Inglês de Sousa e Vicente de Carvalho. No que acompanhavam, repita-se, modos de pensar e de sentir cristalizados pela burguesia culta européia. Tal corrente seria ainda considerável no primeiro vintênio do século quando a exprimiriam os maiores críticos realistas e leigos da 1ª República: Euclides da Cunha, Lima Barreto, Monteiro Lobato, João Ribeiro, Vicente Licínio Cardoso...

No entanto, murado nessa área, existiu o Simbolismo, ecoando uma inflexão de certas camadas da consciência européia para as zonas obscuras da realidade humana; inflexão que teve em Bergson o seu pensador mais fecundo e certamente o mais lido. A obra do autor de *Matière et Mémoire* fornecia aquele

---

(237) V. Tristão de Ataíde, "A Reação Espiritualista", em *A Literatura no Brasil* (org. por Afrânio Coutinho), vol. III, t. 1, pp. 395-428.

supplément d'âme que as elites em crise passaram a exigir da filosofia. E esta, no afã de responder às novas necessidades, enveredou por *ismos* diversos: intuicionismo, vitalismo, psicologismo, panpsiquismo, irracionalismo, neo-idealismo... Entre nós, foi sensível à viragem um pensador solitário, infenso às doutrinas materialistas que o haviam formado na juventude, **Raimundo de Farias Brito** ([238]).

"Mestre sem discípulos", no dizer um tanto radical de Gilberto Freyre, o filósofo cearense representou, porém, a nova tendência espiritualista, que já fora vivida em termos de literatura pelos poetas simbolistas, e que escritores católicos de antes e depois do Modernismo iriam canalizar. Não que Farias Brito pudesse inscrever-se na ortodoxia da Igreja da qual o afastava o seu panteísmo ora latente ora patente; mas, centrando na consciência as realidades cósmicas e humanas, ele fazia causa comum com as tendências antipositivistas. Daí o terem-lhe dedicado ensaios entusiásticos alguns dos principais nomes do catolicismo brasileiro: Jackson de Figueiredo, Almeida Magalhães, e Jônatas Serrano.

É preciso reconhecer, porém, o quanto foram limitados esses ecos; e voltar, sem exageros, à frase de Gilberto Freyre: "um mestre sem discípulos". A razão parece, hoje, clara: o seu pensamento manteve-se desvinculado dos problemas da nação que, na época, melhor se refletiram no determinismo social ou étnico (Sílvio Romero, Artur Orlando, Nina Rodrigues) e no evolucionismo jurídico (Clóvis Bevilacqua, Pedro Lessa...). De Bevilacqua, o "santo" do Positivismo, é esta afirmação que resume o vetor cultural do período: "Se algum dia pudermos alcançar mais significativa produção filosófica, estou convencido de

---

([238]) Raimundo de Farias Brito (São Benedito, Prov. do Ceará, 1862 — Rio, 1917). Obras filosóficas: *Finalidade do Mundo* (*Estudos de Filosofia e Teleologia Naturalista*). I. A Filosofia como Atividade Permanente no Espírito Humano, 1894; II. A Filosofia Moderna, 1899; III. O Mundo como Atividade Intelectual, 1905; *A Verdade como Regra das Ações* (*Ensaio de Filosofia Moral como Introdução ao Estudo do Direito*), 1905; *A Base Física do Espírito* (*História Sumária. Problema da Mentalidade como Preparação para o Estudo da Filosofia do Espírito*), 1912; *O Mundo Interior* (*Ensaio sobre os Dados Gerais da Filosofia do Espírito*), 1914. Consultar: Jackson de Figueiredo, *Algumas Reflexões sobre a Filosofia de Farias Brito*, Rio, Rev. dos Tribunais, 1916; Almeida Magalhães, *Farias Brito e a Reação Espiritualista*, Rio, Rev. dos Tribunais, 1918; Nestor Vítor, *Farias Brito. O Homem e a Obra*, São Paulo, Cia. Ed. Nacional, 1939; Jônatas Serrano, *Farias Brito. O Homem e a Obra*, S. Paulo, Cia. Ed. Nacional, 1939; Sílvio Rabelo, *Farias Brito ou uma Aventura do Espírito*, Rio, José Olympio, 1949; Gilberto Freyre, *Perfil de Euclides e Outros Perfis*, Rio, José Olympio, 1944; Laerte Ramos de Carvalho, *A Formação Filosófica de Farias Brito*, S. Paulo, Boletim nº 151 da Fac. de Filosofia, Ciências e Letras da U. S. P., 1951; Carlos Lopes de Matos, *O Pensamento de Farias Brito*, S. Paulo, Herder, 1962.

que ela não surgirá dos cimos da metafísica" (239). Os livros de Farias Brito significavam a tentativa de colher o humano universal além dos condicionamentos históricos. Ora, as elites brasileiras de então não solicitavam tal esforço especulativo. Por outro lado, as gerações que buscaram mais tarde uma reflexão metafísica da existência deveriam abeberar-se diretamente nas fontes européias, quer dentro do neotomismo, quer do bergsonismo, quer do idealismo, quer, enfim, do existencialismo.

Por tudo isso, a figura de Farias Brito continuou nobre, mas irreparavelmente solitária.

Indiretamente, porém, a inflexão espiritualista beneficiou as correntes católicas ortodoxas. O último quartel do século XIX é o momento em que renasce a Escolástica; mas esta, sem o poderoso impulso dado por Bergson e Blondel à metafísica, dificilmente sairia do âmbito dos seminários. Em polêmica com o imanentismo e o panteísmo latentes nas formas modernas de reflexão religiosa, a ortodoxia mutuou armas com o bem-vindo herege ("*opportet esse haeresias*", disse Santo Agostinho...) e usou-as contra o adversário comum, o ateísmo materialista. Sem Bergson haveria um Jacques Maritain? E quanto os nossos católicos mais dogmáticos, um Jackson e um Leonel Franca, não exalçaram o espinosiano Farias Brito!

No campo das idéias políticas, a verificação da impotência do liberalismo para resolver os problemas sociais empurrou quase todos os neocatólicos para doutrinas pré-burguesas e, no contexto, reacionárias: o monarquismo, o corporativismo, e, após a I Guerra, o fascismo (no Brasil, a forma mitigada deste, o integralismo). O primeiro momento da fusão do dogma com a práxis sectária foi ilustrado pelos artigos de Carlos de Laet (1847-1927), conde papalino e monarquista fanático; depois, a fusão reapareceria, em nível humano mais alto, na prosa vibrante de um típico nacionalista de direita à Maurras, Jackson de Figueiredo (240), que, convertido de uma posição anticlerical virulenta a uma forma não menos virulenta de catolicismo, fundou o Centro Dom Vital e a

---

(239) Clóvis Bevilacqua, *Esboços e Fragmentos*, p. 25, *apud* Cruz Costa, *O Desenvolvimento da Filosofia no Brasil no Século XIX e a Evolução Histórica Nacional*, tese de cátedra, Fac. de Filosofia, U.S.P., 1950.

(240) JACKSON DE FIGUEIREDO (Aracaju, Sergipe, 1891 — Rio, 1928). Obras principais: *Xavier Marques*, 1913; *Algumas Reflexões sobre a Filosofia de Farias Brito*, 1916; *A Questão Social na Filosofia de Farias Brito*, 1919; *Humilhados e Luminosos*, 1921; *Do Nacionalismo na Hora Presente*, 1921; *A Reação do Bom Senso. Contra o Demagogismo e a Anarquia Militar*, 1922; *Pascal e a Inquietação Moderna*, 1922; *Auta de Sousa*, 1924; *Afirmações*, 1924; *Literatura Reacionária*, 1924; *A Coluna de Fogo*, 1925; *Durval de Morais e os Poetas de Nossa Senhora*, 1926. Póstumos: *Aevum*, 1932; *Correspondência*, 1946. Consultar: Tristão de Ataíde, *Estudos*, 3ª série, Rio, A Ordem, 1930; Agripino Grieco, *Gente Nova do Brasil*, Rio, José Olympio, 1935; Tasso da Silveira, *Jackson*, Rio, Agir, 1945; Francisco Iglésias, "Estudo sobre o Pensamento Reacionário", *in Revista Brasileira de Ciências Sociais*, II/2, julho de 1962; Luís Washington Vita, *Antologia do Pensamento Social e Político no Brasil*, S. Paulo, Grijalbo, 1968.

revista *A Ordem* e entrou a defender o governo conservador de Artur Bernardes contra as investidas liberais dos tenentes.

Hoje, é fácil distinguir na sua obra o que significou um enriquecimento da cultura religiosa no Brasil e o que representava apenas um fruto de atitudes polêmicas, onde havia muito equívoco e paixão e nenhuma lúcida análise da nossa realidade à luz do Cristianismo. A sua contribuição para a história da filosofia no Brasil está no ensaio *Pascal e a Inquietação Moderna*, publicado no ano crítico da "Semana". Trabalho de erudição, mas também de síntese, escreveu-o com o intuito de encarnar na figura do gênio francês todas as "tentações" do mundo moderno. Boa parte do livro consiste na análise da posição jansenista do Pascal das *Províncias*, em que Jackson vislumbra "individualismo" e "orgulho", que os *Pensamentos* iriam mais tarde corrigir e superar, integrando-se assim na ortodoxia católica.

Ancorado nessa posição, Jackson passou a militar no jornalismo, transpondo os termos míticos de Ordem, Hierarquia e Autoridade para a área das opções políticas. O país vivia um momento grávido de veleidades revolucionárias, centradas no fenômeno do *tenentismo*, de ideologia ainda incerta, mas, de qualquer forma, renovadora e contrária às oligarquias e às farsas eleitorais da I República. Ora, Jackson, confundindo os planos e partindo de conceitos vagos para definir e julgar as contingências históricas, acreditou-se na obrigação de defender a "Ordem", no caso, a política federal, estigmatizando todas as tentativas de impugná-la. Quis ser, e foi, até a morte, o panfletário da contra-revolução.

Mas a justiça exige que se entenda o desapego pessoal e até mesmo o "nacionalismo" passional dessa posição. Tudo o que Jackson detestava era o liberalismo romântico e anarquizante que, a seu ver, desaguava no ceticismo religioso, no amoralismo, no desprezo das tradições nacionais. E ele o combatia com a violência de um ingênuo neófito que, movido pelos sentimentos, se crê o mais razoável dentre os defensores da Razão... E é a sua correspondência ardente com os amigos que nos revela esse romantismo congênito mal exorcizado.

Em ritmo paralelo, mas guardando as devidas distâncias de uma opção política sectária, o pensamento católico oficial organizava-se na obra coesa do Padre Leonel Franca S. J., tomista ortodoxo, autor das estimáveis *Noções de História da Filosofia*, além de livros de polêmica antiprotestante.

A opção conservadora da cultura mais ligada a Jackson de Figueiredo e ao Pe. Leonel Franca ainda se manteria atuante até as vésperas da II Guerra. A partir desta e, precisamente, em face da Guerra Civil de Espanha, acende-se no mundo católico a querela entre os tradicionalistas (ditos "integristas") e os progressistas, criando-se nos meios ortodoxos condições para a passagem a posições abertas conhecidas como "democracia cristã" (Maritain, Sturzo) e "socialismo cristão" (Mounier, na linha de Péguy). Entre nós, ambas as correntes encontraram um lúcido intérprete na figura de Alceu de Amoroso Lima (Tristão de Ataíde), cuja atividade literária será analisada no tópico referente à crítica contemporânea.

VII

PRÉ-MODERNISMO
E
MODERNISMO

PRESSUPOSTOS HISTÓRICOS

O que a crítica nacional chama de *Modernismo* está condicionado por um *acontecimento*, isto é, por algo datado, público e clamoroso, que se impôs à atenção da nossa inteligência como um divisor de águas: A Semana de Arte Moderna, realizada em fevereiro de 1922, na cidade de São Paulo.

Como os promotores da *Semana* traziam, de fato, idéias estéticas originais em relação às nossas últimas correntes literárias, já em agonia, o Parnasianismo e o Simbolismo, pareceu aos historiadores da cultura brasileira que *modernista* fosse adjetivo bastante para definir o estilo dos novos, e *Modernismo* tudo o que se viesse a escrever sob o signo de 22. Os termos, contudo, são tão polivalentes que acabam não dizendo muito, a não ser que se determinem, por trás da sua vaguidade:

a) as situações socioculturais que marcaram a vida brasileira desde o começo do século;

b) as correntes de vanguarda européias que, já antes da I Guerra, tinham radicalizado e transfigurado a herança do Realismo e do Decadentismo.

Pela análise das primeiras entende-se o porquê de ter sido São Paulo o núcleo irradiador do Modernismo; as instâncias ora nacionalistas, ora cosmopolitas do movimento; as suas faces ideologicamente conflitantes.

Graças ao conhecimento das vanguardas européias, podemos situar com mais clareza as opções estéticas da Semana e a evolução dos escritores que dela participaram.

★

A chamada República Velha (1894-1930 aprox.) assentava-se na hegemonia dos proprietários rurais de São Paulo e de Minas Gerais, regendo-se pela política dos governadores, o "café com leite", fórmula que reconhecia à lavoura cafeeira somada à pecuária o devido peso nas decisões econômicas e políticas do país.

A solidez desse regime dependia, em grande parte, do equilíbrio entre a produção e as exportações de café; o que foi cedo previsto pelos grandes fazendeiros, que delegaram ao Estado o papel de comprador dos excedentes para garantia de preços em face das oscilações do mercado (241).

É claro que a camada de "nobreza" fundiária, via de regra conservadora, não esgotava a faixa do que se costuma chamar "classes dominantes". Havia, num matizado segundo plano, atuante e válido em termos de opinião: uma *burguesia industrial* incipiente em São Paulo e no Rio de Janeiro; *profissionais liberais*; e, fenômeno sul-americano típico, um respeitável grupo intersticial, o *Exército*, que, embora economicamente preso aos estratos médios, vinha exercendo desde a proclamação da República um papel político de relevo.

O quadro geral da sociedade brasileira dos fins do século vai-se transformando graças a processos de urbanização e à vinda de imigrantes europeus em levas cada vez maiores para o centro-sul. Paralelamente, deslocam-se ou marginalizam-se os antigos escravos em vastas áreas do país. Engrossam-se, em conseqüência, as fileiras da pequena classe média, da classe operária e do subproletariado. Acelera-se ao mesmo tempo o declínio da cultura canavieira no Nordeste que não pode competir, nem em capitais, nem em mão-de-obra, com a ascensão do café paulista.

Um olhar, ainda que rápido, para esse conjunto mostra que deviam separar-se cada vez mais os pólos da vida pública nacional: de um lado, arranjos políticos manejados pelas oligarquias rurais; de outro, os novos estratos socioeconômicos que o poder oficial não representava.

Do quadro emergem ideologias em conflito: o tradicionalismo agrário ajusta-se mal à mente inquieta dos centros urbanos, permeável aos influxos europeus e norte-americanos na sua faixa burguesa, e rica de fermentos radicais nas suas camadas média e operária. No limite, a situação comportava:

a) — uma visão do mundo estática quando não saudosista;
b) — uma ideologia liberal com traços anarcóides;
c) — um complexo mental pequeno-burguês, de classe média, oscilante entre o puro ressentimento e o reformismo (242);
d) — uma atitude revolucionária.

---

(241) Exemplo de medida defensiva foi o Convênio de Taubaté (1906) pelo qual três Estados (São Paulo, Rio de Janeiro, Minas Gerais) se comprometeram a retirar do mercado os excedentes de café e assegurar o nível dos preços (Cf. Celso Furtado, *Formação Econômica do Brasil*, Rio, Fundo de Cultura, 1959).

(242) *O tenentismo*, como fenômeno ideológico de um grupo intersticial, combinava traços da *ideologia reformista* da classe média e do *liberalismo* da burguesia: assim, opunha-se aos arranjos das oligarquias agrárias do centro-sul, que não lhe cediam um quinhão do poder; mas não assumia a perspectiva das classes mais pobres, de que o separavam a origem e a formação profissional dos "tenentes".

Não se deve esquecer, porém, que esse esquema indicativo só funciona quando articulado com a realidade de um Brasil plural, onde os níveis de consciência se manifestavam em ritmos diversos. Assim, os conflitos deram-se em tempos e lugares diferentes, não raro parecendo exprimir tensões meramente locais. Só para exemplificar: o núcleo jagunço de Canudos, matéria de *Os Sertões* de Euclides da Cunha, o fenômeno do cangaço, o "caso" do Padre Cícero em Juazeiro, no primeiro quartel do século, refletiram a situação crítica de um Nordeste marginalizado e, portanto, aderente a soluções arcaicas. Os movimentos operários em São Paulo, durante a guerra de 1914-18 e logo depois, eram sintoma de uma classe nova que já se debatia em angustiantes problemas de sobrevivência numa cidade em fase de industrialização. E as tentativas militares de 22, de 24, e a Coluna Prestes, em 25, significavam a reação de um grupo liberal-reformista mais afoito que desejava golpear o *status quo* político, o que só ocorreria com a Revolução de 30. Estudados em si, esses movimentos têm uma história de todo independente; *mas, no conjunto, testemunham o estado geral de uma nação que se desenvolvia à custa de graves desequilíbrios.*

Seja como for, o intelectual brasileiro dos anos de 20 teve que definir-se em face desse quadro: as suas opções vão colorir ideologicamente a literatura modernista.

Em um nível cultural bem determinado, o contato que os setores mais inquietos de São Paulo e do Rio mantinham com a Europa dinamizaria as posições tomadas, enriquecendo-as e matizando-as. Começam a ser lidos os futuristas italianos, os dadaístas e os surrealistas franceses. Ouve-se a nova música de Debussy e de Millaud. Assiste-se ao teatro de Pirandello, ao cinema de Chaplin. Conhece-se o cubismo de Picasso, o primitivismo da Escola de Paris, o expressionismo plástico alemão. Já se fala da psicanálise de Freud, do relativismo de Einstein, do intuicionismo de Bergson. Chegam, enfim, os primeiros ecos da revolução russa, do anarquismo espanhol, do sindicalismo e do fascismo italiano.

Falando de um modo genérico, é a sedução do *irracionalismo, como atitude existencial e estética*, que dá o tom aos novos grupos, ditos modernistas, e lhes infunde aquele tom agressivo com que se põem em campo para demolir as colunas parnasianas e o academismo em geral.

Irracionalistas foram: a primeira poética de Mário de Andrade, o Manuel Bandeira teórico do "alumbramento" e todo o roteiro de Oswald de Andrade. Presos ao decadentismo estetizante, Guilherme de Almeida e Menotti del Picchia. Primitivista, Cassiano Ricardo. Na verdade, "desvairismo", "pau-brasil", "antropofagia", "anta"... exprimem tendências evasionistas que permearam toda a fase dita heróica do Modernismo (de 22 a 30). Nessa fase tentou-se, com mais ímpeto que coerência, uma síntese de correntes opostas: a *centrípeta*, de volta ao Brasil real, que vinha do Euclides sertanejo, do Lobato rural e do Lima Barreto urbano; e a *centrífuga*, o velho transoceanismo, que continuava selando a nossa condição de país periférico a valorizar fatalmente tudo o que chegava da Europa. Ora, a Europa do primeiro pós-guerra era visceralmente irracionalista.

Nos países de extração colonial, as elites, na ânsia de superar o subdesenvolvimento que as sufoca, dão às vezes passos largos no sentido da atualização literária: o que, afinal, deixa ver um hiato ainda maior entre as bases materiais da nação e as manifestações culturais de alguns grupos. É verdade que esse hiato, coberto quase sempre de arrancos pessoais, modas e palavras, não logra ferir senão na epiderme aquelas condições, que ficam como estavam, a reclamar uma cultura mais enraizada e participante. E o sentimento do contraste leva a um espinhoso vaivém de universalismo e nacionalismo, com toda a sua seqüela de dogmas e anátemas.

Os homens de 22 (Mário, Oswald, Bandeira, Paulo Prado, Cândido Motta Filho, Menotti, Sérgio Milliet, Guilherme de Almeida...) e os que de perto os seguiram, no tempo ou no espírito (Drummond, Sérgio Buarque de Holanda, Gilberto Freyre, Tristão de Ataíde, Cassiano Ricardo, Raul Bopp, Alcântara Machado...), enfim, alguns escritores mais tensos e intuitivos que os precederam (Euclides, Oliveira Viana, Lima Barreto, Graça Aranha, Monteiro Lobato...) viveram com maior ou menor dramaticidade uma consciência dividida entre a sedução da "cultura ocidental" e as exigências do seu povo, múltiplo nas raízes históricas e na dispersão geográfica. Como no Romantismo, a coexistência deu-se de forma dinâmica e progressiva: e se na pressa dos manifestos houve apenas colagem de matéria-prima nacional e módulos europeus, *nos frutos maduros do movimento se reconhece a exploração feliz das potencialidades formais da cultura brasileira*. Provam-no a ficção de Mário de Andrade, a poesia regional-universal de Bandeira, o ensaísmo de Tristão de Ataíde e de Gilberto Freyre, a pintura de Tarsila e de Portinari, a escultura de Brecheret, a música de Villa-Lobos.

visto no museu d. prado em Madrid.

PRÉ-MODERNISMO

Creio que se pode chamar pré-modernista (no sentido forte de premonição dos temas vivos em 22) *tudo o que, nas primeiras décadas do século, problematiza a nossa realidade social e cultural.*

O grosso da literatura anterior à "Semana" foi, como é sabido, pouco inovador. As obras, pontilhadas pela crítica de "neos" — neoparnasianas, neosimbolistas, neo-românticas — traíam o marcar passo da cultura brasileira em pleno século da revolução industrial. Essa literatura já foi vista, em suas várias direções, nas páginas dedicadas aos epígonos do Realismo e do Simbolismo. No caso dos melhores prosadores regionais, como Simões Lopes e Valdomiro Silveira, poder-se-ia acusar um interesse pela terra *diferente* do revelado pelos naturalistas típicos, isto é, mais atento ao registro dos costumes e à verdade da fala rural; mas, em última análise, tratava-se de uma experiência limitada, incapaz de desvencilhar-se daquele conceito mimético de arte herdado ao Realismo naturalista (243).

Caberia ao romance de Lima Barreto e de Graça Aranha, ao largo ensaísmo social de Euclides, Alberto Torres, Oliveira Viana e Manuel Bonfim, e à vi-

---

(243) Ver pp. 214-216.

vência brasileira de Monteiro Lobato o papel histórico de mover as águas estagnadas da *belle époque*, revelando, antes dos modernistas, as tensões que sofria a vida nacional.

Parece justo deslocar a posição desses escritores: do período realista, em que nasceram e se formaram, para o momento anterior ao Modernismo. *Este, visto apenas como estouro futurista e surrealista, nada lhes deve (nem sequer a Graça Aranha, a crer nos testemunhos dos homens da "Semana"); mas, considerado na sua totalidade, enquanto critica ao Brasil arcaico, negação de todo academismo e ruptura com a República Velha, desenvolve a problemática daqueles, como o fará, ainda mais exemplarmente, a literatura dos anos de 30.*

Euclides da Cunha (244)

---

(244) EUCLIDES RODRIGUES PIMENTA DA CUNHA (Cantagalo, RJ, 1866 — Rio, 1909). Órfão muito pequeno, foi educado por tios, vivendo parte da infância na Bahia. Terminados os preparatórios, no Rio, matriculou-se na Escola Politécnica (1884), mas logo transferiu-se para a Escola Militar que então passava por uma fase de ardente positivismo republicano. Euclides, ainda cadete, num ato de apaixonada adesão à doutrina que recebera dos mestres, afronta o Ministro da Guerra que visitava a Escola, lançando fora o próprio sabre: é excluído do Exército e, confessando-se militante republicano, está para ser submetido a Conselho de Guerra quando D. Pedro II lhe concede perdão. Segue para São Paulo e aí publica n*A Província de São Paulo* uma série de artigos oposicionistas. Com a proclamação da República, reintegra-se no Exército e passa a alferes-aluno. Cursa, de 1890 a 1892, a Escola Superior de Guerra, formando-se em Engenharia Militar e bacharelando-se em Matemática e Ciências Físicas e Naturais. Dedica-se à profissão de engenheiro e trabalha na Estrada de Ferro Central do Brasil. Apesar da proteção de Floriano Peixoto, mantém poucos liames com o Exército. Jugulada a revolta da Esquadra, em 1893, Euclides, embora florianista, manifesta-se pela necessidade de respeitar os direitos dos presos políticos; Floriano, contrariado, afasta-o para Campanha, em Minas Gerais (1894) e Euclides aproveita o repouso forçado estudando temas brasileiros. Desliga-se em seguida do Exército e passa a trabalhar em São Paulo como Superintendente de Obras. Em 1897 colabora de novo para *O Estado*: entre outras coisas, um artigo sobre Anchieta e comentários sobre os fatos de Canudos, que interpretava então como uma revolta insuflada por monarquistas renitentes ("A Nossa Vendéia"). O jornal manda-o como correspondente para acompanhar as operações que o Exército iria executar na região para destruir o "foco". Euclides lá permanece, de agosto a outubro de 1897; de volta, põe-se a escrever *Os Sertões*, primeiro na fazenda do pai, em Descalvado, depois em S. José do Rio Pardo (1898-1901) para onde fora incumbido de reconstruir uma ponte. O livro, que sai em novembro de 1902, alcança repercussão nacional: Euclides é aclamado membro do Instituto Histórico e Geográfico Brasileiro e eleito para a Academia Brasileira de Letras (1903). Continuando a estudar os nossos problemas, compõe em 1904 vários artigos que reuniria mais tarde em *Contrastes e Confrontos*. Em 1905, o Barão do Rio Branco, seu grande admirador, designa-o para a chefia da Comissão

O engenheiro (245) Euclides da Cunha deteve o olhar na matéria e nos determinismos raciais que o século dezenove lhe ensinara aceitar sem reservas. Desse esforço aturado de colher o real, emergiu uma outra face da nação: face trágica que contemplamos em *Os Sertões.*

É moderna em Euclides a ânsia de ir além dos esquemas e desvendar o mistério da terra e do homem brasileiro com as armas todas da ciência e da sensibilidade. Há uma paixão do real em *Os Sertões* que transborda dos quadros do seu pensamento classificador; e uma paixão da palavra que dá concretíssimos relevos aos momentos mais áridos da sua engenharia social.

Pode-se apontar no Euclides manipulador do verbo o contemporâneo de Rui e de Coelho Neto, o leitor intemperante do dicionário à cata do termo técnico ou precioso. Mas é na semelhança que repontará a diferença: onde o orador loquaz e o palavroso literato buscavam o efeito pelo efeito, o homem de pensamento, adestrado nas ciências exatas, perseguia a adequação do termo à coisa; e a sua frase será densa e sinuosa quando assim o exigir a complexidade extrema da matéria assumida no nível da linguagem.

---

de Reconhecimento do Alto Purus. Passa na Amazônia todo esse ano: fruto dessa viagem é o *Relatório sobre o Alto Purus*, publicado em 1906; no ano seguinte escreve, sobre uma questão de fronteiras, *Peru versus Bolívia*. Desejando ingressar no magistério oficial, faz, em 1909, concurso para a cadeira de Lógica do Colégio Pedro II, concorrendo com Farias Brito que, apesar de mais feliz nas provas, é preterido. Euclides assume as aulas, mas por pouco tempo: em um desforço, em que se empenhara por questões de honra, é assassinado. Contava, ao morrer, quarenta e três anos de idade. Outras obras: *À Margem da História*, 1909 (Euclides reviu as provas deste livro mas não o viu publicado); *Canudos. Diário de uma Expedição*, 1939; "Castro Alves e Seu Tempo", conferência pronunciada na Faculdade de Direito de S. Paulo (3-12-1907); Prefácios a *Inferno Verde*, de Alberto Rangel (1907) e a *Poemas e Canções*, de Vicente de Carvalho; *Caderneta de Campo*, Cultrix, 1975. Sobre Euclides: Araripe Jr., "Dois Grandes Estilos", Prefácio da 2ª ed. de *Contrastes e Confrontos*, Porto, Lello, 1907; Francisco Venâncio Filho, *Euclides da Cunha*, Rio, Acad. Bras. de Letras, 1931; Vicente Licínio Cardoso, *À Margem da História do Brasil*, 2ª ed., S. Paulo, Cia. Ed. Nac.; 1938; Gilberto Freyre, *Perfil de Euclides e Outros Perfis*, Rio, José Olympio, 1944; Sílvio Rabelo, *Euclides da Cunha*, Rio, Casa do Estudante do Brasil, 1947; Franklin de Oliveira, *A Fantasia Exata*, Rio, Zahar, 1959; Cruz Costa, *Panorama da História da Filosofia no Brasil*, S. Paulo, Cultrix, 1960; Olímpio de Sousa Andrade, *História e Interpretação de "Os Sertões"*, S. Paulo, Edart, 1960; Modesto de Abreu, *Estilo e Personalidade de Euclides da Cunha*, Rio, Civilização Brasileira, 1963; Clóvis Moura, *Introdução ao Pensamento de Euclides da Cunha*, Rio, Civ. Bras., 1964; Dante Moreira Leite, *O Caráter Nacional Brasileiro*, 2ª ed., S. Paulo, Pioneira, 1969; Walnice Nogueira Galvão, *No Calor da Hora*, Ática, 1974; Franklin de Oliveira, *A Espada e a Letra*, Paz e Terra, 1983. Há uma edição didática de *Os Sertões* com texto estabelecido por Hersílio Ângelo (Cultrix, 1973); e uma edição crítica exemplar preparada por Walnice Nogueira Galvão (Brasiliense, 1985).

(245) Retomo, com algumas alterações e acréscimos, o que escrevi sobre Euclides, em *O Pré-Modernismo*, *cit.*, pp. 120-126.

O *moderno* em Euclides está na seriedade e boa-fé para com a palavra. Contrariamente ao vício decadentista de jogar com os sons e as formas à deriva de uma sensualidade fácil. Apreende-se melhor esse traço aproximando a tragédia de *Os Sertões* do romance da seca e do cangaço dos anos de 30. Embora mais despojada no seu léxico, a ficção de um Lins do Rego e de um Graciliano Ramos tem mais pontos de contato com o duro e veraz espírito euclidiano que a maioria dos romances e contos regionais e neofolclóricos do começo do século, repuxados para o pitoresco ou para o piegas. *Os Sertões* são obra de um escritor comprometido com a natureza, com o homem e com a sociedade.

É preciso ler esse livro singular sem a obsessão de enquadrá-lo em um determinado gênero literário, o que implicaria em prejuízo paralisante. Ao contrário, a abertura a mais de uma perspectiva é o modo próprio de enfrentá-lo.

A descrição minuciosa da terra, do homem e da luta situa *Os Sertões*, de pleno direito, no nível da cultura científica e histórica. Euclides fez geografia humana e sociologia como um espírito atilado poderia fazê-las no começo do século, em nosso meio intelectual, então avesso à observação demorada e à pesquisa pura. Situando a obra na evolução do pensamento brasileiro, diz lucidamente Antônio Cândido:

> Livro posto entre a literatura e a sociologia naturalista, *Os Sertões* assinalam um fim e um começo: o fim do imperialismo literário, o começo da análise científica aplicada aos aspectos mais importantes da sociedade brasileira (no caso, as contradições contidas na diferença de cultura entre as regiões litorâneas e o interior (246).

A referência cultural, embora indispensável ao estudo da obra, não exaure a riqueza das suas matrizes. *Os Sertões* são um livro de ciência e de paixão, de análise e de protesto: eis o paradoxo que assistiu à gênese daquelas páginas em que alternam a certeza do fim das "raças retrógradas" e a denúncia do crime que a carnificina de Canudos representou.

A personalidade de Euclides inclinava-se naturalmente para os conflitos violentos, para os aflitivos extremos. Foi por isso que as imagens de Antônio Conselheiro e de seus fanáticos, esmagados pelas "raças do litoral", mas resistentes até o último cadáver, entraram de chofre em sua consciência e em sua sensibilidade, apoderando-se delas para sempre e exigindo uma expressão igualmente forte, agônica.

À longa narração das escaramuças (Parte III — A Luta), quis Euclides dar uma introdução objetiva sobre o meio e sobre o homem do sertão. Os reparos científicos que se fizeram e que ainda se possam fazer a essas partes propedêuticas competem obviamente ao geógrafo, ao etnólogo e ao sociólogo; a nós cabe apenas verificar o quanto de subjetivo, de euclidiano, se infiltrou nessas páginas de intenção analítica.

---

(246) Em *Literatura e Sociedade*, S. Paulo, Cia. Ed. Nacional, 1965, p. 160.

É a mão do sofrimento que vai recortando a orografia dos chapadões e dos montes baianos; é uma voz rouca e abafada que vai contando os efeitos da estiagem inclemente; são os olhos do espanto que vão fixando o caminho do fanatismo, da loucura e do crime trilhado pelo Conselheiro e por seus jagunços.

Se estilo significa escolha, opção consciente, além de "vontade de exprimir", então não restam dúvidas sobre a visão dramática do mundo que Euclides pretendia comunicar aos leitores. A expressão "barroco científico", com que já se procurou batizar a sua linguagem, indica-lhe a essência, se em "barroco" visualizamos, antes de mais nada, um *conflito* interior que se quer resolver pela aparência, pelo jogo de antíteses, pelo martelar dos sinônimos ou pelo paroxismo do clímax.

Vemos um litoral "revolto", "riçado de cumeadas" e "corroído de angras e escancelando-se em baías, repartindo-se em ilhas, e desagregando-se em recifes desnudos, à maneira de escombros do conflito secular que ali se trava entre o mar e a serra". Mais além, o "tumultuar das serranias", os "leitos contorcidos, vencendo, contrafeitos, o antagonismo permanente das montanhas". O flagelo das secas propicia ao escritor os momentos ideais para pintar com palavras de areia, pedra e fogo o sentimento do inexorável. Desfilam paisagens *comburidas* e *adustas* (para usar de dois adjetivos que lhe são caros), mas não mortas, pois o escritor soube traduzir a agonia das plantas fugindo ao calor em batalha surda e tenaz. É a tônica do conflito, que se repetirá na luta do sertanejo contra o meio e, em outro plano, na resistência indomável dos jagunços à invasão dos "brancos" litorâneos.

Augusto Meyer, em uma de suas sínteses felizes, ilustrou esse caráter conflituoso do espírito e do estilo euclidiano:

> O jogo antitético percorre uma escala inteira de variações. O famoso oxímoron *Hércules-Quasímodo* daquela página que tanto nos impressionava no ginásio não é exemplo muito raro em Euclides: pertencem à mesma família *paraíso tenebroso, sol escuro, tumulto sem ruídos, carga paralisada, profecia retrospectiva, medo glorioso, construtores de ruínas*, etc. Pode-se escudar numa construção paralógica: os documentos encontrados em Canudos "valiam tudo porque nada valiam"; a cidadela "era temerosa porque não resistia" ou "rendia-se para vencer" (247).

Não se veja, porém, no autor de *Os Sertões* um pessimista míope, afeito apenas a narrar desgraças inevitáveis de homens e de raças, incapaz de vislumbrar alguma esperança por detrás da *struggle for life* de um determinismo sem matizes. Quem julgou o assédio a Canudos um crime e o denunciou era,

(247) Em *Preto e Branco*, Rio, I. N. L., 1956, p. 189.

moralmente, um rebelde e um idealista que se recusava, porém, ao otimismo fácil. As lições de fatalismo étnico-biológico, que lhe dera seu mestre, o antropólogo Nina Rodrigues, não ocupavam dogmaticamente os quadros do seu pensamento. Além disso, o trato direto com as condições sociais do sertão inclinava-o a superar o mero formalismo jurídico de nossa I República. Não podendo, por outro lado, o seu forte senso de liberdade aceitar qualquer forma autoritária de governo (v. as descrições dos regimes ditatoriais em "O Kaiser" de *Contrastes e Confrontos*), aproximava-se politicamente do socialismo democrático. Seria essa a ideologia de Euclides, segundo observações pertinentes de Gilberto Freyre e, sobretudo, de Franklin de Oliveira.

Diz o autor de *Sobrados e Mocambos*:

> Tudo indica que tanto Euclides como Nabuco, se fossem homens de trinta anos diante dos problemas de hoje e no Brasil dos nossos dias [1944], estariam entre os escritores chamados indistintamente "da esquerda", embora nenhum deles fosse por temperamento ou por cultura inclinado àquela socialização da vida ou àquela internacionalização de valores que importassem em sacrifício da personalidade humana ou do caráter brasileiro (*Perfil de Euclides*, *cit.*, p. 38).

Quanto a Franklin de Oliveira, o seu depoimento é ainda mais assertivo: mostra como Euclides teria evoluído de um determinismo racial e psicológico, patente em *Os Sertões* para uma forma de dialética socioeconômica cujo melhor testemunho se acharia nas páginas de "Um Velho Problema", insertas em *Contrastes e Confrontos* ([248]).

Com efeito, esse belo artigo, composto em 1907, delineia a posição madura de Euclides: ironiza as utopias igualitárias do Renascimento e do Iluminismo, historia a ascensão da burguesia pela Revolução Francesa, rejeita por fantasistas os princípios de Proudhon, Fourier e Louis Blanc, mas considera, ao cabo, "firme, compreensível e positiva" a linguagem do marxismo. Ao expor as várias correntes socialistas, não esconde, porém, a simpatia pelo caminho evolutivo que

> aponta-nos o processo normal das reformas lentas, operando-se na consciência coletiva e refletindo-se a pouco e pouco na prática, nos costumes e na legislação escrita, continuamente melhoradas.

E comenta reforçando:

> Nada mais límpido. Realmente, as catástrofes sociais só podem provocá-las as próprias classes dominantes, as tímidas classes conservadoras, opondo-se à marcha das reformas — como a barragem contraposta a uma corrente tranqüila pode gerar a inundação ([249]).

([248]) Em *A Fantasia Exata*, *cit.*, pp. 262-268.
([249]) Em *Contrastes e Confrontos*, 9ª ed., Porto, Lello, s. d., p. 241.

O observador espantado diante da miséria sertaneja não o é menos ao contemplar os desequilíbrios que trouxe a técnica na fase expansionista do capitalismo; eis como compara o operário e a máquina:

esverdinhado pelos sais de cobre e de zinco, paralítico, delirante pelo chumbo, inchado pelos compostos de mercúrio, asfixiado pelo óxido carbônico, ulcerado pelos cáusticos de pós arsenicais... e a máquina... íntegra e brunida.

Em *À Margem da História* vê-se, em ato, a ideologia latente nos livros anteriores. Voltando-se para as realidades sul-americanas, que conhecera de perto no trato das questões de fronteiras, Euclides infunde no seu método de observação geográfica um interesse vivíssimo pelos problemas humanos, sempre em um tom que oscila entre o agônico e o trágico. Leia-se, por exemplo, o ensaio sobre a Amazônia, onde ao analista da paisagem sucede o crítico violento da espoliação humana, representada pelo cearense que se vende como seringueiro. E o narrador sombrio de Judas Asverus, símbolo disforme que o seringueiro assume como a sua própria condição no ritual do sábado de Aleluia.

Houve, portanto, um alargamento de compreensão histórica do roteiro euclidiano apesar das constantes de estilo que tudo parecem unificar: o ainda verde jornalista republicano, ansioso por assistir à morte de Canudos, "a nossa Vendéia" e "foco monarquista", passou a testemunho de uma comunidade cuja miséria e loucura a República punia ao invés de curar; enfim, o denunciante de *Os Sertões* subiu, tacteando embora, à consideração do nível social, enfrentando problemas que transcendiam a simples interação Terra-Homem, fonte única de sua temática inicial.

O resultado dá uma imagem dialética de Euclides: um pensamento curvado sob o peso de todos os determinismos, mas um olhar dirigido para a técnica e o progresso; uma linguagem de estilismo febril, mas sempre em função de realidades bem concretas, muitas das quais nada perderam da sua atualidade.

O pensamento social

Euclides foi, além de um estudioso do Brasil, uma grande presença literária. Basta lembrar a linguagem de Alberto Rangel e de Carlos Vasconcelos, escritores de coisas amazônicas, para avaliar a força de sugestão do seu estilo (250).

Em outros ensaístas da época, importam menos os aspectos formais que as suas contribuições para a inteligência do nosso povo dentro daquela linha de vivo interesse pelos problemas nacionais que marcou todo o período. Hoje, quem quiser traçar a história das soluções que a esses problemas tentaram dar grupos culturais ou políticos coetâneos do Modernismo, deverá ler as obras

---

(250) "O Sertanejo de Euclides e a Literatura Regional", de Cavalcanti Proença, *in Revista Brasiliense*, nº 32.

de Alberto Torres ([251]), Manuel Bonfim ([252]) e Oliveira Viana ([253]): em todos, o estudo veio a desdobrar-se em programas de organização sociopolítica. Há uma conexão mais ou menos estreita entre os seus modos de abordar o Brasil e o nacionalismo sistemático do "verdeamarelismo", da "Anta", do "integralismo" e do próprio Estado Novo. É arriscado, porém, incluí-los genericamente entre os ideólogos da Direita, em razão do colorido opressor, classista e racista que o termo foi assumindo por força das vicissitudes políticas do século XX. Representam, em conjunto, um sintoma da crise do liberalismo jurídico abstrato, da sua incapacidade de planificar o progresso de um povo; e, apesar das suas diferenças e mesmo das contradições internas de que todos padecem, significam, como já significara Euclides, um passo adiante na construção de uma sociologia do povo brasileiro.

Há, sem dúvida, sensíveis diferenças entre os dois primeiros (Alberto Torres, Manuel Bonfim) e Oliveira Viana. Este, preso aos esquemas *arianizantes* de Lapouge e de Gobineau, considerava mais "apurado" e mais "refinado" o sangue branco, cujo índice crescente auspiciava para o nosso complexo étnico. Paralelamente, a sua filosofia política, plenamente prestigiada durante o Estado Novo, foi o corporativismo. Muito mais próximos de nós, pela relativa independência que revelaram em face dos preconceitos neocolonialistas, Alberto Torres e Manuel Bonfim pensaram em termos de sistema social e educacional como formas de superar o atraso da nação. O primeiro teve a lucidez, raríssima na época, de subestimar o fator étnico, como o atestam estas palavras, escritas em 1915:

([251]) Alberto de Seixas Martins Torres (Porto das Caixas, RJ, 1865 — Rio, 1917). *O Problema Nacional Brasileiro*, 1914; *A Organização Nacional*, 1914; *As Fontes de Vida no Brasil*, 1915. Consultar: Cândido Motta Filho, *Alberto Torres e o Tema da nossa Geração*, Rio, Schmidt, 1931; Alcides Gentil, *As Idéias de Alberto Torres*, S. Paulo, Cia. Ed. Nac., 1932; Nogueira Martins, "Tentativas para organizar o Brasil", *in Sociologia e História*, São Paulo, Instituto de Sociologia e Política, 1956; Dante Moreira Leite, *O Caráter Nacional Brasileiro*, 4ª ed., S. Paulo, Pioneira, 1983; Francisco Iglésias, Prefácios à *Organização Nacional*, 3ª ed., e a *O Problema Nacional Brasileiro*, 4ª ed., Cia. Ed. Nacional, 1978.

([252]) Manuel Bonfim (Aracaju, SE, 1868 — Rio, 1932). Manuel Bonfim, *A América Latina: Males de Origem*, 1905; *O Brasil Nação*, 2 vols., 1931; *O Brasil*, 1935. Consultar: Carlos Maul, "Nota explicativa" a *O Brasil*, S. Paulo, Cia. Ed. Nac., 1935; M. T. Nunes, *Sílvio Romero e Manuel Bonfim, Pioneiros de uma Ideologia do Desenvolvimento Nacional*, Rio, 1956; Dante Moreira Leite, *O Caráter Nacional Brasileiro, cit.*; Roberto Ventura e Flora Süssekind, *Cultura e Sociedade em Manuel Bonfim*, Ed. Moderna, 1989.

([253]) Francisco José Oliveira Viana (Saquarema, RJ, 1883 — Niterói, 1951). Obras principais: *Populações Meridionais do Brasil*, 1920; *O Idealismo na Evolução Política do Império e da República*, 1920; *Pequenos Estudos de Psicologia Social*, 1921; *Evolução do Povo Brasileiro*, 1923; *O Ocaso do Império*, 1925; *Problemas de Política Objetiva*, 1930; *Raça e Assimilação*, 1932; *Problemas de Direito Corporativo*, 1938; postumamente: *Introdução à História Social da Economia Pré-Capitalista no Brasil*, 1958. Cons.: Nelson Werneck Sodré, *Orientações do Pensamento Brasileiro*, Rio, Vecchi, 1942; Astrojildo Pereira, *Interpretações*, Rio, CEB, 1944; Vasconcelos Torres, *Oliveira Viana*, Rio, Freitas Bastos, 1956; Guerreiro Ramos, *Introdução Crítica à Sociologia Brasileira*, Rio, Andes, 1957.

O tipo mental das raças deriva das modalidades do meio e da vida social.*

Falando da situação da antropologia no começo do século, comenta Gilberto Freyre:

Tais preconceitos (arianizantes) foram gerais no Brasil intelectual de 1900: envolveram às vezes o próprio Sílvio Romero, cuja vida de guerrilheiro de idéias está cheia de contradições. Só uma exceção se impõe de modo absoluto: a de Alberto Torres, o primeiro, entre nós, a citar o Professor Franz Boas e suas pesquisas sobre raças transplantadas. Outra exceção: a de Manuel Bonfim, turvado, entretanto, nos seus vários estudos, por uma como mística indianista ou indianófila semelhante à de José de Vasconcellos, no México (254).

A referência de G. Freyre à xenofobia de Manuel Bonfim tem sido um lugar-comum dos que se ocupam desse grande estudioso das nossas coisas. Mais recentemente, porém, um analista do estereótipo "caráter nacional brasileiro", Dante Moreira Leite, mostrou que o nacionalismo apaixonado de Manuel Bonfim o levou a entender com mais lucidez que seus contemporâneos (e, certamente, com mais modernidade que Oliveira Viana e Paulo Prado) a origem colonialista dos preconceitos de raça e das caracterizações psicológicas do homem tropical que as nossas elites herdaram (255).

Um crítico independente: João Ribeiro

João Ribeiro (256) representa em sua longa parábola, que vai de poeta parnasiano a crítico literário, de filólogo a historiador, o tipo exemplar do humanista moderno, a quem não falta nunca o grão de sal da heresia.

E, nesse ameno mestre, mais do que heresia, ceticismo:

---

* *Apud* Guerreiro Ramos, *Introdução Crítica à Sociologia Brasileira*, Rio, Andes, 1957, p. 137.

(254) Em *Perfil de Euclides*, *cit.*, p. 41.

(255) *Op. cit.*, pp. 250-255.

(256) João Batista Ribeiro de Andrade Fernandes (Laranjeiras, SE, 1860 — Rio, 1934). Obras principais: *Gramática Portuguesa*, 1887; *Estudos Filológicos*, 1887; *Dicionário Gramatical*, 1889; *História do Brasil*, 1900; *Páginas de Estética*, 1905; *Frases Feitas*, I, 1908; II, 1909; *O Fabordão*, 1910; *O Folclore*, 1910; *Colmédia*, 1923; *Cartas Devolvidas*, 1926; *Curiosidades Verbais*, 1927; *Floresta de Exemplos*, 1931; *A Língua Nacional*, 1933; *Crítica* (série coligida por Múcio Leão): *Clássicos e Românticos*, 1952; *Os Modernos*, 1952; *Poetas. Parnasianismo e Simbolismo*, 1957; *Autores de Ficção*, 1959; *Críticos e Ensaístas*, 1959. Consultar: Álvaro Lins, *Jornal de Crítica*, 3ª série, Rio, José Olympio, 1944; Múcio Leão, *João Ribeiro*, Rio, Livraria São José, 1962; Boris Schneidermann, "João Ribeiro Atual", *in Revista de Estudos Brasileiros*, nº 10, S. Paulo, 1971, pp. 65-93.

> Porque em tudo há um enigma e em tudo se requer uma explicação. Ao termo, porém, dessas porfiadas ciências, só se acham desenganadas limitações, grandes ignorâncias, míseros e incôngruos fatos, e apenas fatos, à medida que nos foge e nos escapa o infinito e o incondicionado (*Páginas de Estética*, Lisboa, Clássica, 1905, p. 44).

Quem fala em "míseros e incôngruos fatos" será tudo menos um repetidor dos esquemas positivistas do século XIX. Aliás, é surpreendente ver como esse homem de ampla doutrina e de formação racionalista pôde, em um tempo de fórmulas para tudo, ressalvar as suas dúvidas em face da própria ciência.

> O aspecto essencial da Beleza é não ser intelectualmente compreendida e não conter um só elemento de inteligência ou de razão. Pode ser explicada; podem-se perscrutar as leis secretas que a regem como todas as coisas: mas o senti-la não é matéria de ciência (*id.*, p. 45).

O sentimento dos limites humanos, a intuição da historicidade de todas as formas culturais induzia o sábio sergipano a abeirar-se com a mesma simpatia da frase modulada de Frei Luís de Sousa e das tentativas anárquicas dos poetas modernistas.

Tal abertura às muitas faces da realidade norteou-lhe também a obra de filólogo. Foi dos primeiros a formular com clareza o problema da língua nacional, conferindo a Alencar a palma de uma *práxis estilística* livre da imitação lusa, mas aparando os excessos da teoria, aliás insegura, de uma língua brasileira.

Pela independência e, até mesmo, irreverência dos seus juízos, João Ribeiro já foi considerado, e com razão, o profeta do nosso Modernismo. Fazendo *tabula rasa* das poéticas vigentes no primeiro vintênio do século, contribuiu para o descrédito dos medalhões. A título de ilustração, transcrevo estas palavras de Cassiano Ricardo, assertor convicto do caráter inovador que assumiu a crítica de João Ribeiro:

> Direi mais: o verdadeiro precursor do Modernismo de 22 foi João Ribeiro. Quero dizer que Graça Aranha (e isto para me referir a outro nome desta Academia) terá sido, em 1924, um grande agitador da idéia, na memorável conferência aqui pronunciada tumultuosamente. Mas João Ribeiro, já em 1917 (portanto, sete anos antes), havia tomado a sua posição de vanguarda (...). Basta o confronto do autor da *Estética da Vida*, em 1924, com o artigo do autor de *Páginas de Estética*, em 1917, para se ver que este foi o mais incisivo, mais radical — ao atacar de rijo o Parnasianismo e o Simbolismo então vigentes, e ao proclamar a necessidade da destruição total dos ídolos caducos.
>
> 1) — queria João Ribeiro a "destruição prévia";
>
> 2) — queria a desmoralização (segundo sua proposta) da poesia reinante;
>
> foi o primeiro a declarar caducos Alberto e Olavo Bilac (note-se que não incluiu Raimundo);

3) — queria que Bilac e Alberto se conformassem às exigências da época, renunciando a qualquer influxo sobre os novos;

(seria uma imprudência se persistissem os dois na sua assiduidade ao Parnaso, já tristemente velhos);

4) — queria o reconhecimento das diferenças já existentes entre Portugal e o Brasil em assunto lingüístico.

(. . . . .)

5) — Sustentava a tese do incompreensível em arte, coisa que é motivo de tanta zanga ainda hoje contra os modernos. "De coisas velhas estamos fartos." Foi algum arauto da Semana de Arte Moderna que assim se exprimiu?

Não; foi João Ribeiro

("João Ribeiro e a Crítica do Pré-Modernismo", Em *Curso de Crítica*, Rio, Academia Brasileira de Letras, 1956.)

Cabe lembrar que, na mesma época em que João Ribeiro abandonava os cânones parnasianos, um futuro poeta modernista, Ronald de Carvalho (Rio, 1893-1935), embora ligado efemeramente ao grupo futurista de *Orfeu* (Lisboa, 1914), escrevia uma *Pequena História da Literatura Brasileira* ainda presa a critérios acadêmico-nacionalistas. Critérios que a sua notável capacidade de assimilação iria depois adelgaçar para absorver, diplomaticamente, as novidades do Modernismo.

O romance social: Lima Barreto

A biografia de Lima Barreto (257) explica o húmus ideológico da sua obra: a origem humilde, a cor, a vida penosa de jornalista pobre e de pobre amanuense, aliadas à viva consciência da própria situação social, motivaram aquele seu socialismo maximalista, tão emotivo nas raízes quanto penetrante nas análises.

---

(257) Afonso Henriques de Lima Barreto (Rio de Janeiro, 1881-1922). Filho de um tipógrafo e de uma professora primária, ambos mestiços. Aos sete anos, ficou órfão de mãe. Proclamada a República, seu pai é demitido da Imprensa Nacional pelo fato de lá ter entrado pela mão do Visconde de Ouro Preto. Vão, pai e filho, morar na Ilha do Governador em cuja Colônia de Alienados o ex-tipógrafo trabalhará como almoxarife. Graças à proteção do Visconde, seu padrinho, Lima Barreto pôde completar o curso secundário e matricular-se na Escola Politécnica (1897) que freqüentaria saltuariamente até abandonar, em 1903. Nesse meio tempo seu pai enlouquece e é recolhido à Colônia. O escritor passa a viver como pequeno funcionário da Secretaria da Guerra e a colaborar na imprensa. Pelas datas dos prefácios infere-se que foi nessa difícil quadra dos vinte anos que planejou quase todos os seus romances. Lendo avidamente literatura de ficção européia do século XIX, L. Barreto familiarizou-se com a melhor tradição realista e social e foi dos raros intelectuais brasileiros que conheceram, na época, os grandes ro-

É verdade que se apontaram contradições na ideologia de Lima Barreto: o iconoclasta de tabus detestava algumas formas típicas de modernização que o Rio de Janeiro conheceu nos primeiros decênios do século: o cinema, o futebol, o arranha-céu e, o que parece grave, a própria ascensão profissional da mulher! Chegava, às vezes, a confrontar o sistema republicano desfavoravelmente com o regime monárquico no Brasil.

Mas essas contradições também já foram aclaradas: Lima Barreto viera da pequena classe média suburbana, e como suburbano reagia em termos de conservantismo sentimental (258). Poderíamos filiar a sua xenofobia a um natural instinto de defesa étnico. E, quanto à ojeriza pelos homens e pelos processos

---

mancistas russos. Que, de resto, vinham ao encontro da revolta contra as injustiças e os preconceitos de que se sabia vítima. Vivendo constantes crises de depressão e entregando-se amiúde à bebida, teve que internar-se por duas vezes no Hospício Nacional (em 1914 e em 1919): da segunda estada nasceu o *Cemitério dos Vivos*. A partir de 1918, impressionado pela Revolução de Outubro, entrou a militar na imprensa maximalista, vindo a redigir um manifesto, no semanário ABC, aos 11 de maio do mesmo ano. São dessa fase os numerosos artigos de crítica social que se enfeixaram em livros depois da sua morte. Lima Barreto morreu de colapso cardíaco, aos quarenta e um anos de idade. Obra: *Recordações do Escrivão Isaías Caminha*, 1909; *Triste Fim de Policarpo Quaresma*, 1911 (em folhetins do *Jornal do Comércio*), 1915, em livro; *Numa e Ninfa*, 1915; *Vida e Morte de M. J. Gonzaga de Sá*, 1919; *Numa e Ninfa*, 1923 (em folhetins da *Revista Sousa Cruz*); *Bagatelas*, 1923; *Os Bruzundangas*, 1923. A partir de 1956, nas *Obras* de Lima Barreto, organizadas sob a direção de Francisco Assis Barbosa, com a colaboração de Antônio Houaiss e Cavalcanti Proença, os livros citados e mais: *Histórias e Sonhos* (contos), *Coisas do Reino do Jambon* (sátira), *Feiras e Mafuás* (artigos e crônicas), *Vida Urbana* (artigos e crônicas), *Marginália* (artigos e crônicas), *Impressões de Leitura* (crítica), *Diário Íntimo* (memórias), *O Cemitério dos Vivos* (memórias), *Correspondência*, 2 vols., todos pela Ed. Brasiliense, de S. Paulo. Consultar: Agripino Grieco, *Evolução da Prosa Brasileira*, cit.; Astrojildo Pereira, *Interpretações*, Rio, Casa do Estudante do Brasil, 1944; Bezerra de Freitas, *Formas e Expressão no Romance Brasileiro*, Rio, Pongetti, 1947; Lúcia Miguel-Pereira, *Prosa de Ficção (de 1870 a 1920)*, *cit.*; Cavalcanti Proença, *Augusto dos Anjos e Outros Ensaios*, Rio, José Olympio, 1959; Francisco de Assis Barbosa, *A Vida de Lima Barreto*, 3ª ed., Rio, José Olympio, 1965; e os prefácios aos volumes da Ed. Brasiliense, *cit.* Houve um renascimento dos estudos sobre Lima Barreto na década de 70. Ver: Carlos Nelson Coutinho, e outros, *Realismo e Anti-realismo na L. Brasileira*, Rio, Paz e Terra, 1974; Osman Lins, *Lima Barreto e o Espaço Romanesco*, S. Paulo, Ática, 1976; Antônio Arnoni Prado, *L. Barreto: o Crítico e a Crise*, Rio, Cátedra/MEC, 1976; Carlos Fantinati, *O Profeta e o Escrivão*, S. Paulo, Hucitec, 1978.

(258) Os traços suburbanos da mentalidade de L. Barreto foram muito bem ilustrados por Astrojildo Pereira no ensaio "Romancistas da Cidade", em *O Romance Brasileiro*, *cit.*, pp. 65-67. Estudou igualmente as raízes biográficas do binômio conservador-revolucionário em L. B. o crítico Luís Martins (*Homens e Livros*, S. Paulo, CEC, 1962, pp. 23-30).

da República Velha, explica-se ainda mais naturalmente pela sua aversão às oligarquias que tomaram o poder em 1889. Ou, nas palavras do próprio escritor:

> Uma rematada tolice que foi a tal república. No fundo, o que se deu em 15 de novembro foi a queda do partido liberal e a subida do conservador, sobretudo da parte mais retrógrada dele, os escravocratas de quatro costados (259).

O ressentimento do mulato enfermiço e o suburbanismo não o impediram, porém, de ver e de configurar com bastante clareza o ridículo e o patético do nacionalismo tomado como bandeira isolada e fanatizante: no Major Policarpo Quaresma afloram tanto as revoltas do brasileiro marginalizado em uma sociedade onde o capital já não tem pátria, quanto a própria consciência do romancista de que o caminho meufanista é veleitário e impotente. Tal duplicidade de planos, o *narrativo* (relato dos percalços do brasileiro em sua pátria) e o *crítico* (enfoque dos limites da ideologia) aviva de forma singular a personalidade literária de Lima Barreto, em que se reconhece a inteligência como força sempre atuante.

E não é só no campo ideológico que sobressai a coexistência de representação e espírito crítico. Também no estilístico. O que parece apenas espontâneo e instintivo em sua prosa narrativa é, no fundo, consciente e, não raro, polêmico.

O estilo de pensar e de escrever contra o qual se insurgia o autor do *Triste Fim de Policarpo Quaresma* era o simbolizado por um Coelho Neto ou um Rui Barbosa: o da palavra a servir de anteparo entre o homem e as coisas e os fatos. Em Lima Barreto, ao contrário, as cenas de rua ou os encontros e desencontros domésticos acham-se narrados com uma animação tão simples e discreta, que as frases jamais brilham por si mesmas, isoladas e insólitas (como resultava da linguagem parnasiana), mas deixam transparecer naturalmente a paisagem, os objetos e as figuras humanas.

Nessa perspectiva, as realidades sociais, isto é, o conteúdo pré-romanesco, embora escolhidas e elaboradas pelo *ponto de vista* afetivo e polêmico do narrador, não parecem, de modo algum, forçadas a ilustrar inclinações puramente subjetivas. O resultado é um estilo ao mesmo tempo *realista e intencional*, cujo limite inferior é a crônica.

Pois nos romances de Lima Barreto há, sem dúvida, muito de crônica: ambientes, cenas quotidianas, tipos de café, de jornal, da vida burocrática, às vezes só mencionados ou mal esboçados, naquela linguagem fluente e desambiciosa que se sói atribuir ao gênero. O tributo que o romancista pagou ao jornalista (aliás, ao bom jornalista) foi considerável: mas a prosa de ficção em língua portuguesa, em maré de academismo, só veio a lucrar com essa descida de tom, que permitiu à realidade entrar sem máscara no texto literário. Hoje,

---

(259) *Coisas do Reino do Jambon*, S. Paulo, Brasiliense, 1956, p. 110.

ao lermos os romances de Marques Rebelo ou de Érico Veríssimo, sabemos devidamente ajuizar da modernidade estilística de Lima Barreto.

Em *Recordações do Escrivão Isaías Caminha*, há uma nota autobiográfica ilhada e exasperada nos primeiros capítulos; mas tende a diluir-se à medida que o romance progride, objetivando-se e abraçando descrições de tipos vários: o político, o jornalista, o burocrata carioca do começo do século. De crônica sentimental da adolescência a obra passa a *roman à clef*, com todas as limitações do gênero, apontadas, aliás com lucidez, por José Veríssimo em carta ao autor estreante:

> Há nele, porém, um defeito grave, julgo-o ao menos, e para o qual chamo a sua atenção, o seu excessivo personalismo. É pessoalíssimo e, o que é pior, sente-se demais que o é. Perdoe-me o pedantismo, mas a arte, a arte que o senhor tem capacidade para fazer, é representação, é síntese, e, mesmo realista, idealização. Não há um só fato literário que me desminta. A cópia, a reprodução, mais ou menos exata, mais ou menos caricatural, mas em que não se chega a fazer a síntese de tipos, situações, estados d'alma, a fotografia literária da vida, pode agradar à malícia dos contemporâneos que põem um nome sobre cada pseudônimo, mas, escapando à posteridade, não a interessando, fazem efêmero e ocasional o valor das obras (260).

Sustenta, porém, a presença de Isaías como personagem polarizadora a própria frustração do autor, que nele se encarna, tornando especialmente doídos os seus encontros com os preconceitos de cor e de classe. Uma tristeza, ora de rebelde ora de vencido, dá o tom sentimental dominante a essas *Recordações*, onde alternam, chegando às vezes a fundir-se, a representação de uma sociedade classista e o seu processo instaurado por um "humilhado e ofendido". Assim, o convívio de objeto e sujeito, de observação social e ressonância afetiva, define com propriedade o estilo realista-memorialista de Lima Barreto.

Triste Fim de Policarpo Quaresma é um romance em terceira pessoa, em que se nota maior esforço de construção e acabamento formal. Lima Barreto nele conseguiu criar uma personagem que não fosse mera projeção de amarguras pessoais como o amanuense Isaías Caminha, nem um tipo pré-formado, nos moldes das figuras secundárias que pululam em todas as suas obras. O Major Quaresma não se exaure na obsessão nacionalista, no fanatismo xenófobo; *pessoa* viva, as suas reações revelam o entusiasmo do homem ingênuo, a distanciá-lo do conformismo em que se arrastam os demais burocratas e militares reformados cujos bocejos amornecem os serões do subúrbio.

No dizer arguto de Oliveira Lima, tem Policarpo algo de quixotesco, e o romancista soube explorar os efeitos cômicos que todo quixotismo deve fatalmente produzir, ao lado do patético que fatalmente acompanha a boa-fé desarmada. Seus requerimentos pedindo às autoridades que introduzissem o tupi

---

(260) Carta de José Veríssimo a Lima Barreto, em *Correspondência (ativa e passiva)*, São Paulo, Brasiliense, 1956, vol. I, p. 204.

como língua oficial; sua insólita forma de receber as visitas, chorando e gesticulando como um legítimo goitacá; suas baldadas pesquisas folclóricas na tapera de uma negra velha que mal recorda cantigas de ninar: eis alguns dos recursos do autor para ferir a tecla do riso. Mas o episódio da morte de Ismênia, o contato e a desilusão de Quaresma com Floriano e a sua "falange sagrada" de cadetes (descritos em páginas antológicas), as desventuradas experiências junto à terra e, sobretudo, as páginas finais de solidão voltam a colorir com a tinta da melancolia a prosa limabarretiana.

Já se tornou lugar-comum louvar a riqueza de observação e de sentimento desse romance para deplorar-lhe, em seguida, o desleixo da linguagem, enfeada por solecismos, cacófatos e repetições numerosas. Sem entrar no mérito da questão, ligada a um fenômeno estético-social complexo como o do bom gosto, variável de cultura para cultura, pode-se ver, na raiz dessa língua "irregular" a própria dissonância espiritual do narrador com o estilo vitorioso no mundo das letras em que, dialeticamente, se inseria.

E em termos de estrutura narrativa, o que é todo o enredo do romance senão a procura malograda de viver mais brasileiramente em um Brasil que já estava deixando de o ser, ao menos naquele sentido romântico e meufanista que o pobre major ainda quer cultivar? A grandeza de Lima Barreto reside justamente no ter fixado o desencontro entre "um" ideal e "o" real, sem esterilizar o fulcro do tema — no caso o protagonista idealizador — isto é, sem reduzi-lo a símbolo imóvel de um só comportamento. O *desencontro* vem a ser, desse modo, a constante social e psíquica do romance e explica igualmente as suas defasagens em relação ao nível da língua rigidamente gramaticalizada do Pré-Modernismo.

Numa e Ninfa, sátira política, tende à caricatura. O deputado Numa Pompílio de Castro, fina flor da burguesia dominante, jovem bacharel que sobe graças à sua diplomacia, no fundo cínica e capaz de sacrificar a honra pelo gozo dos privilégios. É notável nessa obra a caracterização de alguns tipos secundários, entre os quais o mulato Lucrécio Barba-de-Bode, cabo eleitoral ("não era propriamente político, mas fazia parte da política e tinha o papel de ligá-la às classes populares"...), e o Doutor Bogóloff, imigrante russo, que serve ao romancista para apresentar sob novo prisma as mazelas da vida brasileira.

Mazelas, que, ainda em outra roupagem, reaparecem em *Vida e Morte de M. J. Gonzaga de Sá*. Pintura animada e crônica mordente da sociedade carioca, esse livro constitui, com o seu visível desalinhavo, a mais curiosa síntese de documentário e ideologia que conheceu o romance brasileiro antes do Modernismo. Gonzaga de Sá vem a ser o espectador a um tempo interessado e cético daquele Rio dos princípios do século, onde os pretensos intelectuais macaqueavam as idéias e os tiques da cultura francesa sem voltar os olhos para os desníveis dolorosos que gritavam ao seu redor; onde a Abolição, sem realizar as esperanças dos negros, prolongou as agruras dos mestiços; onde, enfim, a

República, em vez de preparar a democracia econômica, instalou solidamente os oligarcas do campo no tripé de uma burocracia alienada, um militarismo estreito e uma imprensa impotente, quando não venal.

A obra é participante e aguerrida desde o título, em que avulta um cacófato ostensivo a desaforar o estilo oficial, purista, dessa época áurea de gramáticas normativas e sonetos neoparnasianos.

Em dado momento, o escritor, falando pela boca de Gonzaga de Sá, resume em tom irônico certo tipo de romance mundano do tempo; o que nos dá a medida da sua consciência polêmica:

> A nossa emotividade literária só se interessa pelos populares do sertão, unicamente porque são pitorescos e talvez não se possa verificar a verdade de suas criações. No mais, é uma continuação do exame de português, uma retórica mais difícil, a se desenvolver por este tema sempre o mesmo: Dona Dulce, moça de Botafogo em Petrópolis, que se casa com o Dr. Frederico. O comendador seu pai não quer porque o tal Dr. Frederico, apesar de doutor, não tem emprego. Dulce vai à superiora do colégio de irmãs. Esta escreve à mulher do ministro, antiga aluna do colégio, que arranja um emprego para o rapaz. Está acabada a história. É preciso não esquecer que Frederico é moço pobre, isto é, o pai tem dinheiro, fazenda, ou engenho, mas não pode dar uma mesada grande.
>
> Está aí o grande drama de amor em nossas letras, e o tema de seu ciclo literário. Quando tu verás, na tua terra, um Dostoievski, um George Eliot, um Tolstói — gigantes destes, em que a força de visão, o ilimitado da criação, não cedem o passo à simpatia pelos humildes, pelos humilhados, pela dor daquelas gentes donde às vezes não vieram — quando?

Dão-se aqui as mãos, para afrontar a estagnação mental que os revoltava, Lima Barreto e o seu admirador Monteiro Lobato, embora este, ficcionista menos vigoroso, não tenha atingido a vibração estilística do primeiro. A aproximação com Lobato só é possível, de resto, em termos de atitude crítica geral, antipassadista. Já se viu o quanto o contista de *Urupês* estava preso a modelos acadêmicos. Quanto a Lima Barreto, um encontro mais íntimo com o seu estilo sugere uma que outra semelhança com o andamento da frase machadiana, cuja velada ironia se entremostra nas restrições, nas dúvidas, nas ambíguas concessões à mentalidade que deseja agredir: é a linguagem do "mas", do "talvez", do "embora", sistemática nos romances de Machado, dispersa e isolada na urgência polêmica e emocional desta *Vida e Morte de M. J. Gonzaga de Sá*.

O drama da pobreza e do preconceito racial constitui também o núcleo de *Clara dos Anjos*, romance inacabado, vindo à luz postumamente, mas cuja primeira redação remonta a 1904/05, contemporâneo, portanto, das memórias de Isaías Caminha. A proximidade da composição e do tema está a definir a necessidade de expressão autobiográfica em que penava o jovem Lima Barreto. As humilhações do mulato encarna-as Clara dos Anjos, moça pobre de subúrbio, seduzida e desprezada por um rapaz de extração burguesa. Como nas *Recordações*, a ação e os sentimentos não chegam a assumir a espessura de um enredo, esfumando-se aqui em retalhos da vida suburbana, animados de ironia e piedade.

Um livro curioso, também inacabado, é *Cemitério dos Vivos*, memórias e reflexões em torno da vida num manicômio que o autor observou *in loco*, quando internado, por duas vezes, por motivos de alcoolismo, no Hospício Nacional. A obra, coligida postumamente, apresenta-se dividida em duas partes: a primeira contém o diário do escritor relativo à sua estada no casarão da Praia Vermelha (do Natal de 1919 a 2 de fevereiro de 1920); a segunda, que é propriamente o romance, constitui-se do esboço de uma tragédia doméstica cujos fragmentos alternam com as memórias da vida no hospício. Nessas páginas, que elaboram maduramente o conteúdo das primitivas notas, o escritor tentou configurar um pensamento discursivo cujo foco é o próprio mistério da vida humana lançada às mais degradantes condições da miséria, da humilhação e da loucura.

Há momentos que fazem lembrar as *Recordações da Casa dos Mortos* de Dostoievski, não tanto pela analogia da situação quanto pela sinceridade ardente do documento humano.

Obrigado a varrer, em público, o pátio do manicômio, confessa:

> Veio-me, repentinamente, um horror à sociedade e à vida; uma vontade de absoluto aniquilamento, mais do que aquele que a morte traz; um desejo de perecimento total da minha memória na terra; um desespero por ter sonhado e terem me acenado tanta grandeza, e ver agora, de uma hora para outra, sem ter perdido de fato a minha situação, cair tão, tão baixo, que quase me pus a chorar que nem uma criança.

Falando da loucura:

> Parece tal espetáculo com os célebres *cemitérios de vivos*, que um diplomata brasileiro, numa narração de viagem, diz ter havido em Cantão, na China.
>
> Nas imediações dessa cidade, um lugar apropriado de domínio público era reservado aos indigentes que se sentiam morrer. Dava-se-lhes comida, roupa e o caixão fúnebre em que se deviam enterrar. Esperavam tranqüilamente a Morte.
>
> Assim me pareceu pela primeira vez que deparei com tal quadro, com repugnância, que provoca a pensar mais profundamente sobre ele, e aquelas sombrias vidas sugerem a noção em torno de nós, de nossa existência e nossa vida, só vemos uma grande abóbada de trevas, de negro absoluto. Não é mais o dia azul-cobalto e o céu ofuscante, não é mais o negror da noite picado de estrelas palpitantes; é a treva absoluta, é toda ausência de luz, é o mistério impenetrável e um *não poderás ir além* que confessam a nossa própria inteligência e o próprio pensamento (p. 186).

E estes acentos que projetam o desejo bem dostoievskiano ([261]) da redenção pelo sofrimento:

> Eu me tinha esquecido de mim mesmo, tinha adquirido um grande desprezo pela opinião pública, que vê de soslaio, que vê como um criminoso um sujeito que passa pelo hospício, eu não tinha mais ambições, nem esperanças de riqueza ou de posição: o meu pensamento era para a Humanidade toda, para a miséria, para o sofrimento, para os que sofrem, para os que todos amaldiçoam. Eu sofria honestamente por um sofrimento que ninguém podia adivinhar; eu tinha sido humilhado, e estava, a bem dizer, ainda sendo, eu andei sujo e imundo, mas eu sentia que interiormente eu resplandecia de bondade, de sonho de atingir a verdade, de amor pelos outros, de arrependimento dos meus erros e um desejo imenso de contribuir para que os outros fossem mais felizes do que eu, e procurava e sondava os mistérios de nossa natureza moral, uma vontade de descobrir nos nossos defeitos o seu núcleo primitivo de amor e de bondade (p. 183).

Ainda não foram suficientemente analisadas as disposições reflexivas de Lima Barreto, mas o contato com essas memórias e com as *Impressões de Leitura* revela um espírito indagador, que procura o essencial, apesar das suas tentações dispersivas, mais ou menos fortes, mais ou menos fatais, considerada a labilidade emotiva do malogrado romancista.

A título de exemplificação, lembro: as páginas sobre Coelho Neto, em quem apontou, como falha de base, o não ter-se detido jamais a examinar as grandes angústias do seu tempo; as variações sobre o tema da literatura militante; as palavras de sarcasmo endereçadas aos puristas muito antes das negações da *Semana*; enfim, as críticas violentas mas percucientes à fragilidade da arte de Oscar Wilde, e as críticas injustas mas proféticas à ferinidade implícita no pensamento de Nietzsche e à volúpia estetizante da poesia dannunziana... Nessas e em outras páginas compostas, não raro, no açodamento das redações de jornais, reponta um observador coerente e sagaz, que preludia os pontos altos da crítica modernista.

Com *Os Bruzundangas* Lima Barreto fez obra satírica por excelência. Valendo-se do feliz expediente de Montesquieu nas *Cartas Persas*, imaginou um visitante estrangeiro a descrever a terra de Bruzundanga, nada mais nada menos que o Brasil do começo do século. Escrita nos últimos anos, a obra trai forte empenho ideológico e mostra o quanto Lima Barreto podia e sabia transcender as próprias frustrações e se encaminhar para uma crítica objetiva das estruturas que definiam a sociedade brasileira do tempo.

([261]) "Leia sempre os russos" — recomendava, em carta, a um escritor estreante, na altura de 1919 — Dostoievski, Tolstói, Turguieneff, um pouco de Gorki — mas sobretudo o Dostoievski da *Casa dos Mortos* e do *Crime e Castigo* (*apud* Eugênio Gomes, *Aspectos do Romance Brasileiro*, Salvador, Livraria Progresso Ed., p. 158).

A obra é de amplo espectro. Lá se encontra, por exemplo, a sátira dos costumes literários da *belle époque*: quem não reconhecerá, na crônica sobre a "escola samoieda", o retrato dos simbolistas europeizantes perdidos atrás da "harmonia imitativa" e forjando poéticas que alternavam o cerebrino e o pueril? (262) Mas há críticas mais fundas. O escritor percebeu a tempo a fragilidade da economia do país posta sobre a exportação de um só produto que se valorizava à custa dos demais e da indústria. E, como fino *moraliste*, Lima Barreto voltava-se para as ressonâncias desse estado de coisas na conduta das várias classes: são saborosas as páginas que dedica aos moradores cheios de prosápia da Província do Kaphet; ou ao culto do "doutor" e ao fetichismo das pedras preciosas que se engastam nos anéis dos diplomados, variando na cor e na forma consoante o prestígio do curso feito; ou ainda, à vaidade dos intelectuais medíocres que, gravitando na esfera do poder, esperavam subir à força de pirotecnias verbais ("Um grande financeiro").

A obra de Lima Barreto significa um desdobramento do Realismo no contexto novo da I Guerra Mundial e das primeiras crises da República Velha. *A sua direção de coerente crítica social seria retomada pelo melhor romance dos anos de 30.*

Um espírito aberto: Graça Aranha

Seria cômodo traçar um paralelo entre Lima Barreto e Graça Aranha (263).

---

(262) Eis aqui um trecho em que o autor finge ouvir a conversa de dois vates da "escola samoieda":

"Num dado momento Kotelniji disse para Worspikt:

— Gostei muito desse teu verso: — "há luna loura linda leve, luna bela!"

O autor cumprimentado retrucou:

— Não fiz mais que imitar Tuque-Tuque, quando encontrou aquela soberba harmonia imitativa, para dar idéia do luar — "Loga Kule Kulela logalam", no seu poema "Kulelau".

Wolpuk, porém, objetou:

— Julgo a tua excelente, mas teria escolhido a vogal forte "u", para basear a minha sugestão imitativa do luar.

— Como? perguntou Worspikt.

— Eu teria dito: Ui! lua uma pula, tu moo! sulla nuit!

— Há muitas línguas nela, objetou Kotelniji.

— Quantas mais melhor, para dar um caráter universal à poesia que deve sempre tê-lo, como ensina o mestre, defendeu-se Wolpuk" (p. 43).

(263) José Pereira da Graça Aranha (São Luís, Maranhão, 1868 — Rio, 1931). De família maranhense abastada e culta, conheceu um lar propício a seu desenvolvimento espiritual. Adolescente ainda, foi para Recife cursar Direito tendo por mestre Tobias

Os dois vultos mais importantes da ficção pré-modernista provieram de camadas sociais opostas, palmilharam existências diferentes e chegaram a diferentes opções estéticas.

No entanto, ambos expressaram uma atitude espiritual frontalmente *antipassadista* e premonitória da revolução literária dos anos 20 e 30; e, sobretudo, achavam-se ambos impregnados de forte sentimento nacional e aguilhoados por uma consciência crítica dos problemas brasileiros. A nenhum dos dois caberia uma situação de repetidores do romance oitocentista.

Uma copiosa informação francesa e alemã cedo deslocou Graça Aranha do provincianismo que estagnava nossa cultura no princípio do século, permi-

---

Barreto que seria uma presença atuante no seu itinerário. Formado, em 1886, segue a magistratura. A República encontra-o juiz em Campos; em 1890, é nomeado juiz municipal em Porto do Cachoeiro, no Espírito Santo, onde colhe dados para seu futuro romance, *Canaã*. É de 1894 o seu primeiro trabalho impresso: o prefácio ao livro *Concepção Monística do Direito*, de Fausto Cardoso. A amizade de Joaquim Nabuco e a publicação de um excerto daquele romance valem-lhe a eleição precoce para a Academia Brasileira de Letras recém-fundada, onde ocupa a cadeira cujo patrono foi Tobias. Entra para o Itamarati, dividindo-se entre a literatura e várias missões diplomáticas (1900-20: Inglaterra, Itália, Suíça, Noruega, Dinamarca, França, Holanda). Regressando ao Brasil, procura vivificar a cultura nacional com as últimas correntes da arte e do pensamento europeu que assimilara, particularmente, na França (intuicionismo, vitalismo e, em geral, as tendências estetizantes pós-simbolistas). Participa da Semana de Arte Moderna e rompe espetacularmente com a Academia após a conferência "O Espírito Moderno" (1924) em que verbera a imobilidade da literatura oficial. Nesse mesmo espírito, agora voltado para os problemas sociais e políticos do Brasil, escreve *A Viagem Maravilhosa*, romance, e adere à Revolução de Outubro, de que fora, intelectual e sentimentalmente um precursor. Aliás, pouco lhe sobrevive, pois faleceu, no Rio, em janeiro de 1931, aos sessenta e dois anos de idade. Obra: *Canaã*, 1902; *Malasarte*, 1911; *A Estética da Vida*, 1921; *Espírito Moderno*, 1925; *Futurismo. Manifesto de Marinetti e Seus Companheiros*, 1926; *A Viagem Maravilhosa*, 1929; *O Meu Próprio Romance*, 1931; *Machado de Assis e Joaquim Nabuco — comentários e notas à correspondência entre estes dois escritores*, 1923. Consultar: José Veríssimo, *Estudos de Literatura Brasileira*, 5ª série, 2ª ed., Rio, Garnier, 1910; Sérgio Buarque de Holanda, "Um Homem Essencial", *in Estética*, I-1, set. de 1924; Ronald de Carvalho, *Estudos Brasileiros*, 2ª série, Rio, Briguiet, 1931; Agripino Grieco, *Evolução da Prosa Brasileira*, Rio, Ariel, 1933; Tristão de Ataíde, *Estudos*, 5ª série, Rio, Civil. Brasileira, 1935; Orris Soares, "Graça Aranha: o Romance-Tese e Canaã", em *O Romance Brasileiro* (dir. de Aurélio B. de Holanda), Rio, *O Cruzeiro*, 1952; Carlos Dante de Morais, *Realidade e Ficção*, Rio, MES, 1952; Otto Maria Carpeaux, *Presenças*, Rio, I. N. L., 1958; Xavier Placer, "O Impressionismo na Ficção", em *A Literatura no Brasil*, Rio, Ed. Sul-Americana, vol. III, t. 1, 1959; José C. Garbuglio, *O Universo Estético-Sensorial de Graça Aranha*, Faculdade de Filosofia de Assis, 1966.

tindo-lhe voltar da Europa como arauto de "espírito moderno" com que tentou, com ambíguos resultados, fecundar o Movimento de 22.

Há duas faces a considerar no caso Graça Aranha: o romancista de *Canaã* e de *A Viagem Maravilhosa* e o doutrinador de *A Estética da Vida* e de *Espírito Moderno*: faces às vezes distantes no tempo, mas ligadas por mais de um caráter comum.

Graça Aranha nunca escondeu (antes, exaltou) as influências por ele sofridas no seu período recifense: monistas e evolucionistas. Diluídas, embora, pela retórica da sua formação jurídica, as idéias-força que operariam na mente do futuro narrador mantiveram sempre acentuada coloração cosmicista; a mesma coloração que se reconhece nos escritos dos seus contemporâneos Euclides da Cunha e Augusto dos Anjos.

Acasos da fortuna levaram-no, jovem juiz municipal, a fixar-se por alguns meses em Porto do Cachoeiro, pequena comunidade do Espírito Santo, onde predominavam imigrantes alemães. A observação da vida local, com seus patentes contrastes entre selva e cultura, trópico e mente germânica, era bem de molde a tentar um espírito propenso ao jogo das idéias e, ao mesmo tempo, sensível às formas e às vozes da paisagem.

Assim nasceu *Canaã*, retrato de algumas teses em choque e deleitação romântico-naturalista das realidades vitais. A dualidade, não resolvida por um poderoso talento artístico, criou graves desequilíbrios na estrutura da obra, cujo valor, enquanto romance, é ainda hoje posto em dúvida por mais de um crítico respeitável.

As teses em conflito são defendidas por dois amigos imigrantes: Milkau e Lentz; este a profetizar a vitória dos arianos, enérgicos e dominadores, sobre o mestiço, fraco e indolente; aquele a pregar a integração harmoniosa de todos os povos na natureza maternal. É o contraste entre o racismo e o universalismo, entre a "lei da força" e a "lei do amor" que polariza ideologicamente, em Canaã, as atitudes do imigrante europeu diante da sua nova morada.

Documento literário precoce, nesse sentido, o romance, embora padeça de generalizações inerentes ao estilo imaginoso do autor, projeta com nitidez um problema fundamental do século XX brasileiro, antecipando-se de muito à tomada de consciência dos modernistas.

As palavras de Lentz soam como ecos nietzschianos ao glorificarem a luta pelo poder e a moral do mais forte, e os seus apoios científicos ainda sabem ao determinismo de Darwin:

> Não acredito que da fusão com espécies radicalmente incapazes resulte uma raça sobre que se possa desenvolver a civilização. Será sempre uma cultura inferior, civilização de mulatos, eternos escravos em revoltas e quedas (...). Não, Milkau, a força é eterna e não desaparecerá; cada dia ela subjugará o escravo. Essa civilização, que é o sonho da democracia, da fraternidade, é uma triste negação de toda arte, de toda a liberdade e da própria vida. O Homem deve ser forte e querer viver, e

aquele que um dia atinge a consciência de sua personalidade, que se entrega a uma livre expansão dos seus desejos, aquele que na opulência de uma poesia mágica cria para si um mundo e o goza, aquele que faz tremer o solo, e que é ele próprio uma floração da força e da beleza, esse é homem e senhor (*Canaã*, 11ª ed., pp. 43-45).

Temos aí uma amostra representativa de larga faixa do Decadentismo europeu: colonialismo agressivo, isto é, imperialismo, aquentado por fogachos vitalistas e estetizantes.

A essa concepção ferina da existência, Milkau opõe um evolucionismo humanitário em que se percebe difusa inspiração tolstoiana:

> O mundo é uma expressão da harmonia e do amor universal. (E apontando para a vegetação no alto de uma rocha.) Na verdade, a vida dos homens na terra é como a daquelas plantas sobre a terra. (...) Do muito amor, da solidariedade infinita e íntima, surgiu aquilo que nós admiramos: um jardim tropical expandindo-se em luz, em cor, em aromas, no alto da montanha nua, que ele engrinalda como uma coroa de triunfo... A vida humana deve ser também assim. Os seres são desiguais, mas, para chegarmos à unidade, cada um tem de contribuir com uma porção de amor. O mal está na força, é necessário renunciar a toda a autoridade, a todo o governo, a toda a posse, a toda a violência (pp. 61-62).

A posição de Milkau não se restringe à defesa de idéias: desdobra-se em ação quando passa a proteger Maria, jovem colona que, expulsa pelos patrões ao saberem-na grávida, dá à luz em trágicas circunstâncias, vindo a ser acusada da morte do próprio filho. Maria encarna, aos olhos de Milkau, a fragilidade da Mulher, espezinhada pela lei do mais forte. Só o afeto desinteressado a salvará, resgatando a crueza dos homens que se arrogam o direito de condená-la. Libertando-a do cárcere e fugindo com ela em direção de outros horizontes, Milkau julga buscar a terra prometida, a luminosa *Canaã*, onde a vida não seja uma competição de ódios mas uma conquista de amor.

Na medida em que Graça Aranha se deixou levar abusivamente pelo romance de tese, não logrou estruturar personagens convincentes. Mas soube descrever com maestria algumas cenas de violência e instinto que servem de contraponto e aguilhão aos ideais pacifistas de Milkau: o enterro do velho caçador cujo cadáver é disputado aos coveiros por cães furiosos e corvos famintos; o rito bárbaro dos magiares, que fecundam a terra com o sangue de um cavalo açoitado até à morte; enfim, o nascimento do filho de Maria em plena mata entre porcos selvagens que acabam por devorá-lo.

Há uma forte dose de naturalismo na reprodução desses episódios. Mas não é um naturalismo impessoal e "científico", de escola: a sensibilidade do prosador empenha-se eficazmente ao plasmar a linguagem narrativa, que, em certos momentos, atinge alto nível estético.

A antológica descrição de Maria adormecida na mata, coberta e aureolada pelos pirilampos noturnos, autoriza a falar em processos *impressionistas*, que, conscientes ou não, bem se ajustam a esse naturalismo filtrado pela experiência simbolista (264). As formas, as cores e os próprios aspectos luminosos do ambiente animam-se em torno da criatura que os recebe como impressões pejadas de sentido emocional; sintomaticamente, são períodos breves e diretos a sucederem-se como num desfile de imagens-sentimentos:

> Aumentavam as sombras. No céu, nuvens colossais e túmidas rolavam para o abismo do horizonte... Na várzea, ao clarão indeciso do crepúsculo, os seres tomavam ares de monstros... As montanhas, subindo ameaçadoras da terra, perfilavam-se tenebrosas... Os caminhos, espreguiçando-se sobre os campos, animavam-se quais serpentes infinitas... As árvores soltas choravam ao vento como carpideiras fantásticas da natureza morta...
>
> Os primeiros vaga-lumes começavam no bojo da mata a correr as suas lâmpadas divinas... No alto, as estrelas miúdas e sucessivas principiavam também a iluminar... Os pirilampos iam-se multiplicando dentro da floresta, e insensivelmente brotavam silenciosos e inumeráveis nos troncos das árvores, como se as raízes se abrissem em pontos luminosos. (...) As montanhas acalmavam-se na imobilidade perpétua; as árvores esparsas na várzea perdiam o aspecto de fantasmas desvairados... No ar luminoso tudo retomava a fisionomia impassível. Os pirilampos já não voavam, e miríades e miríades deles cobriam os troncos das árvores, que faiscavam cravados de diamantes e topázios (p. 196).

É fácil de ver que os trechos citados ilustram apenas os dois pólos da estrutura de *Canaã*: o ideológico e o representativo-emotivo. A este cabe, *cum grano salis*, a qualificação de impressionista. Há, contudo, nessa obra sincrética, longe de um e de outro extremo, lugar para a prosa documental de tom médio, em que o romancista fixou a paisagem humana da colônia pintando com simplicidade a vida laboriosa dos imigrantes (aquele misto de ingenuidade e dureza próprio do protestante alemão), ou as mazelas da burocracia judiciária que se diverte a vexar e a extorquir os colonos. Notável também a reprodução de alguns mitos dos folclores indígena e europeu: páginas que valem por si mesmas, fora do contexto do romance.

Depois de *Canaã*, Graça Aranha orientou-se para a expressão de um pensamento vitalista que arejasse os quadros do modernismo que herdara a Tobias Barreto. A sua criação puramente literária ressentiu-se desse pendor filosofante: a experiência teatral de *Malazarte*, na esteira do Simbolismo europeu, é exemplo inequívoco de quanto o peso das alegorias, quando programadas, pode destruir irremediavelmente a obra de arte.

---

(264) Para a análise da poética de Graça Aranha, entendida como tratamento preferencial de sensações e impressões, cf. *O Universo Estético-Sensorial de Graça Aranha*, de José C. Garbuglio, *cit*.

Meditações sobre o homem no Universo, *A Estética da Vida* e *Espírito Moderno*, desenvolvem as idéias expostas por Milkau, no romance. O evolucionismo de extração "teuto-sergipana" enriqueceu-se em contato com os grandes pensadores irracionalistas do século XIX: Hartmann, Schopenhauer, Nietzsche. Conservando os princípios fundamentais do monismo, que identificava consciência e universo, G. Aranha procurou extrair dessa unidade uma filosofia de vida que se resolve em atitudes estéticas, contemplativas e fruidoras da existência.

Um dos temas constantes desse pensamento é a urgência de vencer o "terror cósmico" do homem primitivo (ainda ignaro da sua comunhão com o Todo) incutindo-lhe o sentido da arte e das outras formas espirituais que integram a cultura e dão a medida de nossa liberdade:

> Aquele que compreende o Universo como uma dualidade de alma e corpo, de espírito e matéria, de criador e criatura, vive na perpétua dor.
>
> Aquele que pelas sensações vagas da forma, da cor e do som, se transporta ao sentimento universal e se funde no Todo infinito, vive na perpétua alegria (*A Estética da Vida*, pp. 34-35).

Aplicando essa concepção do mundo à sua pátria, Graça Aranha compôs um esboço de "Metafísica Brasileira", onde disserta longamente sobre o traço definidor do nosso povo, que seria a *imaginação*, conatural ao estado de magia em que viveriam os descendentes de dois povos de mentalidade infantil (o negro e o índio) e de um povo nostálgico e melancólico, o português. O homem brasileiro deveria, portanto, vencer a natureza que o apavora (sempre o "terror cósmico") e a própria imaginação que o escraviza ao estado mágico. A vitória virá, crê o escritor, mas não em uma forma refinada e antitropical (como a de Machado, em quem Graça Aranha reconhece uma exceção de gênio), senão por meio de um incorporar livre e consciente daquelas mesmas forças primitivas que ainda subjugam o homem brasileiro. Nessa perspectiva, José de Alencar teria sido o primeiro passo para a criação de uma língua e de uma estética autenticamente nacionais (*A Estética da Vida,* pp. 85-121 e 165-193). Não se pode negar que esses conceitos se aproximavam do *primitivismo* que marcara certos grupos da vanguarda européia sediada em Paris, já antes da I Guerra Mundial.

Foi animado de tais pontos de vista que Graça Aranha, voltando da Europa, se encontrou com o grupo modernista [265]. A luta contra o inimigo comum,

---

(265) Graça Aranha, que chegara ao Brasil em outubro de 1921, entrou, logo, em contato com os modernistas, mas "o movimento estava já em plena impulsão", como diz Manuel Bandeira, "totalmente estruturado sem o seu concurso" (Mário da Silva Brito. *História do Modernismo Brasileiro. Antecedentes da Semana de Arte Moderna*, S. Paulo, Saraiva, 1958, p. 287).

o Neoparnasianismo oficial, propiciou ao velho escritor aproximar-se de uma vanguarda iconoclasta. Mas, como é sabido, o encontro teve muito de desencontro: ainda exclusivamente literário, sem nenhum embasamento filosófico em comum, o movimento aspirava, acima de tudo, à renovação artística: nova estética, motivos novos, nova linguagem. Só com o tempo foram-se afirmando algumas linhas de pensamento, graças à reflexão de Mário, Oswald de Andrade e Paulo Prado; mas já não se tratava da *Semana*, senão do itinerário pessoal de alguns dos seus participantes.

Por duas vezes o autor de *Canaã* interveio espetacularmente em função do movimento: na primeira, durante a própria Semana, proferiu a conferência "Função Estética da Arte Moderna" na qual defendeu o objetivismo dinâmico, fórmula adequada ao espírito dos novos tempos na medida em que superasse o lirismo do "eu" para atingir a poesia do cosmos unitário; na segunda, já deflagrado o movimento, falou a seus pares da Academia Brasileira de Letras, reptando-os a escolher entre evoluir ou morrer ("O Espírito Moderno", conferência, em 19-6-1924). Esse último gesto não veio sem conseqüências: vendo recusado um projeto seu de reforma da Academia, desligou-se da instituição (18-10-1924), aproximando-se cada vez mais de alguns escritores modernistas, que constituíram uma espécie de "ala Graça Aranha" dos anos posteriores à Semana — Ronald de Carvalho e Renato de Almeida, a quem dedicou sua última obra, *A Viagem Maravilhosa*.

Há nesse romance uma vontade programática de ser moderno. Desde as idéias gerais que vinha defendendo de longa data até o léxico e os torneios sintáticos, o autor se propõe a construir um livro dinâmica e nervosamente antitradicional. As teses e as obras modernistas parecem ter influído mais em Graça Aranha do que ele nelas... Basta confrontar o estilo de *Canaã* (ainda próximo do amplo paisagismo romântico e do exato descritivismo realista) com o desta *Viagem Maravilhosa*, onde resíduos dos velhos processos se justapõem a linhas e manchas da natureza, retalhos da memória alinhavados entre impressões do presente, *close-ups* de personagens, tomadas rápidas de situações e cenas, dando às vezes a impressão de um filme longo e o seu tanto confuso.

Entretanto, nem as instâncias ideológicas nem a atualização dos recursos expressivos logram substituir o que deve ter de medular um bom romance: a apreensão vital das personagens, seja direta seja alusivamente. Eis o que aconteceu à *Viagem Maravilhosa*: uma história comum de adultério, vivida por um marido boçal, uma mulher inquieta e um discursivo amante, busca provar exaustivamente que a ventura reside na superação do terror cósmico, isto é, na livre integração da consciência no Todo Universal...

Exaltados pela revelação dessa doutrina, os protagonistas, Filipe e Teresa, louvam-se nestes termos:

— Filipe, tu és único e imortal. Eu sou gloriosa! Meu amor...

— Ó minha alma musical... Canta este amor que tu me revelaste e que é a minha paixão. Todo o meu ser vive em ti um divino êxtase. Tu me deste a eternidade, ó gloriosa!

Segundo o juízo severo de Agripino Grieco, "nesta *Viagem Maravilhosa* tudo é construído nas nuvens, com andaimes na Utopia, e nada aproveita ao Brasil" (*Evolução da Prosa, cit.*, p. 126).

No entanto, sempre que Graça Aranha fixa personagens secundárias consegue bons efeitos de naturalidade, pois, ao apresentá-las, foge aos esquemas doutrinários e simbólicos que empanavam a sua visão de ficcionista.

A verdade é que, malogrado o romance no seu ponto nevrálgico, restaram muitos escombros, e alguns respeitáveis como tratamento artístico da prosa narrativa: os trechos que reproduzem a macumba da negra Balbina e a cena do carnaval alucinante são exemplos felizes de um estilo que procurava projetar uma concepção dinâmica do mundo. Fragmentos que honram a sensibilidade e a intuição de um homem cujo roteiro revelou sempre uma generosa disponibilidade para as aventuras do espírito.

O Modernismo: um clima estético e psicológico

Graça Aranha, empenhado até o fim da vida na teorização de uma estética mais aderente à vida moderna, foi o único intelectual da velha guarda que, a rigor, pôde passar de uma vaga esfera pré-modernista ao Modernismo. A um Lima Barreto ou ao último Euclides quadra, antes, o adjetivo "moderno" que, abraçando conotações várias, pode ou não incluir o matiz literário. Quanto ao termo "modernista", veio a caracterizar, cada vez mais intensamente, um *código novo*, diferente dos códigos parnasiano e simbolista. "Moderno" inclui também fatores de *mensagem*: motivos, temas, mitos modernos. Com o máximo de precisão semântica, dir-se-á que nem tudo o que antecipa traços modernos (Lobato, Lima Barreto) será modernista; e nem tudo o que foi modernista (o decadentismo de Guilherme, de Menotti, de certo Oswald) parecerá, hoje, moderno.

Entretanto, a dissociação de código e tema, fecunda no momento da análise textual, vira método arriscado em historiografia. O seu uso mecânico pode gerar roteiros, mutuamente exclusivos: a história da literatura como sucessão de processos formais; ou a história da literatura como exemplário de tendências não-estéticas. Para evitar esses extremos, no trato do nosso Modernismo, convém retomar algumas idéias do começo deste capítulo.

Se por Modernismo entende-se *exclusivamente* uma ruptura com os códigos literários do primeiro vintênio, então não houve, a rigor, nenhum escritor pré-modernista.

Se por Modernismo entende-se algo mais que um conjunto de experiências de linguagem; se a literatura que se escreveu sob o seu signo representou *também* uma crítica global às estruturas mentais das velhas gerações e um esforço de penetrar mais fundo na realidade brasileira, então houve, no primeiro vintênio, exemplos probantes de inconformismo cultural: e escritores pré-modernistas foram Euclides, João Ribeiro, Lima Barreto e Graça Aranha (este, independentemente da sua participação na *Semana*).

É claro que, à medida que nos aproximamos da *Semana*, são as inovações formais que nos vão atraindo, isto é, aquele espírito modernista, *stricto sensu*, que iria polarizar em torno de uma *nova expressão* artistas como Anita Malfatti, Victor Brecheret, Di Cavalcanti, Vila-Lobos, Mário de Andrade, Oswald de Andrade, Menotti del Picchia, Sérgio Milliet, Guilherme de Almeida, Manuel Bandeira. E é em face desse clima de vanguarda que se constata uma viragem na literatura brasileira já nos anos da I Guerra Mundial.

A afirmação de novos ideais estéticos não veio de chofre. Às vésperas do conflito alguns escritores brasileiros traziam da Europa notícias de uma literatura em crise. Oswald de Andrade conheceu em Paris o futurismo que Marinetti, em 1909, lançara pelas páginas do *Figaro* no famoso Manifesto-Fundação; e trouxera de lá a maravilha de ver um poeta de versos livres, Paul Fort, coroado príncipe dos poetas franceses; Manuel Bandeira travara contatos com Paul Éluard, na Suíça, e viera marcado por um neo-simbolismo de cuja dissolução nasceria o seu modo de ser modernista; Ronald de Carvalho, embora pouco tivesse de revolucionário, ajudara em 1915 a fundação de uma revista da vanguarda futurista portuguesa, *Orfeu*, centro irradiador da poesia de Fernando Pessoa e de Sá Carneiro; Tristão de Ataíde e o próprio Graça Aranha conheceram igualmente as vanguardas européias centradas em Paris; e da Paris de Apollinaire, Max Jacob e Blaise Cendrars vinha a poesia moderníssima de Sérgio Milliet, escrita embora em Genebra (*En singeant, Le départ sous la pluie*).

O termo *futurismo*, com todas as conotações de "extravagância", "desvario" e "barbarismo", começa a circular nos jornais brasileiros a partir de 1914 ([266]) e vira ídolo polêmico na boca dos puristas. Estes e o leitor médio haviam

---

([266]) Por informação do Prof. José Aderaldo Castello, sei da existência de um folheto publicado na Bahia, por volta de 1910, por Almáquio Dinis: transcreve o Manifesto de Marinetti e o traduz. Não tenho notícia de qualquer repercussão do texto antes de 1912, data da volta de Oswald da Europa. Quanto à imprensa, os primeiros ecos são de 1914 e aparecem no artigo de Ernesto Bertarelli, "As Lições do Futurismo", *in O Estado de S. Paulo*, de 12-7-1914 (*apud* Mário da Silva Brito, *História do Modernismo Brasileiro. Antecedentes da Semana de Arte Moderna*, S. Paulo, Saraiva, 1958, p. 31).

ignorado ou posto em ridículo as inovações simbolistas, como o verso livre, e ainda preferiam Bilac, Vicente e menores. Vicejava, ao lado da prosa regional, um gênero de verso sertanista, meio popular meio culto, que, assinado pelos "caboclos" Cornélio Pires e Paulo Setúbal ou pelo pernóstico Catulo da Paixão Cearense, dava a medida do gosto híbrido a que se chegara.

Nesse clima, só um grupo fixado na ponta de lança da burguesia culta, paulista e carioca, isto é, só um grupo cuja curiosidade intelectual pudesse gozar de condições especiais como viagens à Europa, leitura dos *derniers cris*, concertos e exposições de arte, poderia renovar efetivamente o quadro literário do país.

A Semana de Arte Moderna foi o ponto de encontro desse grupo, e muitos dos seus traços menores, hoje caducos e só reexumáveis por leitores ingênuos (pose, irracionalismo, inconseqüência ideológica) devem-se, no fundo, ao contexto social de onde proveio.

O fato cultural mais importante antes da Semana e que serviu de barômetro da opinião pública paulista em face das novas tendências foi a Exposição de Anita Malfatti em dezembro de 1917 ([267]). Quem lhe deu, paradoxalmente, certo relevo foi Monteiro Lobato que a criticou de modo injusto e virulento em um artigo intitulado "Paranóia ou Mistificação?" ([268]). Já me referi à contradição moderno-antimoderno, ou melhor, moderno-antimodernista, que dividiu a consciência de Lobato, ele próprio medíocre paisagista acadêmico e avesso a todas as correntes estéticas do século XX. Anita Malfatti trazia a novidade de elementos plásticos pós-impressionistas (cubistas e expressionistas), que assimilara em sua viagem de estudos pela Alemanha e pelos Estados Unidos. Defenderam-na, primeiro Oswald e, pouco depois, Menotti del Picchia; Mário de Andrade esteve entre os admiradores da primeira hora.

De 1917 a 1922, os futuros organizadores da Semana travaram conhecimento com as várias poéticas de pós-guerra e constituíram-se como um grupo jovem e atuante no meio literário paulista. Entretanto, a leitura das obras escritas por eles no começo desse período mostra que muito de tradicional ainda subsistia no espírito de todos, enquanto escritores. Mário de Andrade estreou em 1917, sob o pseudônimo de Mário Sobral, com uma *plaquette*, *Há uma*

([267]) Apenas para constar: em 1913, o grande pintor russo Lasar Segall expusera, também em S. Paulo, quadros impressionistas e expressionistas. Não houve, porém, em torno do seu nome celeuma alguma. Os tempos ainda não estavam maduros. Cf. Paulo Mendes de Almeida, *De Anita ao Museu* (S. Paulo, Comissão Estadual de Cultural, 1961), onde se dá o devido peso à presença de Segall a partir de 1924. Sobre a sua arte, v. o belo ensaio de Mário de Andrade, escrito em 1943 e incluído nos *Aspectos das Artes Plásticas no Brasil*, S. Paulo, Martins, 1965, pp. 47-68.

([268]) *In O Estado de S. Paulo*, 20-12-1917 (*apud* Mário da Silva Brito, *op. cit.*, pp. 45-49).

Gota de Sangue em Cada Poema, versos retóricos dirigidos contra o militarismo alemão; Manuel Bandeira quando os leu achou-os "ruins, mas de um ruim esquisito", impressão que lhe veio talvez da mistura de resquícios condoreiros ("Exaltação da Paz"), penumbrismos belgas ("Inverno", "Epitalâmio") e uma ou outra ousadia léxica ("E o vento continua com o seu oou..."), que faria esperar uma concepção moderna de arte.

Quanto à prosa inicial de Oswald de Andrade, padeceu também de um alto grau de hibridismo, patente não só em *Os Condenados*, romance de estréia, como também nas páginas de crítica em que, por exemplo, saudava como "estética revolucionária" um poema de Menotti del Picchia cujo fecho assim dizia:

> Teus olhos são loiros vitrais,
> Teus frêmitos lembram repiques de sinos,
> Teus braços as asas dos anjos divinos...
>
> Estende como uma ara teu corpo: teu ventre
> É um zimbório de mármore
> Onde fulge uma estrela... (269)

De Menotti, que seria um dos mais ativos organizadores da *Semana*, o público já recebera com entusiasmo vários livros: *Poemas do Vício e da Virtude* (1913), ainda parnasiano; *Juca Mulato* (1917), poemeto regionalista que, pelo ritmo fácil e o estofo narrativo sentimental, logo se tornou sua obra mais lida e plenamente aceita até pelos medalhões da época (270); *Moisés*, poema bíblico, e *As Máscaras*, ambos de 1917 e ambos viciados pelo decadentismo retórico. E no romance *O Homem e a Morte*, de 22, o escritor narra as aventuras alegóricas de um artista em São Paulo num estilo entre romântico e impressionista. Em outros escritores que começaram a sua carreira antes de 22, é ainda mais visível a impregnação de um passado recente. Manuel Bandeira e Ribeiro Couto foram intimistas da última fase do Simbolismo. Bandeira, com *A Cinza das Horas*, parecia eco perdido do Decadentismo belga ("Eu faço versos como quem morre"), mas já assimilaria, em *Carnaval* (1919), sugestões mais ousadas dos crepusculares italianos Corazzini e Gozzano, poetas capazes de dissolver em auto-ironia as cadências heróicas de Carducci e D'Annunzio; está nesse livro de transição o poema-sátira "Os Sapos", que seria recitado numa das noites da *Semana*, sob os apupos dos assistentes:

---

(269) "Literatura Contemporânea", *in Jornal do Comércio*, ed. de S. Paulo, 12-6-21 (*apud* Mário da Silva Brito, *op. cit.*, p. 21).

(270) "É com poemas como esse que havemos de romper caminhos no mundo e não com arremedilhos franceses e tafularias de acarreto" — disse Coelho Neto (*apud* Mário da S. Brito, *op. cit.*, p. 72).

Enfunando os papos,
Saem da penumbra,
Aos pulos, os sapos,
A luz os deslumbra.

Em ronco que aterra,
Berra o sapo boi:
"Meu pai foi à guerra!"
"Não foi!" "Foi!" "Não foi!"

O sapo-tanoeiro,
Parnasiano aguado,
Diz — "Meu cancioneiro
É bem martelado.

Vede como primo
Em comer os hiatos!
Que arte! E nunca rimo
Os termos cognatos."

Os versos de Ribeiro Couto inseriam-se com toda pertinência na linha do penumbrismo, da "poesia em surdina" (*Jardim das Confidências*, 1921, e *Poemetos de Ternura e Melancolia*, 1924) de que, na verdade, nunca se afastou, apesar de tentativas posteriores de fazer poesia das cidades pioneiras, em *Noroeste e Outros Poemas do Brasil* (1933).

Ronald de Carvalho, antes de cultivar o verso livre, foi sonoro parnasiano em *Luz Gloriosa* (1913) e *Poemas e Sonetos* (19).

Oscilando entre o Parnaso e o Decadentismo, Guilherme de Almeida, cujos primeiros livros logo alcançaram a estima dos leitores amantes da "medida velha", compôs *Nós*, em 1917, *A Dança das Horas* e *Messidor*, em 1919, e *Livro de Horas de Sóror Dolorosa*, em 1920: todos reveladores de um virtuose da língua, para quem o *intermezzo* modernista (*Meu*, *Raça*) em nada alterou a substância tradicional do seu lirismo.

Enfim, também acadêmica foi a primeira face poética de Cassiano Ricardo (*Dentro da Noite*, 1915; *Evangelho de Pã*, 1917; *Jardim das Hespérides*, 1920), que, ao contrário de Guilherme de Almeida, iria renovar-se radicalmente sob a influência do Modernismo.

Mas, apesar de todos esses elementos passadistas, o grupo foi-se tornando cada vez mais coeso, no biênio 1920-21, quando se afirma publicamente pela arte nova. E se o futurismo não era a sua componente única, era, sem dúvida, a pedra de escândalo a ser lançada nos arraiais acadêmicos. Passam por futuristas, indiscriminadamente, Di Cavalcanti, Vicente do Rego Monteiro, Brecheret e a própria Anita Malfatti. O epíteto é cômodo, a pregação de Marinetti a mais conhecida, e a crítica acadêmica ainda não sabe discernir a linha impressionista-cubista-abstracionista, que caminhou para a *construção do objeto poético autônomo*, da linha primitivista-expressionista-surrealista, que significava, antes de mais nada, a *projeção de tensões inconscientes do sujeito* (271).

Foram desses tempos de vigília os artigos de Menotti del Picchia que, sob o pseudônimo de *Helios*, divulgava pelas páginas do *Correio Paulistano* as novidades estéticas e fazia promoção do grupo vanguardista de São Paulo. Neles e nas reflexões de Oswald de Andrade e Cândido Motta Filho, que a essa altura escreviam para o *Jornal do Comércio*, já se configurava a dupla direção que os modernistas iriam dar ao movimento: liberdade formal e ideais nacionalistas.

No pensamento de Oswald, havia um estreito liame entre a vida urbana paulista e a estética revolucionária:

> Nunca nenhuma aglomeração humana esteve tão fatalizada a futurismos de atividade, de indústria, de história da arte, como a aglomeração paulista. Que somos nós, forçadamente, iniludivelmente, se não futuristas — povo de mil origens, arribado em mil barcos, com desastres e ânsias? (272)

Mantendo uma atitude crítica mais equilibrada, Mário de Andrade e Sérgio Buarque de Holanda negam a fatalidade de um "futurismo paulista", na esteira de Marinetti, mas convêm na urgência de uma revisão dos valores que até então regiam a cultura nacional. E de Mário de Andrade viria o exemplo mais persuasivo: a *Paulicéia Desvairada*, obra conhecida pelos modernistas antes da *Semana*, e primeiro livro de poesia integralmente nova (273). Ainda Mário, na série de artigos intitulada "Mestres do Passado" (274), entoa um canto de funeral para os maiores parnasianos; na ordem em que foram por ele "exaltados" e sepultados: Francisca Júlia, Raimundo Correia, Alberto de Oliveira, Olavo Bilac e Vicente de Carvalho.

Para que acontecesse a Semana, tudo já estava preparado. A coesão do grupo paulista, os contatos deste com alguns intelectuais do Rio (Ribeiro Couto,

---

(271) Não só a crítica acadêmica; também os modernistas da fase heróica baralhavam as duas linhas.

(272) "Reforma Literária", *in Jornal do Comércio* (ed. de S. Paulo), 19-5-1921.

(273) Oswald de Andrade, conhecendo os versos da *Paulicéia Desvairada* escritos desde 1920, escreveu um artigo entusiástico em que chama a Mário de Andrade "O Meu Poeta Futurista" (*Jornal do Comércio*, 27-5-21). Transcreve, na íntegra, o poema "Tu" e define-o como futurista paulista. Mário responde-lhe negando ser adepto da corrente marinettiana e apontando em escritores clássicos e modernos as mesmas liberdades de fatura e de concepção a que se entregou na *Paulicéia* ("Futurista?!", *in Jornal do Comércio*, ed. de S. Paulo, 6-6-1921, *apud* Mário da S. Brito, *op. cit.*, pp. 204-208). Oswald treplica exaltando os valores do movimento italiano e vendo em Mário um seu expoente ainda que involuntário ("Literatura Contemporânea", art. cit.).

(274) Os seis artigos foram publicados no *Jornal do Comércio*, ed. de S. Paulo, respectivamente em 2-8-1921, 12-8, 15-8, 16-8, 20-8 e 23-8. A reprodução na íntegra da série está em Mário da S. Brito, *op. cit.*, pp. 223-276.

Manuel Bandeira, Renato de Almeida, Vila-Lobos, Ronald de Carvalho) e a adesão do prestigioso Graça Aranha significavam que o Modernismo poderia *lançar-se* como um movimento.

O Modernismo: a "Semana"

Eis como o mais abalizado historiador da Semana de Arte Moderna narra os seus episódios centrais:

> Finalmente, a 29 de janeiro de 1922, *O Estado de São Paulo* noticiava: "Por iniciativa do festejado escritor, sr. Graça Aranha, da Academia Brasileira de Letras, haverá em S. Paulo uma 'Semana de Arte Moderna', em que tomarão parte os artistas que, em nosso meio, representam as mais modernas correntes artísticas". Esclarecia, também, que para esse fim o Teatro Municipal ficaria aberto durante a semana de 11 a 18 de fevereiro, instalando-se nele uma interessante exposição.
>
> . . . .
>
> Realizaram-se três espetáculos durante a Semana, nos dias 13, 15 e 17, custando a assinatura para os três recitais 186$000 os camarotes e frisas e as cadeiras e balcões 20$000. O programa do primeiro festival compreendia a conferência de Graça Aranha "A emoção estética na arte moderna" ([275]) ilustrada com música de Ernâni Braga e poesia por Guilherme de Almeida e Ronald de Carvalho, ao que se segue um concerto de música de Vila-Lobos. A segunda parte do espetáculo anuncia uma conferência de Ronald de Carvalho: "A pintura e a escultura moderna no Brasil", seguida de três solos de piano, de Ernâni Braga, e três danças africanas de Vila-Lobos.
>
> A grande noite da Semana foi a segunda. A conferência de Graça Aranha, que abriu os festivais, confusa e declamatória, foi ouvida respeitosamente pelo público, que provavelmente não a entendeu, e o espetáculo de Vila-Lobos, no dia 17, foi perturbado, principalmente porque se supôs fosse "futurismo" o artista se apresentar de casaca e chinelo, quando o compositor assim se calçava por estar com um calo arruinado... Mas não era contra a música que os passadistas se revoltavam. A irritação dirigia-se especialmente à nova literatura e às novas manifestações da arte plástica.
>
> Na segunda noite — 15 de fevereiro — todos o sabem, o público e os próprios modernistas, que haverá algazarra e pateada. Menotti del Picchia, em seu discurso, prevê que os conservadores desejam enforcá-los "um a um, nos finos assobios de suas vaias" ([276]). Mas, apesar da certeza de agitação, Menotti, orador oficial da noite, vai desfiando o ideário do grupo. Assim, afirma:

([275]) Conferência publicada no volume *Espírito Moderno*, de Graça Aranha (São Paulo, Ed. Monteiro Lobato, 1925, pp. 11-28) (Nota de M. S. B.)

([276]) Discurso reproduzido na obra *O Curupira e o Carão*, de Plínio Salgado, Menotti del Picchia e Cassiano Ricardo (S. Paulo, Ed. Helios, 1927, pp. 17-29) (Nota de M. S. B.)

"A nossa estética é de reação. Como tal, é guerreira. O termo futurista, com que erradamente a etiquetaram, aceitamo-lo porque era um cartel de desafio. Na geleira de mármore de Carrara do Parnasianismo dominante, a ponta agressiva dessa proa verbal estilhaçava como um aríete. Não somos, nem nunca fomos "futuristas". Eu, pessoalmente, abomino o dogmatismo e a liturgia da escola de Marinetti. Seu chefe é para nós um precursor iluminado, que veneramos como um general da grande batalha da Reforma, que alarga o seu *front* em todo o mundo. No Brasil não há, porém, razão lógica e social para o *futurismo ortodoxo*, porque o prestígio do seu passado não é de molde a tolher a liberdade da sua maneira de ser futura. Demais, ao nosso individualismo estético, repugna a jaula de uma escola. Procuramos, cada um, atuar de acordo com nosso temperamento, dentro da mais arrojada sinceridade.

. . . .

"Queremos luz, ar, ventiladores, aeroplanos, reivindicações obreiras, idealismos, motores, chaminés de fábricas, sangue, velocidade, sonho, na nossa Arte. E que o rufo de um automóvel, nos trilhos de dois versos, espante da poesia o último deus homérico, que ficou anacronicamente, a dormir e a sonhar, na era do *jazz-band* e do cinema, com a frauta dos pastores da Arcádia e os seios divinos de Helena!"

Mas, a dado trecho, salienta que o grupo quer fazer nascer "uma arte genuinamente brasileira, filha do céu e da terra, do Homem e do mistério".

Como era previsto, a pateada perturbou o sarau, especialmente à hora das "ilustrações", ou seja, o momento em que, apresentados por Menotti del Picchia, eram reveladas a prosa e poesia modernas, declamadas ou lidas pelos seus autores. Mário de Andrade confessa que não sabe como teve coragem para dizer versos diante de uma vaia tão bulhenta que não escutava, no palco, o que Paulo Prado lhe gritava da primeira fila das poltronas ([277]). O poema "Os Sapos", de Manuel Bandeira, que rediculariza o Parnasianismo, mormente o pós-parnasianismo, foi declamado por Ronald de Carvalho "sob os apupos, os assobios, a gritaria de 'foi não foi' da maioria do público" ([278]). Ronald, aliás, disse também versos de Ribeiro Couto e Plínio Salgado. Oswald de Andrade leu trechos de *Os Condenados*. Agenor Barbosa obteve aplausos com o poema "Os Pássaros de Aço", sobre o avião, mas Sérgio Milliet falou sob o acompanhamento de relinchos e miados ([279]).

Difícil determinar, no grupo dos escritores, quais os participantes da Semana de Arte Moderna. Nem todos, apesar de integrados no movimento, enfrentaram o palco do Municipal no barulhento sarau do dia 15 de fevereiro. *O Estado de S. Paulo*, na notícia divulgada a 29 de janeiro de 1922, enumera, entre outros nomes, os de Guilherme de Almeida, Ronald de Carvalho, Álvaro Moreyra, Elísio de Carvalho, Oswald de Andrade, Menotti del Picchia, Renato Almeida, Luís Aranha, Mário de Andrade, Ribeiro Couto, Agenor Barbosa, Moacir de Abreu, Rodrigues de Almeida, Afonso Schmidt e Sérgio Milliet. Faltam, nessa lista, outros modernistas,

---

([277]) Mário de Andrade, *O Movimento Modernista*, Rio, Casa do Estudante, 1942, p. 15. (N. de M. S. B.)

([278]) Manuel Bandeira, *Itinerário de Pasárgada*, Rio, Ed. Jornal de Letras, 1954, p. 56 (*id.*).

([279]) Júlio Freire, "Crônica... futurista!..." (*in A Vida Moderna*, 23-2-22) (*id.*).

cuja tomada de posição vinha desde antes de 22, como Cândido Motta Filho, Armando Pamplona (interessado mais em cinema e autor de documentários cinematográficos), Plínio Salgado, Rubens Borba de Morais, Tácito de Almeida (irmão de Guilherme), Antônio Carlos Couto de Barros, Manuel Bandeira (que como Ribeiro Couto e Álvaro Moreyra não esteve presente) e Henri Mugnier, suíço, amigo de Sérgio Milliet. Afonso Schmidt negou publicamente, anos depois, que houvesse participado da Semana. Era antes adepto do "Grupo Zumbi", que tinha ligações com o "Grupo Clarté", da França, comandado por Henri Barbusse. Os nomes de Rodrigues de Almeida e Moacir de Abreu desapareceram no decorrer da campanha e das polêmicas e lutas estabelecidas após a Semana. Razão tinha Stendhal quando afirmava: "Estremecemos ao pensar no que é preciso de buscas para chegar à verdade sobre o mais fútil pormenor."

Enfim, durante o espetáculo, houve quem cantasse como galo e latisse como cachorro, no dizer de Menotti, ou "a revelação de algumas vocações de Terra Nova e galinha d'Angola, muito aproveitáveis", na frase de Oswald de Andrade ([280]). Mas, "firme e serena, a hoste avanguardista" afrontou o granizo ([281]).

No intervalo, entre uma parte e outra do programa, Mário de Andrade pronunciou breve palestra, na escadaria interna no Municipal, que dá para o *hall* do teatro, sobre a exposição de artes plásticas ali apresentada, justificando "as alucinantes criações dos pintores futuristas" ([282]). Vinte anos depois, Mário de Andrade, evocando o episódio, escreveria: "Como pude fazer uma conferência sobre artes plásticas, na escadaria do Teatro, cercado de anônimos que me caçoavam e ofendiam a valer?..." ([283])

Números de bailado por Yvonne Daumerie e o concerto de Guiomar Novais trouxeram, finalmente, calma à sala.

. . . .

Mas, de qualquer forma, havia sido realizada a Semana da Arte Moderna, que renovava a mentalidade nacional, pugnava pela autonomia artística e literária brasileira e descortinava para nós o século XX, punha o Brasil na atualidade do mundo que já havia produzido T. S. Eliot, Proust, Joyce, Pound, Freud, Planck, Einstein, a física atômica.

. . . .

A Semana de Arte Moderna foi patrocinada pelo escol financeiro e mundano da sociedade paulistana. Prestaram-lhe sua cooperação, Paulo Prado, Alfredo Pujol, Oscar Rodrigues Alves, Numa de Oliveira, Alberto Penteado, René Thiollier, Antônio Prado Júnior, José Carlos de Macedo Soares, Martinho Prado, Armando Penteado e Edgard Conceição. É interessante assinalar que o *Correio Paulistano*, órgão do PRP, do qual Menotti del Picchia era o redator político, agasalha os "avanguardistas", com o consentimento de Washington Luís, presidente do Estado ([284]).

([280]) Cartas de Oswald de Andrade ao *Jornal do Comércio* (ed. de S. Paulo), 19-2-1922 (*id.*).

([281]) Menotti del Picchia, "O Combate" (*in Correio Paulistano*, 16-2-22) (*id.*).

([282]) Menotti del Picchia, "A Segunda Batalha" (*in Correio*, 15-2-22) (*id.*).

([283]) Mário de Andrade, *O Movimento Modernista*, *cit.*

([284]) Mário da Silva Brito, "A Revolução Modernista", em *A Literatura no Brasil* (dir. de Afrânio Coutinho), Rio, Livr. S. José, vol. III, t. 1, pp. 449-455.

Desdobramentos: da Semana ao Modernismo

A *Semana* foi, ao mesmo tempo, o *ponto de encontro* das várias tendências que desde a I Guerra se vinham firmando em São Paulo e no Rio, e a *plataforma* que permitiu a consolidação de grupos, a publicação de livros, revistas e manifestos, numa palavra, o seu desdobrar-se em viva realidade cultural.

Mário de Andrade, como já vimos, escrevera a *Paulicéia Desvairada* entre 1920 e 1921, mas só a deu a público no ano da *Semana*. Deste ao fim da década apareceram obras fundamentais para a inteligência do Modernismo. Em 1923, as *Memórias Sentimentais de João Miramar*, de Oswald de Andrade. Em 1924, *O Ritmo Dissoluto*, de Manuel Bandeira. Em 1925, *A Escrava que não é Isaura*, de Mário; *Pau-Brasil*, de Oswald; *Meu* e *Raça*, de Guilherme de Almeida; *Chuva de Pedra*, de Menotti del Picchia. Em 1926, *Losango Cáqui*, de Mário; *Toda a América*, de Ronald de Carvalho; *Vamos Caçar Papagaios*, de Cassiano Ricardo; *O Estrangeiro*, de Plínio Salgado. Em 1927, *Amar Verbo Intransitivo* e *Clã do Jabuti*, de Mário; *Estrela de Absinto*, de Oswald; *Brás, Bexiga e Barra Funda*, de Alcântara Machado; *Estudos* (1ª série), de Tristão de Ataíde. Em 1928, *Macunaíma*, de Mário; *Martim Cererê*, de Cassiano; *Laranja da China*, de Alcântara Machado, e a redação inicial de *Cobra Norato*, de Raul Bopp, que só o publicaria três anos mais tarde.

Paralelamente às obras e nascendo com o desejo de explicá-las e justificá-las, os modernistas fundavam revistas e lançavam manifestos que iam delimitando os subgrupos, de início apenas estéticos, mas logo portadores de matizes ideológicos mais ou menos precisos.

Em maio de 1922, expressão imediata da *Semana*, aparece *Klaxon, mensário de arte moderna**, que durou nove números, precisamente até dezembro do mesmo ano, com páginas dedicadas a Graça Aranha. A revista, publicada em São Paulo, foi o primeiro esforço concreto do grupo para sistematizar os novos ideais estéticos ainda confusamente misturados nas noites bulhentas do Teatro Municipal. Mas, como já disse páginas atrás, permaneciam baralhadas duas linhas igualmente vanguardeiras: a *futurista*, ou, *lato sensu*, a linha de experimentação de uma linguagem moderna, aderente à civilização da técnica e da velocidade; e a *primitivista*, *centrada* na liberação e na projeção das forças inconscientes, logo ainda visceralmente romântica, na medida em que *surrealismo* e *expressionismo* são neo-romantismos radicais do século XX. Assim o nº 2 de *Klaxon* apresenta um artiguete de Oswald de Andrade, "Escola & Idéias", onde o líder modernista exalta ao mesmo tempo o subjetivismo total de Rimbaud e Lautréamont, pais do surrealismo internacional, e afirma que o

---

(*) V. Cecília de Lara, *Klaxon e Terra Roxa e Outras Terras: dois periódicos do Modernismo.* S. Paulo, Instituto de Estudos Brasileiros, 1972.

"*eu* instrumento não deve aparecer" na poesia moderna, o que implica a construção formal objetiva pregada pelos futuristas e pelos cubistas. Mário de Andrade, que já antes da Semana teve o cuidado de afastar-se de qualquer classificação como futurista, louva, em nova nota não assinada no nº 5, a coexistência de "simultaneidade" e "expressionismo", no romance *Os Condenados*, de Oswald. Numa posição mais clara, Rubens de Morais filia-se ao intuicionismo de Bergson em que vê a matriz da expressão moderna (*Klaxon*, 4). A indefinição dos dois maiores renovadores, porém, se de um lado revela sofrível coerência estética e incapacidade de discernir ou de escolher no turbilhão de *ismos* importados da Europa, terá sua explicação no próprio contexto do Modernismo brasileiro: dividido entre a ânsia de acertar o passo com a modernidade da Segunda Revolução Industrial, de que o futurismo foi testemunho vibrante, e a certeza de que as raízes brasileiras, em particular, indígenas e negras, solicitavam um tratamento estético, necessariamente primitivista. O que parece apenas incongruência em *Klaxon* terá frutos em toda a década e se chamará *Macunaíma*, *Pau-Brasil*, *Cobra Norato*, *Martim Cererê*. Só mais tarde, novos contextos ou interpretações rígidas desses contextos julgará pólos exclusivos a pesquisa estética e o aprofundamento da vivência nacional.

De qualquer modo, pela análise dos textos publicados em *Klaxon* e das páginas mais representativas da fase inicial do Modernismo, depreende-se que foram os experimentos formais do futurismo, não só italiano, mas e sobretudo francês (Apollinaire, Cendrars, Max Jacob) que mais vigorosamente dirigiram a mão dos nossos poetas no momento da invenção artística. Do surrealismo tomaram uma concepção irracionalista da existência que confundiram cedo com o sentido geral da obra freudiana que não tiveram tempo de compreender. Do expressionismo, processos gerais de deformação da natureza e do homem.

A revista *Estética*, lançada no Rio em setembro de 1924, por Prudente de Morais Neto, e Sérgio Buarque de Holanda, durou até 1925 e teve três números, todos bastante ricos de material teórico. Coincidiu com o rompimento de Graça Aranha com a Academia Brasileira e estampou artigos do velho escritor que procurava atualizar-se e ser uma presença dentro do movimento. No primeiro número, ele aparece com um ensaio cheio de ingredientes teóricos futuristas, "Mocidade e Estética" ("Não tardará muito que os homens modernos deixem de repetir o grego, o gótico, a renascença, pelo ferro e pelo cimento. A esses materiais modernos devem corresponder criações independentes e atuais, que satisfaçam logicamente às sensações de *mobilidade* e *firmeza* que eles sugerem"), mas já os subordina a uma temática nacional ("A ação do jovem moderno será eminentemente social. A estética que o inspira patenteará pela análise o que é o Brasil e quais os trabalhos extremos a que se deve consagrar").

Outros ensaios que confirmam a vocação crítica da revista: a resenha de *Kodak* de Blaise Cendrars, feita por Sérgio Buarque de Holanda, que aponta uma viragem na poesia francesa de pós-guerra do primitivismo à Rimbaud para o objetivismo técnico, de que os poemas resenhados seriam um exemplo. Prudente de Morais Neto, alinha, em "Sobre a sinceridade" (*Estética*, 2), argumentos em prol de uma concepção onírica e freudiana de arte ("A arte nasceu provavelmente com a reprodução dos sonhos"); e a nota bergsoniana reponta na resenha que o mesmo Sérgio B. de Holanda faz do livro de Rubens de Morais, *Domingo dos Séculos*. A grande presença crítica do terceiro número é Mário de Andrade: muito se colhe na sua "Carta aberta a Alberto de Oliveira", datada de São Paulo, 20 de abril de 1925: nela, o poeta ratifica a independência do grupo paulista, já maduro em 1920, em relação a Graça Aranha, e, numa frase de alta estratégia cultural, defende a arte *interessada* para os países que estão principiando o seu roteiro dentro da cultura moderna. Reagindo contra a *arte pela arte* parnasiana do mestre alienado que acabava de ser eleito "príncipe dos poetas brasileiros", Mário de Andrade revelava um senso de modernidade que transcendia as posições modernistas. No mesmo número, resenhando também Blaise Cendrars (*Feuilles de Route*, 1924), Mário precisa os dados propriamente estéticos da sua visão da poesia: dados que prenunciam o tipo de crítica que viria a fazer na década de 30:

> Poesia é uma arte. Toda arte supõe uma organização, uma técnica, uma disciplina que faz das obras uma manifestação encerrada em si mesma. A obra de arte é antes de mais nada uma organização fechada, em toda criação artística deve haver a *intenção* da obra de arte. Essa intenção é que a torna uma entidade valendo por si mesma, desrelacionada. Desrelacionada, não quero dizer que não possa ter intenções até práticas de moralização, socialização, edificação, etc., quero dizer que se torna livre da percepção temporal vivida da sensação e do sentimento reais (*Estética*, 3, p. 327).

Apresentando atitudes díspares (futurismo/primitivismo, em *Klaxon*; arte interessada/arte autônoma, em *Estética*), os modernistas mais ricos mostravam o quanto ressentiam as contradições da estética e o quanto a sua mobilidade os lacerava. Nos anos subseqüentes, as opções literárias já não bastarão. Inquietos diante da extrema complexidade da vida espiritual, criarão programas existenciais amplos, "filosofias de vida" inclusivas, que, por sua vez, trairiam as raízes estetizantes e irracionalistas e as bases apenas literárias que as precederam. Acho importante e atual ressalvar esse traço que dá conta da gratuidade das "visões do mundo" e das "visões do Brasil" que nasceram da experiência literária modernista.

Assim, o Manifesto Pau-Brasil lançado por Oswald de Andrade em 1924 entra por uma linha de primitivismo anarcóide, afim às suas origens de burguês culto em perpétua disponibilidade; a Pau-Brasil contrapõe-se uma corrente de nacionalismo não menos mítico, cheio de apelos à Terra, à Raça, ao Sangue, o *Verde-amarelismo* (1926), de Cassiano, Menotti del Picchia, Cândido Motta

Filho e Plínio Salgado. Este último iria enveredar por um ideário político direitista, já "in nuce" no grupo neo-indianista da *Anta*, o totem dos tupis (1927), que seria, por sua vez revidado com sarcasmo pela *Revista de Antropofagia* (28) de Oswald, Tarsila e Raul Bopp entre outros, cujo Manifesto exacerba as posições de Pau-Brasil, quer regredir ao matriarcado primitivo (*sic*) já agora sob sugestões de um Freud equívoco e mal deglutido.

À parte, hesitantes entre as novas liberdades formais e a tradição simbolista, agrupam-se os "espiritualistas" da *Festa* (1927), com Tasso da Silveira, Murilo Araújo, Barreto Filho, Adelino Magalhães, Gilka Machado e, numa segunda fase, Cecília Meireles e Murilo Mendes, que lograriam dar uma feição inequivocamente moderna a suas tendências religiosas ([285]).

É curioso e instrutivo considerar, hoje, a inconsistência ideológica desses grupos modernistas que, ao que parece, dado o foco puramente literário em que se postavam, não tinham condições de entender por dentro os processos de base que então agitavam o mundo ocidental e, particularmente, o Brasil. Tudo resolviam em fórmulas abertamente irracionalistas, fragmentos do surrealismo francês ou dos mitos nacional-direitistas que o imperialismo europeu vinha repetindo desde os fins do século passado. "Éramos uns inconscientes", diria Mário de Andrade nesse balanço e autocrítica que foi a conferência "O Movimento Modernista", de 1942. O culto da blague e o vezo das afirmações dogmáticas acabaram impedindo que os modernistas da "fase heróica" repensassem com objetividade o problema da sua inserção na práxis brasileira. Os resultados conhecem-se: o vago liberalismo de uns vai desaguar na adesão ao movimento de 32, tão ambíguo entre os seus pólos democrático-reacionário (Guilherme de Almeida, Cassiano Ricardo, Alcântara Machado); nada impediria que o nacionalismo da *Anta* resvalasse no parafacismo integralista de Plínio Salgado, nem, enfim, que o antropofágico Oswald se esgotasse no comprazimento da crise moral burguesa em que ele próprio estava envisgado. Considerações que não implicam juízo idealista: constatam apenas as fatais limitações de um grupo nascido e crescido em determinados estratos da sociedade paulista e carioca numa fase de transição da República Velha para o Brasil contemporâneo. E considerações que, ressaltando embora o extraordinário talento verbal de alguns dos modernistas, entendem sublinhar o risco que re-

---

([285]) Na verdade, nada deveriam ao órgão de Tasso da Silveira que caminhou num sentido antimodernista (v. a sua *Definição do Modernismo Brasileiro*, Rio, Forja, 1932, em que reuniu alguns dos artigos publicados em *Festa*). Contamos hoje com um estudo sistemático da revista, em *Festa*, tese de Neusa Pinsard Caccese, ed. do Instituto de Estudos Brasileiros da Univ. de S. Paulo, 1971.

presenta a mitização das suas brilhantes inconsistências, no nível do pensamento e da prática ([286]).

Grupos modernistas nos Estados

O processo de atualização caminhou cedo dos núcleos urbanos principais, São Paulo e Rio, para a província. Aí ganhou aspectos novos que iriam compor um quadro mais matizado que é o conjunto da literatura moderna brasileira.

Em Belo Horizonte, alguns escritores jovens, que logo seriam dos maiores da nossa literatura, fundaram *A Revista* (1925): Carlos Drummond de Andrade, Emílio Moura, João Alphonsus, Pedro Nava, Abgar Renault. Ainda em Minas, na cidade de Cataguases, aparecia em 1927 a revista *Verde* que reafirmava as duas vertentes do Modernismo paulista: liberdade expressiva e temática nacionalista. Entre os seus colaboradores estavam: Enrique de Resende, Ascânio Lopes, Rosário Fusco, Guilhermino César, Martins Mendes e Francisco I. Peixoto.

Em Porto Alegre configurou-se um grupo cuja melhor produção resultaria de uma síntese das inovações modernas e do respeito à cultura gaúcha. É o que se depreende da leitura de Augusto Meyer a partir de *Giraluz* (poemas, 1928) e de típicos regionalistas modernos como Pedro Vergara, Vargas Neto e Manuelito de Ornelas (*).

No Nordeste, apesar das resistências emocionais que um Gilberto Freyre e um José Lins do Rego sempre opuseram à franca admissão de uma presença modernista *anterior* e *paralela* às profissões de fé regionalistas de ambos e de outros, houve: a) um contato com o grupo de S. Paulo, servindo de mediador Joaquim Inojosa, pelo Recife, e Guilherme de Almeida, em conferências lá feitas em 1925; b) em um segundo tempo, uma absorção das liberdades modernistas na poesia de um Jorge de Lima (poeta moderno a partir de 1925) e na prosa social de José Américo de Almeida em diante (*A Bagaceira* é de

---

([286]) Foi o sentido de tais limitações que suscitou, na década de 30 e de 40, reservas de vária procedência a uma presumível "filosofia" do Modernismo. Livremo-nos, porém, de duas atitudes anacrônicas: a de esperar uma alta coerência ideológica em um movimento estritamente artístico (postura que acaba rejeitando-o em bloco, absurdamente) e a de retornar (nos dias de hoje!) àquela gratuidade irresponsável, que se tem o seu papel no momento livre da criação artística, revela um insanável decadentismo quando transformada em vida prática ou intelectual.

Nota de 1979 — Retomei o estudo ideológico do movimento em "Moderno e Modernista no Brasil" (Revista *Temas*, nº 6, S. Paulo, 1979), incluído em *Céu, Inferno, cit.*

(*) Ver Lígia Chiappini Leite de Moraes, *Regionalismo e Modernismo*, S. Paulo, Ática, 1978.

1928). Isso não quer dizer que tenha havido "derivações" como pode sugerir uma crítica comparatista simplória ou polêmica: o Modernismo do Nordeste foi uma realidade poderosa com o *facies* próprio da região e deu o tom ao melhor romance dos anos de 30 e de 40. Mas não se pode sustentar sem arbítrio que haja sido esteticamente autônomo em relação às poéticas pregadas a partir da *Semana* (287). Por outro lado, os regionalistas do Recife, que se congregavam por volta de 1925-26, em torno de Gilberto Freyre, então egresso dos Estados Unidos, ainda não tinham centrado as suas preocupações numa revolução literária. A orientação e os gostos do sociólogo pernambucano os levavam, de preferência, ao estudo e ao culto das instituições brasileiras. Mas o tempo foi depois aproximando poetas radicados no Sul ou aqui nascidos, como Bandeira e Mário de Andrade, dos nordestinos até se formar, na década de 30, um clima em que se fundiriam as conquistas do modernismo estético e o interesse pelas realidades regionais.

OS AUTORES E AS OBRAS

Só o estudo monográfico dos principais escritores modernistas pode aparar as arestas de uma visão esquemática a que força o ritmo da exposição histórica. E é só pela análise das obras centrais do movimento que se compreende a revolução estética que ele trouxe à nossa cultura. Porque, se no plano temático, algumas das mensagens de 22 já estavam prefiguradas na melhor literatura nacionalista de Lima Barreto, de Euclides e de Lobato, o mesmo não se deu no nível dos códigos literários que passam a registrar inovações radicais só a partir de Mário, de Oswald, de Manuel Bandeira.

As inovações atingem os vários estratos da linguagem literária, desde os caracteres materiais da pontuação e do traçado gráfico do texto até as estruturas fônicas, léxicas e sintáticas do discurso. Um poema da *Paulicéia Desvairada* ou um trecho de prosa das *Memórias Sentimentais de João Miramar*, um passo qualquer extraído de *Macunaíma* ou um conto ítalo-paulista de Antônio de Alcântara Machado nos dão de chofre a impressão de algo novo em relação a toda a literatura anterior a 22: eles ferem a intimidade da expressão artística, a corrente dos significantes.

Vista sob esse ângulo, a "fase heróica" do Modernismo foi especialmente rica de aventuras experimentais tanto no terreno poético como no da ficção.

---

(287) O problema está estudado com clareza em *O Modernismo*, de Wilson Martins (S. Paulo, Cultrix, 2ª ed., 1967, pp. 108-116). Para a história do regionalismo moderno no Nordeste e, em particular, da presença de Gilberto Freyre no meio intelectual nordestino, cf. José Aderaldo Castello, *José do Rego: Modernismo e Regionalismo*, S. Paulo, Edarte, 1961.

São aventuras que se inserem na complexa história das invenções formais da literatura européia a partir de Mallarmé, Rimbaud e Laforgue desaguando no fecundo período pós-simbolista com Apollinaire, Valéry, Max Jacob, Cocteau, Marinetti e os demais futuristas italianos, Ungaretti, Klebnikov, Maiakóvski, Gertrud Stein, Joyce, Pound, Pessoa, responsáveis por uma reestruturação radical no modo de conceber o texto literário ([288]). Para todos, além da função expressiva, o texto tem um momento formativo no qual o escritor se empenha inteiramente na palavra, no ritmo e nos vários traços de linguagem que, afinal, dão à poesia o caráter de poesia.

É o reconhecimento dessa dimensão essencial que vai selar alguns dos experimentos de 22, embora em nenhum deles esse novo dado de consciência dê margem a uma posição cerradamente formalista, de resto inviável em um clima saturado de sugestões do Surrealismo e do Expressionismo plástico.

Mário de Andrade

O roteiro de Mário de Andrade ([289]) diz bem de um artista de 22 cuja poética oscilou entre as solicitações da biografia emocional e o fascínio pela construção do objeto estético. A *Paulicéia Desvairada* abre-se com um "Prefácio

---

([288]) Para um panorama abrangente da época, v. "As Revoltas Modernistas", em *História da Literatura Ocidental* (vol. VII), de Otto Maria Carpeaux (Rio, O Cruzeiro, 1966).

([289]) Mário Raul de Morais Andrade (São Paulo, 1893-1945). Fez o curso secundário no Ginásio Nossa Senhora do Carmo e diplomou-se no Conservatório Dramático e Musical onde seria professor de História da Música. Tendo sido um dos responsáveis pela Semana de Arte Moderna, animou as principais revistas do movimento na sua fase de afirmação polêmica: *Klaxon, Estética, Terra Roxa e Outras Terras*. Soube conjugar uma vida de intensa criação literária com o estudo apaixonado da música, das artes plásticas e do folclore brasileiro. De 1934 a 1937 dirigiu o Departamento de Cultura da Prefeitura de S. Paulo, fundou a Discoteca Pública, promoveu o I Congresso de Língua Nacional Cantada e dinamizou a excelente *Revista do Arquivo Municipal*. De 1938 a 1940 lecionou Estética na Universidade do Distrito Federal. Voltando a São Paulo, passou a trabalhar no Serviço do Patrimônio Histórico. Faleceu na sua cidade aos cinqüenta e um anos de idade. Além das obras arroladas a seguir, deixou uma riquíssima correspondência. Obra: *Há uma Gota de Sangue em Cada Poema*, poesia, 1917; *Paulicéia Desvairada*, poesia, 1922; *A Escrava que não é Isaura*, poética, discurso sobre algumas tendências da poesia modernista, 1925; *Primeiro Andar*, contos, 1926; *Losango Cáqui, ou Afetos Militares de Mistura com os Porquês de eu Saber Alemão*, lirismo, 1926; *Amar, Verbo Intransitivo*, idílio [romance], 1927; *Clã do Jabuti*, poesia, 1927; *Macunaíma, o herói sem nenhum caráter*, rapsódia, 1928; *Compêndio de História da Música*, 1929; *Remate de Males*, poesia, 1930; *Modinhas Imperiais*, 1930; *Música, Doce Música*, 1933; *Belasarte*, contos, 1934; *O Aleijadinho e Álvares de Azevedo*, ensaios, 1935; "Cultura Musical", discurso de paraninfo, Separata da *Revista do Arquivo*, vol. XXVI, 1936; *A Música e a Can-*

Interessantíssimo" em que o poeta declara ter fundado o desvairismo: nessa poética aberta há afinidades com a teoria da *escrita automática* que os surrealistas pregavam como forma de liberar as zonas noturnas do psiquismo, únicas

---

ção Populares no Brasil, ensaio crítico-bibliográfico, 1936; "O Samba Rural Paulista", folclore, Separata da *Revista do Arquivo*, vol. XCI, 1937; "Os Compositores e a Língua Nacional", Separata dos *Anais do Primeiro Congresso da Língua Nacional Cantada*, 1938; "A Pronúncia Cantada e o Problema Brasileiro Através de Discos", *ibidem*; *Namoros com a Medicina*, ensaio, 1939; *A Expressão Musical nos Estados Unidos*, 1940; *Música do Brasil*, história e folclore, 1941; *Poesias*, 1941; "A Nau Catarineta", folclore, Separata da *Revista do Arquivo*; *Pequena História da Música*, 1942; *O Movimento Modernista*, 1942; *O Baile das Quatro Artes*, ensaios, 1943; *Aspectos da Literatura Brasileira*, 1943; *Os Filhos da Candinha*, crônicas, 1943; *O Empalhador de Passarinho*, s.d. (1944?); *Padre Jesuíno do Monte Carmelo*, 1945; *Lira Paulistana*, seguida do *Carro da Miséria*, 1946; *Contos Novos*, 1947; *Poesias Completas*, 1966; *Cartas de Mário de Andrade a Manuel Bandeira*, 1958; *Danças Dramáticas do Brasil*, 3 vols., 1959; *Música e Feitiçaria no Brasil*, 1963; *71 Cartas de Mário de Andrade*, s.d.; *Mário de Andrade Escreve Cartas a Alceu, Meyer e Outros*, 1968; *Taxi e Crônicas no Diário Nacional*, 1976; *O Turista Aprendiz*, 1976; *O Banquete*, 1978; *Cartas a Murilo Miranda*, 1981; *Cartas de Trabalho*, 1981; *A Lição do Amigo* (cartas a Carlos Drummond de Andrade), 1982. Consultar: Oswald de Andrade, "O Meu Poeta Futurista", *in Jornal do Comércio*, 27-5-21; Prudente de Morais Neto, "Mário de Andrade", *in Estética*, nº 3, abril-junho de 1925, pp. 306-318; Tristão de Ataíde, *Estudos*, 1ª série, Rio, Terra do Sol, 1927; João Ribeiro, "Macunaíma", *in Jornal do Brasil*, 31-10-28 transcrito em *Crítica. Os Modernos*, Rio, Acad. Bras. de Letras, 1952; Tristão de Ataíde, *Estudos*, 5ª série, Rio, Civilização Brasileira, 1935; Agripino Grieco, *Gente Nova do Brasil*, Rio, José Olympio, 1935; Álvaro Lins, *Jornal de Crítica*, 2ª série, Rio, José Olympio, 1943; Sérgio Milliet, *Diário Crítico*, S. Paulo, Brasiliense, 1944; Revista do Arquivo Municipal de S. Paulo, *Homenagem a Mário de Andrade*, janeiro de 1946; Roger Bastide, *Poetas do Brasil*, Curitiba, Guaíra, 1947; Ledo Ivo, *Lição de Mário de Andrade*, Rio, MES, 1952; M. Cavalcanti Proença, *Roteiro de Macunaíma*, S. Paulo, Anhembi, 1955; Aires da Mata Machado Filho, *Crítica de Estilos*, Rio, Agir, 1956; Antônio Rangel Bandeira, *Espírito e Forma*, S. Paulo, Martins, 1957; Péricles Eugênio da Silva Ramos, "O Modernismo na Poesia", em *A Literatura no Brasil, cit.*; Suplemento Literário de *O Estado de S. Paulo*, nº 171, 27-2-60; Fernando Mendes de Almeida, *Mário de Andrade*, S. Paulo, Conselho Estadual de Cultura, 1962; Roberto Schwarz, *A Sereia e o Desconfiado*, Rio, Civilização Brasileira, 1965; Telê Porto Lopez, "Cronologia Geral da Obra de Mário de Andrade", *in Revista de Estudos Brasileiros*, nº 7, 1969; Anatol Rosenfeld, *Texto/Contexto*, S. Paulo, Perspectiva, 1969; Suplemento Literário de *O Estado de S. Paulo*, 28-2-1970; *Revista do Arquivo Municipal de S. Paulo*, nº CLXXX, dedicado a M. A., 1970; Telê Porto Lopez, *Mário de Andrade: Ramais e Caminhos*, S. Paulo, Duas Cidades, 1972; Haroldo de Campos, *Morfologia do Macunaíma*, Perspectiva, 1973; Gilda de Mello e Souza, *O Tupi e o Alaúde*, Duas Cidades, 1979; Victor Knoll, *Paciente Arlequinada*, S. Paulo, Hucitec, 1983; João Luiz Lafetá, *Figuração da Intimidade*, Martins Fontes, 1986; A. Bosi, "Situação de Macunaíma", em *Céu, Inferno, cit.*, 1988; Edith Pimentel Pinto, *A Gramatiquinha de Mário de Andrade*, Duas Cidades, 1990. V. também a excelente edição crítica de *Macunaíma*, aos cuidados de Telê Porto Lopez, Rio, LTC, 1978.

fontes autênticas de poesia. Ao ditado do inconsciente viriam depois juntar-se as vozes do intelecto:

> Quando sinto a impulsão lírica escrevo sem pensar tudo o que meu inconsciente me grita. Penso depois: não só para corrigir, como para justificar o que escrevi. Daí a razão deste Prefácio interessantíssimo. (...) Um pouco de teoria? Acredito que o lirismo, nascido no subconsciente, acrisolado num pensamento claro ou confuso, cria frases que são versos inteiros, sem prejuízo de medir tantas sílabas, com acentuação determinada.

Ao lado dessa entrega lírica às matrizes pré-conscientes da linguagem, o "Prefácio" trai o admirador da experiência cubista que, por meio da *deformação abstrata*, rompe os moldes pseudoclássicos da arte acadêmica:

> Arte não consegue reproduzir natureza, nem este é seu fim. Todos os grandes artistas, ora consciente (Rafael das Madonas, Rodin do Balzac, Beethoven da Pastoral, Machado de Assis do Brás Cubas), ora inconscientemente (a grande maioria) foram deformadores da natureza. Donde infiro que o belo artístico será tanto mais artístico, tanto mais subjetivo, quanto mais se afastar do belo natural. Outros infiram o que quiserem. Pouco me importa.

Dão-se as mãos, na teorização eclética de Mário, a desconfiança para com o puro racional e certo "antinaturalismo" bem do século XX; no caso, ambas as tendências lhe servem de apoio para solapar os alicerces do academismo: o "bom senso" e a imitação da natureza.

Para prevenir objeções fáceis nessa fase ainda polêmica do Modernismo, define-se mais vigorosamente: "Escrever arte moderna não significa jamais para mim representar a vida atual no que tem de exterior: automóveis, cinema, asfalto. Se estas palavras freqüentam-me o livro, não é porque pense com elas escrever moderno, mas porque sendo meu livro moderno, elas têm nele sua razão de ser. (...) Não quis também tentar primitivismo vesgo e insincero. Somos na realidade os primitivos duma era nova."

O "Prefácio" não fica nessas generalidades. A certa altura, desce à descrição dos processos de estilo que conferem à obra a medida da sua modernidade. A teoria das *parole in libertà*, herança do futurismo italiano, é aqui a influência mais próxima. Mário recebe-a com entusiasmo embora diga não fazer dela sistema, "apenas auxiliar poderosíssimo". E o intenso amor à música, que acompanharia o poeta até a morte, ajuda-o a arrumar idéias sobre dois sistemas de compor: o *melódico* e o *harmônico*. Pelo primeiro, que teria vigorado até o Parnaso, o verso não passa de "arabesco horizontal de vozes (sons) consecutivas, contendo pensamento inteligível"; por ex., este passo de Bilac:

> Mnezarete, a divina, a pálida Frinéia
> Comparece ante a austera e rígida assembléia
> Do Areópago supremo...

Pelo segundo, o verso organiza-se em "palavras sem ligação imediata entre si: estas palavras, pelo fato mesmo de não se seguirem intelectual, gramaticalmente, se sobrepõem umas às outras, para a nossa sensação, formando, não mais melodias, mas harmonias". O exemplo vem agora do próprio teorizador:

Arroubos... Lutas... Setas... Cantigas... Povoar,

verso explicado como se cada termo isolado fosse um foco de vibrações que repercutisse o termo contíguo, *em acorde*. "Assim, em *Paulicéia Desvairada*, usam-se o verso melódico:

São Paulo é um palco de bailados russos,

o verso harmônico:

A cainçalha... A Bolsa... As jogatinas...;

e a polifonia poética (um e às vezes dois e mesmo mais versos consecutivos):

A engrenagem trepida... A bruma neva."

Temos aí, transpostos em termos de teoria musical, os princípios de colagem (ou montagem) que caracterizavam a pintura de vanguarda da época. E, de fato, a *elisão*, a *parataxe* e as *rupturas sintáticas* passariam a ser os meios correntes na poesia moderna para exprimir o novo ambiente, objetivo e subjetivo, em que vive o homem da grande cidade, que anda de carro, ouve rádio, vê cinema, fala ao telefone, e está cada vez mais sujeito ao bombardeio da propaganda. A poesia-telegrama da *Paulicéia*, na linha da "*immaginazione senza fili*" do Manifesto Técnico Futurista, assumiu o papel de primeiro desvio sistemático dos velhos códigos literários em uso no Brasil de 1920 ([290]). Analisada mais de perto, a obra revela-se matriz dos processos que marcaram nossos "inventores" mais agressivamente modernos, Oswald, Bandeira, Cassiano e, em um segundo tempo, Drummond, Murilo Mendes, Guimarães Rosa.

Na Paulicéia encontram-se torneios sintáticos insólitos, como estes:

Era uma vez um rio...
Porém os Borbas-Gatos dos ultranacionais esperiamente!
("Tietê")

Sentimentos em mim do asperamente
dos homens das primeiras eras...
(O Trovador)

([290]) A poética do "Prefácio" foi aprofundada por M. A. em *A Escrava que não é Isaura*, discurso sobre algumas tendências da poesia modernista, de 1924. Aí se lê a fórmula a que chegara o seu pensamento: *Lirismo puro + Crítica + Palavra = Poesia*. Quer dizer: às fontes subconscientes deve seguir-se a ação da inteligência e do meio expressivo. As leis gerais seriam: a) *tecnicamente*: o Verso livre, a Rima livre, a Vitória do Dicionário; b) *esteticamente*: a Substituição da Ordem Intelectual pela Ordem Subconsciente, Rapidez e Síntese, Polifonismo (em *Obra Imatura*, pp. 225-226).

Mornamente em gasolinas... Trinta e cinco contos
("Domingo")

Tripudiares gaios!...
Roubar... Vencer... Viver os respeitosamentes no crepúsculo...
("A Caçada")

Os neologismos, depois de trinta anos de ranço purista, entram no texto como um grito de moleque paulistano:

Fora os que algarismam os amanhãs!

E *sonambulando*, *bocejal*, *luscofuscolares*, *retratificado*, *ancestremente*, *tripudiares* (subst.), *progredires* (subst.), *primaveral*, além da palavra-chave do livro, *arlequinal* que faz saltar aos olhos a babel de retalhos coloridos em que se transformava a pacata e provinciana São Paulo. Agora, encruzilhada das velhas famílias bandeirantes com os milhares de italianos, alemães, sírios e judeus aqui chegados desde os fins do século XIX, a cidade mudara de fisionomia e passara a ser um núcleo industrial com um operariado numeroso e uma classe média em crescimento. A nova situação afetara as relações humanas, os costumes e, sobretudo, a linguagem. Mário esteve entre os primeiros a incorporar à poesia pregões ítalo-paulistanos, chegando mesmo a compor textos bilíngües:

E os bondes riscam como um fogo de artifício,
sapateando nos trilhos,
ferindo um orifício na treva cor de cal...
— Batat'assat'ô furnn!...
("Noturno")

Lá para as bandas do Ipiranga as oficinas tossem...
Todos os estiolados são muito brancos.
Os invernos de Paulicéia são como enterros de virgem...
Italianinha, torna al tuo paese!
("Paisagem nº 2")

Laranja da China, laranja da China, laranja da China!
Abacate, cambucá e tangerina!
Guardate! Aos aplausos do esfuziante clown,
heróico sucessor da raça heril dos bandeirantes,
passa galhardo um filho de imigrante,
loiramente domando um automóvel!
("O Domador")

O livro se fecha com o oratório profano *As Enfibraturas do Ipiranga* em que se alternam os coros dos milionários ("as senectudes tremulinas") apoiados pela velha guarda parnasiana ("os orientalismos convencionais") e as vozes dos poetas modernistas ("as juvenilidades auriverdes"), com o solo do próprio poeta ("minha loucura"). À parte, em oposição, intervêm os operários e a gente pobre ("os sandapilários indiferentes").

Losango Cáqui, composto em 22, é, na confissão do autor, um diário onde se juntam rapsodicamente "sensações, idéias, alucinações, brincadeiras, liricamente anotadas". Nesse *pot-pourri* já se adverte uma das ciladas da concepção modernista (não direi: moderna) de poesia: a falta prolongada de uma forte consciência estruturante que, em nome da espontaneidade, acaba resvalando no gratuito, no prolixo, no amorfo. Mas é um risco-limite, compensado por outros caracteres bem modernos e conscientes em Mário de Andrade, como a assunção do coloquial e do irônico ao plano da escritura poética:

Conversavam
Serenos pacholas fortes.
Que planos estratégicos...
Balística.
Tenentes.
Um galão.
Dois galões.
A galinhada!
. . . .
Mas porém da caserna dum corpo que eu sei
Sai o exército desordenado meu sublime...
Assombrações
Tristezas
Pecados
Versos livres
Sarcasmos...
E o universo inteirinho em continência!
... Vai Passando
No seu cavalo alazão
O marechal das tropas desvairadas
do país de Mim-Mesmo...
(XVI)

Clã do Jabuti e *Remate de Males*, obras que enfeixam poemas escritos de 1923 a 1930, já incorporam à poesia de Mário de Andrade a dimensão da pesquisa folclórica, uma das opções mais fecundas de toda a cultura brasileira nesse período. A revivescência, em registro moderno, dos mitos indígenas, africanos e sertanejos em geral é um dado inarredável para entender alguns pontos altos da pintura, da música, e das letras que se fizeram nos últimos quarenta anos: Tarsila e Portinari, Vila-Lobos e Mignone, Lourenço Fernandez e Camargo Guarnieri, o Mário de *Macunaíma*, o Jorge de Lima de *Poemas Negros* e, mais recentemente, todo Guimarães Rosa. A transfiguração da arte primitiva está, aliás, no coração de obras-primas da cultura européia moderna não sendo possível dissociar a poesia de Yeats das suas raízes célticas, nem a música vanguardista de Bela Bartók dos mitos magiares, nem a de Stravinski dos russos, nem a pintura de Chagall da vivência popular e mística dos judeus de Vitebski. E Mário de Andrade foi um folclorista adulto, capaz de sondar a mensagem e os meios expressivos de nossa arte primitiva nas áreas mais diversas (música, dança, medicina): algumas intuições suas nesse campo foram certeiras. Ao historiador literário importa essa base de estudos, não só pelo que teve de inovadora numa cultura enraizadamente colonial, sempre à espera da última mensagem da Europa, mas também pelo que deu à prosa de Mário, diretamente em *Macunaíma*, alusivamente nos belos contos de *Belasarte*, nos *Contos Novos* e nas crônicas de *Os Filhos da Candinha*.

Em *Macunaíma*, a mediação entre o material folclórico e o tratamento literário moderno faz-se via Freud ([291]) e consoante uma corrente de abordagem psicanalítica dos mitos e dos costumes primitivos que as teorias do Inconsciente e da "mentalidade pré-lógica" propiciaram. O protagonista, "herói sem nenhum caráter", é uma espécie de barro vital, ainda amorfo, a que o prazer e o medo vão mostrando os caminhos a seguir, desde o nascimento em plena selva amazônica e as primeiras diabruras glutonas e sensuais, até a chegada à São Paulo moderna em busca do talismã que o gigante Venceslau Pietro Pietra havia furtado. Não podendo vencer o estrangeiro por processos normais, Macunaíma apela para a macumba: depois de comer cobra consegue derrotá-lo. É perseguido pelo minhocão Oibê tendo que fugir às carreiras por todo o Brasil até um dia virar estrela da constelação da Ursa Maior. A transformação final é apenas o último ato de uma série de metamorfoses. Em *Macunaíma*, como no pensamento selvagem, tudo vira tudo. O ventre da mãe-índia vira cerro macio; Ci-Mãe do Mato, companheira do herói, vira Beta do Centauro; o filho de ambos vira planta de guaraná; a boiúna Capei vira Lua. Há transformações cômicas, nascidas da agressividade do instinto contra a técnica: Macunaíma transforma um inglês da cidade no London Bank e toda São Paulo em um imenso bicho-preguiça de pedra.

Lévi-Strauss definiu o "pensamento selvagem", numa linha estruturalista, como pensamento capaz de compor e recompor configurações a partir de conteúdos díspares esvaziados de suas primitivas funções ([292]). Aceitando a hipótese, dir-se-á que Mário de Andrade fez *bricolage* em Macunaíma: não só de

---

([291]) A presença de Freud é evidente na ficção de Mário de Andrade e já se impõe na curiosa novela *Amar, Verbo Intransitivo* (1927), em que se narra a história de uma jovem alemã chamada por uma família burguesa para dar iniciação sexual ao primogênito. Nos contos escritos mais tarde, há um uso discreto mas constante dos processos psicanalíticos: recalques, sublimações, regressões, fixações, etc. Em *Macunaíma*, o freudismo coincide em cheio com o *primitivismo* subjacente: a leitura da rapsódia mostra, porém, que não se tratava de uma forma ingênua de primitivismo, mas um aproveitamento das suas virtualidades estéticas.

([292]) Em *La pensée sauvage*. Paris, 1962, cap. I, "La science du concret".

lendas indígenas que usou livremente na sua rapsódia, mas de modos de contá-las, isto é, de estilos narrativos. À primeira observação, distinguem-se, na obra, três estilos de narrar:

a) um estilo de lenda, épico-lírico, solene:

> No fundo do mato-virgem nasceu Macunaíma, herói de nossa gente. Era preto retinto e filho do medo da noite. Houve um momento em que o silêncio foi tão grande escutando o murmurejo do Uraricoera que a índia tapanhumas pariu uma criança feia. Essa criança é que chamaram de Macunaíma.

b) um estilo de crônica, cômico, despachado, solto:

> Já na meninice fez coisas de sarapantar. De primeiro passou mais de seis anos não falando. Si o incitavam a falar, exclamava:
>
> — ai! que preguiça!...
>
> E não dizia mais nada.

c) um estilo de paródia. Mário de Andrade toma o andamento parnasiano típico, anterior a 22, à Coelho Neto e à Rui Barbosa e, nesse código, vaza uma mensagem de Macunaíma às Icamiabas:

> É São Paulo construída sobre sete colinas, à feição tradicional de Roma, a cidade cesárea, "capita" da Latinidade de que provimos; e beija-lhe os pés a grácil e inquieta linfa do Tietê. As águas são magníficas, os ares tão amenos quanto os de Aquisgrana ou de Anverres, e a área tão a eles igual em salubridade e abundância, que bem se pudera afirmar, ao modo fino dos cronistas, que de três AAA se gera espontaneamente a fauna urbana.
>
> Cidade é belíssima e grato o seu convívio. Toda cortada de ruas habilmente estreitas e tomadas por estátuas e lampiões graciosíssimos e de rara escultura; tudo diminuindo com astúcia o espaço de forma tal, que nessas artérias não cabe a população. Assim se obtém o efeito dum grande acúmulo de gentes, cuja estimativa pode ser aumentada à vontade, o que é propício às eleições que são invenção dos inimitáveis mineiros; ao mesmo tempo que os edis dispõem de largo assunto com que ganhem dias honrados e a admiração de todos, com surtos de eloqüência do mais puro e sublimado lavor.

Passando abruptamente do primitivo solene à crônica jocosa e desta ao distanciamento da paródia, Mário de Andrade jogou sabiamente com níveis de consciência e de comunicação diversos, justificando plenamente o título de *rapsódia*, mais do que "romance" que emprestou à obra.

Simbolicamente, a figura de Macunaíma, o herói sem nenhum caráter, foi trabalhada como síntese de um presumido "modo de ser brasileiro" descrito como luxurioso, ávido, preguiçoso e sonhador: caracteres que lhe atribuía um teórico do Modernismo, Paulo Prado, em *Retrato do Brasil* (1926). Mas o herói, em Mário, é colocado na metrópole nova e funde instinto e asfalto, primitivismo e modernismo, numa linha que seria também a de Oswald de Andrade. Com a sabida diferença de que este, medularmente anárquico, misturou sempre os planos, pretendendo tirar do composto uma filosofia de vida e da arte, ao passo que Mário se mostraria, até o fim, sensível às distinções entre o *primitivo* histórico e o "primitivo" como pesquisa do homem que não pode deixar de ser, apesar de tudo, um homem integrado em uma dada cultura e em uma determinada civilização.

Macunaíma, meio epopéia meio novela picaresca, atuou uma idéia-força do seu autor: o emprego diferenciado da *fala brasileira* em nível culto; tarefa que deveria, para ele, consolidar as conquistas do Modernismo na esfera dos temas e do gosto artístico. Muito da teoria literária e musical escrita por Mário de Andrade na década de 30 centrou-se nesse problema, prioritário para o escritor e o compositor brasileiro, dividido entre um ensino gramatical lusíada e uma práxis lingüística afetada por elementos indígenas e africanos e cada vez mais atingida pelo convívio com o imigrante europeu. Mário foi assertor de uma linguagem que transpusesse para o registro da arte a prosódia, o ritmo, o léxico e a sintaxe coloquial: vejam-se os artigos "A Língua Radiofônica", "A Língua Viva" e "O Baile dos Pronomes", incluídos em *O Empalhador de Passarinho*, e uma lúcida carta ao filólogo Sousa da Silveira, que se lê agora em *Mário escreve cartas a Alceu*...(293)

De resto, devem-se ler *todos* os ensaios de Mário de Andrade. Como crítico, apesar de não ter elaborado uma teoria coesa que integrasse os valores estéticos, sociais e, ultimamente, políticos, ele sempre mostrou ter olho para distinguir o texto forte e denso do frouxo ou retórico; e poucos viram com tanta lucidez a grandeza e os limites do próprio tempo como o autor de "O Movimento Modernista" e da "Elegia de Abril".

Voltando à poesia nos últimos anos, compôs a *Lira Paulistana*. A cidade é apreendida e ressentida nas andanças do poeta maduro que se despojou do pitoresco e sabe dizer com a mesma contensão os cansaços do homem afetuoso e solitário e a miséria do pobre esquecido no bairro fabril. O lirismo da "Meditação sobre o Tietê" tem algo de solene e de humilde; e o espraiado do seu ritmo não é sinal de gratuidade, mas expressão de entrega do poeta ao destino comum que o rio simboliza:

Água do meu Tietê,
Onde me queres levar?
— Rio que entras pela terra
E que me afastas do mar...

É noite. E tudo é noite. Debaixo do arco admirável
Da Ponte das Bandeiras o rio
Murmura num banzeiro de água pesada e oleosa.
É noite e tudo é noite. Uma ronda de sombras,
Soturnas sombras, enchem de noite tão vasta

---

(293) *Ed. cit.*, pp. 146-158.

O peito do rio, que é como se a noite fosse água,
Água noturna, noite líqüida, afogando de apreensões
As altas torres do meu coração exausto. De repente,
O óleo das águas recolhe em cheio luzes trêmulas,
É um susto. E num momento o rio
Esplende em luzes inumeráveis, lares, palácios, e ruas,
Ruas, ruas, por onde os dinosauros caxingam
Agora, arranha-céus valentes donde saltam
Os bichos blau e os punidores gatos verdes,
Em cânticos, em prazeres, em trabalhos e fábricas,
Luzes e glória. É a cidade... É a emaranhada forma
Humana corrupta da vida que muge e se aplaude.
E se aclama e se falsifica e se esconde. E deslumbra.
Mas é um momento só. Logo o rio escurece de novo,
Está negro. As águas oleosas e pesadas se aplacam
Num gemido. Flor. Tristeza que timbra um caminho de morte.
É noite. E tudo é noite. E o meu coração devastado
É um rumor de germes insalubres pela noite insone e humana.

. . . .

Oswald de Andrade

Oswald de Andrade (294) representou com seus altos e baixos a ponta de lança do "espírito de 22" a que ficaria sempre vinculado, tanto nos seus as-

---

(294) José Oswald de Sousa Andrade (São Paulo, 1890-1954). Fez os estudos secundários no Ginásio de São Bento e Direito na sua cidade. Nascido em uma família bastante rica, pôde ainda jovem viajar para a Europa (1912), onde entrou em contato com a boêmia estudantil de Paris e conheceu o futurismo ítalo-francês. Voltando a São Paulo, fez jornalismo literário. Quando da Exposição de Anita Malfatti, Oswald defende-a contra o artigo virulento de Lobato e aproxima-se de Mário de Andrade, de Di Cavalcanti, de Menotti, de Guilherme de Almeida, de Brecheret. Passa a ser o grande animador do grupo modernista, divulga Mário como "o meu poeta futurista" e articula com os demais a *Semana*. Paralelamente, trabalha os romances da "Trilogia do Exílio". O período 23-30 é marcado pela sua melhor produção propriamente modernista, no romance, na poesia e na divulgação de programas estéticos nos Manifestos *Pau-Brasil*, de 24, e *Antropofágico*, de 28. É também pontuado por viagens à Europa que lhe dão oportunidade para conhecer melhor as vanguardas surrealistas da França. Depois do "crack" da Bolsa e da Revolução de 30, atravessa um período de crise financeira e se arrisca em especulações nem sempre bem-sucedidas. Dividido entre uma formação anárquico-boêmia e o espírito de crítica ao capitalismo, que então se conscientizava no país, Oswald pende para a Esquerda, adere ao Partido Comunista: compõe o romance de auto-sarcasmo (*Serafim Ponte Grande* 28-33), teatro participante (*O Rei da Vela*, 37) e lança o jornal *O Homem do Povo*. Desdobramento dessa posição foi sua tentativa de criar romance de painel social: os dois volumes de *Marco Zero* (43-45). Afasta-se da mi-

pectos felizes de vanguardismo literário quanto nos seus momentos menos felizes de gratuidade ideológica.

É a partir de Oswald que se deve analisar criticamente o legado do Modernismo paulista, pois foi ele quem assimilou com conaturalidade os traços conflitantes de uma inteligência burguesa em crise nos anos que precederam e seguiram de perto os abalos de 1929/30. Havia nele todos os fatores sociais

---

litância política de 1945, ano em que concorre à Cadeira de Literatura Brasileira na Faculdade de Filosofia da Universidade de S. Paulo com uma tese sobre a Arcádia e a Inconfidência, obtendo o título de livre-docente. Em 1950 voltaria à mesma Universidade entrando, sem êxito, no concurso para o provimento da Cadeira de Filosofia. Candidatou-se por duas vezes à Academia Brasileira de Letras. Oswald de Andrade faleceu, em 1954, aos sessenta e quatro anos de idade. A menos de um decênio da sua morte, sua herança é valorizada pelas vanguardas concretistas de onde provém a mais entusiástica bibliografia oswaldiana. Obra: *Théâtre Brésilien — Mon Coeur Balance. Leur Âme* (em colaboração com Guilherme de Almeida), 1916; *A Trilogia do Exílio*, I. *Os Condenados*, 1922; *Memórias Sentimentais de João Miramar*, 1924; *Manifesto da Poesia Pau-Brasil*, 1924; *Pau-Brasil* (poesia), 1925; *Romances do Exílio, II. A Estrela de Absinto*, 1927; *Primeiro Caderno do Aluno de Poesia Oswald de Andrade*, 1927; *Manifesto Antropófago*, 1928; *Serafim Ponte Grande*, 1933; *Os Romances do Exílio, III. A Escada Vermelha*, 1934; *O Homem e o cavalo* (teatro), 1934; *A Morta. O Rei da Vela* (teatro), 1937; *Marco Zero. I. A Revolução Melancólica*, 1943; *Marco Zero. II. Chão*, 1945; *Poesias Reunidas*, 1945; *A Arcádia e a Inconfidência* (tese), 1945; *Ponta de Lança*, 1945; *A Crise da Filosofia Messiânica* (tese), 1950; *Um Homem sem Profissão. I. Sob as ordens de mamãe*, 1954; "O Modernismo", *in Anhembi*, nº 49, dez. de 1954. Sobre Oswald: Mário de Andrade, "Oswald de Andrade", *in Revista do Brasil*, nº 105, set./dez. 1924; Prudente de Morais Neto, e Sérgio Buarque de Holanda, "Oswald de Andrade. Memórias Sentimentais de João Miramar", *in Estética*, nº 2, jan.-março de 1925; Paulo Prado, "Poesia Pau-Brasil", Prefácio a *Pau-Brasil*, Paris, Sans Pareil, 1925, incluído na *Antologia do Ensino Literário Paulista*, J. Aderaldo Castello, Conselho Estadual de Cultura, S. Paulo, 1960; Tristão de Ataíde, "Queimada ou Fogo de Artifício?", em *Estudos 1925*, incluído nos *Estudos Literários*, Rio, Aguilar, 1966, pp. 994-1000; Antônio Cândido, *Brigada Ligeira*, S. Paulo, Martins, 1945; Roger Bastide, *Poetas do Brasil*, Curitiba, Guaíra, 1947; Haroldo de Campos, "Miramar na Mira", intr. à 2ª ed. das *Memórias Sentimentais de João Miramar*, S. Paulo, Dif. Eur. do Livro, 1964; Décio Pignatari, "Marco Zero de Andrade", *in* Supl. Lit. de *O Estado de S. Paulo*, 24-10-64; Gennaro Mucciolo, "A Volta de João Miramar", *in Cadernos Brasileiros*, nº 27, jan./fev. de 1965; Haroldo de Campos, "Uma Poética da Radicalidade", intr. às *Poesias Reunidas de Oswald de Andrade*, S. Paulo, Dif. Eur. do Livro, 1966; Mário da Silva Brito, *Ângulo e Horizonte*, S. Paulo, Martins, 1969; Antônio Cândido, *Vários Escritos*, S. Paulo, Duas Cidades, 1970; Vera Chalmers, *3 Linhas e 4 Verdades: o jornalismo de O. de A.*, Duas Cidades, 1976; Benedito Nunes, *Oswald Canibal*, S. Paulo, Perspectiva, 1978; Maria Augusta Fonseca, *Oswald de Andrade*, Brasiliense, 1982.

e psicológicos que concorreram para a construção do literato cosmopolita, daquele *homo ludens* que se diverte com a íntima contradição ética *alienado-revoltado* diante de uma sociedade em mudança. As alternativas foram muitas nesse espírito inquieto, e muito da crítica de exaltação ou negação a Oswald esteve condicionado ao partido fácil de generalizar opções transitórias. A rigor, Oswald não teria tido condições psicológicas para superar o decadentismo da sua formação *belle époque*; mas, como um jogador temerário, arriscou-se a sair mais de uma vez da situação de base que o definia: nessas sortidas fez, aleatoriamente, poesia futurista-cubista, e, em um segundo tempo, teatro e romance social. Se fosse possível depurar esses resultados do travo de um surrealismo requentado e projetivo que neles embaça a limpidez construtiva, teríamos um escritor integralmente revolucionário. Mas como a história literária não se faz, ou não se deve fazer, com arranjos *a posteriori*, a obra de Oswald permanece estruturalmente o que é: um leque de promessas realizadas pelo meio ou simplesmente irrealizadas.

Da sua obra narrativa espantosamente desigual já se disse que carreava o melhor e o pior do Modernismo. Nelas os seus melhores críticos têm distinguido, pelo menos, três níveis de expressão e de valor, colocando entre parênteses, para os dois primeiros, a cronologia externa das obras ([295]).

No limite inferior, a prosa de *Os Condenados*, *A Estrela de Absinto* e *A Escada Vermelha*, os romances que formam a Trilogia do Exílio. Embora compostos ao longo de quinze anos de experiências as mais diversas (1920-1934, aprox.), são livros que se ressentem de uma atitude antiquada, num escritor que conheceu o que é ser moderno, em face da linguagem romanesca e do trato das personagens. São novelas meio mundanas, meio psicológicas, à D'Annunzio, onde há sempre um artista atribulado pelas exigências da sua personalidade libidinosa e genial... *A Estrela de Absinto*, por exemplo, conta os amores de um escultor sensual pela formosa Alma cuja morte o lança num mar de remorsos logo esquecidos por aventurazinhas menores, até que um imotivado e retórico suicídio vem pôr fim ao melodrama. De *Os Condenados*, diz um crítico insuspeito, que soube admirar as partes vivas da prosa oswaldiana, Antônio Cândido:

> Há nele um gongorismo psicológico — tara que contaminará todos os livros da série — mais grave ainda que o gongorismo verbal da escrita. O gongorismo psicológico, ainda não bem explicado em literatura, é a tendência para acentuar, em escala fora do comum, os traços psíquicos de uma personagem; os seus gestos, as suas tiradas, as suas atitudes de vida. As pessoas, neste livro, são pequenos turbilhões de lugares-comuns morais e intelectuais. O processo do autor consiste em acentuar

---

([295]) Cf. os ensaios de Antônio Cândido e Haroldo de Campos, citados na nota anterior.

violentamente as suas banalíssimas qualidades, afogando-os definitivamente na retórica. (...) Feitos dum só bloco, sem complexidade e sem profundidade, não passam de autômatos, cada um com a sua etiqueta moral pendurada no pescoço. Reina neste primeiro livro um convencionalismo total do ponto de vista psicológico" (296).

Quanto a *Estrela de Absinto*: "heróis tremendamente falsos, dum convencionalismo de folhetim" (297). E para *Escada Vermelha*: "psicologicamente o livro continua primário" (298). Como definição gestáltica do criador: "personalidade totalmente mergulhada no esteticismo burguês".

A crítica, severa mas válida, está a indicar que o romance de personagens não era o caminho ideal de Oswald. E o trânsito para a experiência do romance "informal" das *Memórias de João Miramar*, seu ponto alto, e de *Serafim Ponte Grande*, "um grande não livro", nas palavras de Haroldo de Campos, atestaria uma procura de realização artística mais congenial ao talento do prosador. Ambas as obras correm paralelas às poéticas do "Pau-Brasil" e da "Antropofagia" no sentido de satirizar o Brasil da "aristocracia" cafeeira aburguesada nas grandes capitais (e como tal são intencionalmente corrosivas), mas nem uma nem outra deixa de ser o reflexo literário da mesma modernidade mundana a que o escritor pertencia como filho (pródigo) da classe que ironiza,

> João Miramar abandona momentaneamente o periodismo para fazer a sua entrada de homem moderno na espinhosa carreira das letras. E apresenta-se como o produto improvisado, quiçá chocante para muitos, de uma época insofismável: de transição. Como os *tanks*, os aviões de bombardeio sobre as cidades encolhidas de pavor, os gases asfixiantes e as terríveis minas, o seu estilo e a sua personalidade nasceram das claridades caóticas da guerra. (...)
>
> Torna-se lógico que o estilo dos escritores acompanhe a evolução emocional dos surtos humanos. Se o meu foro interior, um velho sentimentalismo racial vibra ainda nas doces cordas alexandrinas de Bilac e Vicente de Carvalho, não posso deixar de reconhecer o direito sagrado das inovações, mesmo quando elas ameaçam espedaçar nas suas mãos hercúleas o outro argamassado pela idade parnasiana. VAE VICTIS!
>
> Esperemos com calma os frutos dessa nova revolução que nos apresenta pela primeira vez o estilo telegráfico e a metáfora lancinante. (Do Prefácio.)

A "nova revolução" formal tem sido hoje aclarada pela crítica de tendência estruturalista. O estilo das *Memórias Sentimentais* é a prosa que poderia seguir a poesia da *Paulicéia Desvairada* de Mário de Andrade: a "*immaginazione senza fili*", o telegrafismo das rupturas sintáticas, do simultaneísmo, da sincronia, das "ordens do subconsciente", dos neologismos copiosos. A compo-

---

(296) Em *Brigada Ligeira*, S. Paulo, Martins, p. 16.
(297) *Id.*, p. 17.
(298) *Id.*, *ib.*

sição mesma do romance é revolucionária: são capítulos-instantes, capítulos-relâmpagos, capítulos-sensações. O que importava ao Oswald leitor dos futuristas e profundamente afetado pela técnica do cinema era a colagem rápida de signos, os processos diretos, "sem comparações de apoio", como diria, no mesmo ano de *Miramar*, pelo Manifesto da Poesia Pau Brasil. Esse tipo de prosa que confina com a condensação poética foi, ao que parece, elaborado simultaneamente com as "palavras em liberdade" de *Pau-Brasil*. O arrolamento bruto dos sintagmas, o "obter em comprimidos minutos de poesia", na expressão de Paulo Prado, ia, de fato, além do verso livre, última conquista do Simbolismo e primeiro passo do Modernismo. Pois o verso livre é, ainda, fundamentalmente, uma unidade rítmico-melódica; ao passo que a exigência marinettiana, expressa desde o Manifesto Técnico de 1912, recai sobre a desarticulação total da frase: o que produzirá também um modo novo de dispor o texto, uma nova espacialização do material literário. Nessa linha, o cubo-futurismo foi, de fato, precursor da poesia concreta.

Saltos records
Cavalos da Penha
Correm jóqueis de Higienópolis
Os magnatas
As meninas
E a orquestra toca
Chá
Na sala de cocktails
(hípica)

Bananeiras
O sol
O cansaço da ilusão
Igrejas
O ouro na serra de pedra
A decadência
("São José Del Rei")

O plano que norteou *Pau-Brasil* foi o de transpor, nesse estilo de síntese violenta, não só o espaço moderno da nação, como o faz nas partes intituladas "RPI", "Carnaval", "Postes da Light", "Lóide Brasileiro", mas também a sua vida pré-colonial e colonial. Daí, a junção de modernismo e primitivismo que, em última análise, define a visão do mundo e a poética de Oswald. Pena é que, na esteira do "primitivismo", o escritor haja reiterado tantos estereótipos do caráter nacional (os mesmos de Paulo Prado no *Retrato do Brasil*): a "luxúria", a "avidez" e a "preguiça" com que nos viram os colonizadores do século XVI e as teorias colonialistas do século XIX, e que estarão presentes em Serafim Ponte Grande, retrato do antropófago civilizado que atuou como mito exemplar no pensamento de Oswald até suas últimas produções.

Na verdade, para esse primitivismo anárquico só existia uma saída lúcida que lhe redimisse os traços decadentes: a abertura para a arte social. Oswald tentou-a com a obstinação de quem precisa realizar um programa. Foi vencido pelo lastro do seu passado ao fazer teatro (*O Rei da Vela*, *O Homem e o Cavalo*), muito mais próximo de um expressionismo pansexual que da assunção dinâmica dos conflitos sociais; e foi vencido por uma concepção miméticopopulista ao fazer romance mural (*Marco Zero*), onde não logrou imitar sem maneirismo a alta simplicidade de um José Lins do Rego e de um Graciliano Ramos, nem levar à maturação os elementos estilísticos originais de que dispunha desde as *Memórias Sentimentais de João Miramar*.

Mais feliz, porque mais aderente aos traços fundamentais da sua personalidade artística, foi a volta à poesia: duas composições que escreveu na década de 40, "Cântico dos Cânticos para Flauta e Violão" e "O Escaravelho de Ouro", permanecem como exemplos admiráveis de fusão, no *nível dos significantes*, de lirismo erótico e abertura ao drama do próprio tempo. Fiquemos com esta última imagem desse homem rico e contraditório e sejamos cautos no afã de valorizar fragmentos de atitudes datadas e muito mais dependentes de certos padrões irracionalistas do que a sua aparência faria pensar.

Manuel Bandeira

Manuel Bandeira (299) chamou-se um dia "poeta menor". Fez por certo uma injustiça a si próprio, mas deu, com essa notação crítica, mostras de re-

---

(299) Manuel Carneiro de Sousa Bandeira Filho (Recife, 1886 — Rio, 1968). Veio adolescente para o Rio de Janeiro, onde cursou o Colégio Pedro II. Em S. Paulo, iniciou o curso de Engenharia, mas a tuberculose, manifestando-se cedo, impediu-o de prosseguir os estudos. Esteve em 1912 na Suíça (sanatório de Clavadel) e aí entrou em contato com a melhor poesia simbolista e pós-simbolista em língua francesa, fonte da sua linguagem inicial, como o atestam os primeiros livros, *Cinza das Horas* e *Carnaval*. Fixando-se no Rio, estreita amizade com alguns escritores que, como ele, passariam do ecletismo *fin de siècle* ao Modernismo (Ronald de Carvalho, Álvaro Moreyra, Ribeiro Couto, Graça Aranha, Tristão de Ataíde...). Praticando o verso livre e a ironia crepuscular desde os primeiros versos, Bandeira foi naturalmente acolhido pelo grupo da Semana como um irmão mais velho (tinha 36 anos em 1922) e houve quem o chamasse "o São João Batista do movimento"; por sua vez, terá recebido do exemplo de Mário e de Oswald um impulso para romper as amarras da sua formação intimista. É o que ocorrerá nos livros experimentais, escritos na "fase heróica" do Modernismo: *Ritmo Dissoluto* e *Libertinagem*. A biografia de Manuel Bandeira é a história dos seus livros. Viveu para as letras e, salvo os anos em que lecionou Português no Colégio Pedro II e Literatura Hispano-Americana na Universidade do Brasil, dedicou-se exclusivamente ao ofício de escrever: poesia, crônica literária, traduções e obras didáticas de nível superior. Obra: *Cinza das Horas*, 1917; *Carnaval*, 1919; *Poesias* (incl.

conhecer as origens psicológicas da sua arte: aquela atitude intimista dos *crepusculares* do começo do século que ajudaram a dissolver toda a eloqüência pós-romântica, pela prática de um lirismo confidencial, auto-irônico, talvez incapaz de empenhar-se num projeto histórico, mas, por isso mesmo, distante das tentações pseudo-ideológicas, alheio a descaídas retóricas.

Em nosso poeta essa atitude, que trai um inato individualismo, redime-se pelo culto da comunicação literária. O esforço de romper com a dicção entre parnasiana e simbolista de *Cinza das Horas* foi plenamente logrado enquanto fez de Bandeira um dos melhores poetas do verso livre em português, e, a partir de *Ritmo Dissoluto*, talvez o mais feliz incorporador de motivos e termos prosaicos à literatura brasileira.

Entretanto, não se pode dizer que o mesmo esforço libertário o tenha imunizado do prestígio das velhas poéticas, responsável pelo seu aberto comprazimento de atmosferas românticas ou de ecos neoclássicos: tudo o que dá à sua linguagem aquele ar de última experiência de uma refinada civilização literária, tão evidente nos mestres da poesia moderna, T. S. Eliot, Pound, Ungaretti.

Por outro lado, era de esperar que à fusão de confidência e sábio jogo técnico respondesse, no plano da reflexão estética, um irracionalismo de base, difuso na sua geração, e sobre o qual se foram depositando finas observações do homem de *métier*, capaz de compor em todos os ritmos e de traduzir com igual mestria Shakespeare e Hoelderlin, Rilke e García Lorca. Quem não percebe a imediata presença surrealista nestas palavras do *Itinerário de Pasárgada*:

Ritmo Dissoluto), 1924; *Libertinagem*, 1930; *Estrela da Manhã*, 1936; *Mafuá do Malungo*, 1948; *Opus 10*, 1952; *Estrela da Tarde*, 1958; *Estrela da Vida Inteira*, 1966. Traduções: *Poemas Traduzidos*, 1945; *Maria Stuart*, de Schiller, 1955; *Macbeth*, de Shakespeare, 1956; *La machine infernale*, de Cocteau, 1956; *June and the Peacock*, de O'Casey, 1957; *The Rain Maker*, de N. Richard Nash, 1957. Prosa: *Crônicas da Província do Brasil*, 1936; *Guia de Ouro Preto*, 1938; *Noções de História das Literaturas*, 1940; *Literatura Hispano-Americana*, 1949; *Gonçalves Dias*, 1952; *Itinerário de Pasárgada*, 1954; *De Poetas e de Poesia*, 1954; *Frauta de Papel*, 1957; *Os Reis Vagabundos e mais 50 Crônicas*, 1966; *Andorinha, Andorinha*, 1966. Consultar: os ensaios prepostos à edição de *Poesia e Prosa*, 2 vols., Rio, Aguilar, 1958 (esp. os de Sérgio Buarque de Holanda, Francisco de Assis Barbosa e Antônio Cândido); Adolfo Casais Monteiro, *Manuel Bandeira*, Lisboa, Inquérito, 1943; Sérgio Buarque de Holanda, *Cobra de Vidro*, S. Paulo, Martins, 1944; Roger Bastide, *Poetas do Brasil*, Curitiba, Guaíra, 1947; Carlos Drummond de Andrade, *Passeios na Ilha*, Rio, Simões, 1952; Ledo Ivo, *O Preto no Branco. Exegese de um Poema de Manuel Bandeira*, Rio, Livr. S. José, 1955; Aurélio Buarque de Holanda, *Território Lírico*, Rio, O Cruzeiro, 1958; Emanuel de Moraes, *Manoel Bandeira*, Rio, José Olympio, 1962; Gilda e Antônio Cândido de Mello e Souza, "Introdução", em *Estrela da Vida Inteira*, Rio, José Olympio, 1966; Telê P. Ancona Lopez (org.), *Manuel Bandeira: Verso e Reverso*, S. Paulo, TAQ, 1987; Davi Arrigucci Jr., *Humildade, Paixão e Morte. A Poesia de Manuel Bandeira*, S. Paulo, Cia. das Letras, 1990.

Instruído pelos fracassos, aprendi, ao cabo de tantos anos, que jamais poderia construir um poema à maneira de Valéry. Em "*Mémoires d'un poème*" (*Variété V*), confiou-nos o grande poeta que a primeira condição que ele se impunha no trabalho de criação poética era "*le plus de conscience possible*"; que todo o seu desejo era "*essayer de retrouver avec volonté de conscience quelques résultats analogues aux résultats intéressants ou utilisables que nous livre (entre cent mille coups quelconques) le hasard mental*". Anteriormente chegara ele a dizer que preferia "*avoir composé une oeuvre médiocre en toute lucidité qu'un chef-d'oeuvre à éclairs, dans un état de transe...*" Na minha experiência pessoal fui verificando que o meu esforço consciente só resultava em insatisfação, ao passo que o que me saía do subconsciente, numa espécie de transe ou alumbramento, tinha ao menos a virtude de me deixar aliviado de minhas angústias. Longe de me sentir humilhado, rejubilava como se de repente me tivessem posto em estado de graça (300).

Surrealismo cuja filiação "vidente" (Rimbaud, Lautréamont) seria temperada na leitura dos "lúcidos", Mallarmé e Valéry, aceitos como técnicos da invenção verbal: "a poesia se faz com palavras".

E, se passarmos da poética reflexa à gênese da sua obra, veremos que a presença do biográfico é ainda poderosa mesmo nos livros de inspiração absolutamente moderna, como *Libertinagem*, núcleo daquele seu *não-me-importismo* irônico, e no fundo, melancólico, que lhe deu uma fisionomia tão cara aos leitores jovens desde os anos de 30. O adolescente mal curado da tuberculose persiste no adulto solitário que olha de longe o carnaval da vida e de tudo faz matéria para os ritmos livres do seu obrigado distanciamento:

Uns tomam éter, outros cocaína.
Eu já tomei tristeza, hoje tomo alegria.
Tenho todos os motivos menos um de ser triste.
Mas o cálculo das probabilidades é uma pilhéria...
Abaixo Amiel!
E nunca lerei o diário de Maria Bashkirtseff.

Sim, já perdi pai, mãe, irmãos.
Perdi a saúde também.
É por isso que sinto como ninguém o ritmo do jazz-band.
. . . .

("Não sei dançar")

Ou o arquifamoso "Pneumotórax":

Febre, hemoptise, dispnéia e suores noturnos.
A vida inteira que podia ser sido e que não foi.
Tosse, tosse, tosse.

---

(300) Em *Poesia e Prosa*, Ed. Aguilar, vol. II, pp. 21-22.

Mandou chamar o médico:
— Diga trinta e três.
— Trinta e três... trinta e três... trinta e três...
— Respire
. . . .
— O senhor tem uma escavação no pulmão esquerdo e o
[pulmão direito infiltrado.
— Então, doutor, não é possível tentar o pneumotórax?
— Não. A única coisa a fazer é tocar um tango argentino.

O livro oscila entre um fortíssimo anseio de liberdade vital e estética ("Na boca", "Vou-me embora pra Pasárgada", "Poética") e a interiorização cada vez mais profunda dos vultos familiares ("Profundamente", "Irene no Céu", "Poema de Finados", "O Anjo da Guarda") e das imagens brasileiras cujo halo mítico Bandeira deverá, em parte, ao convívio intelectual com Mário de Andrade e Gilberto Freyre ("Mangue", "Evocação do Recife", "Lenda Brasileira", "Cunhantã").

A poética de *Libertinagem* mantém-se viva nas obras maduras de Bandeira, onde não raro um ardente sopro amoroso envolve as imagens femininas, deixando-as porém intactas e nimbadas de uma alta e religiosa solitude:

Dantes, a tua pele sem rugas,
A tua saúde
Escondiam o que era
Tu mesma.

Aquela que balbuciava
Quase inconscientemente:
"Podem entrar".

A que me apertava os dedos
Desesperadamente
Com medo de morrer.

A menina.
O anjo.
A flor de todos os tempos.
A que não morrerá nunca.
("Flor de todos os tempos")

E não nos cansaremos nunca de admirar os poemetos eróticos "A Filha do Rei", "A Estrela e o Anjo", "Água Forte", "Unidade", "Cântico dos Cânticos", ou aqueles momentos, raros mas definitivos, em que a extrema e surpreendente singeleza formal é, a um só tempo, mensagem e código de um corte metafísico na condição humana, carnal e finita, no entanto presa a um lancinante anseio de transcendência: "Momento num Café", "Contrição",

"Maçã", "A Estrela", "Canção do Vento e da Minha Vida", "Ubiqüidade", "Uma Face na Escuridão", e este misterioso e belo "Boi Morto":

Como em turvas águas de enchente,
Me sinto a meio submergido
Entre destroços do presente
Dividido, subdividido,
Onde rola, enorme, o boi morto,

Boi morto, boi morto, boi morto.

Árvores da paisagem calma,
Convosco — altas, tão marginais! —
Fica a alma, a atônita alma,
Atônita para jamais,
Que o corpo, esse vai com o boi morto,

Boi morto, boi morto, boi morto.

Boi morto, boi descomedido,
Boi espantosamente, boi
Morto, sem forma ou sentido
Ou significado. O que foi
Ninguém sabe. Agora é boi morto.

Boi morto, boi morto, boi morto.

Nos livros maduros reaparece (como ao mesmo tempo ocorria com a melhor poesia européia) o metro — clássico e popular — tratado com a mesma sabedoria de que o poeta dera exemplo na fatura do verso livre, isto é, mantida a perfeita homologia entre o sentimento e o ritmo. Não é possível dissociar as cadências que marcam os redondilhos da "Canção das Duas Índias" dos seus vários matizes afetivos; nem os trissílabos de "Trem de Ferro" da sonora mimese que logram alcançar; nem, ainda, o espírito anti-retórico poderia vir mais bem expresso do que o fazem os alexandrinos "bilaqueanos" do soneto "Ouro Preto".

Já não falo dos *divertissements* cada vez mais numerosos na última produção do poeta: hai-kais, cantares de amor à D. Dinis, sextilhas, rondós, gazais, letras para valsas românticas, versos "à maneira de" e até engenhosos objetos de poesia concreta. O livro derradeiro, *Mafuá do Malungo* ([301]), é uma variada coleção de jogos onomásticos, dedicatórias rimadas, liras e sátiras políticas de

([301]) "Mafuá" toda a gente sabe que é o nome dado às feiras populares de divertimentos. "Malungo" significa companheiro, camarada; é um africanismo, segundo Cândido de Figueiredo, nome com que reciprocamente se designavam os negros que saíam da África no mesmo navio" ("Reportagem Literária", em M. B., *Poesia e Prosa*, *cit.*, I, p. 1173).

circunstância, tudo num clima de virtuosismo que lembra, *mutatis mutandis*, a literatura dos atos acadêmicos de barroca memória:

Teu pé... Será início ou é
Fim? É as duas coisas teu pé.

Por quê? os motivos são tantos!
Resumo-os sem mais tardanças:

Início dos meus encantos,
Fim das minhas esperanças.
("Madrigal do pé para a mão")

Por fim, é necessário frisar que o poeta conviveu longa e intimamente com o melhor do que lhe poderia dar a literatura de todos os tempos e países. Tradutor de várias línguas, mestre de cultura hispano-americana, autor de uma fina *Apresentação da Poesia Brasileira*, Manuel Bandeira deixou uma notável bagagem de prosa crítica, havendo ainda muito o que aprender em seus ensaios sobre nossos poetas, lidos não só de um ponto de vista histórico, mas por dentro, como às vezes só um outro poeta sabe ler.

Cassiano Ricardo

Cassiano Ricardo (302) pagou, como os demais modernistas históricos antes de aderir ao movimento, tributo à medida velha: neo-simbolista é *Dentro da*

---

(302) CASSIANO RICARDO LEITE (São José dos Campos, SP, 1895-1974). Fez Direito em São Paulo e no Rio de Janeiro. Os seus primeiros versos, de estofo tradicional, foram elogiados por Bilac e Medeiros e Albuquerque. Aderindo ao Modernismo, logo fixou-se na polêmica nacionalista e, mais estritamente, paulista: fase do Verdeamarelismo (1926) a que se segue o grupo da *Bandeira* (1928), integrado por ele, por Menotti del Picchia e Cândido Motta Filho. Eleito em 1937 para a Academia Brasileira de Letras, aí fez uma cerrada campanha pela valorização oficial dos poetas modernos. Animou constantemente os grupos novos: em 1945, junto ao Clube de Poesia; mais recentemente, junto às vanguardas experimentais. Obra: *Dentro da Noite*, 1915; *A Frauta de Pã*, 1917; *Vamos Caçar Papagaios*, 1926; *Martim-Cererê*, 1928; *Deixa Estar, Jacaré*, 1931; *O Sangue das Horas*, 1943; *Um Dia depois do Outro*, 1947; *A Face Perdida*, 1950; *Poemas Murais*, 1950; *Sonetos*, 1952; *João Torto e a Fábula*, 1956; *O Arranha-Céu de Vidro*, 1956; *Poesias Completas*, 1957; *Montanha Russa*, 1960; *A Difícil Manhã*, 1960; *Jeremias-sem-Chorar*, 1964; *Os Sobreviventes*, 1972. Prosa: *O Brasil no Original*, 1936; *O Negro na Bandeira*, 1938; *A Academia e a Poesia Moderna*, 1939; *Pedro Luís Visto Pelos Modernos*, 1939; *Marcha para o Oeste*, 1943; *A Academia e a Língua Brasileira*, 1943; *A Poesia na Técnica do Romance*, 1953; *O Homem Cordial*, 1959; *22 e a Poesia de Hoje*, 1962; *Reflexos sobre a Poética de Vanguarda*, 1966. Consultar: Tristão de Ataíde, *Estudos*, 1ª série, Rio, Terra do Sol, 1927; João Ribeiro, *Crítica. Os Modernos*,

Noite, neoparnasiana *A Frauta de Pã*. A partir de 1926, com *Vamos Caçar Papagaios*, o poeta, então ligado ao Verdeamarelismo de Menotti, Cândido Motta Filho e Plínio Salgado, entra de chofre no seu primeiro núcleo de inspiração realmente fecundo: o Brasil tupi e o Brasil colonial, sentidos como estados de alma *primitivos* e *cósmicos*, na linha sempre ressuscitável do paraíso perdido habitado por bons selvagens.

Pode-se falar, sem receio de didatismo, em uma fase de nacionalismo estrito, que engloba o livro citado, mais *Deixa Estar*, *Jacaré* e *Martim-Cererê* (*o Brasil dos meninos, dos poetas e dos heróis*), livro que, junto às experiências mitopoéticas de *Macunaíma* e de *Cobra Norato* (de Raul Bopp), define uma das opções possíveis da poesia modernista. Convém, no entanto, distinguir no interior dessa linha: se as estórias reelaboradas por Mário de Andrade provinham de todo o país e serviam para uma fusão lingüística ampla, uma espécie de "idioma geral do Brasil", as preferências de Cassiano Ricardo centraram-se cada vez mais na temática paulista que, de indígena passa a bandeirante, e desta ao canto da penetração cafeeira até à vivência da São Paulo moderna. *Martim-Cererê*, poesia, e *Marcha para o Oeste*, ensaio histórico bandeirista, ilustram plenamente a primeira etapa desse roteiro no tempo e no espaço.

No decênio de quarenta, o poeta, sensível às novas correntes de lirismo universalizante, escreverá *O Sangue das Horas*, *Um Dias depois do Outro* e *A Face Perdida*, obras que deixam para trás a exploração do Brasil primevo e colorido e exprimem um modo de ver mais pensado, quando não abstrato, do cotidiano moderno. O processo de renovação continuaria nas últimas experiências, sobretudo em *O Arranha-Céu de Vidro* e em *Jeremias sem Chorar*, que incorporam temas e formas da vida urbana penetrada até à medula pela técnica e pela "condição atômica" em que imergiu o mundo inteiro de pós-guerra.

A atualização do poeta não se restringiu a modernizar a própria obra: desdobra-se hoje na atenção dedicada à arte experimental que o tem, numa de suas áreas (a chamada poesia-práxis) por entusiasta e mentor. Um exemplo dessa atitude é a tese *22 e a Poesia de Hoje*, que Cassiano expôs no Segundo Congresso Brasileiro de Crítica e História Literária (Assis, 1961), onde apre-

---

Rio, Academia Brasileira de Letras, 1952 (escr. em 1928); Roger Bastide, "Cassiano Ricardo", *in A Manhã*, Supl. de Letras e Artes, 21 e 28-9-1947; Álvaro Lins, *Jornal de Crítica*, 6ª série, Rio, J. Olympio, 1951; Sérgio Milliet, *Panorama da Moderna Poesia Brasileira*, Rio, Ministério da Educação, 1952; Eduardo Portella, *Dimensões*. I, Rio, J. Olympio, 1958; Péricles Eugênio da Silva Ramos, "O Modernismo na Poesia", *in A Literatura no Brasil, cit.*, vol. III, t. 1; Oswaldino Marques, *O Laboratório Poético de Cassiano Ricardo*, Rio, Civ. Bras., 1962; Mário Chamie, *Palavra-Levantamento na Poesia de Cassiano Ricardo*, Rio, Livr. S. José, 1966; Jerusa Pires Ferreira, *Notícia de Martim-Cererê*, S. Paulo, Quatro Artes, 1970.

sentou com minúcia as pesquisas e as teorizações da poesia concreta e os seus nexos com as pontas-de-lança do Modernismo.

Menotti del Picchia

Tenaz divulgador das novas tendências estéticas, Menotti del Picchia (303) construiu obra singular no contexto modernista, no sentido de uma descida de tom (um maldoso diria: de nível) que lhe permitiu aproximar-se do leitor médio e roçar pela cultura de massa que hoje ocupa mais de um ideólogo perplexo.

Antes de 22, Menotti escrevera um poemeto sertanista muito brilhante, *Juca Mulato*, que logo caiu no goto de toda casta de leitores. Era sinal de uma comunicabilidade fácil e vigorosa, não desmentida em *Moisés*, poema bíblico, e em *Máscaras*, ambos de 1917.

Pouco antes da *Semana*, Menotti escreveu vários artigos no *Correio Paulistano*, sob o pseudônimo de Hélios: o *leitmotiv* de todos é o antipassadismo dinâmico, eco ainda dannunziano dos manifestos de Marinetti. Nessa "estética do progresso", o escritor inseriria motivos nacionalistas, presentes nos poemas de *Chuva de Pedra* e em *O Curupira e o Carão*, livro-programa que compôs com Plínio Salgado e Cassiano Ricardo. O curupira é o símbolo da arte nova e nacional; o Carão, das antigualhas parnasianas, bagatelas importadas. São dessa fase os poemas da *República dos Estados Unidos do Brasil*, rapsódia verde-amarela em versos livres.

A linguagem de todos os livros citados cai freqüentemente no retórico ou no prosaico da crônica. Temos nelas o germe do seu estilo nos romances de

---

(303) PAULO MENOTTI DEL PICCHIA (Itapira, SP, 1892 — S. Paulo, 1988). Fez Direito em S. Paulo. Conviveu na primeira mocidade com os últimos baluartes da literatura antemodernista, mas, passada a I Guerra Mundial, aproximou-se do grupo que faria a Semana de Arte Moderna, de que foi articulador e aguerrido participante. Poucos anos depois, integrou os movimentos verde-amarelo e "Bandeira", junto com Cassiano Ricardo e Cândido Motta Filho. Foi dos que passaram de um nacionalismo estreito para uma ideologia trabalhista, militando largos anos no partido fundado por Getúlio Vargas. Obras principais: *Juca Mulato*, 1917; *Moisés*, 1917; *Máscaras*, 1917; *O Homem e a Morte* (romance), 1922; *Chuva de Pedras*, 1925; *República dos Estados Unidos do Brasil*, 1928; *A Tormenta* (romance), 1931; *Poemas*, 1935; *Salomé* (romance). V. *Obras Completas*, 14 volumes, S. Paulo, Martins, 1958. Consultar: Tristão de Ataíde, *Primeiros Estudos*, Rio, Agir, 1948 (escr. em 1919); Humberto de Campos, *Crítica*, vol. III, Rio, José Olympio, 1935; Mário de Andrade, *O Empalhador de Passarinho*, S. Paulo, Martins, s.d.; Péricles Eugênio da Silva Ramos, "*O Modernismo na Poesia*", em *A Literatura no Brasil*, *cit.*, v. III, t. 1; Wilson Martins, *O Modernismo*, 2ª ed., S. Paulo, Cultrix, 1967.

ficção científica: *A República 3000*, *Kalum, o Sangrento* e *Kamunká*. No ano da *Semana* redigira um romance erótico-decadente, bastante próximo de *Os Condenados*, de Oswald, também escrito em 1922: em ambos projetava-se aquela figura do artista *fin de siècle*, gênio exaltado à procura do Impossível no meio do torvelinho da vida moderna e grã-fina. A aderência efusiva ao vaivém da burguesia paulistana, servida por uma respeitável mole de lugares-comuns, deu à prosa ficcional de Menotti uma animação jornalística que não deixou de impressionar o exigente Mário de Andrade da fase artesanal. Resenhando, não sem reservas, o romance *Salomé*, disse o poeta-crítico:

> Com *Salomé*, Menotti del Picchia nos descreve, num largo e amargo painel, a sociedade paulista contemporânea. A meu ver, o que há de mais admiravelmente bem conseguido no romance é a criação e fixação dos caracteres psicológicos escolhidos. Está claro, Menotti é o tipo do escritor incapaz de gastar dez páginas de análise para estudar, por exemplo, esse forte sofrimento que é a gente se decidir entre sair de casa ou não, num instante de gratuidade vital. Proust e Joyce detestariam Menotti del Picchia, como talvez Menotti del Picchia deteste Joyce e Proust. Mas o valor notável do autor de *Salomé* foi exatamente conseguir um perfeito equilíbrio entre a sua concepção sintética dos personagens e a escolha destes como formas psicológicas representativas da sociedade que quis descrever (304).

Falando em "concepção sintética dos personagens" e em "formas psicológicas representativas", Mário aludia, na verdade, ao velho processo de montar as criaturas ficcionais por meio de tipos, expediente que, enriquecido, levará à personagem expressão, mas, esquematizado, dará o herói da subliteratura, o padrão pelo qual se guiam os fazedores de novelas policiais, de contos de mistério e, hoje, de rádio-, foto- e telenovelas.

Que um "prócer do Modernismo", um escritor brilhante como Menotti del Picchia haja cedido, por força do próprio temperamento literário, a tais estereótipos, deixando para trás as experiências de vanguarda que promovera na juventude, deve parecer lamentável ao *high brow*, que tende a alijá-lo pura e simplesmente do seu convívio estético; mas seu sentido sociológico e cultural, na medida em que os caminhos "fáceis" do autor da *República 3000* responderam às expectativas de um público de fato divorciado do Modernismo de 22, enquanto este não soube, ou não pôde, refletir as tendências e os gostos de uma classe média em crescimento, incapaz de maior refinamento artístico. Classe de onde saíram os leitores de Menotti del Picchia e que viriam a ser, logo depois, os leitores de Jorge Amado e de Érico Veríssimo.

---

(304) *O Empalhador de Passarinho*, *cit*., p. 244.

Raul Bopp

Na trilha do Verdeamarelismo de Menotti, Cassiano e Plínio Salgado, mas bem cedo convertido aos chamados da Antropofagia de Oswald e Tarsila, está Raul Bopp (305), cuja rapsódia amazônica, *Cobra Norato*, é o necessário complemento do Manifesto Antropófago.

A estrutura da obra é épico-dramática e o poeta pôde extrair dela coros para um bailado. Narram-se as aventuras de um jovem na selva amazônica depois de ter estrangulado a Cobra Norato e ter entrado no corpo do monstruoso animal. Cruzam a história descrições mitológicas de um mundo bárbaro sob violentas transformações.

Aproximando *Cobra Norato* de outras obras míticas do Modernismo, diz com acerto Wilson Martins:

> Observe-se que o mito da viagem, no tempo e no espaço, é a viga-mestra de *Macunaíma*, de *Martim-Cererê*, de *Cobra Norato*: o Modernismo foi uma escola ambulante e perambulante, fascinado pela descoberta geográfica e medusado pela descoberta cronológica. Nesses artistas com tanto sentido do *moderno*, a contradição é apenas aparente quando verificamos o sentido do passado mítico representado pelo folclore; é que, atrás disso tudo, estava a consciência do tempo, conforme já vimos anteriormente (306).

Diálogos do protagonista com os seres espantados da floresta e do rio formam o coro cósmico desse poema original e ainda vivo como documento-limite do *primitivismo* entre nós. O telúrico interiorizado e sentido como libido e instinto de morte: essa, a significação da voga africanizante da Paris anterior

---

(305) Raul Bopp (Tupaceretã, RS, 1898 — P. Alegre, 1984). Descendente de imigrantes alemães estabelecidos no Sul desde os meados do século passado. Viajou por todo o país praticando as profissões mais díspares, desde pintor de paredes até caixeiro de livraria. Na década de 20 percorreu demoradamente a Amazônia; em S. Paulo, poucos anos depois da *Semana*, aproximou-se dos vários subgrupos modernistas, integrando inicialmente o Verde-amarelo, mas, já em 1928, ligando-se a Oswald e a Tarsila, padroeiros da Antropofagia. Foi jornalista e diplomata. Obra: *Cobra Norato*, 1931; *Urucungo*, 1933; *Poesias*, 1947; *Os Movimentos Modernistas*, 1966; *Putirum*, 1969. Consultar: João Ribeiro, *Crítica. Os Modernos*, Rio, Academia Brasileira de Letras, 1952 (escrito em 1931); Álvaro Lins, *Jornal de Crítica*, 6ª série, J. Olympio, 1951; Carlos Drummond de Andrade, *Passeios na Ilha*, Rio, Simões, 1952; Péricles Eugênio da Silva Ramos, "O Modernismo na Poesia", em *A Literatura no Brasil*, *cit.*, v. III, t. 1; Wilson Martins, *O Modernismo*, *cit.*; Othon Moacyr Garcia, *Cobra Norato, o Poema e o Mito*, Rio, Livr. S. José, 1962; Regina Zilberman, *A Literatura no Rio Grande do Sul*, P. Alegre, Mercado Aberto, 1980; Lígia M. Averbruck, *Cobra Norato e a Revolução Caraíba*, José Olympio, 1985.

(306) Em *O Modernismo*, *cit.*, p. 195.

à I Guerra ("*art nègre*"); no Brasil, o reencontro com as realidades arcaicas ou primordiais fazia-se, isto é, pretendia-se fazer sem intermediários. Ilusão de ótica: o primitivismo afirmou-se via Freud, via Frazer, via Lévy-Bruhl. Nem poderia ser de outro modo: era a faixa mais ocidentalizada da cultura nacional que se voltava para o desfrute estético dos temas e da linguagem indígena e negra. De qualquer modo, houve enriquecimento tanto na esfera dos motivos como na da própria camada sonora da poesia. O Raul Bopp de um verso como

num soturno bate-bate de atabaque de batuque,

deu elementos para que Roger Bastide falasse da "incorporação da poesia africana à poesia brasileira", num estudo rico de finas observações antropológicas e literárias (307). É, certamente, um dos caminhos sempre abertos à expressão poética do escritor brasileiro.

Plínio Salgado

Falando de Plínio Salgado (308), costuma-se distinguir um primeiro momento de interesse pela nova ficção e pela literatura, em geral (ex.: o romance *O Estrangeiro*, de prosa solta e impressionista), da carreira ideológica e política que se lhe seguiu. Mas a verdade está no todo: o indianismo mítico dos escritos iniciais e a xenofobia do Manifesto da *Anta* não estavam infensos aos ideais

---

(307) Em *Poetas do Brasil*, Curitiba, Guaíra, pp. 7-38.

(308) Plínio Salgado (S. Bento do Sapucaí, S. Paulo, 1901-1975). Formou-se em Direito em S. Paulo. Suas produções iniciais foram influenciadas pelo espírito da Semana. O romance *O Estrangeiro* (1926) é uma tentativa de fixar quadros da vida paulista em um novo ritmo de prosa, ora solto, ora sincopado. Nos artigos que integram *O Curupira e o Carão*, livro-programa do Verdeamarelismo, escrito com Menotti del Picchia e Cassiano Ricardo, em 1927, propôs uma arte violenta e "dinâmica", mas acima de tudo nacionalista, chegando mesmo a erigir a figura da Anta, totem dos tupis, como denominador comum da "raça brasileira". Os romances *O Esperado* (1931) e o *Cavaleiro de Itararé* (1932) constituem, no dizer do título geral da série, "Crônicas da Vida Brasileira"; e, de fato, pretendem retratar, fragmentária e simbolicamente, alguns tipos brasileiros em suas reações diante de fatos políticos relevantes como a Coluna Prestes, o Tenentismo, a Revolução de 30 e a de 32. Já se delineia então a teoria política do A. que viria desembocar na pregação de uma sociedade classista e de um Estado totalitário, potencialmente racista (V. *A Doutrina do Sigma*, 2ª ed., p. 46, 1937), não obstante a presença do adjetivo "democrático" aposto mais tarde ao termo integralismo, com que o A. definira o seu sistema. Consultar: Tristão de Ataíde, "Esperado ou Desesperado?", em *Estudos*, 5ª série, Rio, Civilização Brasileira, 1935; J. Chasin, *O Integralismo de Plínio Salgado*, S. Paulo, Livr. Editora Ciências Humanas, 1978.

reacionários que selariam o homem público na década de 30. Pelo contrário, o Integralismo foi o sucedâneo daquele nacionalismo abstrato que, em vez de sondar as contradições objetivas das nossas classes sociais, tais como se apresentavam às vésperas da Revolução de 1930, preferiu fanatizar-se pelos mitos do Sangue, da Força, da Terra, da Raça, da Nação, que de brasileiros nada tinham, importados como eram de uma Alemanha e de uma Itália ressentidas em face das grandes potências.

O malogro teórico e prático desse tipo de pensamento foi responsável pelo descrédito da palavra "nacionalismo", em vários setores: tendência que pode chegar — e tem chegado — a extremos igualmente arriscados, na medida em que, temerosa do abuso, fecha os olhos às concretas realidades socioeconômicas que embasam o sentimento da Pátria e solicitam a defesa de um povo ante ameaças de vários matizes e bandeiras.

Se para mais não der a experiência falida de Plínio Salgado, sirva, ao menos, como estímulo à reflexão sobre esse tema, aliás recorrente em nações de passado colonial como é o Brasil.

Guilherme de Almeida

Guilherme de Almeida ([309]) pertenceu só episodicamente ao movimento de 22. Não havendo partido do espírito que o animava, também não encontrou nele pontos definitivos de referência estética.

([309]) Guilherme de Andrade e Almeida (Campinas, SP, 1890 — S. Paulo, 1969). Formou-se em Direito em 1912. Em S. Paulo, advogou, fez jornalismo literário, participou da Semana de Arte Moderna. Em 1925 excursionou por alguns Estados (Rio Grande do Sul, Pernambuco, Ceará) fazendo conferências sobre a literatura modernista e lendo poemas seus e dos demais poetas de 22: este ano foi, de resto, o seu "ano modernista", em que escreveu obras mais próximas da vertente lírico-nacionalista do movimento (*Meu*, *Raça*). Foi o primeiro modernista a entrar para a Academia Brasileira de Letras (1930). Combateu na Revolução Constitucionalista de 1932, sendo exilado em seguida: viajou então longamente pela Europa, fixando-se de preferência em Portugal. Voltando ao Brasil, continuou a escrever, acrescendo à sua considerável bagagem literária um grande número de traduções. Obra: *Nós*, 1917; *A Dança das Horas*, 1919; *Messidor*, 1919; *Livro de Horas de Sóror Dolorosa*, 1920; *Era uma vez...*, 1922; *A Frauta que eu Perdi*, 1924; *Meu*, 1925; *Encantamento*, 1925; *A Flor que foi um Homem*, 1925; *Raça*, 1925; *Sherazade*, 1926; *Simplicidade*, 1929; *Cartas à Minha Noiva*, 1931; *Você*, 1931; *Acaso*, 1939; *Cartas do Meu Amor*, 1941; *Tempo*, 1944; *Poesia Vária*, 1947; *Toda a Poesia*, 7 vols., 1955; *Camoniana*, 1956; *Pequeno Cancioneiro*, 1957; *A Rua*, 1962. Prosa: *Natalika*, 1924; *O Sentimento Nacionalista na Poesia Brasileira e Ritmo Elemento de Expressão (tese)*, 1926; *Nossa Bandeira e a Resistência Paulista*, 1932; *O Meu Portugal*,

Sua cultura, seu virtuosismo, suas aspirações morais vinham do passado e lá permaneceram. Remontemo-nos aos primeiros livros, *Simplicidade*, *Na Cidade da Névoa*, *Suave Colheita*: os módulos são parnasianos, já atenuados por um neo-simbolismo que se confessa filho de Verlaine e de Rodenbach ou, na tradição luso-brasileira, eco de *Os Simples* e das litanias de Alphonsus. A temática é toda crepuscular: ouvimos quadras à "alma triste das ruas", às árvores que "parecem freiras cochichando / nos corredores dos mosteiros, / com as suas toucas brancas, quando / há névoa no ar". Do decadentismo Guilherme de Almeida recebeu o tom e certas preferências verbais; do Parnaso, o gosto do soneto com chaves de ouro (e até chaves de ouro sem soneto...), o domínio absoluto da métrica portuguesa, o amor à língua que lhe iria inspirar verdadeiros *tours de force*. Livros como *A Dança das Horas*, *Livro de Horas de Sóror Dolorosa, Narciso* e *Canções Gregas*, compostos antes de 22, revelam os outros aspectos do seu passadismo literário: o caráter entre sensual e estetizante, a entrega a imagens voluptuosas de fundo ovidiano, enfim um dandismo que lembra o universo epicurista de Oscar Wilde.

Em contato com os modernistas, que sempre estimaram as suas virtudes formais, Guilherme passou por um interlúdio nacionalista, de que foram fruto *Meu*, onde o verso livre alterna com o tradicional, e *Raça*, rapsódia da mestiçagem brasileira:

> Vieram senhores de pendão e caldeira, de baraço
>   e cutelo, senhores cruzados,
> lavradores, Nemrods, amantes, guerreiros,
> vestidos de ferro, de seda, de arminho, de couro,
> que bebiam, trovavam, terçavam e tinham falcões
>   em alcândoras de ouro;
> ....

1933. Traduções: *Eu e Você*, de Paul Géraldy, 1932; *Poetas de França*, 1936; *Suíte Brasileira*, de Luc Durtain, 1936; *O Jardineiro*, de Tagore, 1939; *O Gitanjali*, de Tagore, 1943; *O Amor de Bilitis*, de Pierre Louys, 1943; *Flores das Flores do Mal*, de Baudelaire, 1944; *Entre Quatro Paredes*, de Sartre, 1950; *Antígona*, de Sófocles, 1952. Consultar: Tristão de Ataíde, *Primeiros Estudos*, Rio, Agir, 1948; Prudente de Morais Neto, "Guilherme de Almeida", *in Estética*, 1, set. de 1924; Mário de Andrade, "Guilherme de Almeida", *in Estética*, 3, abril-junho de 1925; Ronald de Carvalho, *Estudos Brasileiros*, 2ª série, Rio, Briguiet, 1931; Sérgio Milliet, *Terminus Seco e Outros Coquetéis*, S. Paulo, Ferraz, 1932; Manuel Bandeira, *Crônicas da Província do Brasil*, Rio, Civilização Brasileira, 1937; Sérgio Milliet, *Diário Crítico*, V, S. Paulo, Martins, 1948; Péricles Eugênio da Silva Ramos, "O Modernismo na Poesia", em *A Lit. no Brasil*, *cit.*, III, 1; Oswaldino Marques, "Guilherme de Almeida e a Perícia Criadora", *in* Supl. Lit. de *O Estado de S. Paulo*, nº 639, 30-8-1968.

Santa Cruz!
Mas o tronco da árvore nova foi tronco também
de escravos quimbundos:
foi crucifixo de Cristos coitados que vieram —
cruz! credo! — cheirando a moxinga.

Também formalmente há timbres modernos, a rigor, impressionistas, em algumas líricas de *Meu,* como neste "Cartaz", intencionalmente novo em relação à poética inicial de Guilherme:

Paisagem nítida de decalcomania,
No arrabalde novo todo cheio de dia
os bangalôs apinham-se como cubos brancos.
o sol e as folhas jogam bolas amarelas
de travessas verdes e paralelas
Nos jardins, sobre os bancos

Os grandes toldos listados e baixos
põem uma luz estilizada nos terraços.

A sombra forte decalca rigorosamente
as pérgulas geométricas sobre a areia quente.

E pregada no dia branco a paisagem colonial
grita violentamente
como um cartaz moderno num muro de cal.

Mas era maneirismo do moderno, passageiro. Os livros posteriores retomaram os antigos caminhos parnasiano-decadentes, quer estruturados em *cancioneiros* (*Encantamento*, *Acaso*, *Você*), quer na linha do malabarismo verbal, que levou o poeta a reviver estilos mortos como o dos trovadores ("Cancioneirinho"), ou o da lírica renascentista (*Camoniana*).

A habilidade de Guilherme foi, aliás, a marca mais notável da sua vida literária: autor de delicados hai-kais, tradutor de Sófocles e de Baudelaire, refinado metrificador, foi capaz de compor uma *berceuse* só com rimas riquíssimas (onde "lágrimas" rima com "milagre mas" e "olhos" com "molhe os"), ou um poema em que todas as palavras começam pela consoante "v", ou ainda, cujas soantes se apóiam somente na vogal "u"...

Resta acrescentar a circunstância de que a popularidade do poeta se fundou também em ter sido o intérprete literário de certos momentos nacionais como o Movimento Constitucionalista de 32, que lhe inspirou versos felizes ("Moeda Paulista", "Nossa Bandeira", "Piratininga"); a ida dos pracinhas à Europa durante a II Guerra ("Canção do Expedicionário"); as comemorações do IV Centenário de S. Paulo ("Acalanto de Bartira"); enfim, o poema em louvor à recém-nascida Brasília. Exemplos todos de um natural pendor pelo heráldico, traço que seria pura e belamente romântico se não fosse a pátina parnasiana de que jamais conseguiu liberar-se.

O prosador do Modernismo paulista: Alcântara Machado

Mário e Oswald de Andrade, que eram sobretudo poetas, fizeram *também* prosa. E prosa experimental, como já vimos, abrindo caminhos para o conto, o romance, o ensaio moderno. Mas foi Antônio de Alcântara Machado (310) quem por primeiro se mostrou sensível à viragem da prosa ficcional, aplicando-se todo a renovar a estrutura e o andamento da história curta.

Voltado para a vida da sua cidade, Alcântara Machado soube ver e exprimir as alterações que trouxera à realidade urbana um novo personagem: o imigrante. O enxerto que o estrangeiro, sobretudo o italiano, significava para o tronco luso-tupi da antiga São Paulo produzira mudanças de costumes, de reações psicológicas e, naturalmente, uma *fala* nova a espelhar os novos conteúdos.

É nos contos de *Brás, Bexiga e Barra Funda* que se vão encontrar exemplos de uma ágil literatura citadina, realista (aqui e ali impressionista), que já não se via desde os romances e as sátiras cariocas de Lima Barreto. Mas, ao contrário do que se dava com este "humilhado e ofendido", há muito de *diver-*

---

(310) ANTÔNIO CASTILHO DE ALCÂNTARA MACHADO D'OLIVEIRA (S. Paulo, 1901 — Rio, 1935). Filho de uma família paulista tradicional onde havia dois professores da Faculdade de Direito. Nesta formou-se e, ainda estudante, fez jornalismo literário e crônica teatral. Da sua viagem à Europa trouxe matéria para as crônicas de *Pathé Baby* (1926). Em S. Paulo, esteve sempre vinculado aos responsáveis pela *Semana*, especialmente Paulo Prado, Oswald, Tarsila, Milliet. Escreveu para *Terra Roxa e Outras Terras*, para a *Revista de Antropofagia* e para a *Revista Nova*. Por volta de 30 passou à militância política (partido democrático); em 32 lutou pela Constituição; de 33 a 35 representou seu Estado junto à Assembléia Nacional no Rio de Janeiro. A morte truncou-lhe, aos trinta e quatro anos, a carreira literária e a de homem público. Obra: *Pathé Baby*, 1926; *Brás, Bexiga e Barra Funda*, 1927; *Laranja da China*, 1928; *Anchieta na Capitania de São Vicente*, 1928; *Mana Maria* (romance inacabado, ed. post.), 1936; *Cavaquinho e Saxofone*, 1940. A edição das *Novelas Paulistanas* (José Olympio, 1961) reúne a obra de ficção de Alcântara Machado. Consultar: Tristão de Ataíde, *Estudos*, 1ª série, Rio, Terra do Sol, 1927; Sérgio Milliet, *Terminus Seco e Outros Coquetéis*, S. Paulo, Irmãos Ferraz, 1932; *Em Memória de Antônio de Alcântara Machado*, S. Paulo, Pocai, 1936; Álvaro Lins, *Jornal de Crítica*, 1ª série, Rio, J. Olympio, 1941; Sérgio Milliet, Introdução à ed. de *Brás, Bexiga e Barra Funda* e *Laranja da China*, S. Paulo, Martins, 1944; Francisco de Assis Barbosa, "Nota sobre Alcântara Machado", Introdução às *Novelas Paulistanas*, Rio, José Olympio, 1961; Luís Toledo Machado, *Antônio de Alcântara Machado e o Modernismo*, Rio, José Olympio, 1970.

tissement nas páginas do paulistano. Nelas, uma análise ideo-estilística mais rigorosa não constata nenhuma identificação coerente com o imigrante, pitoresco no máximo, patético porque criança (o conto célebre do Gaetaninho), mas, em geral, ambicioso, petulante, quando capaz de competir com as famílias tradicionais em declínio. O populismo literário é ambíguo: sentimental, mas intimamente distante. No caso do talentoso Alcântara Machado, é sensível, a uma leitura crítica dos contos, esse fatal olhar *de fora* os novos bairros operários e de classe média a crescerem e a consolidarem uma nova S. Paulo, que ignorava a vetusta Academia de Direito e nada sabia dos salões que acolheram, antropofagicamente, os homens de 22.

Antônio de Alcântara Machado era tão filho e neto de mestres das Arcadas quanto entusiasta da primeira hora dos desvairistas e primitivistas: foi, assim, uma inclinação liberal e literária pelo "pitoresco" e pelo "anedótico" que o fez tomar por matéria dos seus contos a vida difícil do imigrante ou a sua embaraçosa ascensão. Creio que esses dados de base ajudem a entender os limites do *realismo* do escritor, visíveis mesmo nos contos melhores, onde o sentimental ou o cômico fácil, mimético, acabam por empanar uma visão mais profunda e dinâmica das relações humanas que pretendem configurar.

Mas, situado o escritor no seu contexto social e existencial, volta-se livremente a apreciar a sua obra narrativa, que, de resto, não se esgotou naquelas páginas, mas prolongou-se nos quadros cheios de verve de *Laranja da China* e no romance *Mana Maria*, em que deu forma convincente a um drama familiar fechado no pequeno mundo da burguesia paulistana. A firmeza com que Alcântara Machado manejou a língua coloquial nesse livro inacabado autoriza a falar, sem retórica, de uma bela promessa de ficcionista que a morte impediu que se cumprisse.

Dois ensaístas: Sérgio Milliet e Paulo Prado

Um panorama do Modernismo típico (de cor paulista) não será completo sem a menção dos nomes mais vincadamente críticos do movimento: Sérgio Milliet (1898-1966) e Paulo Prado (1869-1943). O primeiro estreou como poeta de formação e língua francesa, já moderno antes de 22: *Par le sentier, En singeant, Le départ sous la pluie, L'oeil de boeuf.* Integrado no grupo da Semana, continuou a escrever versos sobre temas cotidianos, um lirismo de tons menores, mas fortemente afetado pela ironia do puro intelectual (*Ah! Valsa Latejante!*, de 1943) dividido entre as solicitações da paisagem paulista e as nostalgias de uma Europa saturada de cultura. Mas foi como crítico de poesia e de pintura que se fez presente na vida cultural do país. Basta lembrar os dez volumes do *Diário Crítico*, que cobrem o vintênio 1940-60 e nos quais, ao lado do comentário sobre os autores franceses praticados a vida inteira, lemos finíssimas resenhas da melhor produção literária nacional desses anos. No matizado *Panorama da Poesia Modernista* e nos ensaios do amador das artes plásticas (*Marginalidade da Pintura Moderna, Pintura Quase Sempre*), equilibram-se considerações de ordem psicológica e cultural e análises que levam em conta o papel do artesanato. Sérgio Milliet compartilhou com os novos de antes e depois da II Guerra as perplexidades de uma época de crise que repropunha continuamente o problema fundamental da autonomia ou da missão da arte na sociedade. Daí, os fluxos e refluxos da sua crítica, ora negando ora admitindo a poesia pura, o hermetismo, o abstracionismo e as aventuras mais radicais das vanguardas. No conjunto, fica a imagem de um esteta que receia a absoluta disponibilidade em que viveu a sua geração, a do modernismo "heróico" de 22.

A Paulo Prado deve-se, em parte, a própria realização da *Semana*, que ele apoiou não só material como espiritualmente. Ponta de lança da burguesia paulista, a sua atividade de promotor da imigração vinha do começo do século; e o trato assíduo dos problemas étnicos e sociais do país despertou-lhe o gosto da reflexão psicológica sobre o homem brasileiro, hábito meio científico, meio literário, que vinha de longe e tivera nas obras de Euclides e de Oliveira Viana os exemplos mais vistosos.

Paulo Prado, aproveitando de modo muito pessoal as fontes dos jesuítas e dos viajantes estrangeiros, ensombra de cores tristes a interpretação do nosso povo. No subtítulo do *Retrato do Brasil* (1928), lê-se: *ensaio sobre a tristeza brasileira.*

O estudo, brilhante e fluente, desdobra-se em três partes nas quais se apontam seguidamente a luxúria, a cobiça e a tristeza, paixões aviltadoras que marcaram o índio, o português e o negro e teriam sido responsáveis pela doença típica do povo brasileiro: *o romantismo.* A análise histórica é impiedosa, carregando nas tintas que dão cor à tese, avesso do meufanismo que se seguiu à Independência.

A obsessão de definir o *caráter nacional* é uma constante que conhece ilustres avatares nos historiadores da Antigüidade, quando postos em contato com as civilizações "bárbaras": o grego Heródoto viajando pelo Egito e o romano Tácito pela Germânia impressionaram-se com a disparidade de atitudes e hábitos encontrados; e, projetando as visões do mundo que trouxeram da própria cultura, mediterrânea, formularam juízos de valor oscilantes entre a exaltação e o desprezo do estrangeiro. Os antropólogos chamaram *etnocentrismo* a essa fatal distorção no modo de um povo julgar os outros e, em tornaviagem, a si próprio.

Ora, a questão complica-se no caso dos países coloniais que são caracterizados *de fora,* pelo colonizador e pelo estrangeiro em geral. A colônia é definida em função dos padrões da Metrópole: o que gera uma série de preconceitos acerca da inteligência, da vontade e dos sentimentos do nativo. O preconceito, pela sua própria origem pré-racional, não conhece matizes. Estrutura-se em torno de necessidades básicas do preconceituoso. Quando conveio ao burguês europeu em luta contra o *ancien régime*, surgiram doutrinas liberais do bom selvagem, que serviram de arma para solapar os abusos da sociedade "antinatural" fundada no privilégio: é a fase pré-romântica da valoração do índio e das forças primitivas, atitude que ideólogos e poetas brasileiros incorporaram ao nacionalismo antiluso. Mas, já na 2ª metade do século XIX, as potências colonizadoras, a França, a Inglaterra e a Alemanha, em plena expansão territorial pela Ásia, África e, no plano econômico, pela América Latina, começaram a "justificar", na esfera das doutrinas políticas, a missão civilizadora do Ocidente em relação a povos... inferiores. Essa nova atitude não tardou a ser assumida pelas elites dos "países de missão", formadas em contato com a Europa e, precisamente, com aquelas nações vanguardeiras. O otimismo racista dos "arianos" criou condições para o não menos racista pessimismo dos mestiços. Um Capistrano, um Sílvio Romero, um Euclides, um Oliveira Viana, uns com mais, outros com menos ênfase, tinham por certa a "desvantagem" advinda da miscigenação.

Esse vai ser o enfoque, um tanto retardatário, de Paulo Prado. É bem verdade que o autor de *Retrato do Brasil*, cauteloso no uso das teses arianizantes, limitou-se a supor pelos efeitos a inferioridade nervosa dos mestiços a partir de algumas gerações: o que já é distanciar-se das teorias drásticas de Gobineau e de Chamberlain sobre a desigualdade intrínseca das raças. Como a questão é candente, o melhor é citar na íntegra os passos mais assertivos:

> Todas as raças *parecem* (grifo meu) essencialmente iguais em capacidade mental e adaptação à civilização. Nos centros primitivos da vida africana, o negro é um povo sadio, de iniciativa pessoal, de grande poder imaginativo, organizador, laborioso. A sua inferioridade social, nas aglomerações humanas civilizadas, é motivada, sem dúvida, pelo menor desenvolvimento cultural e pela falta de oportunidade para a revelação de atributos superiores. Diferenças quantitativas e não qualitativas, disse um sociólogo americano: o ambiente, os caracteres ancestrais, determinando mais o procedimento do indivíduo do que a filiação racial.
>
> . . . .
>
> Afastada a questão da desigualdade, resta na transformação biológica dos elementos étnicos o problema da mestiçagem. Os americanos do Norte costumam dizer que Deus fez o branco, que Deus fez o negro, mas que o diabo fez o mulato. É o ponto mais sensível do caso brasileiro. O que se chama de arianização do habitante do Brasil é um fato de observação diária. Já com um oitavo de sangue negro, a aparência africana se apaga por completo: é o fenômeno do *passing* dos Estados Unidos. E assim na cruza contínua de nossa vida, desde a época colonial, o negro desaparece aos poucos, dissolvendo-se até a falsa aparência de ariano puro. Etnologicamente falando, que influência pode ter no futuro essa mistura de raças? Com o indígena a história confirmou a lei biológica da heterosis, em que o vigor híbrido

é sobretudo notável nas primeiras gerações. O mameluco foi a demonstração dessa verdade. Nele se completam admiravelmente — para a criação de um tipo novo — as profundas diferenças existentes nos dois elementos fusionados. A história de São Paulo em que a amalgamação se fez intensamente, favorecida pelo segregamento, é prova concludente das vantagens da mescla do branco com o índio. Hoje, entretanto, depois de desenrolarem gerações e gerações desse cruzamento, o caboclo miserável — pálido epígono — é o descendente da esplêndida fortaleza do bandeirante mameluco. A mestiçagem do branco e do africano ainda não está definitivamente estudada. É uma incógnita. Na África do Sul, Eugen Fischer chegou a conclusões interessantes: a hibridação entre boers e hotentotes criou uma raça mista, antes uma mistura de raças, com os característicos dos seus componentes desenvolvendo-se nas mais variadas cambiantes. Tem no entanto um defeito persistente: falta de energia, levado ao extremo de uma profunda indolência. No Brasil, não temos ainda perspectiva suficiente para um juízo imparcial. (...)

O mestiço brasileiro tem fornecido indubitavelmente à comunidade exemplares notáveis de inteligência, de cultura, de valor moral. Por outro lado, as populações oferecem tal fraqueza física, organismos tão indefesos contra a doença e os vícios, que é uma interrogação natural indagar se esse estado de coisas não provém do intenso cruzamento das raças e sub-raças. Na sua complexidade o problema estadunidense não tem solução, dizem os cientistas americanos, a não ser que se recorra à esterilização do negro. No Brasil, se há mal, ele está feito, irremediavelmente: esperemos, na lentidão do processo cósmico, a decifração do enigma com a serenidade dos experimentadores de laboratório. Bastarão 5 ou 6 gerações para estar concluída a experiência (pp. 189-193 da 1ª edição).

A perplexidade de Paulo Prado nascia do critério dúbio que ainda guiava a consciência crítica brasileira, em parte encalhada nas "leis" positivistas da raça e do clima (de onde o peso excessivo dado à mestiçagem e ao trópico), mas, em parte, já aberta à reflexão dos fatores sociais e culturais.

Na década de 30, mais *moderna* do que *modernista*, a consideração daqueles últimos fatores iria assumir o devido lugar com o advento de pesquisas antropológicas sistemáticas ([311]): uma nova visão do Brasil sairia dos ensaios de Artur Ramos, Roquette Pinto, Gilberto Freyre, Caio Prado, Sérgio Buarque de Holanda, Fernando de Azevedo. Persistiria, no entanto, o interesse de detectar as qualidades e os defeitos do homem brasileiro, ou seja, o *caráter na-*

([311]) A perseguição que o nazi-fascismo empreendeu contra as minorias raciais acelerou os estudos de Antropologia física e cultural, que chegaram a inferências diametralmente opostas às do arianismo. Da mole de ensaios que o problema suscitou, é de estrito dever ressaltar a obra por todos os títulos soberba de Franz Boas (1858-1942). Citado esporadicamente por Alberto Torres, só veio a ser conhecido amplamente na década de 30, graças à divulgação que das suas pesquisas fez Gilberto Freyre.

cional, noção cheia de ciladas enquanto projeta estereótipos e os maneja com os instrumentos de uma enferrujada "psicologia dos povos" (312).

Um caminho ainda não batido por nossos estudiosos, mas que poderia talvez corrigir os desvios passados, é o da pesquisa da "personalidade básica", proposto por Kardiner e Linton, cientistas atentos à dinâmica das interações entre o grupo e a pessoa (*The Individual and His Society*, 1939). Mas não cabe a este roteiro senão observar a constância com que o ensaísmo social se tem dedicado à abordagem psicológica do nosso povo; interesse que pertence também ao legado dos modernistas à cultura de hoje.

---

(312) V. a tese crítica de Dante Moreira Leite, *O Caráter Nacional Brasileiro*, 4ª ed., S. Paulo, Pioneira, 1983.

VIII

TENDÊNCIAS CONTEMPORÂNEAS

premente: que aperta, urgente

relevo: (sm) proeminência, escultura que ressalta em superfície de fundo; conjunto de montanhas, vales, planícies etc; realce, ênfase

ogacho: pequena labareda; rubor na face, por emoção ou doença

labareda → língua de fogo

vilipendiar: tratar com desprezo

156 - supertrans itinerários de ônibus

ônibus p/ voltar do center norte. vila nova cachoeirinha -

O Modernismo e o Brasil depois de 30

O termo *contemporâneo* é, por natureza, elástico e costuma trair a geração de quem o emprega. Por isso, é boa praxe dos historiadores justificar as datas com que balizam o tempo, frisando a importância dos eventos que a elas se acham ligadas. *1922*, por exemplo, presta-se muito bem à periodização literária: a *Semana* foi um acontecimento e uma declaração de fé na arte moderna. Já o ano de 1930 evoca menos significados literários prementes por causa do relevo social assumido pela Revolução de Outubro. Mas, tendo esse movimento nascido das contradições da República Velha que ele pretendia superar, e, em parte, superou; e tendo suscitado em todo o Brasil uma corrente de esperanças, oposições, programas e desenganos, vincou fundo a nossa literatura lançando-a a um estado *adulto* e *moderno* perto do qual as palavras de ordem de 22 parecem fogachos de adolescente.

Somos hoje contemporâneos de uma realidade econômica, social, política e cultural que se estruturou depois de 1930. A afirmação não quer absolutamente subestimar o papel relevante da Semana e do período fecundo que se lhe seguiu: há um estilo de pensar e de escrever anterior e um outro posterior a Mário de Andrade, Oswald de Andrade e Manuel Bandeira. A poesia, a ficção, a crítica saíram inteiramente renovadas do Modernismo. Mário de Andrade, no balanço geral que foi a sua conferência "O Movimento Modernista", escrita em 1942, viu bem a herança que este deixou: "o direito permanente à pesquisa estética; a atualização da inteligência artística brasileira; e a estabilização de uma consciência criadora nacional". Mas, no *mea culpa* severo com que fechou suas confissões, definiu o limite (historicamente fatal) do grupo: "Se tudo mudávamos em nós, uma coisa nos esquecemos de mudar: a atitude interessada diante da vida contemporânea. (...) Viramos abstencionistas abstêmios e transcendentes. (...) Nós eramos os filhos finais de uma civilização que se acabou, e é sabido que o cultivo delirante do prazer individual represa as forças dos homens sempre que uma idade morre."

O experimentalismo estético dos melhores artistas de 22 fez-se quase sempre *in abstracto*, ou em função das vivências de um pequeno grupo, dividido entre S. Paulo e Paris. Daí o viés "primitivista-tecnocrático" de uns e o "Verdeamarelismo" de outros refletir, ao menos na sua intenção programática, a esquemas culturais europeus: *art nègre*, a Escola de Paris, as idéias, ou as frases, de Spengler, Freud, Bergson, Sorel, Pareto, Papini e menores. O processo de atualização das fontes leva, quando feito em um clima agitado de polêmicas e manifestos, a potenciar o que a cibernética chama "entropia", isto é, a uma perda de conteúdos semânticos na passagem do emissor para o receptor da informação. Este, faminto de novidade, não digere bem as mensagens: apanha-as lacunosamente e, como age em situação de emergência teorizadora, deforma e enrijece os fragmentos recebidos. É o que os "antropófagos" fizeram com Freud, já treslido pelos surrealistas; e os homens da *Anta* com as posições mítico-nacionalistas de Sorel, Pareto, Maurras.

Mas a realidade, que tem mais tempo, é mais forte, mais complexa e mais paciente que os açodados deglutidores. As décadas de 30 e de 40 vieram ensinar muitas coisas úteis aos nossos intelectuais. Por exemplo, que o tenentismo liberal e a política getuliana só em parte aboliram o velho mundo, pois compuseram-se aos poucos com as oligarquias regionais, rebatizando antigas estruturas partidárias, embora acenassem com lemas patrióticos ou populares para o crescente operariado e as crescentes classes médias. Que a "aristocracia" do café, patrocinadora da Semana, tão atingida em 29, iria conviver muito bem com a nova burguesia industrial dos centros urbanos, deixando para trás como casos psicológicos os desfrutadores literários da crise. Enfim, que o peso da tradição não se remove nem se abala com fórmulas mais ou menos anárquicas nem com regressões literárias ao Inconsciente, mas pela vivência sofrida e lúcida das tensões que compõem as estruturas materiais e morais do grupo em que se vive. Essa compreensão viril dos velhos e novos problemas estaria reservada aos escritores que amadureceram depois de 1930: Graciliano Ramos, José Lins do Rego, Carlos Drummond de Andrade... O Modernismo foi para eles uma porta aberta: só que o caminho já era outro. E, ao lado desses homens que sentiram até a medula o que Machiavelli chamaria a nossa *verità effettuale*, houve outros, voltados para as mesmas fontes, mas ansiosos por ver o Brasil dar um salto qualitativo. Socialistas como Astrojildo Pereira, Caio Prado Jr., Josué de Castro e Jorge Amado; católicos como Tristão de Ataíde, Jorge de Lima, Otávio de Faria, Lúcio Cardoso e Murilo Mendes, todos selaram com a sua esperança, leiga ou crente, o ofício do escritor, dando a esses anos a tônica da participação, aquela "atitude interessada diante da vida contemporânea", que Mário de Andrade reclamava dos primeiros modernistas.

Enfim, o Estado Novo (1937-45) e a II Guerra exasperaram as tensões ideológicas; e, entre os frutos maduros da sua introjeção na consciência artística brasileira contam-se obras-primas como *A Rosa do Povo*, de Drummond de Andrade, *Poesia Liberdade*, de Murilo Mendes, e as *Memórias do Cárcere*, de Graciliano Ramos.

Dependência e superação

Reconhecer o novo sistema cultural posterior a 30 não resulta em cortar as linhas que articulam a sua literatura com o Modernismo. Significa apenas ver novas configurações históricas a exigirem novas experiências artísticas.

Mas, se desviarmos o foco da atenção da ruptura para as permanências, constataremos o quanto ficou da linguagem reelaborada no decênio de 20. A dívida maior foi, e era de esperar que fosse, a da poesia. Mário, Oswald e Bandeira tinham desmembrado de vez os metros parnasianos e mostrado com exemplos vigorosos a função do coloquial, do irônico, do prosaico na tessitura do verso. Um Drummond, um Murilo, um Jorge de Lima, embora cada vez mais empenhados em superar a dispersão e a gratuidade lúdica daqueles, foram os legítimos continuadores do seu roteiro de liberação estética. E, mesmo a lírica *essencial*, antipitoresca e antiprosaica, de Cecília Meireles, Augusto Frederico Schmidt, Vinícius de Morais e Henriqueta Lisboa, próxima do neo-simbolismo europeu, só foi possível porque tinha havido uma abertura a todas as experiências modernas no Brasil pós-22.

A prosa de ficção encaminhada para o "realismo bruto" de Jorge Amado, de José Lins do Rego, de Érico Veríssimo e, em parte, de Graciliano Ramos, beneficiou-se amplamente da "descida" à linguagem oral, aos brasileirismos e regionalismos léxicos e sintáticos, que a prosa modernista tinha preparado. E até mesmo em direções que parecem espiritualmente mais afastadas de 22 (o romance intimista de Otávio de Faria, Lúcio Cardoso, Cornélio Pena), sente-se o desrecalque psicológico "freudiano-surrealista" ou "freudiano-expressionista" que também chegou até nós com as águas do Modernismo.

Em suma, a melhor posição em face da história cultural é, sempre, a da análise dialética. Não é necessário forçar o sentido das dependências: bastaria um sumário levantamento estilístico para apontá-las profusamente; nem encarecer a extensão e a profundidade das diferenças: estão aí as obras que de 30 a 40 e a 50 mostram à saciedade que novas angústias e novos projetos enformavam o artista brasileiro e o obrigavam a definir-se na trama do mundo contemporâneo.

Dois momentos

Não é fácil separar com rigidez os momentos internos do período que vem de 1930 até nossos dias. Poetas, narradores e ensaístas que estrearam em torno desse divisor de águas continuaram a escrever até hoje, dando às vezes exemplo de admirável capacidade de renovação. Carlos Drummond de Andrade, Murilo Mendes, Joaquim Cardozo, Vinícius de Morais, Marques Rebelo, Jorge Amado, Érico Veríssimo, Otávio de Faria, José Geraldo Vieira, Tristão de Ataíde, Gilberto Freyre e Augusto Meyer, além de outros falecidos há pouco (Cecília Meireles, Lúcio Cardoso, Cornélio Pena, Augusto Frederico Schmidt), *são escritores do nosso tempo*; e alguns destes ainda sabem responder às inquietações do leitor jovem e exigente à procura de uma palavra carregada de húmus moderno e, ao mesmo tempo, capaz de transmitir alta informação estética (*).

No entanto, rumos novos foram-se delineando depois da Guerra de tal sorte que, a esta altura, já se percebem, pelo menos, dois momentos histórico-culturais no interior desses quarenta anos de vida mental brasileira.

Entre 1930 e 1945/50, *grosso modo*, o panorama literário apresentava, em primeiro plano, a *ficção regionalista*, *o ensaísmo social e o aprofundamento da lírica moderna* no seu ritmo oscilante entre o fechamento e a abertura do *eu* à sociedade e à natureza (Drummond, Murilo, Jorge de Lima, Vinícius, Schmidt, Henriqueta Lisboa, Cecília Meireles, Emílio Moura...). Afirmando-se lenta, mas seguramente, vinha *o romance introspectivo*, raro em nossas letras desde Machado e Raul Pompéia (Otávio de Faria, Lúcio Cardoso, Cornélio Pena, José Geraldo Vieira, Cyro dos Anjos...): todos, hoje, "clássicos" da literatura contemporânea, tanto é verdade que já conhecem discípulos e epígonos. E já estão *situados* quando não analisados até pela crítica universitária. A sua paisagem nos é familiar: o Nordeste decadente, as agruras das classes médias no começo da fase urbanizadora, os conflitos internos da burguesia entre provinciana e cosmopolita (fontes da prosa de ficção). Para a poesia, a fase 30/50 foi universalizante, metafísica, hermética, ecoando as principais vozes da "poesia pura" européia de entre-guerras: Lorca, Rilke, Valéry, Eliot, Ungaretti, Machado, Pessoa...

A partir de 1950/55, entram a dominar o nosso espaço mental o tema e a ideologia do desenvolvimento ([313]). O nacionalismo, que antes da Guerra e por motivos conjunturais conotara a militância de Direita, passa a bandeira esquerdizante; e do papel subsidiário a que deveria limitar-se (para não resvalar no mito da *nação*, borrando assim critérios mais objetivos), acaba virando fulcro de todo um pensamento social ([314]). Renova-se, simultaneamente, o gosto

---

(*) A redação desta *História Concisa* data de 1968-69.

([313]) O leitor deve ter presente o processo sociopolítico nacional desde a morte de Getúlio Vargas (1954) e o qüinqüênio Juscelino Kubitschek até nossos dias (V. *Brasil em Perspectiva*, S. Paulo, Dif. Eur. do Livro, 1968, pp. 317-415; Octavio Ianni, *Industrialização e Desenvolvimento Social no Brasil*, Rio, Civ. Bras., 1963; Celso Furtado, *Dialética do Desenvolvimento*, Rio, Fundo de Cultura, 1964).

([314]) Na verdade, os ideólogos do Nacionalismo, ao menos no período que ora nos ocupa, nem sempre deram ao conceito o mesmo alcance. O mais complexo de todos, Álvaro Vieira Pinto, vê a nação como uma *realidade histórica* de capital importância, mas integrável e superável numa organização futura de tipo socialista (*Consciência e Realidade Nacional*, Rio, Instituto Superior de Estudos Brasileiros, 1960). Outros teóricos: Hélio Jaguaribe, *O Nacionalismo na Atualidade Brasileira*, Rio, 1956; e *Desenvolvimento Econômico e Desenvolvimento Político*, Rio, Fundo de Cultura, 1961; Roland

da arte regional e popular, fenômeno paralelo a certas idéias-força dos românticos e dos modernistas que no afã de redescobrirem o Brasil, também se haviam dado à pesquisa e ao tratamento estético do folclore; agora, porém, graças ao novo contexto sociopolítico, reserva-se toda atenção ao potencial revolucionário da cultura popular. Os resultados artísticos são desiguais, mas ficaram alguns excelentes poemas recolhidos nas séries de *Violão de Rua* (3 vols.), alguns textos dramáticos de Ariano Suassuna, Gianfrancesco Guarnieri, Augusto Boal e Dias Gomes, roteiros fílmicos e algumas letras épicas de música popular.

Em contrapartida, a "guerra fria" e a condição atômica, que desde 1945 dividem o mundo em sistemas e, já agora, subsistemas hostis, foram introjetadas pelas classes conservadoras que empreenderam uma reação sistemática contra as áreas políticas e culturais que encarnavam a linha nacional-populista. Na hora da provação, o pensamento dialético procura desfazer-se dos equívocos que o confundiam na fase anterior e voltar à análise das suas fontes teóricas.

Em caminho paralelo, progride o surto da mais recente metodologia ocidental: o *estruturalismo*. Em conexão com esse método e, não raro, com os traços tecnicistas que dele receberam os seus divulgadores, aparecem, a partir de 55, a poesia concreta, o novo romance, *pari passu* com a aura mítica generalizada em torno dos meios de comunicação de massa e certo difuso fetichismo da máquina, aliás compreensível se atentarmos para a explosão industrial dos anos Sessenta nos Estados Unidos e na Europa, centros de decisão para as elites sul-americanas. O áspero diálogo entre os ideólogos do Tempo e os analistas do Espaço será, talvez, o fato cultural mais importante de nossos dias (*).

A literatura tem-se mostrado sensível às exigências formalizantes e técnicas que, por assim dizer, estão no ar. Um formalismo pálido, entendido como respeito ao metro exato e fuga à banalidade nos temas e nas palavras, já se delineava com os poetas da chamada "geração de 45", onde se têm incluído,

---

Corbisier, *O Problema da Cultura Brasileira*, Rio, ISEB, 1960; Cândido Mendes de Almeida, *Nacionalismo e Desenvolvimento*, Rio, Instituto Brasileiro de Estudos Afro-Asiáticos, 1963. Crítica ao nacionalismo como bandeira ideológica encontra-se em Guerreiro Ramos, *Mito e Verdade da Revolução Brasileira*, Rio, Zahar, 1963. Não se deve omitir aqui o papel do pensamento católico brasileiro que, integrado na reforma de mentalidade que atinge toda a Igreja desde João XXIII, tem dado sólidas contribuições à nossa cultura como o método de alfabetização dinâmica de Paulo Freire e as formulações do Pe. Henrique Vaz, em que se patenteia uma intensa leitura de Hegel.

(*) N.B. Texto escrito em 1968-69. Decorridos dez anos, pode-se dizer que pouco resta da tendência estruturalista além de alguns esquemas escolares de leitura. Para contrastá-la cobraram força duas vertentes (entre si opostas): o *marxismo* e a *contracultura* [*Nota de 1979*].

entre outros, Péricles Eugênio da Silva Ramos, Domingos Carvalho da Silva, José Paulo Moreira da Fonseca, Geir Campos, Mauro Motta, Ledo Ivo e João Cabral de Melo Neto. Coube ao último a tarefa e o mérito de ter superado os traços parnasiano-simbolistas que não raro amenizavam a força inventiva dos demais, e ter atingido, pelo rigor semântico e pela tensão participante, o lugar central que ora ocupa na poesia brasileira. Na ficção ([315]), o grande inovador do período foi João Guimarães Rosa, artista de primeira plana no cenário das letras modernas: experimentador radical, não ignorou, porém, as fontes vivas das linguagens não-letradas: ao contrário, soube explorá-las e pô-las a serviço de uma prosa complexa em que o natural, o infantil e o místico assumem uma dimensão ontológica que transfigura os materiais de base.

Dos movimentos de vanguarda, o Concretismo e a Práxis, se dirá a seu tempo no tópico dedicado à poesia.

As pontas de lança (João Cabral, Guimarães Rosa, vanguarda experimental) não estão isoladas: inserem-se num quadro rico e vário que atesta a vitalidade da literatura brasileira atual. Se o veio neo-realista da prosa regional parece ter-se exaurido no decênio de 50 (salvo em obras de escritores consagrados ou em estréias tardias), continua viva a ficção intimista que já dera mostras de peso nos anos de 30 e 40. Escritores de invulgar penetração psicológica, como Lygia Fagundes Telles, Antônio Olavo Pereira, Aníbal Machado, José Cândido de Carvalho, Fernando Sabino, Josué Montello, Dalton Trevisan, Autran Dourado, Otto Lara Resende, Adonias Filho, Ricardo Ramos, Carlos Heitor Cony e Dionélio Machado têm escavado os conflitos do homem em sociedade, cobrindo com seus contos e romances-de-personagem a gama de sentimentos que a vida moderna suscita no âmago da pessoa. E o fluxo psíquico tem sido trabalhado em termos de pesquisa no universo da linguagem na prosa realmente nova de Clarice Lispector, Maria Alice Barroso, Geraldo Ferraz, Louzada Filho e Osman Lins, que percorrem o caminho da experiência formal.

Enfim, caráter próprio da melhor literatura de pós-guerra é a consciente interpenetração de planos (lírico, narrativo, dramático, crítico) na busca de uma "escritura" geral e onicompreensiva, que possa espelhar o pluralismo da vida moderna; caráter — convém lembrar — que estava implícito na revolução modernista.

A FICÇÃO

Os decênios de 30 e de 40 serão lembrados como "a era do romance brasileiro". E não só da ficção regionalista, que deu os nomes já clássicos de

([315]) V. o tópico sobre a ficção.

Graciliano, Lins do Rego, Jorge Amado, Érico Veríssimo; mas também da prosa cosmopolita de José Geraldo Vieira, e das páginas de sondagem psicológica e moral de Lúcio Cardoso, Cornélio Pena, Otávio de Faria e Cyro dos Anjos.

Antes dos modernos, Lima Barreto e Graça Aranha tinham sido os últimos narradores de valor a dinamizar a herança realista do século XIX. Com o advento da prosa revolucionária do grupo de 22 (*Macunaíma*, *Memórias Sentimentais de João Miramar*, *Brás, Bexiga e Barra Funda*), abriu-se caminho para formas mais complexas de ler e de narrar o cotidiano. Houve, sobretudo, uma ruptura com certa psicologia convencional que mascarava a relação do ficcionista com o mundo e com seu próprio eu. O Modernismo e, num plano histórico mais geral, os abalos que sofreu a vida brasileira em torno de 1930 (a crise cafeeira, a Revolução, o acelerado declínio do Nordeste, as fendas nas estruturas locais) condicionaram novos estilos ficcionais marcados pela rudeza, pela captação direta dos fatos, enfim por uma retomada do naturalismo, bastante funcional no plano da narração-documento que então prevaleceria.

Mas, sendo o *realismo absoluto* antes um modelo ingênuo e um limite da velha concepção mimética de arte que uma norma efetiva da criação literária, também esse romance novo precisou passar pelo crivo de interpretações da vida e da História para conseguir dar um sentido aos seus enredos e às suas personagens. Assim, ao realismo "científico" e "impessoal" do século XIX preferiram os nossos romancistas de 30 uma *visão crítica das relações sociais*. Esta poderá apresentar-se menos áspera e mais acomodada às tradições do meio em José Américo de Almeida, em Érico Veríssimo e em certo José Lins do Rego, mas daria à obra de Graciliano Ramos a grandeza severa de um testemunho e de um julgamento.

No caso do romance psicológico, cairiam as máscaras mundanas que empetecavam as histórias medíocres do pequeno realismo *belle époque* (de Afrânio Peixoto ou de Coelho Neto, por exemplo). O renovado convite à introspecção far-se-ia com o esteio da Psicanálise afetada muita vez pelas angústias religiosas dos novos criadores (Lúcio Cardoso, Otávio de Faria, Cornélio Pena, Jorge de Lima).

Socialismo, freudismo, catolicismo existencial: eis as chaves que serviram para a decifração do homem em sociedade e sustentariam ideologicamente o romance *empenhado* desses anos fecundos para a prosa narrativa.

De resto, não estávamos sós. Passado o vendaval de *ismos* que sopraram a revolução da arte moderna, tornou-se comum em toda parte uma ficção aberta à vida do *uomo qualunque*, cujo comportamento começou a parecer bem mais fascinante que o dos estetas *blasés* do Decadentismo. Difunde-se o gosto da análise psíquica, da notação moral, já agora radicada no mal-estar que pesava sobre o mundo de entre-guerras. Na década de 30, os romances de Dos Passos, de Hemingway, de Caldwell, de Faulkner, de Steinbeck, de Lawrence, de Malraux, de Moravia, de Vittorini, de Corrado Alvaro, de Céline, deram exemplos de um realismo psicológico "bruto" (*) como técnica ajustada a um tempo em que o homem se dissolve na massa: são os romances contemporâneos do fascismo, do racismo, do stalinismo, do "*new deal*". Entre nós, verifica-se o mesmo: é ler Graciliano, Jorge Amado, Érico Veríssimo, Marques Rebelo.

Ao lado das reações políticas, *stricto sensu*, há um retorno das consciências religiosas às suas fontes pré e antiburguesas. Escritores cristãos como Bernanos, Saint-Exupéry, Julien Green, Evelyn Waugh e Graham Greene nortearam a criação das personagens por uma linha de conflito entre o "mundo" e a graça divina. Do realismo subjetivo que essa postura em geral propicia deram então exemplos os romances dos já citados Otávio de Faria, Lúcio Cardoso, Cornélio Pena e Jorge de Lima.

De um modo sumário, pode-se dizer que o problema do *engajamento*, qualquer que fosse o valor tomado como absoluto pelo intelectual participante, foi a tônica dos romancistas que chegaram à idade adulta entre 30 e 40. Para eles vale a frase de Camus: "O romance é, em primeiro lugar, um exercício da inteligência a serviço de uma sensibilidade nostálgica ou revoltada."

As trilhas do romance: uma hipótese de trabalho

A costumeira triagem por tendências em torno dos tipos *romance social-regional/romance psicológico* ajuda só até certo ponto o historiador literário; passado esse limite didático vê-se que, além de ser precária em si mesma (pois regionais e psicológicas são obras-primas como *São Bernardo* e *Fogo Morto*), acaba não dando conta das diferenças internas que separam os principais romancistas situados em uma mesma faixa.

Para apanhar essas diferenças talvez dê melhor fruto, como hipótese de trabalho, a formulação que Lucien Goldmann propôs para a gênese da obra narrativa no seu *Pour une sociologie du roman* ([316]). Apoiando-se em distinções de Georgy Lukács (*Die Theorie des Romans*) e de René Girard (*Mensonge romantique et vérité romanesque*), o pensador francês tentou uma abordagem genético-estrutural do romance moderno. *O seu dado inicial é a tensão entre o escritor e a sociedade.* Pressupõe Goldmann — e com ele toda a crítica

(*) As aspas são aqui essenciais. O caráter "bruto" ou "brutal" desse novo realismo do século XX corresponde ao plano dos *efeitos* que a sua prosa visa a produzir no leitor: é um romance que analisa, agride, protesta. Para atingir esse alvo, porém, foi necessária toda uma reorganização da linguagem narrativa, o que deu ao realismo de um Faulkner, de um Céline ou de um Graciliano Ramos uma fisionomia estética profundamente original.

([316]) L. Goldmann, *Pour une sociologie du roman*, Paris, Gallimard, 1964. Há tradução brasileira, *Sociologia do Romance*, Rio, Paz e Terra, 1967.

dialética — a existência de homologias entre a estrutura da obra literária e a estrutura social, e, mesmo, grupal, em que se insere o seu autor.

Em face da sociedade burguesa, fundo comum da literatura ocidental nos últimos dois séculos, o romancista tende a engendrar a figura do "herói problemático", em tensão com as estruturas "degradadas" vigentes, isto é, estruturas incapazes de atuar os valores que a mesma sociedade prega: liberdade, justiça, amor... Sempre conforme Goldmann, a tensão dos protagonistas não transpõe o limiar da ruptura absoluta: caso o fizesse, o gênero *romance* deixaria de existir, dando lugar à tragédia ou à lírica. Há, portanto, uma oposição *ego/sociedade* que funda a forma romanesca ([317]) e a mantém enquanto tal.

Toda uma tipologia do romance deriva da formulação acima: (1) o herói pode empreender a busca de valores pessoais que subordinem a si a hostilidade do meio (*Dom Quixote*; Julien Sorel, de *O Vermelho e o Negro* de Stendhal); (2) o herói pode fechar-se na memória ou na análise dos próprios estados de alma (em *A Educação Sentimental* de Flaubert); (3) enfim, ele pode autolimitar-se e "aprender a viver" com madura virilidade no mundo difícil aonde foi lançado ("romances de aprendizado"), como o *Wilhelm Meister* de Goethe).

Se da parte do herói são várias as maneiras de atuar a dialética de vínculo e oposição ao meio, no romancista a consciência que projeta as personagens toma a forma da *ironia*, modo ambíguo de propor e, ao mesmo tempo, transcender o *ponto de vista* do herói. Temos prova dessa asserção. Se fizermos uma sondagem no romance brasileiro, reconheceremos uma consciência irônica mais aguda precisamente nos autores maiores: o Alencar urbano (de *Lucíola*, sobretudo), Machado de Assis, Aluísio Azevedo n*O Cortiço*, Oliveira Paiva, Raul Pompéia, Lima Barreto. Há momentos de quase identificação entre o autor e o protagonista nas páginas americanas e sertanejas de Alencar, mantendo-se porém, e em pleno vigor, o dissídio do herói com o grupo, provindo, no caso, da oposição entre o "homem natural" e a sociedade, peculiar ao Romantismo. Quando não há nenhuma oposição, quando nem sequer aflora a consciência crítica, o nível é o de subliteratura (Teixeira e Sousa, o pior Macedo, o Aluísio folhetinesco...).

O esquema de Goldmann, como todo esquema, está sujeito a revisões, mas tem a vantagem de atentar para um dado existencial primário (*tensão*), que se apresenta como relacionamento do autor com o mundo objetivo, de que depende, e com o mundo estético, que lhe é dado construir. Além disso, a mediação entre o psicossocial e o artístico não se faz sempre do mesmo

---

([317]) Goldmann trabalha dentro dos limites do gênero épico-narrativo tal como se tem apresentado na Idade Moderna; as suas análises devem portanto pressupor distinções historicamente atuadas e válidas dentro de um determinado espaço de tempo. Elas não devem assumir-se como dogmas, nem como profecias, o que impediria a compreensão de formas literárias futuras independentes dos modelos narrativos que se conhecem hoje.

modo, mas dentro de um dinamismo espiritual capaz de conquistar um grau de liberdade superior ao da massa dos atos humanos não-estéticos. O reconhecimento dessa faixa "gratuita" da invenção literária permite uma ampla margem de aproximações específicas aos textos: o que resgata o determinismo do primeiro passo. Seja como for, não há ciência sem um mínimo de relações necessárias: e o que Goldmann propõe, em última análise, é *uma hipótese explicativa do romance moderno, na sua relação com a totalidade social.*

Nessa perspectiva, poderíamos distribuir o romance brasileiro moderno, de 30 para cá, em, pelo menos, quatro tendências, segundo o grau crescente de tensão entre o "herói" e o seu mundo:

a) romances de tensão mínima. Há conflito, mas este configura-se em termos de oposição verbal, sentimental quando muito: as personagens não se destacam visceralmente da estrutura e da paisagem que as condicionam. Exemplos, as histórias populistas de Jorge Amado, os romances ou crônicas da classe média de Érico Veríssimo e Marques Rebelo, e muito do neo-regionalismo documental mais recente ([318]);

b) romances de tensão crítica. O herói opõe-se e resiste agonicamente às pressões da natureza e do meio social, formule ou não em ideologias explícitas, o seu mal-estar permanente. Exemplos, obras maduras de José Lins do Rego (*Usina, Fogo Morto*) e todo Graciliano Ramos;

c) romances de tensão interiorizada. O herói não se dispõe a enfrentar a antinomia eu/mundo pela ação: evade-se, subjetivando o conflito. Exemplos, os romances psicológicos em suas várias modalidades (memorialismo, intimismo, auto-análise...) de Otávio de Faria, Lúcio Cardoso, Cornélio Pena, Cyro dos Anjos, Lygia Fagundes Telles, Osman Lins...;

d) romances de tensão transfigurada. O herói procura ultrapassar o conflito que o constitui existencialmente pela transmutação mítica ou metafísica da realidade. Exemplos, as experiências radicais de Guimarães Rosa e Clarice Lispector. O conflito, assim "resolvido", força os limites do gênero romance e toca a poesia e a tragédia.

Existem áreas fronteiriças dentro da produção de um mesmo escritor: José Lins do Rego soube fazer obra de alta tensão psicossocial ao plasmar os caracteres centrais de *Fogo Morto*, mas será típico exemplo do cronista regional em *Menino de Engenho*. Graciliano introjetou o seu *não* à miséria do cotidiano em *Angústia* depois de ter escrito o que chamamos romance de tensão crítica. Enfim, a passagem do puro psicológico ao experimental é notória em Clarice Lispector e, menos radicalmente, em contistas e romancistas cuja obra ainda está em progresso: Autran Dourado, Osman Lins, Maria Alice Barroso...

([318]) Aqui, como nas exemplificações seguintes, não pretendi ser exaustivo; apenas indiquei autores ou obras capazes de ilustrar as tendências propostas.

O esquema foi construído em torno de uma só variável: o *herói*, ou, mais precisamente, o *anti-herói* romanesco. Mas a cada um dos tipos de romance enunciados correspondem também modos diversos de captar o *ambiente* e de propor a *ação*.

Assim, nos romances de tensão mínima, há um aberto apelo às coordenadas espaciais e históricas e, não raro, um alto consumo de cor local e de fatos de crônica; as ações são *situadas* e *datadas*, como na reportagem ou no documentário, gêneros que lhe estão mais próximos; quanto ao entrecho, o cuidado com o verossímil leva a escrúpulos neo-realistas que se percebem também na reprodução freqüente coloquial de mistura com a literária.

Nos romances em que a tensão atingiu ao nível da crítica, os fatos assumem significação menos "ingênua" e servem para revelar as graves lesões que a vida em sociedade produz no tecido da pessoa humana: logram por isso alcançar uma densidade moral e uma verdade histórica muito mais profunda. Há menor proliferação de tipos secundários e pitorescos: as figuras são tratadas em seu nexo dinâmico com a paisagem e a realidade socioeconômica (*Vidas Secas*, *São Bernardo*, de Graciliano Ramos), e é dessa relação que nasce o enredo. Passa-se do "tipo" à expressão; e, embora sem intimismo, talha-se o *caráter* do protagonista.

Outra ainda é a constelação que se dá na prosa subjetivizante. Subindo ao primeiro plano os conteúdos da consciência nos seus vários momentos de memória, fantasia ou reflexão, esbatem-se os contornos do ambiente, que passa a *atmosfera*; e desloca-se o eixo da trama do tempo "objetivo" ou cronológico para a *duração* psíquica do sujeito. E sob as sugestões de Proust, de Faulkner, de Katherine Mansfield, de Mauriac, de Julien Green, de Virginia Woolf, os romancistas e contistas que trabalham a sua própria matéria psicológica tendem a privilegiar a técnica de narrar em primeira pessoa.

Há, naturalmente, faixas diversas nesse reino amplo da ficção moderna: o romance escrito à luz meridiana da análise, como *Abdias*, de Cyro dos Anjos, ou *O Lado Direito*, de Otto Lara Resende, não é o romance noturno e subterrâneo de Lúcio Cardoso da *Crônica da Casa Assassinada*, nem o romance feito de sombra e indefinição de Cornélio Pena e de Adonias Filho. Enfim, técnicas diferentes de composição e de estilo matizam a prosa psicologizante, que pode apresentar-se partida e montada em flashes, como nas páginas urbanas de José Geraldo Vieira; empostada nos ritmos da observação e da memória (contos de Lygia Fagundes Telles, romances de Josué Montello, de Antônio Olavo Pereira...); ou ainda pode tocar experiências novas de monólogo interior, da "escola de olhar", como se dá nas páginas mais ousadas de Geraldo Ferraz, Samuel Rawet, Autran Dourado, Maria Alice Barroso, Louzada Filho, Osman Lins...

Uma abordagem que extraísse os seus parâmetros de um sistema fechado como a Psicanálise poderia falar ainda em romances do *ego* (memorialistas, analíticos) e romances do *id* (baseados em sondagens oníricas, regressões, simbolizações...), distinção que se aproxima da de Carl Jung que, em *O Homem Moderno em Busca de uma Alma*, estrema um topo de literatura simplesmente *psicológica* de outro, o da literatura *visionária*. Em ambos os casos, porém, trata-se de um plano ficcional que configura a cisão homem/mundo em termos de retorno à esfera do sujeito.

Enfim, pela quarta possibilidade entra-se no círculo da invenção mitopoética, que tende a romper com a entidade tipológica "romance" superando-a no tecido da linguagem e da escritura, isto é, no nível da própria matéria da criação literária. A experiência estética de Guimarães Rosa e, em parte, a de Clarice Lispector, entendem renovar por dentro o ato de escrever ficção. Diferem das três tendências anteriores enquanto estas situam o processo literário antes na *transposição* da realidade social e psíquica do que na *construção* de uma outra realidade. É claro que esta supra-realidade não se compreende senão como a alquimia dos minérios extraídos das mesmas fontes que serviram aos demais narradores: as da história coletiva, no caso de Guimarães Rosa; as da história individual, no caso de Clarice Lispector. Simplesmente, nestes criadores há uma fortíssima vontade-de-estilo que os impele à produção de *objetos de linguagem* a que buscam dar a maior autonomia possível; nos mestres regionalistas ou intimistas, a independência do fato estético será antes um efeito de uma feliz disposição inventiva do que uma escolha consciente, vigilante.

No continuum *inventário-invenção*, que cobre as várias possibilidades do ato estético, pode-se dizer com segurança que a diretriz mais moderna é a que se inclina para o segundo momento; a que privilegia o aspecto construtivo da linguagem como o mais apto a significar o universo de combinações em que a ciência e a técnica imergiram o homem contemporâneo. Desde Joyce tem-se renovado a estrutura do romance, fundindo-se a tríade personagem-ação-ambiente na escritura ficcional cujos fatores combináveis passam a ser abstraídos não mais diretamente da matéria bruta, pré-artística, mas dos níveis *já literários* (monólogo, diálogo, narração...) e, ainda mais radicalmente, das unidades lingüísticas (sintagma, monema, fonema...). Essa direção, que tende a compor o fenômeno literário a partir dos materiais da linguagem, e apenas da linguagem, tem o mesmo significado histórico do abstracionismo, que constrói o quadro com entes geométricos, ou da música concreta, que trabalha a partir dos ruídos e dos sons tais como a Física os reconhece. Afim a essas opções é o estruturalismo enquanto método de pensar formalizante. E afins lhes são todas as correntes de cultura e de moda que preferem deter-se nos códigos e nos sinais em si mesmos a aprofundar os motivos e o sentido ideológico da mensagem.

Na digressão acima deve-se, porém, levar em conta o descompasso que subsiste entre os textos de um Guimarães Rosa, por exemplo, nos quais se discerne um forte empenho lírico-metafísico, e a leitura redutora que deles faz a crítica estrutural. A consciência desse descompasso entre *poesia* e *poética* não invalida, em verdade, nem as abordagens descritivas daquela crítica nem as motivações transparentes do escritor; apenas evita injustiças a umas e a outras.

Finalmente: o quadro pressupõe que a literatura escrita de 1930 para cá forme um todo cultural vivo e interligado, não obstante as fraturas de poética ocorridas depois da II Guerra. Daí ser precoce dar como *passados* e *ultrapassados* o romance social e o intimista dos anos de 30 e de 40; de resto, ambos têm sabido refazer-se paralelamente às experiências de vanguarda.

AUTORES E OBRAS

José Américo de Almeida

O romance de estréia de José Américo (319), *A Bagaceira* (1928), passou a marco da literatura social nordestina. Creio que isso se deva não tanto aos seus méritos intrínsecos quanto por ter definido uma direção formal (realista) e um veio temático: a vida nos engenhos, a seca, o retirante, o jagunço.

Como experiência de arte, *A Bagaceira* não parece superar o nível de expressividade que já fora conquistado pelos prosadores nordestinos que escreveram sob o signo do Naturalismo: Manuel de Oliveira Paiva, Domingos Olímpio, Rodolfo Teófilo, Lindolfo Rocha. Até pelo contrário, a alta dose de pitoresco e certa enfatuação dos traços sentimentais no corte das personagens empana o que poderia ter sido límpida e seca mimese de uma situação exemplar: o encontro de uma retirante com o "sinhozinho" bacharel, e a distância psicológica que estrema este do pai, o patriarca do engenho, que acaba por tomar-lhe a jovem.

De qualquer modo, *A Bagaceira*, escrito nos fins da década de 20, momento em que o Modernismo começava a tomar no Nordeste uma coloração original, oferecia elementos que iriam ficar no melhor romance da década seguinte: um tratamento mais coerente da linguagem coloquial, traços impressionistas na técnica da descrição e, no nível dos significados, uma atitude reivindicatória que o clima de decadência da região propiciava. O romance, saudado pelo principal crítico da época, Tristão de Ataíde, vinha também ao encontro dos novos estudos sociais que, sob a inspiração de Gilberto Freyre, começaram a assumir feição mais sistemática a partir do Congresso Regionalista do Recife, em 1926. Houve, pois, uma convergência de motivos internos, mas sobretudo externos, que deram à obra o prestígio de baliza de que até hoje desfruta na historiografia literária brasileira.

---

(319) José Américo de Almeida (Areia, Paraíba, 1887). Obra de ficção: *A Bagaceira*, 1928; *O Boqueirão*, 1935; *Coiteiros*, 1935. Consultar: Tristão de Ataíde, *Estudos*, 3ª série, 1ª parte, Rio, A Ordem, 1930; Nestor Vítor, *Os de Hoje*, S. Paulo, Cultura Moderna, 1938; Olívio Montenegro, *O Romance Brasileiro*, Rio, José Olympio, 1938; Wilson Martins, *O Modernismo*, *cit.*; Adonias Filho, *O Romance Brasileiro de 30*, Rio, Bloch, 1969.

Raquel de Queirós

Na esteira do regionalismo, Raquel de Queirós ([320]) compôs dois romances de ambientação cearense, *O Quinze* e *João Miguel*. Em ambos releva notar uma prosa enxuta e viva que seria depois tão estimável na cronista Raquel de Queirós. Confrontados com *A Bagaceira*, esses livros podem dizer-se mais próximos do ideal neo-realista que presidiria à narrativa social do Nordeste. Os períodos são, em geral, menos "literários", breves, colados à transcrição dos atos e dos acontecimentos. E o diálogo é corrente, lembrando às vezes a novelística popular que, mais tarde, atrairia a escritora ao passar do romance para o teatro de raízes regionais e folclóricas (*Lampião*, *A Beata Maria do Egito*).

O terceiro romance de Raquel de Queirós, *Caminho de Pedras*, é conscientemente político: a sua redação, em 36, coincide com o exacerbar-se das correntes ideológicas no Brasil à beira do Estado-Novo: comunismo (stalinista; trotzkista: esta a cor da romancista na época) e integralismo. O que não significa que a obra se possa incluir no que chamei, páginas atrás, de romance de tensão crítica: a autora passa da crônica de um grupo sindical na morna Fortaleza da época à exploração sentimental de um caso de amor de um par de pequena classe média afetado por ideais de esquerda. É um romance populista, isto é, um romance que situa as personagens pobres "de fora", como quem observa um espetáculo curioso que, eventualmente, pode comover. Os problemas psicológicos que já tendiam a ocupar o primeiro plano em *Caminho de Pedras* fazem-no decididamente na última experiência de ficção de Raquel de Queirós, *As Três Marias*.

Já a curva ideológica da escritora poderá parecer estranha, paradoxal mesmo: do socialismo libertário de *Caminho de Pedras* às crônicas recentes de espírito conservador. Mas explica-se muito bem se inserida no roteiro do tenentismo que a condicionou: verbalmente revolucionário em 30, sentimentalmente liberal e esquerdizante em face da ditadura, acabou, enfim, passada a guerra, identificando-se com a defesa passional das raízes do *status quo*; roteiro que a aproxima de Gilberto Freyre, cuja presença na cultura nordestina ultrapassou, de longe, a área do ensaísmo sociológico e incidiu diretamente na valoração das tradições, dos estilos

---

([320]) Raquel de Queirós (Fortaleza, 1910). Ficção: *O Quinze*, 1930; *João Miguel*, 1932; *Caminho de Pedras*, 1937; *As Três Marias*, 1939; *O Galo de Ouro*, 1950; *Dora, Doralina*, 1975; *Memorial de Maria Moura*, 1992. Teatro: *Lampião*, 1953; *A Beata Maria do Egito*, 1958. Crônica: *A Donzela e a Moura Torta*, 1948; *100 Crônicas Escolhidas*, 1958; *O Brasileiro Perplexo*, 1963; *O Caçador de Tatu*, 1967. Consultar: Otávio de Faria, "O Novo Romance de Raquel de Queirós", *in Boletim de Ariel*, I/7, abril de 1932; Agripino Grieco, *Evolução da Prosa Brasileira*, Rio, José Olympio, 1933; Tristão de Ataíde, *Estudos*, 5ª série, Rio, Civ. Brasileira, 1935; Almir de Andrade, *Aspectos da Cultura Brasileira*, Rio, Schmidt, 1939; Fred P. Ellison, *Brazil's New Novel. Four Northeastern Masters*, Berkeley, University of California Press, 1954.

de viver e de pensar herdados à sociedade patriarcal. De onde a nostalgia do bom tempo antigo que até recebeu o batismo da ciência: é a lusotropicologia.

José Lins do Rego

A região canavieira da Paraíba e de Pernambuco em período de transição do engenho para a usina encontrou no "ciclo da cana-de-açúcar" de José Lins do Rego ([321]) a sua mais alta expressão literária.

([321]) José Lins do Rego Cavalcanti (Engenho Corredor, Pilar, Paraíba, 1901 — Rio, 1957). Passou a infância no engenho do avô materno. Fez os estudos secundários em Itabaiana e na Paraíba (atual João Pessoa) e Direito no Recife. Aqui se aproxima de intelectuais que seriam os responsáveis pelo clima modernista-regionalista do Nordeste: José Américo de Almeida, Olívio Montenegro e, sobretudo, Gilberto Freyre de quem receberia estímulo para dedicar-se à arte de raízes locais. Poucos anos depois, liga-se, em Maceió, a Jorge de Lima e a Graciliano Ramos. Transferiu-se, em 1935, para o Rio de Janeiro onde participou ativamente da vida literária defendendo com vigor polêmico o tipo do escritor voltado para a região de onde proveio. Obra de ficção: *Menino de Engenho*, 1932; *Doidinho*, 1933; *Bangüê*, 1934; *O Moleque Ricardo*, 1935; *Usina*, 1936; *Pureza*, 1937; *Pedra Bonita*, 1938; *Riacho Doce*, 1939; *Água-Mãe*, 1941; *Fogo Morto*, 1943; *Eurídice*, 1947; *Cangaceiros*, 1953. Memórias: *Meus Verdes Anos*, 1956. Literatura Infantil: *Histórias da Velha Totônia*, 1936. Crônica e Crítica; *Gordos e Magros*, 1942; *Poesia e Vida*, 1945; *Homens, Seres e Coisas*, 1952; *A Casa e o Homem*, 1954; *Presença do Nordeste na Literatura Brasileira*, 1957; *O Vulcão e a Fonte*, 1958. Conferências: *Pedro Américo*, 1943; *Conferências no Prata* ("Tendências do Romance Brasileiro, Raul Pompéia, Machado de Assis"), 1946; *Discurso de Posse na A. B. L.*, 1957. Viagem: *Bota de Sete Léguas*, 1951; *Roteiro de Israel*, 1955; *Gregos e Troianos*, 1957. Consultar: Agripino Grieco, *Gente Nova do Brasil*, Rio, José Olympio, 1935; Olívio Montenegro, *O Romance Brasileiro*, Rio, José Olympio, 1938; Lia Correa Dutra, *O Romance Brasileiro e José Lins do Rego*, Lisboa, Seara Nova, 1938; Almir de Andrade, *Aspectos da Cultura Brasileira*, Rio, Schmidt, 1939; Álvaro Lins, *Jornal de Crítica*, 2ª série, Rio, José Olympio, 1943; Antônio Cândido, *Brigada Ligeira*, S. Paulo, Martins, 1945; Mário de Andrade, *O Empalhador de Passarinho*, S. Paulo, Martins, 1946; Roberto Alvim Correa, *Anteu e a Crítica*, Rio, José Olympio, 1948; Adolfo Casais Monteiro, *O Romance e os Seus Problemas*, Casa do Estudante do Brasil, 1950; Álvaro Lins, Carpeaux e Thompson, *José Lins do Rego*, Rio, Ministério de Educação e Saúde, 1952; Fred P. Ellison, *Brazil's New Novel. Four Northeastern Masters*, Berkeley, Univ. of California Press, 1954; João Pacheco, *O Mundo que José Lins do Rego Fingiu*, Rio, Livraria São José, 1958; José Aderaldo Castello, *José Lins do Rego. Modernismo e Regionalismo*, S. Paulo, Edart 1961; Victor Ramos, *Estudos em Três Planos*, S. Paulo, Comissão Estadual de Cultura, 1966; Wilson Martins, *O Modernismo, cit.*; Adonias Filho, *O Romance Brasileiro de 30*, Rio, Bloch, 1968. Cf. também os prefácios e as introduções aos romances de J. L. R. publicados na Coleção Sagarana da Ed. José Olympio.

Descendente de senhores de engenho, o romancista soube fundir numa linguagem de forte e poética oralidade as recordações da infância e da adolescência com o registro intenso da vida nordestina colhida por dentro, através dos processos mentais de homens e mulheres que representam a gama étnica e social da região.

A gênese do ciclo inicial da sua obra, formado por *Menino de Engenho*, *Doidinho*, *Bangüê*, *O Moleque Ricardo* e *Usina*, é, portanto, dupla, a memória e a observação, sendo a primeira responsável pela carga afetiva capaz de dinamizar a segunda e dar-lhe aquela crispação que trai o fundo autobiográfico: e, de fato, a leitura de *Meus Verdes Anos*, história veraz da infância do escritor, logo nos faz reconhecer pontos nodais do romance de estréia, *Menino de Engenho*.

Ancorado nessa dupla contingência e aceitando-a de bom grado como a sua verdade estética, Lins do Rego sempre se declarou escritor espontâneo e instintivo, chegando a apontar nos cantadores de feira as fontes da sua arte narrativa:

> Os cegos cantadores, amados e ouvidos pelo povo, porque tinham o que dizer, tinham o que contar. Dizia-lhes então: quando imagino meus romances tomo sempre como modo de orientação o dizer as coisas como elas surgem na memória, com o jeito e as maneiras simples dos cegos poetas.
>
> Por conseguinte, o romance brasileiro não terá em absoluto que vir procurar os Charles Morgan ou os Joyce para ter existência real. Os cegos da feira lhe servirão muito mais como a Rabelais serviram os menestréis vagabundos da França ([322]).

Ou ainda:

> Gosto que me chamem telúrico e muito me alegra que descubram em todas as minhas atividades literárias forças que dizem de puro instinto.

São afirmações categóricas que, porém, não se podem tomar à letra, pois explicam menos o efetivo labor literário de Lins do Rego que a sua *poética* explícita, feita de lugares-comuns veristas afetados por um neo-romantismo nostálgico, afim à visão do mundo de Gilberto Freyre. Mas valem como sintoma de um grau de tensão (autor/realidade) menos consciente e, portanto, menos crítico, do que o testemunhado por um outro grande romancista do Nordeste: Graciliano Ramos. O autor de *Doidinho* está, em tese, a pouca distância do universo afetivo que o viu crescer. A sua vida espiritual é um assíduo retorno à paisagem do Engenho Santa Rosa, ao avô, o mítico senhor de engenho Coronel Zé Paulino, às histórias noturnas contadas pelas escravas, amas-de-leite, às angústias sexuais da puberdade, enfim ao mal-estar que o desfazer-se de todo um estilo de vida iria gerar na consciência do herdeiro inepto e so-

---

([322]) Em *Poesia e Vida*, ensaios, Rio, Ed. Universal, 1945, pp. 54-55.

nhador. Não são memórias e observações de um menino qualquer, mas de um *menino de engenho*, feito à imagem e semelhança de um mundo que, prestes a desagregar-se, conjura todas as forças de resistência emotiva e fecha-se na autofruição de um tempo sem amanhã.

Entretanto, esse estado-limite de ilhamento (que será a loucura de uma personagem trágica de *Fogo Morto*, o Coronel Lula de Holanda) não se faz possível em termos absolutos. A criança do *Menino de Engenho* desdobra-se no adolescente inseguro de *Doidinho*, já em contato com o mundo da escola, e no bacharel Dr. Carlos de Mello, dividido entre a cidade e o engenho, e que, em *Bangüê*, *Moleque Ricardo* e *Usina*, será levado a tocar a realidade áspera da pobreza, da revolta e das esperanças de homens que não descendem de meninos de engenho.

À força de carrear para o romance o fluxo da memória, José Lins do Rego aprofundou a tensão eu/realidade, apenas latente nas suas primeiras experiências. E o ponto alto da conquista foi essa obra-prima que é *Fogo Morto*, fecho e superação do ciclo da cana-de-açúcar. A riqueza no plano do relacionamento com o real trouxe consigo maior força de estruturação literária. Assim sendo, o "espontaneísmo", apontado nas palavras do próprio José Lins como caráter inerente a seu trabalho de escritor ("o dizer as coisas como elas surgem na memória"), vem da ênfase em um momento limitado da sua história criadora; ênfase que coincide com um ponto de vista acrítico, antes *orgânico* do que *problemático*, no dizer feliz de Carpeaux ao apresentar *Fogo Morto*. Criaturas como o seleiro José Amaro, o Capitão Vitoriano e o Coronel Lula de Holanda são expressões maduras dos conflitos humanos de um Nordeste decadente. Levou algum tempo para que o romancista se desapegasse do material de base, feito de obsessões pessoais, e se detivesse na fixação objetiva de caracteres capazes de transcender aquela fusão de escritor e criança, escritor e adolescente, peculiar à sua obra inicial. No conjunto, porém, fica de pé o processo constitutivo do romance de José Lins: a narrativa memorialista. E a prova dos nove encontramo-la no uso que o escritor sempre fez da linguagem: lugar privilegiado onde o espírito articula seqüências espaciais e temporais, exatamente como nos longos e movimentados cantares de origem popular, que acumulam episódios, trechos descritivos e notações morais alinhando-os no reino imenso da memória.

A observação do meio regional está no nascedouro do ciclo do misticismo e do cangaço, que abrange *Pedra Bonita* e *Cangaceiros*. Prosseguindo na abertura para a história, o escritor combina formas várias de relato objetivo: a lenda, a épica, a crônica. É o que se vê em *Pedra Bonita*, narração livre de um caso de fanatismo que se deu em Vila Bela no século XIX: alguns sertanejos, açoitados junto a duas pedras colossais, se ofereceram em holocausto a um mameluco, João Antônio da Silva, que lhes prometera, a troco do sacrifício, a felicidade eterna a ser fruída no *Reino Encantado* ali oculto. Muito provavelmente, José Lins terá extraído o material para o romance da literatura de cordel tão difundida no Nordeste desde o século passado. Ele mesmo, respondendo a um amigo que lhe perguntara por que não prosseguia a história da Pedra Bonita, disse: "É que eu não tenho lido mais o poeta João Martins de Ataíde. E o que tinha este poeta com o meu romance? Tinha tudo o meu romance com o poeta. Eu queria escrever a história dos Vieira, família de cangaceiros do Nordeste, e toda a história dos Vieira está no rapsodo Ataíde. A poesia deste bardo se fez uma espécie de *chanson de geste* do cangaceirismo" (323). Os traços rapsódicos presentes nesse romance marcam também a fatura de *Cangaceiros*: estrutura justapositiva, vocabulário coloquial e de calão, introdução de cantigas do folclore luso-nordestino e, sobretudo, repetições de palavras e frases que acabam compondo uma seqüência melódica apoiada em "ritornelli". Valendo-me de um símile tomado à paisagem da região: o romance é, para o criador de *Fogo Morto*, como um rio que flui mansamente pelo fértil massapê paraibano; uma corrente que vai ora levando, ora acumulando as infinitas recordações da infância, sedimento de barro informe onde lhe é grato afundar o corpo inteiro.

Mesmo nas obras cuja ambientação foge ao Nordeste (*Água-Mãe*, *Eurídice*), o processo de composição atém-se ao reiterativo, que nelas serve não só para repropor certas paisagens e panos de fundo (lembro a obsessão da Casa Azul em *Água-Mãe*), mas também para criar almas presas ao eterno retorno do mesmo. Nessas obras, que a crítica subestimou como esforços menos felizes do autor para escrever ficção intimista, não é difícil reconhecer traços fatalistas de quem viveu até o fundo o drama de uma decadência social e o incorporou para sempre à sua visão do mundo. Atitude de todos os naturalistas ao se voltarem para o campo já abalado pelo espectro da revolução industrial, e cada vez menos capaz de inspirar mitos de paraíso perdido: foi o pessimismo de Hardy e de Verga; e seria, num clima espiritual mais árido que o de José Lins do Rego, a posição crítica de Graciliano Ramos.

Graciliano Ramos (324)

De Graciliano já se deixou entrever, páginas atrás, que representa, em termos de romance moderno brasileiro, o ponto mais alto de tensão entre *o eu* do escritor e a sociedade que o formou. É instrutivo, nesta altura, o contraste

(323) Em *Poesia e Vida*, *cit.*, p. 161.

(324) GRACILIANO RAMOS (Quebrângulo, Alagoas, 1892 — Rio, 1953). Primogênito de um casal sertanejo de classe média que teve quinze filhos. Passou a infância parte em Buíque, Pernambuco, parte em Viçosa, no estado natal. Fez estudos secundários em Maceió, mas não cursou nenhuma faculdade. Em 1910 estabeleceu-se em Palmeira dos Índios onde o pai vivia de comércio. Após uma breve estada no Rio de Janeiro, como revisor do *Correio da Manhã* e de *A Tarde* (1914), regressou a Palmeira dos Índios ao saber da morte de três de seus irmãos vitimados pela febre bubônica. Passa a fazer jornalismo e política, exercendo a prefeitura da cidadezinha entre 1928 e 1930. Aí

com José Lins do Rego. Este se entregava, complacente, ao desfilar das aparências e das recordações; Graciliano via em cada personagem a face angulosa

---

também redige, a partir de 1925, seu primeiro romance, *Caetés*. De 30 a 36, viveu quase todo o tempo em Maceió onde dirigiu a Imprensa e a Instrução do Estado. Data desse período a sua amizade com escritores que formavam a vanguarda da literatura nordestina: José Lins do Rego, Raquel de Queirós, Jorge Amado, Waldemar Cavalcanti; é também a época em que redige *São Bernardo* e *Angústia*. Em março de 1936 é preso como subversivo. Embora sem provas de acusação, levam-no a diversos presídios, sujeitam-no a mais de um vexame e só o liberam em janeiro do ano seguinte: as *Memórias do Cárcere* serão o depoimento exato dessa experiência. Transferindo-se para a capital do país, Graciliano continuou a escrever e a publicar não só romances mas contos e livros para a infância. Por volta dos fins da Guerra o seu nome já está consagrado como o do maior romancista brasileiro depois de Machado de Assis. Em 1945, ingressou no Partido Comunista Brasileiro. Em 1951, foi eleito presidente da Associação Brasileira de Escritores; no ano seguinte viajou para a Rússia e os países socialistas, relatando o que viu em *Viagem*. Graciliano faleceu no Rio aos sessenta anos de idade. Suas obras já foram traduzidas para o espanhol, o francês, o inglês, o italiano, o alemão, o russo, o húngaro, o tcheco, o polonês, o finlandês. De *Vidas Secas* há versão cinematográfica de Nelson Pereira dos Santos, realizada em 1964. De *São Bernardo*, há versão de Leon Hirszman em 1972. Obra: *Caetés*, 1933; *São Bernardo*, 1934; *Angústia*, 1936; *Vidas Secas*, 1938; *Brandão entre o Mar e o Amor* (em colab. com Jorge Amado, José Lins do Rego, Raquel de Queirós e Aníbal Machado), 1942; *Histórias de Alexandre*, 1944; *Infância*, 1945; *Dois Dedos*, 1945; *Histórias Incompletas*, 1946; *Insônia*, 1947; *Histórias Verdadeiras*, 1951; *Memórias do Cárcere*, 1953; *Viagem*, 1953; "Pequena História da República" (*in* revista *Senhor*, nºs de março e abril de 1960); *Histórias Agrestes*, 1960; *Viventes de Alagoas*, 1962; *Alexandre e Outros Heróis*, 1962; *Linhas Tortas*, 1962. Consultar: Almir de Andrade, *Aspectos da Cultura Brasileira*, Rio, Schmidt, 1939; Otto Maria Carpeaux, *Origens e Fins*, Rio, CEB, 1943; *Homenagem a Graciliano Ramos* (por Schmidt, Francisco de Assis Barbosa, Carpeaux, J. L. do Rego, Astrojildo Pereira e outros), Rio, Oficinas Alba, 1943; Lídia Besouchet e Newton de Freitas, *Literatura del Brasil*, Buenos Aires, Ed. Sulamericana, 1946; Floriano Gonçalves, "Graciliano Ramos e o Romance", introd. a *Caetés*, Rio, José Olympio, 1947; Álvaro Lins, *Jornal de Crítica*, 6ª série, Rio, José Olympio, 1951; Fred P. Ellison, *Brazil's New Novel, cit.*; Joel Pontes, *O Aprendiz de Crítica*, Recife, Departamento de Documentação e Cultura, 1955; Antônio Cândido, *Ficção e Confissão*, Rio, José Olympio, 1956; Francisco de Assis Barbosa, *Achados ao Vento*, Rio, I. N. L., 1958; Rolando Morel Pinto, *Graciliano Ramos Autor e Ator*, Assis, Fac. de Filosofia, 1962; Antônio Cândido, *Tese e Antítese*, S. Paulo, Cia. Ed. Nacional, 1964; Carlos Nelson Coutinho, "Uma Análise Estrutural dos Romances de Graciliano Ramos", *in Rev. Civilização Brasileira*, 5-6, março de 1966; L. Costa Lima, *Por que Literatura?*, Petrópolis, Vozes, 1966; Rui Mourão, *Estruturas. Ensaio sobre o Romance de Graciliano*, Belo Horizonte, Ed. Tendência, 1969; Sônia Brayner (org.), *Graciliano Ramos. Fortuna Crítica*, Rio, Civ. Brasileira, 1977; Clara Ramos, *Mestre Graciliano*, 1980.

da opressão e da dor. Naquele, há conaturalidade entre o homem e o meio; neste, a matriz de cada obra é uma ruptura.

O roteiro do autor de *Vidas Secas* norteou-se por um coerente sentimento de rejeição que adviria do contato do homem com a natureza ou com o próximo. Escrevendo sob o signo dialético por excelência do conflito, Graciliano não compôs um ciclo, um todo fechado sobre um ou outro pólo da existência (*eu*/mundo), mas uma *série* de romances cuja descontinuidade é sintoma de um espírito pronto à indagação, à fratura, ao problema. O que explica a linguagem díspar de *Caetés*, *Angústia*, *Vidas Secas*, momentos diversos que só terão em comum o dissídio entre a consciência do homem e o labirinto de coisas e fatos em que se perdeu. E explica, em outro plano, o trânsito da ficção ao nítido corte biográfico de *Infância* e *Memórias do Cárcere* ([325]).

O realismo de Graciliano não é orgânico nem espontâneo. É crítico. O "herói" é sempre um problema: não aceita o mundo, nem os outros, nem a si mesmo. Sofrendo pelas distâncias que o separam da placenta familiar ou grupal, introjeta o conflito numa conduta de extrema dureza que é a sua única máscara possível. E o romancista encontra no trato analítico dessa máscara a melhor fórmula de fixar as tensões sociais como primeiro motor de todos os comportamentos. Esta a grande conquista de Graciliano: superar na montagem do protagonista (verdadeiro "primeiro lutador") o estágio no qual seguem caminhos opostos o painel da sociedade e a sondagem moral. Daí parecer precária, se não falsa, a nota de regionalismo que se costuma dar a obras em tudo universais como *São Bernardo* e *Vidas Secas*. Nelas, a paisagem capta-se menor por descrições miúdas que por uma série de tomadas cortantes; e a natureza interessa ao romancista só enquanto propõe o momento da realidade hostil a que a personagem responderá como lutador em *São Bernardo*, retirante em *Vidas Secas*, assassino e suicida em *Angústia*.

Em *Caetés*, livro de estréia muito próximo das soluções realistas tradicionais, a tensão geradora não se concentra tanto no eu-narrador quanto nas notações irônicas do meio provinciano (a alusão a Eça é aqui obrigatória, menos o cuidado do brilho que acompanhava o romancista português). Sente-se um escritor ainda ocupado na formalização da própria memória, fase superada no livro seguinte, *São Bernardo*, e em toda a evolução literária de Graciliano que não seria, positivamente, um romancista de costumes. Mas sempre que se falar de neo-realismo a propósito deste romance de província que é *Caetés*, deve-se reconhecer o seu matiz próprio de *distanciamento* que lembra antes um Machado de Assis (menos estóico) ou um Lima Barreto (mais contido) do que os naturalistas de grandes murais como Aluísio ou Inglês de Sousa. Do livro, bom mas não ótimo, ficou o recurso de fazer da personagem também o autor de um romance, o que potencia a agudeza da análise e o mordente da sátira.

([325]) V. o estudo fundamental de Antônio Cândido, *Ficção e Confissão*, *cit*.

Mas é em *São Bernardo* que o foco narrativo em primeira pessoa mostrará a sua verdadeira força na medida em que seria capaz de configurar o nível de consciência de um homem que, tendo conquistado a duras penas um lugar ao sol, absorveu na sua longa jornada toda a agressividade latente em um sistema de competição. Paulo Honório cresceu e afirmou-se no clima da posse, mas a sua união com a professorinha idealista da cidade vem a ser o único, e decisivo malogro daquela posição de propriedade estendida a um ser humano. Tragédia do ciúme, no plano afetivo, e, ao mesmo tempo, romance do desencontro fatal entre o universo do ter e o universo do ser, *São Bernardo* ficará, na economia extrema de seus meios expressivos, como paradigma de romance psicológico *e* social da nossa literatura. Também aqui vira escritor o herói decaído a anti-herói depois do suicídio da mulher que a sua violência destruíra. O próprio ato de narrar está assim preso à frustração de base; e esta não é uma condição metafísica (como no pessimismo de Machado, de cadências schopenhauerianas), mas se estrutura em contextos bem determinados *e assume as faces que esses contextos podem configurar*. A relação aparece claramente no texto quando Paulo Honório se analisa: "Creio que nem sempre fui egoísta e brutal. A profissão é que me deu qualidades tão ruins. E a desconfiança que me aponta inimigos em toda parte! A desconfiança é também conseqüência da profissão." Ou: "A culpa foi minha, ou antes, a culpa foi desta vida agreste que me deu uma alma agreste."

Também a solidão de Luís da Silva, em *Angústia*, cola-se à vida de um pequeno funcionário, de veleidades literárias, mas condenado a esgueirar-se na mornidão poenta das pensõezinhas de província e a repetir até à náusea os contatos com um meio onde o que não é recalque é safadeza. Tudo nesse romance sufocante lembra o adjetivo "degradado" que se apõe ao universo do herói problemático. A existência de Luís da Silva arrasta-se na recusa e na análise impotente da miséria moral do seu mundo e, não tendo outra saída, resolve-se pelo crime e pela autodestruição. O livro avança com a rapidez do objeto que cai: sempre mais velozmente e mais pesadamente rumo à morte e ao nada. Estamos no limite entre o romance de tensão crítica e o romance intimista. De um lado, a brutalidade da linguagem que degrada os objetos do cotidiano, avilta o rosto contemplado e cria uma atmosfera de mau humor e de pesadelo; de outro, a auto-análise, a "parada" que significa o esforço de compreender e de dizer a própria consciência. E tudo parece preparar o longo monólogo final que abraça um sem-número de imagens de um mundo hostil e as aquece com a febre que a recusa absoluta produziu na alma do narrador. Romance existencialista *avant la lettre*, *Angústia* foi a experiência mais moderna, e até certo ponto marginal, de Graciliano. Mas a sua descendência na prosa brasileira está viva até hoje.

A rejeição assume dimensões naturais, cósmicas, em *Vidas Secas*, a história de uma família de retirantes que vive em pleno agreste os sofrimentos da estiagem. É supérfluo repetir aqui o quanto o esforço de objetivação foi bem logrado nessa pequena obra-prima de sobriedade formal. *Vidas Secas* abre ao leitor o universo mental esgarçado e pobre de um homem, uma mulher, seus filhos e uma cachorra tangidos pela seca e pela opressão dos que podem mandar: o "dono", o "soldado amarelo"... O narrador que, na aparência gramatical do romance de 3ª pessoa, sumiu por trás das criaturas, na verdade apenas deslocou o "fatum" do *eu* para a natureza e para o latifúndio, segunda natureza do Agreste. E o que havia de unitário nas obras anteriores, apoiadas no eixo de um protagonista, dispersa-se nesta em farrapos de idéias, no titubear das frases, nos "casulos de vida isolada que são os diversos capítulos" ([326]), enfim, na desagregação a que o meio arrasta os destinos inúteis de Fabiano, Sinhá Vitória, Baleia...

No livro de memórias, *Infância*, uma interpretação existencial acharia numerosas pistas, mas creio que subsistiria sempre como categoria unificante a idéia de rejeição que marca o conjunto dos romances e aqui aparece em toda parte, desde o desenho admirável que Graciliano faz dos pais, primeiros mestres na escola do medo e do arbítrio:

> Nesse tempo meu pai e minha mãe estavam caracterizados: um homem sério, de testa larga, uma das mais belas testas que já vi, dentes fortes, queixo rijo, fala tremenda; uma senhora enfezada, agressiva, ranzinza, sempre a mexer-se, bossas na cabeça mal protegida por um cabelinho ralo, boca má, olhos maus que em momentos de cólera se inflamavam com um brilho de loucura. Esses dois entes difíceis ajustavam-se. Na harmonia conjugal a voz dele perdia a violência, tomava inflexões estranhas, balbuciava carícias decentes. Ela se amaciava, arredondava as arestas, afrouxava os dedos que nos batiam no cocoruto, dobrados, e tinham dureza de martelos. Qualquer futilidade, porém, ranger de dobradiça ou choro de criança, lhe restituía o azedume e a inquietação.

Do mesmo realismo clássico de *Infância* é o estofo das *Memórias do Cárcere*, um dos mais tensos depoimentos da nossa época e, por certo, o mais alto da nossa literatura. Graciliano aí narra as vicissitudes de sua prisão política em 1936-37. Mas as *Memórias* não se devem ler só como testemunho histórico. Elas desenvolveram, até certo limite de rigidez, alguns traços do estilo do romancista. Hoje a pesquisa estrutural tem confirmado com a precisão das suas análises o que a crítica mais atenta sempre vira na linguagem de Graciliano: a poupança verbal; a preferência dada aos nomes de coisas e, em conseqüência, o parco uso do adjetivo; a sintaxe clássica, em oposição ao à-vontade gramatical dos modernistas e, mesmo, dos outros prosadores do Nordeste.

Parece evidente que a modernidade de Graciliano Ramos tem pouco a ver com o Modernismo e nada a ver com as modas literárias para as quais o escritor pode apresentar um quê de inatual. Ela vem da sua opção pelo maior grau possível de despojamento, pela sua recusa sistemática de intrusões pitorescas, chulas ou piegas, situando-se no pólo oposto do populismo — tanto o vulgar quanto o sofisticado — que tem manchado tantas vezes a atitude dos fruidores da "vitalidade" do homem simples. Vitalidade que acaba servindo de pretexto

---

([326]) A expressão está em Rui Mourão, *Estruturas*, *cit.*, p. 151.

para projetar fixações regressivas do próprio escritor, como é o caso da maior parte dos romances de Jorge Amado.

Jorge Amado ([327])

Jorge Amado, fecundo contador de histórias regionais, definiu-se certa vez "apenas um baiano romântico e sensual". Definição justa, pois resume o caráter

---

([327]) JORGE AMADO DE FARIA (Ferradas, município de Itabuna, Bahia, 1912). Filho de um comerciante sergipano que chegou a proprietário de terras na região do cacau (sul da Bahia). Fez o curso primário em Ilhéus e o secundário com os jesuítas em Salvador e no Rio. Na capital baiana levou vida de jornalista boêmio nos fins da década de 20. O Modernismo encontrava então, na Bahia, os primeiros ecos e as primeiras oposições: J. Amado ligou-se à efêmera "Academia dos Rebeldes", grupo de que faziam parte o poeta Sosígenes Costa e o futuro historiador e folclorista Édson Carneiro. Indo para o Rio em 30 para fazer Direito, aí conhece alguns escritores jovens (Otávio de Faria, Santiago Dantas, Augusto Frederico Schmidt) que o animam a publicar *O País do Carnaval* (1931). Em 32, em parte por influência de Raquel de Queirós, aproxima-se da militância esquerdista: lê novelas da nova literatura proletária russa e do realismo bruto norte-americano (Michael Gold, Steinbeck). Viaja repetidas vezes pelo interior da Bahia e de Sergipe e procura transpor os casos que vê e ouve para uma série de romances populistas: *Cacau* (que se passa na zona de Ilhéus) e o ciclo dos romances urbanos de Salvador (*Suor, Jubiabá, Mar Morto, Capitães da Areia*). Ainda no decênio de 30 conhece a América Latina e vê seus primeiros livros traduzidos para vários idiomas. Nos anos da II Guerra faz literatura de propaganda política e envolve-se na oposição ao Estado Novo, sendo preso em 1942. Livre, passa algum tempo na Bahia onde retoma literariamente cenas e tipos de *Cacau*, em *Terras do Sem-Fim* e *São Jorge dos Ilhéus*. Eleito deputado, em 1946, pelo P. C. B., resolve exilar-se quando do fechamento deste. Viaja longamente pela Europa Ocidental e pela Ásia (1948-52). As traduções dos seus livros alcançam então altas tiragens nos países socialistas. Voltando ao Brasil, traz escritas obras abertamente partidárias (*O Mundo da Paz, Os Subterrâneos da Liberdade*). Instala-se, por algum tempo, no Rio, onde dirigirá o semanário *Para Todos*. A partir de 1958, voltou a escrever seguidamente romances e novelas de ambientação regional, já agora em linguagem menos polêmica e mais estilizada. O romancista, que vive atualmente em Salvador, afastado das lides políticas, é membro da Academia Brasileira de Letras. Obra: *O País do Carnaval*, 1931; *Cacau*, 1933; *Suor*, 1934; *Jubiabá*, 1935; *Mar Morto*, 1936; *Capitães da Areia*, 1937; *ABC de Castro Alves* (biografia lírica), 1941; *Vida de Luís Carlos Prestes, El Caballero de la Esperanza*, 1942 (na ed. argentina; a ed. brasileira é de 1945); *Terras do Sem-Fim*, 1942; *São Jorge dos Ilhéus*, 1944; *Bahia de Todos os Santos* (guia turístico da cidade), 1945; *Seara Vermelha*, 1946; *O Amor de Castro Alves*, reeditado como *O Amor do Soldado* (teatro, 1947); *O Mundo da Paz*, 1951; *Os Subterrâneos da Liberdade*, 3 vols., 1952; *Gabriela, Cravo e Canela*, 1958; *Velhos Marinheiros* (novelas), 1961; *Os Pastores da Noite*, 1964; "As Mortes e o Triunfo de Rosalinda", em *Os Dez Mandamentos*, 1965; *Dona Flor e Seus Dois Maridos*, 1967; *Tenda dos Milagres*, 1970; *Tieta do Agreste*, 1976. Consultar: Agripino Grieco, *Gente Nova do Brasil*, Rio, José Olympio, 1935; Olívio Montenegro, *O Romance Brasileiro*,

de um romancista voltado para os marginais, os pescadores e os marinheiros de sua terra que lhe interessam enquanto exemplos de atitudes "vitais": românticas e sensuais... A que, vez por outra, emprestaria matizes políticos. A rigor, não caminhou além dessa colagem psicológica a ideologia do festejado escritor baiano. Nem a sua poética, que passou incólume pelo realismo crítico e pelas demais experiências da prosa moderna, ancorada como estava em um modelo oral-convencional de narração regionalista.

Cronista de tensão mínima, soube esboçar largos painéis coloridos e facilmente comunicáveis que lhe franqueariam um grande e nunca desmentido êxito junto ao público. Ao leitor curioso e glutão a sua obra tem dado de tudo um pouco: pieguice e volúpia em vez de paixão, estereótipos em vez de trato orgânico dos conflitos sociais, pitoresco em vez de captação estética do meio, tipos "folclóricos" em vez de pessoas, descuido formal a pretexto de oralidade... Além do uso às vezes imotivado do calão: o que é, na cabeça do intelectual burguês, a imagem do *eros* do povo. O populismo literário deu uma mistura de equívocos, e o maior deles será por certo o de passar por arte revolucionária. No caso de Jorge Amado, porém, bastou a passagem do tempo para desfazer o engano.

Na sua obra podem-se distinguir:

a) um primeiro momento de águas-fortes da vida baiana, rural e citadina (*Cacau*, *Suor*) que lhe deram a fórmula do "romance proletário";

b) depoimentos líricos, isto é, sentimentais, espraiados em torno de rixas e amores marinheiros (*Jubiabá*, *Mar Morto*, *Capitães da Areia*);

c) um grupo de escritos de pregação partidária (*O Cavaleiro da Esperança*, *O Mundo da Paz*);

d) alguns grandes afrescos da região do cacau, certamente suas invenções mais felizes, que animam de tom épico as lutas entre coronéis e exportadores (*Terras do Sem-Fim*, *São Jorge dos Ilhéus*);

e) mais recentemente, crônicas amaneiradas de costumes provincianos (*Gabriela, Cravo e Canela*, *Dona Flor e Seus Dois Maridos*). Nessa linha, formam uma obra à parte, menos pelo espírito que pela inflexão acadêmica do estilo, as novelas reunidas em *Os Velhos Marinheiros*. Na última fase abandonam-se

---

Rio, J. Olympio, 1938; Nelson Werneck Sodré, *Orientações do Pensamento Brasileiro*, Rio, Vecchi, 1942; Antônio Cândido, *Brigada Ligeira*, S. Paulo, Martins, 1945; Álvaro Lins, *Jornal de Crítica*, 5ª série, Rio, J. Olympio, 1947; Adolfo Casais Monteiro, *O Romance e os Seus Problemas*, Lisboa, Casa do Estudante do Brasil, 1950; Haroldo Bruno, *Estudos de Literatura Brasileira*, Rio, O Cruzeiro, 1957; Miécio Tati, *Estudos e Notas Críticas*, Rio, I. N. L., 1958; Joel Pontes, *O Aprendiz de Crítica*, Rio, I. N. L., 1960; Miécio Tati, *Jorge Amado: Vida e Obra*, Belo Horizonte, Itatiaia, 1961; Vários, *Trinta Anos de Literatura*, S. Paulo, Martins, 1961; Luiz Costa Lima, "Jorge Amado", em *A Literatura no Brasil*, 2ª ed., vol. V, *O Modernismo* (dir. Afrânio Coutinho), Rio, Ed. Sul Americana, 1970, pp. 304-326; Walnice Galvão, *Saco de Gatos*, S. Paulo, Duas Cidades, 1976.

os esquemas de literatura ideológica que nortearam os romances de 30 e de 40; e tudo se dissolve no pitoresco, no saboroso, no apimentado do regional.

Érico Veríssimo

Só há um romancista brasileiro que partilha com Jorge Amado o êxito maciço junto ao público: Érico Veríssimo ([328]). E, apesar disso, ou por isso mesmo, a sua obra tem conhecido amiúde reservas da crítica mais sofisticada. A propósito, disse com acerto Wilson Martins:

([328]) ÉRICO VERÍSSIMO (Cruz Alta, Rio Grande do Sul, 1905 — P. Alegre, 1975). Nascido no meio de uma família rica e tradicional que se arruinou no começo do século, o escritor conheceu de perto o drama da decadência, motivo de algumas das suas melhores páginas. Jovem, exerceu profissões de pequena classe média: foi ajudante de comércio, bancário, lojista de farmácia. Atraíram-no nesse tempo leituras irônicas e melancólicas: Machado, Swift, Shaw. Mudando-se em 1930 para Porto Alegre, aproxima-se do expoente do Modernismo gaúcho, Augusto Meyer, que o encaminhou para o jornalismo literário. O estreante firma seu nome com alguns contos que reuniria, em 1932, sob o título de *Fantoches*, editados pela Globo, cuja revista então secretariava. De 33 até o fim do decênio, Veríssimo compõe os romances do ciclo de Vasco e Clarissa, nos quais a crítica logo reconheceu a presença de certa ficção inglesa e norte-americana (Huxley, Dos Passos, Katherine Mansfield). Verdadeiros *best-sellers*, os seus livros foram vertidos para as principais línguas cultas. Esteve diversas vezes nos Estados Unidos onde lecionou literatura brasileira e dirigiu um dos departamentos culturais da Organização dos Estados Americanos. Registros animados da vida ianque são *Gato Preto em Campo de Neve* e *A Volta do Gato Preto*. De 1948 a 1960, o escritor dedicou-se à elaboração da trilogia da vida gaúcha que é *O Tempo e o Vento*. Mais recentemente, escreveu romances que espelham tensões políticas de nossos dias. Obras de ficção: *Fantoches*, 1923; *Clarissa*, 1933; *Música ao Longe*, 1935; *Caminhos Cruzados*, 1935; *Um Lugar ao Sol*, 1936; *Olhai os Lírios do Campo*, 1938; *Saga*, 1940; *As Mãos de Meu Filho*, 1942; *O Resto é Silêncio*, 1943; *Noite*, 1954; *O Tempo e o Vento*. I. *O Continente*, 1949; O *Tempo e o Vento*. II. *O Retrato*, 1951; *O Tempo e o Vento*. III. *O Arquipélago*, 1961; *O Senhor Embaixador*, 1965; *O Prisioneiro*, 1967; *Incidente em Antares*, 1971; *Solo de Clarineta* (memórias), 2 vols., 1973-76. Consultar: Olívio Montenegro, *O Romance Brasileiro, cit.*; Rosário Fusco, *Vida Literária*, S. Paulo, Panorama, 1940; Moisés Vellinho, *Letras da Província*, Porto Alegre, Globo, 1944; Antônio Cândido, *Brigada Ligeira*, S. Paulo, Martins, 1945; Antônio Quadros, *Modernos de Ontem e de Hoje*, Lisboa, Portugália, 1947. V. também os estudos de Antônio Olinto, Wilson Martins e Jean Roche, incluídos na *Ficção Completa de E. V.*, organizada com a assistência do autor para a ed. Aguilar, em 1967; e Flávio Loureiro Chaves, *Érico Veríssimo: Realidade e Sociedade*, Porto Alegre, Globo, 1976.

Se, em geral, na história do Modernismo, o espetáculo mais comum é o de escritores superestimados (mesmo pelo que teriam representado na eclosão ou na evolução do Movimento), Érico Veríssimo seria o exemplo único do escritor subestimado, à espera dos grandes ensaios críticos, das análises exaustivas e do "reconhecimento" do que efetivamente representa ([329]).

Para compor a saga da pequena burguesia gaúcha depois de 1930, o romancista buscou realizar um meio-termo entre a *crônica de costumes* e a *notação intimista*. A linguagem com que resolveu esse compromisso é discretamente impressionista, caminhando por períodos breves, justaposições de sintaxe, palavras comuns e, forçosamente, lugares-comuns da psicologia do cotidiano. A aparente frouxidão que adveio da fórmula encontrada pareceu a certos leitores sinal de superficialidade. Mas era, na verdade, o meio ideal de não perder nenhum dos pólos de interesse que atraíam a personalidade de Érico Veríssimo: o tempo histórico do ambiente e o fluxo de consciência das personagens. Caso o escritor se tivesse definido, de chofre, pelo mural da vida provinciana, teria feito, desde o decênio de 30, o ciclo épico que construiria nos anos de 50; caso se fixasse apenas na espiritualidade das criaturas, teria esvaziado a sua ficção da carga de conflitos objetivos que dela fizeram um dos mais límpidos espelhos da vida sulina.

Não se trata, aqui, de fechar os olhos aos evidentes defeitos de fatura que mancham a prosa do romancista: repetições abusivas, incerteza na concepção de protagonistas, uso convencional da linguagem...; trata-se de compreender o nexo de intenção e forma que os seus romances lograram estabelecer quando atingiram o social médio pelo psicológico médio. E era necessário que a nossa literatura conhecesse também a planície ou, valha a metáfora, as modestas elevações da coxilha.

A *mediedade* (não confundir com "mediocridade") dessa ficção nos deu figuras humanas representativas, mas não rígidas. O frescor de Clarissa toda entregue a seus sonhos de adolescente e incapaz de entender as razões objetivas da infelicidade familiar; a rebeldia e o topete de Vasco, enxerto do imigrante rejeitado no velho tronco em declínio; o mundo alienado do jovem intelectual pequeno-burguês que é Noel: tudo isso poderia virar estereótipo a qualquer momento, não fosse o dom que tem o escritor de colher com extrema naturalidade os estados de alma díspares de cada personagem. E a técnica do contraponto, aprendida em Huxley, veio ajudá-lo a passar rapidamente de uma situação a outra, salvando-se de um escolho que lhe seria fatal: o ter que submeter a análises mais profundas as tensões internas dos protagonistas. Assim, o cronista feliz impediu que aparecesse um mau intimista.

([329]) Em *O Modernismo*, *cit.*, p. 295.

Fruto da mesma intuição das suas reais possibilidades criadoras foi a passagem que Veríssimo realizou do corte sincrônico dos primeiros romances para o vasto painel diacrônico de *O Tempo e o Vento*. Neste ciclo o contraponto serve para apresentar o jogo das gerações: portugueses e castelhanos nos tempos coloniais; farrapos e imperiais durante as lutas separatistas; maragatos e florianistas sob a Revolta da Armada, em 1893. A história de duas famílias, os Terra Cambará e os Amaral, atravessando dois séculos de vida perigosa, é o fio romanesco que une os episódios do ciclo e embasa as manifestações de orgulho, de ódio, de amor e de fidelidade; paixões que assumem uma dimensão transindividual e fundem-se na história maior da comunidade.

Nos seus livros mais recentes, *O Prisioneiro* e *O Senhor Embaixador*, Veríssimo afasta-se da temática sulina e volta-se para um tipo novo de romance, político-internacional, mantendo, porém, intacto aquele seu cálido liberalismo socializante, que é a suma ideológica da relação que sempre estabeleceu com o próximo.

Marques Rebelo (330)

Na ficção de Marques Rebelo cumpre-se uma promessa que o Modernismo de 22 apenas começara a realizar: a da prosa urbana moderna. Com a diferença

---

(330) Marques Rebelo (pseudônimo de Edi Dias da Cruz, Rio, 1907-1973). Passou a infância parte em Vila Isabel e no Trapicheiro, bairros cariocas, parte em Barbacena onde fez o curso primário. Terminados os preparatórios, ingressou na Faculdade de Medicina, mas logo abandonou o curso para trabalhar no comércio. Viajou então por todo o país e manteve contatos com grupos modernistas de S. Paulo e de Minas. Seu primeiro livro de contos, *Oscarina* (1931), foi recebido com aplauso pela melhor crítica do tempo. Profundamente vinculado à paisagem moral do Rio, e especialmente do Rio de classe média da Zona Norte, M. Rebelo continuou explorando literariamente o seu mundo em contos e romances escritos nos decênios de 30 e 40. De suas viagens pela Europa trouxe dois livros de crônicas, *Cortina de Ferro* e *Correio Europeu*. Voltando ao romance, vem publicando partes de um vasto diário-narração sob o título geral de *O Espelho Partido* de que já saíram três volumes. O escritor pertence à Academia Brasileira de Letras. Obra de ficção: *Oscarina*, 1931; *Três Caminhos*, 1933; *Marafa*, 1935; *A Estrela Sobe*, 1938; *Stela me Abriu a Porta*, 1942; *O Espelho Partido. I. O Trapicheiro*, 1959; *O Espelho Partido. II. A Mudança*, 1963; *O Espelho Partido. III. A Guerra Está em Nós*, 1969. Consultar: Agripino Grieco, *Gente Nova do Brasil*, Rio, J. Olympio, 1935; Tristão de Ataíde, *Estudos*, 5ª série, Rio, Civilização Brasileira, 1935; Álvaro Lins, *Jornal de Crítica*, 3ª série, Rio, José Olympio, 1944; Mário de Andrade, *O Empalhador de Passarinho*, S. Paulo, Martins, 1946; Augusto dos Santos Abranches, *Um Retrato de Marques Rebelo*, Rio, Ministério da Educação, 1959; Otto Maria Carpeaux, *Livros na Mesa*, Rio, Livraria S. José, 1960; Cavalcanti Proença, Introdução a *Oscarina* e *Três Caminhos*, incl. na Ed. de Ouro, Clássicos Brasileiros, Rio, 1966; Renard Perez, *Escritores Brasileiros Contemporâneos*, 1ª série, Rio, Civilização Brasileira, 1960.

notável de que o escritor carioca não rompeu os liames com a tradição do nosso melhor realismo citadino. A sua obra insere-se, pelos temas e por alguns traços de estilo, na linha de Manuel Antônio de Almeida (de quem escreveu uma viva biografia), de Machado de Assis e de Lima Barreto. Com eles o autor de *Oscarina* aprendeu a manejar os processos difíceis do distanciamento, o que lhe permitirá contar os seus casos da infância e do cotidiano com uma objetividade tal que a ironia e a pena difusas não o arrastariam ao transbordamento romântico.

A sábia dosagem de proximidade e distância do narrador em face dos seres da ficção é o pressuposto do neo-realismo de Marques Rebelo e a chave de uma obra que testemunha o povo, sem populismo, e fixa as angústias do homem da rua sem a mais leve retórica. Repito, é uma arte difícil, e na sua simplicidade, uma arte clássica.

A matriz dessa narração objetiva é lírica. Porque a história da cidade que a alimenta faz um todo com o passado do escritor. O Rio de Janeiro, com toda a sua modernidade internacional de centro turístico, conservou por longo tempo faixas de vida suburbana, estratificada, própria de uma classe média que remonta aos tempos de D. João VI. A revolução industrial e o frenesi imobiliário atacaram de rijo a orla das praias, mas só lentamente foram alterando a fisionomia da zona dos morros. Aí vegetavam bairros que, se dependiam dos negócios e da burocracia do centro, negaceavam a integrar-se no espírito mercantil e cosmopolita da nova cidade. Marques Rebelo é um nostálgico dos tempos mais simples, mais "naturais", que coincidiram com a sua infância do começo do século. Mas, sendo um lírico do realismo de 30, mantém uma sutil separação entre os planos do *eu* e da realidade. E acompanha com admirável argúcia os conflitos, as frustrações e as renovadas esperanças daquelas gerações modestas que se ralam para sobreviver em uma sociedade cada vez mais lacerada pela competição.

O lírico esconde-se nas dobras do narrador de episódios infantis ("Caso de Mentira", "Circo de Coelhinhos") e na evocação de destinos malogrados ("A Mudança", "Um Destino"). A certeza de uma perda precoce está no subsolo da crônica miúda dos pequenos funcionários, das donas-de-casa sem rosto nem idade, dos rapazes abafados em empregos humildes. Daí, o contraponto da infância, paraíso de jogo e liberdade, e a rotina cinzenta do adulto. Dos contos ou "romances inacabados" de *Três Caminhos*, que falam de crianças e de adolescentes, diria o autor, resumindo a sua concepção de vida: "Se não os prossegui, não foi por negligência ou incapacidade. Falou mais forte a piedade de não lhes dar destinos." Mas os mitos do menino sobrevivem na evasão do adulto: e serão o herói do futebol, o sambista das massas, a diva do rádio (*A Estrela Sobe)*.

Esses os temas, sobriamente trabalhados na prosa tensa e limpa de Marques Rebelo.

As raízes memorialistas ainda repontam com vigor na série do *Espelho Partido* para a qual o narrador escolheu a estrutura do diário. No quadro do romance brasileiro de hoje, *O Espelho Partido* significa a opção de um intimismo que não pode nem quer desgarrar-se da paisagem que lhe deu origem. Por isso, a dispersão que compartilha com todos os diários é de certo modo "corrigida" pela unidade de lugar e de tempo que lhe conferem a cidade e a geração de Marques Rebelo.

José Geraldo Vieira

Também de extração urbana é a obra ficcional de José Geraldo Vieira ([331]), mas num sentido oposto ao de Marques Rebelo.

No romancista de *A Quadragésima Porta* sentimos o homem fascinado pela atmosfera da cidade grande enquanto lugar geométrico das angústias e das experiências intelectuais mais refinadas da civilização contemporânea. A sua visão do mundo ficou marcada pelos ritmos de uma Paris mítica visitada antes e depois da Primeira Guerra: centro nervoso da arte, encruzilhada de todas as poéticas, de todas as ideologias. Algo daquela febre do último Decadentismo europeu aquece os ambientes e aciona as personagens do narrador que, sem dúvida, foi a voz diferente no coro do romance brasileiro das décadas de 30 e 40.

([331]) José Geraldo Manuel Germano Correia Vieira Machado da Costa (Rio, 1897-1977). De pais açorianos. Passou a infância e a primeira juventude no Rio de Janeiro onde se formou em Medicina. Conheceu de perto os remanescentes do Parnaso e do Simbolismo que animavam a vida literária carioca antes da afirmação modernista; seus primeiros livros traem o penumbrismo da *belle époque* em dissolução: um wildeano poema em prosa, *Triste Epigrama* (1919) e os contos de *Ronda de Deslumbramento* (1922). De 1920 a 1922 estudou radiologia em Paris e em Berlim, viajando depois por quase toda a Europa. De volta ao Brasil, partilhou a sua vida entre a medicina e a literatura de ficção, no período que passou no Rio e na cidade paulista de Marília, mas optou definitivamente pela segunda ao estabelecer-se em S. Paulo. Pôs-se então a traduzir, em um ritmo intenso, o melhor da ficção européia e norte-americana: Stendhal, Tolstói, Dostoievski, Joyce, Pirandello, Steinbeck... E exerceu com assiduidade a crítica literária e artística. Ficção: *A Mulher que Fugiu de Sodoma*, 1933; *Território Humano*, 1936; *A Quadragésima Porta*, 1943; *A Túnica e os Dados*, 1947; *A Ladeira da Memória*, 1950; *O Albatroz*, 1952; *Terreno Baldio*, 1961; *Paralelo 16: Brasília*, 1966. Consultar: Sérgio Milliet, *Diário Crítico, II*, Brasiliense, 1945; Antônio Cândido, *Brigada Ligeira*, S. Paulo, Martins, 1945; Álvaro Lins, *Jornal de Crítica*, 4ª série, Rio, J. Olympio, 1946; Renard Perez, *Escritores Brasileiros Contemporâneos*, 1ª série, Rio, Civ. Brasileira, 1960; Adonias Filho, *O Romance Brasileiro de 30*, Rio, Bloch, 1969.

E, na verdade, os livros de José Geraldo Vieira são os mais cosmopolitas que já se escreveram em língua portuguesa. Prosa cortada por transcrições de anúncios luminosos, por nomes de artigos franceses e ingleses e por um sem-número de neologismos, citações eruditas e referências técnicas, ela é uma lente de aumento da linguagem do burguês culto e sofisticado que respira ondas contínuas e crescentes de informação.

Mas o seu refinamento vai mais fundo e chega mais longe enquanto molda criaturas extremamente instáveis e nervosas, incapazes de situar e de resolver os seus conflitos fora dos quadros culturais da literatura e da arte, sua segunda e definitiva natureza. A herança da *belle époque*, do *art nouveau*, é sensível na construção de sua obra; mas seria precipitado classificar de "mundano" um romance como *A Ladeira da Memória* onde há lugar para vigorosos lances existenciais.

A posição de José Geraldo Vieira em nossa literatura, é, assim, marginal. Sem dúvida, é mais fácil opô-lo aos regionalistas que situá-lo pacificamente entre os intimistas como Lúcio Cardoso e Cornélio Pena. Porque há nele, além de tomadas introspectivas, uma ambição, nem sempre realizada, mas aguilhoante, de revolucionar a estrutura do gênero romance entre nós, e fazê-la surpreendente como um painel entre impressionista e cubista. Para tanto, joga com os planos da realidade presente e do passado e arma símbolos que os unifiquem. *O Albatroz* foi, nesse particular, a sua experiência narrativa mais feliz, enquanto logrou fixar uma constante psicológica (a dor causada pela perda de seres amados) através de uma complexa história de gerações. Em outro romance, centrado intencionalmente na estrutura, *A Túnica e os Dados*, a inovação faz-se na esfera da sincronia: no breve corte de tempo de uma Semana Santa, transcorrida numa cidade do interior, na capital paulista e em Santos, justapõem-se os dramas de vários figurantes e, a certa altura, a coexistência é fixada graficamente pela divisão vertical da página em duas colunas nas quais se narram, paralelamente, os sonhos de duas personagens. Já o ponto alto de *Terreno Baldio* foi atingido pela fixação de Paris ocupada pelos nazistas e vista pelo ângulo de um par amoroso de psicologia tipicamente moderna, citadina e culta até à sofisticação. Enfim, em *Paralelo 16: Brasília*, o narrador apanha um momento áureo da vida nacional: o tempo de euforia que envolveu a fundação da nova capital. A linguagem carrega-se aí daquele jargão burocrático, eivado de siglas, que parece ser uma das fatalidades da era tecnocrática. O que, somado ao léxico internacional do autor, vem confirmar o caráter moderno e "metropolitano" da sua ficção.

Radicalizando as próprias qualidades de atento observador, José Geraldo Vieira tende a construir um romance substantivamente *cheio*, não raro em prejuízo da nitidez dos caracteres e da trama. Pode-se dizer que esse traço vem ao encontro da prosa vanguardeira, como o *nouveau roman*, nominal, descritivo, antipsicológico; o que não lavra, por força, um tento estético, sobretudo quando a tendência atua à revelia do equilíbrio interno da estrutura ficcional.

Lúcio Cardoso (332)

Desde *Maleita*, história de um construtor perdido numa pocilga do sertão mineiro, Lúcio Cardoso revelava pendor para a criação de atmosferas de pesadelo. Mas a fórmula naturalista que elegera para o livro de estréia foi, para ele, um engano cultural, de resto explicável naqueles anos em que os melhores romances se chamavam *Cacau*, *Os Corumbas*, *Menino de Engenho*... Equívoco logo desfeito: já em 1936, com *A Luz no Subsolo*, o escritor se definiria pelo romance de sondagem interior a que lograria dar uma rara densidade poética.

---

(332) Lúcio Cardoso (Curvelo, Minas Gerais, 1913 — Rio, 1968). Passou a infância em Belo Horizonte onde fez o curso primário. Consta que revelou muito cedo aptidão para as artes e, em particular, para a música. Cursou o ginásio na capital mineira e no Rio para onde se transferira com a mãe e os irmãos. O pai, espírito aventureiro, desbravador de sertões e fundador de cidades, ficara em Minas. Lúcio ainda não completara vinte anos e já tinha na gaveta centenas de páginas de prosa e de poesia; o conhecimento de Augusto Frederico Schmidt, que iniciava a sua carreira de editor, abriu-lhe a possibilidade de editar *Maleita*, romance calcado nas agruras do pai em Pirapora, e, em parte, preso ao ciclo regionalista que se afirmava naqueles anos. Nas obras seguintes, L. C. encontraria o próprio caminho, a introspecção e a análise. Viveu quase sempre no Rio onde tentou, com menor êxito, o teatro e o cinema. Manteve-se até à morte ligado a alguns escritores que se definiram, nos anos de 30, espiritualistas e católicos: Otávio de Faria, Jorge de Lima, Cornélio Pena, Vinícius de Moraes. Nos últimos anos, paralisado por um derrame, não lhe foi mais possível escrever: voltou-se então para a pintura, tendo composto perto de quinhentas telas de filiação surrealista e expressionista. Deixou inédito *O Viajante*, romance. Ficção: *Maleita*, 1934; *Salgueiro*, 1935; *A Luz no Subsolo*, 1936; *Mãos Vazias*, 1938; *Histórias da Lagoa Grande*, 1939; *O Desconhecido*, 1940; *Dias Perdidos*, 1943; *Inácio*, 1946; *O Anfiteatro*, 1946; *A Professora Hilda*, 1946; *O Enfeitiçado*, 1954; *Crônica da Casa Assassinada*, 1959. *Poesias*, 1941; *Novas Poesias*, 1944. Teatro: *O Escravo*, 1937 (repr. em 1943); *O Coração Delator*, s. d.; *A Corda de Prata*, 1947; *O Filho Pródigo*, 1947; *Angélica*, 1950. Diário: *Diário*, I, 1960. Consultar: Agripino Grieco, *Gente Nova do Brasil*, Rio, José Olympio, 1935; Otávio de Faria, *Dois Poetas*, Rio, Ariel, 1935; Adonias Filho, "Os Romances de Lúcio Cardoso", *in* Cadernos da Hora Presente, nº 4, set. de 1939; Álvaro Lins, *Jornal de Crítica*, 1ª série, Rio, J. Olympio, 1941; Nelson Werneck Sodré, *Orientações do Pensamento Brasileiro*, Rio, Vecchi, 1942; Álvaro Lins, *Jornal de Crítica*, 6ª série, Rio, J. Olympio, 1951; Roberto Alvim Correa, O Mito de Prometeu, Rio, Agir, 1951; Renard Perez, *Escritores Brasileiros Contemporâneos*, 2ª série, Rio, Civ. Bras., 1964; M. Cavalcanti Proença, Introdução à 2ª ed. de *Maleita*, Rio, Edições de Ouro, 1967; Marcos Konder Reis, "A Terceira Pessoa", em *Três Histórias da Cidade* (reed. de *Inácio*, *O Anfiteatro*, *O Enfeitiçado*), Rio, Bloch, 1969; Maria Alice Barroso, "Lúcio Cardoso e o Mito", em *Três Histórias de Província*, Rio, Bloch, 1969. Veja-se também a edição crítica da *Crônica da Casa Assassinada*, aos cuidados de Mário Carelli (Coleção Archives, 1992).

Lúcio Cardoso e Cornélio Pena foram talvez os únicos narradores brasileiros da década de 30 capazes de aproveitar sugestões do surrealismo sem perder de vista a paisagem moral da província que entra como *clima* nos seus romances. A decadência das velhas fazendas e a modorra dos burgos interioranos compõem atmosferas imóveis e pesadas onde se moverão aquelas suas criaturas insólitas, oprimidas por angústias e fixações que o destino afinal consumará em atos imediatamente gratuitos, mas necessários dentro da lógica poética da trama. O leitor estranha, à primeira leitura, certa imotivação na conduta das personagens. É que os vínculos rotineiros de causa e efeito estão afrouxados nesse tipo de narrativa, já distante do mero relato psicológico. Lúcio Cardoso não é um memorialista, mas um inventor de totalidades existenciais. Não faz elencos de atitudes ilhadas: postula estados globais, religiosos, de graça e de pecado. Em nota à *Professora Hilda*, ele escreveu a respeito das personagens:

> o que neles me interessa, o que quis mostrar nos seus destinos atormentados foi a força selvagem com que foram arrastados para longe da vida comum, sem apoio na esperança, sem fé numa outra vida, cegos e obstinados contra a presença do Mistério.
>
> Pois o Mistério é a única realidade deste mundo. E, se dele temos tão grande necessidade, é para não morrer do conhecimento dos nossos próprios limites, como as criaturas loucas e martirizadas a que tentei dar vida.

Obra pela qual perpassa um sopro de romantismo radical, algo digno de Emily Brontë, cujos poemas Lúcio Cardoso traduziu em versos musicais, a *Crônica da Casa Assassinada* fixa as angústias de um amor que se crê incestuoso. O romancista supera, nessa obra-prima, a indefinição que às vezes debilitava a estrutura das suas primeiras experiências, e lança-se à reconstrução admirável do clima de morbidez que envolve os ambientes (quem esquecerá o fundo esverdinhado da velha chácara onde há mofo e sangue?) e os seres (indelével, a figura de Nina, atraída pela vertigem da dissolução no próprio eros).

Refina-se na *Crônica* o processo de caracterização. Em vez de referências diretas, são as cartas, os diários e as confissões das pessoas que conheceram a protagonista (e dela própria) que vão entrar como partes estruturais do livro. A tragédia de um ser passa a refletir-se no coro das testemunhas; e estas percorrem a vária gama de reações, que vai da febre amorosa ao ódio, deste à indiferença ou ao juízo convencional. O "caso" psicanalítico sai, portanto, do beco da auto-análise e assume dimensões familiares e grupais.

Lúcio Cardoso se encaminhava, nessa fase madura da sua carreira de artista, para uma forma complexa de romance em que o introspectivo, o atmosférico e o sensorial não mais se justapusessem mas se combinassem no nível de uma escritura cerrada, capaz de converter o descritivo em onírico e adensar o psicológico no existencial:

Que é o para sempre senão o existir contínuo e líqüido de tudo aquilo que é liberto da contingência, que se transforma, evolui e deságua sem cessar em praias de sensações também mutáveis? Inútil esconder: o para sempre ali se achava diante dos meus olhos. Um minuto ainda, apenas um minuto — e também este escorregaria longe do meu esforço para captá-lo, enquanto eu mesmo, também para sempre, escorreria e passaria — e comigo, como uma carga de detritos sem sentidos e sem chama, também escoaria para sempre meu amor, meu tormento e até mesmo minha própria fidelidade. Sim que é para sempre senão a última imagem deste mundo — não exclusivamente deste, mas de qualquer mundo que se enovele numa arquitetura de sonho e de permanência — a figuração de nossos jogos e prazeres, de nossos achaques e medos, de nossos amores e de nossas traições — a força enfim que modela não esse que somos diariamente, mas o possível, o constantemente inatingido, que perseguimos como se acompanha o rastro de um amor que não se consegue, e que afinal é apenas a lembrança de um bem perdido — quando? — num lugar que ignoramos, mas cuja perda nos punge, e nos arrebata, totais, a esse nada ou a esse tudo inflamado, injusto ou justo, onde para sempre nos confundimos ao geral, ao absoluto, ao perfeito de que tanto carecemos.

(“Diário de André”)

Quando a tensão “para dentro” chega a seu limite, o fluxo da consciência recupera as imagens da natureza (líqüido, chama, praia, treva...) como símbolo e metáfora. E começa a ser penoso distinguir a prosa da poesia.

Cornélio Pena

Mário de Andrade, comentando as primeiras obras de Cornélio Pena (333), chamou-as “romances de um antiquário”. Se o grande poeta estivesse vivo

(333) Cornélio de Oliveira Pena (Petrópolis, 1896 — Rio, 1958). Passou a primeira infância em Itabira do Mato Dentro, Minas Gerais, fonte constante de sugestões para o ambiente de seus romances. Cursou Direito em S. Paulo (1914-19), período em que faz jornalismo acadêmico e começa a pintar. Transferindo-se para o Rio, viveu como redator e ilustrador de *O Combate* e *O Jornal*, e, desde 1927, como funcionário do Ministério da Justiça. Uma exposição de pintura realizada em 1928 abre-lhe as portas da Sociedade Brasileira de Belas-Artes, justamente quando o artista declara em público que não mais pintaria. De fato, a partir de 1930, dedicar-se-ia à elaboração da sua obra literária. Esteve ligado aos escritores católicos do Rio, Tristão de Ataíde, Lúcio Cardoso, Otávio de Faria..., que logo reconheceram a originalidade da sua ficção. Obra: *Fronteira*, 1935; *Dois Romances de Nico Horta*, 1939; *Repouso*, 1948; *A Menina Morta*, 1954. Consultar: Mário de Andrade, *O Empalhador de Passarinho*, S. Paulo, Martins, 1945; Adonias Filho, “Os Romances da Humanidade”, em *Romances Completos de Cornélio Pena*, Rio, Aguilar, 1958; nesta edição, v. também os ensaios de Ledo Ivo, Tristão de Ataíde, Sérgio Milliet, A. F. Schmidt e Murilo Araújo; Maria Aparecida Santilli, “Angústia e

quando se publicou *A Menina Morta*, teria confirmada em cheio a sua intuição crítica. Pois Cornélio Pena, que dera em *Fronteira* um grande passo para que a nossa ficção pudesse transcender o registro psicológico bruto, saberia reconstruir em *A Menina Morta* o pequeno mundo antigo em que mergulhavam as raízes das suas mais singulares invenções.

A parábola do romancista parecerá estranha: primeiro, a conquista de um horizonte supra-real; depois, a recuperação da ambiência histórica. Quer dizer: ele não passou do habitual ao insólito, do psíquico ao metapsíquico, do observado ao imaginário. Fez o caminho inverso, comunicou com prioridade o que o pressionava com maior insistência: a estranheza das relações entre os homens, a fronteira incerta entre o normal e o aberrante, a larga margem de mistério que pode subsistir na mais banal das rotinas familiares. É essa percepção nova do dia-a-dia que tornou realmente originais os seres de *Fronteira* e dos *Dois Romances de Nico Horta*. A dosagem de segredo pareceu arbitrária a Mário de Andrade que, no artigo mencionado, desabafava:

> Em *Fronteira* surgia um Viajante, ser misterioso, inexplicável, que aparece e desaparece, espécie de símbolo intangível que o romancista fez questão em não nos explicar quem era. O pior é que na realidade esse viajante não aumentava nada ao drama intrínseco do livro. Da mesma forma, neste romance novo (*Nico Horta*), surge a horas tantas uma Ela que aparece e desaparece, e não tem por onde se lhe pegue. Durante algum tempo a gente ainda se dispersa, interessado em interpretar essas assombrações possivelmente simbólicas, mas força é concluir que elas não influem basicamente em nada, nada justificam, nada condicionam (*O Empalhador*, *cit*., pp. 123-124).

O problema crítico armado nessas linhas é dos mais espinhosos. Até que ponto vale o critério de coerência para se ajuizar de um romance? Talvez só a estrutura interna da narração possa dizer se criaturas fantasmais, postas à margem a certa altura, deveriam ou não ter comparecido às páginas da ficção. Em *Fronteira* e no romance seguinte elas revelam a possibilidade mesma do imprevisto na trama da vida. Se não fossem "gratuitos", o Viajante e Ela acabariam enxertando-se no enredo e assumiriam aquele *quantum* de verossimilhança que Mário de Andrade parecia ainda exigir do processo narrativo. Mas se o romance de Cornélio Pena desenrola-se no ritmo do sonho, então há lugar para seres que não tenham outra corporeidade além da própria e fugidia imagem. E é ele mesmo quem nos socorre, nas páginas de abertura de *Fronteira* quando põe na boca da personagem expressões que definem a gênese psico-

---

Fantástico no Romance de Cornélio Pena", *in Revista de Letras*, nº 5, Assis, 1964; Antônio Cândido e J. Aderaldo Castello, "Cornélio Pena", em *Presença da Literatura Brasileira*, 3ª ed., S. Paulo, Dif. Eur. do Livro, 1968, vol. III; Luiz Costa Lima, *A Perversão do Trapezista*, Rio, Imago, 1977.

lógica do seu ato de narrar: "intensa e confusa recordação", "memória preguiçosa", "sonho sufocante"...

Mais tarde, o Cornélio Pena visionário e vago optaria pelo caminho da evocação miúda e determinada. *A Menina Morta* é um romance de atmosfera mas, ao mesmo tempo, um conjunto absolutamente coeso e verossímil. O efeito de mistério que dele se depreende não se deve a intrusões aleatórias de seres embruxados, mas à própria realidade material e moral de uma fazenda às margens do Paraíba e às vésperas da Abolição.

O "documento" é tão rico nesse particular que Augusto Frederico Schmidt pôde dizer: "Não se terá escrito sobre a escravidão no Brasil, até hoje, nada mais impressionante do que alguns dos capítulos de *A Menina Morta*" ([334]).

No interior de um solar opulento mas sóbrio, que Cornélio Pena descreve com zelos de miniaturista, a menina que, viva, fora esperança de paz junto aos escravos, morta é presença numinosa; e acabará por sobreviver na alma da irmã, ser complexo e solitário, a quem seria dado assistir ao declínio inexorável da fazenda.

A poesia desta grande obra está precisamente na redução de um mar de imagens à atmosfera de dor e de opressão que a ausência da menina provoca em cada personagem. Como uma luz que se sabe para sempre apagada e cuja lembrança alumia apenas o desolamento do que restou.

Na fazenda do Grotão, desertada pouco a pouco pelos escravos, pelos parentes, pelos herdeiros, a fidelidade de Cartola faz ressurgir a menina morta e dá um sentido de perenidade a uma história que fala de um mundo em dissolução.

Outros narradores intimistas

Nem sempre a introspecção romanesca mergulha nas zonas do sonho e do irreal. Pode deter-se na memória da infância ou fixar-se em estados de alma recorrentes no indivíduo, sem que o processo implique necessariamente em transfiguração. À literatura *visionária* contrapôs Jung a literatura *psicológica*, inclinada à minuciosa marcação da consciência, atenta ao verossímil e próxima dos modelos já clássicos, de realismo interior (Tchécov, Machado de Assis, Katherine Mansfield...). Os quais, por sua vez, ao insistirem na descrição das faixas crepusculares da alma humana, abririam caminho para a conversão do realismo no supra-realismo.

([334]) No artigo "O Anjo entre os Escravos" (*Correio da Manhã*, 27-2-55).

Romances de *educação sentimental* são *O Amanuense Belmiro* e *Abdias* de **Cyro dos Anjos** (335). Em ambos o escritor mineiro narra, em primeira pessoa, menos a vida que as suas ressonâncias na alma de homens voltados para si mesmos, refratários à ação, flutuantes entre o desejo e a inércia, entre o projeto veleitário e a melancolia da impotência. O diário é a estrutura latente desse tipo de narração. E o enredo tende a perder os contornos, as divisões nítidas, e a diluir-se no fluxo da memória que vai evocando os acontecimentos. Para configurar essa realidade aparentemente em mudança, mas, no fundo, estática e repetitiva, Cyro dos Anjos não privilegiou o monólogo interior: preferiu trabalhar com os recursos tradicionais do diálogo, do relato irônico, da análise sentimental; processos a que se ajusta com perfeição a prosa que elegeu para toda a sua obra: de uma elegância simples e clássica. A condição de memorialista, que se impunha desde *O Amanuense Belmiro*, trouxe-o enfim de volta à crônica da infância que são as suas estimáveis *Explorações no Tempo*.

De Otávio de Faria (336) a crítica já terá dito o essencial: "criador de almas", mas escritor literariamente falho. A publicação seguida dos volumes do seu *roman-fleuve*, *A Tragédia Burguesa*, tem confirmado esse juízo. O drama das consciências atribuladas, divididas entre o pecado e o ideal de santidade, daria matéria para vigorosos romances intimistas, caso o escritor fosse capaz daquela

---

(335) Cyro Versiani dos Anjos (Montes Claros, Minas Gerais, 1906 — Rio, 1994). Ficção: *O Amanuense Belmiro*, 1937; *Abdias*, 1945; *Montanha*, 1956. Ensaio: *A Criação Literária*, 1954. Memórias: *Explorações no Tempo*, 1952. Poesia: *Poemas Coronários*, 1964. Consultar: Antônio Cândido, *Brigada Ligeira*, S. Paulo, Martins, 1945; Adolfo Casais Monteiro, *O Romance e Seus Problemas*, Lisboa, Casa do Estudante do Brasil, 1950; Eduardo Frieiro, *Páginas de Crítica*, B. Horizonte, Itatiaia, 1955; Eduardo Portella, *Dimensões*, I, Rio, José Olympio, 1958; Miécio Tati, *Estudos e Notas Críticas*, Rio, I. N. L., 1958.

(336) Otávio de Faria (Rio de Janeiro, 1908-1980). Ficção: *Mundos Mortos*, 1937 (ed. modificada, 1962); *Os Caminhos da Vida*, 1939; *O Lodo das Ruas*, 1942; *O Anjo de Pedra*, 1944; *Os Renegados*, 1947; *Os Loucos*, 1952; *O Senhor do Mundo*, 1957; *O Retrato da Morte*, 1961; *Ângela ou as Areias do Mundo*, 1963; *A Sombra de Deus*, 1966; *O Cavaleiro da Virgem*, 1971; *O Indigno*, 1976; *O Pássaro Oculto*, 1977. Todos os romances subordinam-se ao título geral de *Tragédia Burguesa*. Ensaio: *Machiavel e o Brasil*, 1931; *Destino do Socialismo*, 1933; *Dois Poetas*, 1935; *Fronteiras da Santidade*, 1940; *Significação do Far-West*, 1952. Consultar: Álvaro Lins, *Jornal de Crítica*, 1ª série, Rio, José Olympio, 1941; *Jornal de Crítica*, 2ª série, Rio, José Olympio, 1943; Afonso Arinos de Mello Franco, *Mar de Sargaços*, S. Paulo, Martins, 1944; Mário de Andrade, *O Empalhador de Passarinho*, S. Paulo, Martins, 1946; Paulo Hecker Filho, *A Alguma Verdade*, P. Alegre, s. e., 1952; Olívio Montenegro, *O Romance Brasileiro*, 2ª ed., Rio, J. Olympio, 1953; Joel Pontes, *O Aprendiz de Crítica*, Recife, Depto. de Documentação e Cultura, 1955; Adonias Filho, *Modernos Ficcionistas Brasileiros*, Rio, O Cruzeiro, 1958; M. Tereza Sadek, *Machiavel, Machiavéis. A Tragédia Octaviana*, S. Paulo, Símbolo, 1978.

contensão estilística de um Mauriac ou de um Julien Green, narradores que lhe são afins. Mas há uma tal dispersão nos seus últimos livros que os conflitos morais não logram caracterizar-se e perdem-se na enxurrada de diálogos frouxos e anotações psicológicas banais.

Quem apreciou certos momentos felizes naquela história de meninos angustiados pelo sexo, que é *Mundos Mortos*, e leu com admiração as últimas páginas de *Caminhos da Vida*, não deixará de lamentar a queda formal que se deu nas obras seguintes onde tão descompassados andam intenção e fatura. E mais deplora ainda a carência de equilíbrio e de senso construtivo quando sente que as ambições do autor, se realizadas, o situariam num lugar privilegiado no romance contemporâneo. A *Tragédia Burguesa* poderia ser o painel da grande cidade apreendida na existência de jovens sem raízes, enovelados no dia-a-dia das suas aventuras afetivas e intelectuais. Poderia ser o romance capaz de transpor para um plano ético e religioso os conflitos de milhares de rapazes e moças que respiram a "mundanidade" decaída da condição burguesa. Mas para tanto faltou-lhe um mínimo de formalização artística que teria unificado aquela vasta dispersa matéria de idéias e emoções.

Em outros narradores, que estrearam na mesma década, releva notar o maior cuidado com os processos de composição. E seguramente a brevidade da referência com que aqui os indico não significa minoridade das suas obras. Dionélio Machado, gaúcho, fez em *Os Ratos* (1936) uma reconstrução miúda e obsedante da vida da pequena classe média ralada pelas agruras do cotidiano. O roteiro ficcional de Dionélio Machado é surpreendente: nos seus últimos romances voltou-se para a reconstrução cultural e psicológica da Roma imperial em vias de desagregação (*Deuses Econômicos*, *Sol Subterrâneo*, *Prodígios*). O fio que une *Os Ratos* a essa trilogia parece ser a obsessão do encarceramento, a angústia do ser humano preso à condição urbana e sob o regime do terror, qualquer que seja o tempo histórico que lhe tenha sido dado viver (*). João Alphonsus, mineiro, é, sem dúvida, um dos continuadores mais fiéis da prosa conquistada com o Modernismo: os contos de *Galinha Cega* (1931) e de *Pesca da Baleia* (1942), em que trata liricamente o coloquial, situam-no na melhor linha de Mário de Andrade. Telmo Vergara, gaúcho, compôs, em *Estrada Perdida* (1939), um romance que, se falha na composição geral, atinge, na exploração intensiva de algumas cenas e algumas figuras, um bom nível estilístico.

(*) Desenvolvi essa hipótese interpretativa em "Uma trilogia da libertação", posfácio a *Sol Subterrâneo*, Ed. Moderna, 1981.

Firmando-se nas décadas de 40 e 50, temos um grupo vário de romancistas e contistas que atestam, em conjunto, a maturidade literária a que chegou nossa prosa de tendências introspectivas ([337]).

Lygia Fagundes Telles (*Praia Viva*, 1944; *O Cacto Vermelho*, 1949; *Ciranda de Pedra*, 1955; *Histórias do Desencontro*, 1958; *Verão no Aquário*, 1963; *O Jardim Selvagem*, 1965; *Antes do Baile Verde*, 1970; *Seminário dos Ratos*, 1977) fixa, em uma linguagem límpida e nervosa, o clima saturado de certas famílias paulistas cujos descendentes já não têm norte; mas é na evocação de cenas e estados de alma da infância e da adolescência que tem alcançado os seus mais belos efeitos. No romance *As Meninas*, de 1973, desenhou o perfil de um momento da vida brasileira, em que o fantasma das guerrilhas é apreendido no cotidiano de estudantes burguesas.

De Elisa Lispector, um romance como *O Muro de Pedras* (1952) dá exemplo de notável acuidade na percepção dos mais leves matizes da afetividade.

Antônio Olavo Pereira (*Contra-Mão*, novela, 1949; *Marcoré*, 1957; *Fio de Prumo*, 1965, romances) é um estilizador sóbrio e intenso de dramas familiares.

Discreta, fluente e dotada de um senso vivo do diálogo, a melhor prosa de Lúcia Benedetti está em *Vesperal com Chuva*, contos publicados em 1950.

Otto Lara Resende já nos deu provas de fina análise ao voltar-se para as faces mórbidas da criança e para os conflitos entre a libido e uma formação religiosa tradicional, mineira (*O Lado Humano*, 1942; *Boca do Inferno*, 1958; *O Retrato na Gaveta*, 1962; *O Braço Direito*, 1963). Próximo lhe fica o também

---

([337]) O autor tem consciência dos riscos a que se expõe quem faz uma relação, ainda que sumária e apenas exemplificadora, da ficção contemporânea. Os últimos vinte anos foram marcados por um crescente movimento editorial, de modo que só uma pesquisa aturada poderia dar conta da mole de publicações registradas. Assim, as lacunas não significam omissão voluntária, mas impossibilidade material de cobrir toda a área de documentos a analisar. Para uma visão mais particularizada do conto, ver nossa antologia, *O Conto Brasileiro Contemporâneo*, 3ª ed., Cultrix, 1979. Nela foram incluídos contos de alguns dos melhores prosadores contemporâneos: Guimarães Rosa, Moreira Campos, J. J. Veiga, Bernardo Élis, Murilo Rubião, Otto Lara Resende, Lygia Fagundes Telles, Osman Lins, Dalton Trevisan, Autran Dourado, Clarice Lispector, Rubem Fonseca, Samuel Rawet, Ricardo Ramos, João Antônio, Moacyr Scliar, Nélida Piñon e Luiz Vilela. Uma seleção mais ampla, que revisitasse o conto dos anos 70 e avançasse pela década seguinte, indicaria, entre outros, os nomes de Manuel Lobato, Wander Piroli, Duílio Gomes, Sérgio Sant'Anna, Roberto Drummond, Orlando Bastos (todos mineiros), João Gilberto Noll, Eric Nepomuceno, Mafra Carbonieri, Modesto Carone, Edla van Steen e Marina Colassanti. (Ver adiante o tópico sobre a ficção entre os anos 70 e 90.)

mineiro Fernando Sabino, autor de um vivo depoimento da geração que amadureceu durante a Segunda Guerra (*O Encontro Marcado*, 1956).

Experiência cortante de neo-realismo psicológico é a de Carlos Heitor Cony, narrador que oscila entre a representação do universo degradado da "persona" burguesa (*O Ventre*, 1958; *Antes, o Verão*, 1964...) e a ênfase no compromisso individual perante a sociedade, caminho do romance político em sentido lato (*Pessach: a Travessia*, 1967). Essa mesma conjunção de drama individual e saída militante, estilizada com maior brilho e vigor, sustenta um dos romances mais representativos do Brasil pós-64, *Quarup* (1967) de Antônio Callado, autor também de um refinado romance *à clef*, *Reflexos do Baile* (1976).

Já o neo-realismo das histórias curtas de Dalton Trevisan acha-se animado de um frio desespero existencial que o leva a projetar, na sua voluntária pobreza de meios, as obsessões e as misérias morais do *uomo qualunque* da sua Curitiba. Como todo verismo que nasce não do cuidado de documentar mas de uma violenta tensão entre o sujeito e o mundo, a arte de Trevisan cruza o limiar do expressionismo. Que se reconhece no uso do grotesco, do sádico, do macabro, comum a tantos dos seus contos: *Novelas Nada Exemplares*, 1959; *Cemitério de Elefantes*, 1964; *A Morte na Praça*, 1964; *O Vampiro de Curitiba*, 1965; *Desastres do Amor*, 1968; *O Rei da Terra*, 1972; *A Faca no Coração*, 1975.

A descida ou, pelo menos, a alusão às fontes pré-conscientes da conduta cotidiana (matéria-prima da psicanálise embora, não raro, apenas ocasião da obra narrativa) constitui processo largamente difundido na prosa contemporânea. E, ainda dentro de um esquema tradicional de composição, essa tendência aparece em obras díspares como os contos de Dinah Silveira de Queirós (*As Noites do Morro do Encanto*, 1957), de Breno Acioli (*João Urso*, 1944; *Os Cataventos*, 1962...), de Ricardo Ramos (*Tempo de Espera*, 1954), ou no romance de Reinaldo Moura (*Um Rosto Noturno*, 1946), de Ascendino Leite (*A Viúva Branca*, 1952), de Ledo Ivo (*As Alianças*, 1947), de Maria de Lourdes Teixeira (*Raiz Amarga*, 1960), de Helena Silveira (*Na Selva de São Paulo*, 1966). Ao lado da narradora, a Helena Silveira *cronista* tornou-se uma presença em nossas letras pela humanidade de seus temas. Em *Sombra Azul e Carneiro Branco* reuniu suas melhores crônicas.

À parte, tentando galgar a fronteira do supra-realismo, lembro Murilo Rubião (*O Ex-Mágico*, 1947), Campos de Carvalho (*A Lua Vem da Ásia*, 1956) e um veterano, de raízes modernistas, Aníbal Machado (1894-1964), que ensaiou o gênero difícil da prosa de intenções líricas em *Cadernos de João* (1957) e *João Ternura* (1965).

Da frondosa literatura de memórias, que se estendeu pela década de 70, é de estrito dever ressaltar a série de Pedro Nava: *Baú de Ossos*, *Balão Cativo*, *Chão de Ferro*, *Beira-Mar*.

Da ficção “egótica” à ficção suprapessoal. Experiências Clarice Lispector

No conjunto da prosa qualificada em geral de “intimista” têm-se registrado, paralelamente ao uso de processos tradicionais, sérios esforços de revisão temática e estrutural. É cedo ainda para traçar parábolas críticas dos maiores inovadores. Estão ainda escolhendo seus caminhos; mas de alguns já se pode dizer, pelo menos, que realizaram com felicidade as suas opções.

É o caso de Osman Lins. O escritor pernambucano mostrou-se sensível à notação psicológica no romance *O Visitante* (1955) e nos contos maduros e exemplares de *Os Gestos* (1957); ascendeu à fusão de clima regional (sem pitoresco...) e a sondagem interior na prosa densa de *O Fiel e a Pedra*, romance (1961); e experimentou, nas “narrativas” de *Nove Novena* (1966) as virtualidades de uma ficção complexa, não raro hermética, mas realmente nova: pela consciência construtiva, pelo uso de símbolos gráficos que abrem e pontuam o monólogo interior; enfim, pela tensão metafísica que supera o nível psicológico “médio” e meridiano e desvenda nexos mais íntimos e dinâmicos entre o *eu*, o outro e os objetos. Segundo uma distinção do próprio autor, as suas inovações fazem-se no *modo de organizar* o todo narrativo e não na *estrutura da língua romanesca*; parecendo-lhe mais fecunda a primeira alternativa, e a outra, um beco sem saída. Registro a idéia como possível hipótese de trabalho, acompanhando-a do natural sentimento de cautela que inspira toda arte poética individual mudada em critério normativo (*).

A refinada arte de narrar de Autran Dourado (*A Barca dos Homens*, 1961; *Uma Vida em Segredo*, 1964; *Ópera dos Mortos*, 1967; *O Risco do Bordado*, 1970; *Os Sinos da Agonia*, 1974; *Armas e Corações*, 1978) move-se à força de monólogos interiores. Que se sucedem e se combinam em estilo indireto livre até acabarem abraçando o corpo todo do romance, sem que haja, por isso, alterações nos traços propriamente verbais da escritura. O que há é uma redução dos vários universos pessoais à corrente de consciência, a qual, dadas as semelhanças de linguagem dos sujeitos que monologam, assume um facies transindividual. Assim, embora a matéria pré-literária de Autran Dourado seja a memória e o sentimento, a sua prosa afasta-se dos módulos intimistas que marcavam o romance psicológico tradicional. Mas deste não se distancia quanto aos componentes léxicos e sintáticos, apesar de um ou outro regionalismo, um

---

(*) Osman Lins (que faleceu em 1978) deu-nos ainda dois romances sustentados por um forte empenho construtivo e estilístico: *Avalovara* (1973) e *A Rainha dos Cárceres da Grécia* (1976).

ou outro arcaísmo que fizeram certa crítica falar em "influência" de Guimarães Rosa, perto do qual Autran Dourado é um prosador ortodoxo ([338]).

Clarice Lispector ([339])

Quando apareceu *Perto do Coração Selvagem*, romance de uma jovem de dezessete anos, a crítica mais responsável, pela voz de Álvaro Lins, logo apon-

---

([338]) Outros exemplos que valem como sintomas de crise da ficção introspectiva e signos de que esta vem entrando numa era de pesquisa estética e de superação de um "realismo" menor, convencional: *Os Contos do Imigrante* (1956), de Samuel Rawet; *Doramundo* (1956), de Geraldo Ferraz e Patrícia Galvão; *História de um Casamento* (1960) e *Um Simples Afeto Recíproco* (1962), de Maria Alice Barroso; *Mapa de Gabriel Arcanjo* (1961) e *Madeira Feita Cruz* (1963), de Nélida Piñon; *Um Homem sem Rosto* (1964), de Olympio Monat; *Dardará*, de Louzada Filho (1965); *Os Cavalinhos de Platiplanto* (1959), *A Hora dos Ruminantes* (1966) e *A Máquina Extraviada* (1968), contos de J. J. Veiga. Um romance intimista cujo trabalho formal levou a linguagem às fronteiras da prosa poética foi a estréia de Raduan Nassar, *Lavoura Arcaica*, em 1976. No extremo oposto, numa linha de neo-realismo violento, estão os novos exploradores do nosso universo urbano ou marginal: destaco Rubem Fonseca (*A Coleira do Cão*, 1965; *Lúcia MacCartney*, 1969) e João Antônio, cujo primeiro livro de contos é ainda o seu melhor trabalho: *Malagueta, Perus e Bacanaço*, de 1963.

([339]) Clarice Lispector (Tchetchelnik, Ucrânia, U.R.S.S., 1926 — Rio, 1977). Recém-nascida, veio para o Brasil com os pais, que se estabeleceram no Recife. Em 1934 a família transferiu-se para o Rio de Janeiro onde Clarice fez o curso ginasial e os preparatórios. Adolescente, lê Graciliano, Herman Hesse, Julien Green. Em 1943, aluna da Faculdade de Direito, escreve o seu primeiro romance, *Perto do Coração Selvagem*, que é recusado pela editora José Olympio. Publica-o, no ano seguinte, pela editora A Noite e recebe o Prêmio Graça Aranha. Ainda em 1944 vai com o marido para Nápoles onde trabalha num hospital da Força Expedicionária Brasileira. Voltando para o Brasil, escreve *O Lustre*, que sai em 1946. Depois de longas estadas na Suíça (Berna) e nos Estados Unidos, a escritora fixa-se no Rio onde viveu até a morte. A partir de *A Maçã no Escuro* (1961), a sua obra tem atraído o interesse da melhor crítica nacional que a situa, junto com Guimarães Rosa, no centro da nossa ficção de vanguarda. Outras obras: *A Cidade Sitiada*, 1949; *Alguns Contos*, 1952; *Laços de Família* (contos), 1960; *A Legião Estrangeira* (contos e crônicas), 1964; *A Paixão Segundo G. H.*, 1964; *Uma Aprendizagem ou O Livro dos Prazeres*, 1969; *Felicidade Clandestina*, 1971; *A Imitação da Rosa*, 1973; *Água Viva*, 1973; *Onde Estiveste de noite?*, 1974; *A Hora da Estrela*, 1977; *Para não esquecer*, 1978; *Um Sopro de Vida*, 1978; *A Bela e a Fera*, 1979. Consultar: Álvaro Lins, *Os Mortos de Sobrecasaca*, Rio, Civ. Bras., 1963; Roberto Schwarz, *A Sereia e o Desconfiado*, Rio, Civ. Bras., 1965; Luiz Costa Lima, *Por que Literatura*, Petrópolis, Vozes, 1966; Olga de Sá, *A Escritura de Clarice Lispector*, Vozes, 1979; Antônio Cândido, *Vários Escritos*, Duas Cidades, 1970; Benedito Nunes, *Leitura de Clarice Lispector*, São Paulo, Quíron, 1973; Gilda de Mello e Souza, *Exercícios de Leitura*, Duas Cidades, 1980; Olga Borelli, *Clarice Lispector: Esboço para um Possível Retrato*, Nova Fronteira, 1981.

tou-lhe a filiação: "nosso primeiro romance dentro do espírito e da técnica de Joyce e Virginia Woolf". E poderia ter acrescentado o nome de Faulkner.

Clarice Lispector se manteria fiel às suas primeiras conquistas formais. O uso intensivo da metáfora insólita, a entrega ao fluxo da consciência, a ruptura com o enredo factual têm sido constantes do seu estilo de narrar que, na sua manifesta heterodoxia, lembra o modelo batizado por Umberto Eco de "opera aperta". Modelo que já aparece, material e semanticamente, nos últimos romances, *A Paixão Segundo G. H.* e *Uma Aprendizagem ou O Livro dos Prazeres*.

Os analistas à caça de estruturas não deixarão tão cedo em paz os textos complexos e abstratos de Clarice Lispector que parecem às vezes escritos adrede para provocar esse gênero de deleitação crítica. Limito-me aqui a ensaiar algumas idéias sobre o que me parece ser o significado da sua obra no contexto da nova literatura brasileira.

Há na gênese dos seus contos e romances tal exacerbação do momento interior que, a certa altura do seu itinerário, a própria subjetividade entra em crise. O espírito, perdido no labirinto da memória e da auto-análise, reclama um novo equilíbrio. *Que se fará pela recuperação do objeto.* Não mais na esfera convencional de algo-que-existe-para-o-eu (nível psicológico), mas na esfera da sua própria e irredutível realidade. O sujeito só "se salva" aceitando o objeto como tal; como a alma que, para todas as religiões, deve reconhecer a existência de um Ser que a transcende para beber nas fontes da sua própria existência. Trata-se de um salto do psicológico para o metafísico, salto plenamente amadurecido na consciência da narradora:

> Além do mais a "psicologia" nunca me interessou. O olhar psicológico me impacientava e me impacienta, é um instrumento que só transpassa. Acho que desde a adolescência eu havia saído do estágio do psicológico (*Paixão...*, p. 26).

Abre-se a *Paixão Segundo G. H.* e lêem-se, em epígrafe, estas palavras de Bernard Berenson:

> Uma vida completa pode acabar numa identificação tão absoluta com o não-eu que não haverá mais um eu para morrer.

E a obra toda é um romance de educação existencial. Nos livros anteriores Clarice Lispector se abeirava do mundo exterior como quem macera a afetividade e afia a atenção: para colher atmosferas e buscar significações raras, mas ainda numa tentativa de absorver o mundo pelo *eu*. O monólogo de G. H., entrecortado de apelos a um ser ausente, é o fim dos recursos habituais do romance psicológico. Nele não há propriamente etapas de um drama, pois cada pensamento envolve todo o drama: logo, não há um começo definido no tempo nem um epílogo repousante (nesse sentido é uma obra aberta, como aberta ao passado da memória e ao futuro do desejo é a corrente da consciência). Há um contínuo denso de experiência existencial. E, no plano ontológico, há o encontro de uma consciência, G. H., com um corpo em estado de neutra materialidade, a massa da barata. A paixão (*pathos*) do ser que pensa é necessariamente sofrimento, na medida em que deve atravessar até o âmago a náusea do contato, assim como *Agapé*, que é amor de caridade, só se realiza baixando ao humilde, o objeto-abjeto, para assumi-lo e compreendê-lo. Contrariamente a Eros, que se inflama só quando ascende à fruição do que é belo. G. H. ultrapassa a repugnância que vem de um *eu* demasiado humano; e atinge a comunhão de si mesma com o inseto: então não há mais *eu* e *mundo*, mas um Ser de que um e outro participam.

O antropólogo Lévy-Bruhl propôs, nos seus últimos *Carnets*, a diferença entre a mente primitiva e a civilizada exatamente em termos de *participação* para primeira e *distância* para a segunda. Nesta, o outro é sempre objeto de desejo ou de medo, de conhecimento ou de mistério. Naquela, ao contrário, há sempre uma integração dos pólos. Ora, numa romancista ocidental e culta (o que não quer dizer "sofisticada"), a integração nunca poderia ser um dado, mas um projeto, uma árdua conquista. Basta ler as obras que precederam *A Paixão* para acompanhar a lenta redução operada: dos fragmentos em que se estilhaçava a intuição da escritora à unidade da consciência que se esforça por transmitir os momentos da sua iluminação. Termo que parecerá místico, mas que é justo empregar aqui, pois tem o selo da iluminação religiosa aquele reconhecimento súbito de uma verdade que despoja o *eu* das ilusões cotidianas e o entrega a um novo sentido da realidade.

> Perdi alguma coisa que me era essencial, que já não me é mais. Não me é necessária, assim como se eu tivesse perdido uma terceira perna que até então me impossibilitava de andar, mas que fazia de mim um tripé estável (*Paixão...*).

A terceira perna é o supérfluo que parece essencial: tudo aquilo que impede o espírito de caminhar com as forças nuas do próprio ser. E a "paixão", o contacto da mulher com o inseto esmagado consumam o sacrifício de todo entulho psicológico.

A palavra neutra de Clarice Lispector articula essa experiência metafísica radical valendo-se do verbo "ser" e de construções sintáticas anômalas que obrigam o leitor a repensar as relações convencionais praticadas pela sua própria linguagem:

> Eu estava agora tão maior que não me via mais. Tão grande como uma paisagem ao longe. Eu era ao longe. (...) como poderei dizer senão timidamente assim: a vida se me é. A vida se me é, e eu não entendo o que digo. Então adoro (*Paixão, in fine*).

> eu sou tua e tu és meu, e nós é um (*Uma Aprendizagem*).

exemplos que têm lição vária como sintomas de uma crise de amplo o: crise da personagem-ego, cujas contradições já não se resolvem no intimista, mas na procura consciente do supra-individual; crise da fala narrativa, afetada agora por um estilo ensaístico, indagador; crise da velha função documental da prosa romanesca.

Enfim, o que a escritura de Clarice Lispector anuncia na esfera da ficção introspectiva dá-se também na do romance voltado para o horizonte social. Serão as vicissitudes do regionalismo em nossos dias.

Permanência e transformação do regionalismo

Páginas atrás mencionaram-se exemplos de um regionalismo tenso, crítico: *Usina* e *Fogo Morto* de José Lins do Rego, *São Bernardo* e *Vidas Secas* de Graciliano Ramos. Como obras-primas, esses romances estão de algum modo isolados na corrente da "literatura social" dos anos de 30 e de 40. O que predominou foi a crônica, a reportagem que mistura relato pitoresco e vaga reivindicação política. Tiveram numerosa prole romances que encarnavam um regionalismo menor, amante do típico, do exótico, e vazado numa linguagem que já não era acadêmica, mas que não conseguia, pelo apego a velhas convenções narrativas, ser livremente moderna.

Não haveria mãos a medir se se pretendesse aqui arrolar os autores que das várias partes do país concorreram para engrossar esse gênero de ficção. Que, aliás, assume, nos casos mais felizes, um inegável valor documental. Parte dela resiste à leitura pelo decoro verbal que logrou atingir.

É o caso dos romances amazonenses de Peregrino Jr., escritor que vem dos fins da década de 20 (*Pussanga* é de 1929; *Matupá*, de 1933), de Abguar Bastos (*Terra de Icamiaba* e *Safra*, de 1937), de Osvaldo Orico (*Seiva*, 1937), de Raimundo de Morais (*Os Igaraúnas*, 1938; *Mirante do Baixo Amazonas*, 1939); enfim, do mais complexo e moderno de todos, o marajoense Dalcídio Jurandir, cujo ciclo do Extremo-Norte se compõe de *Chove nos Campos de Cachoeira* (1941), *Marajó* (47), *Três Casas e um Rio* (56), *Belém do Grão-Pará* (60) e *Passagem dos Inocentes* (60) (*).

O Nordeste, de onde vieram os clássicos do neo-realismo, tem concorrido com uma copiosa literatura ficcional, que vai do simples registro de costumes locais à aberta opção de crítica e engajamento que as condições da área exigem.

(*) O romance amazônico vem-se renovando à medida que a região tem sofrido mais duramente o impacto de um "desenvolvimento" selvagem: Márcio Souza, com *Galvez, o Imperador do Acre* (1976) e Benedicto Monteiro, com *O Minossauro* (1978), integram-se numa perspectiva de romance latino-americano.

Documentos vivos de uma novelística da terra e do povo nordestino são: *Cascalho* (1944) e *Além dos Marimbus* (1961) de Herberto Sales, obras que fixam com vigor aspectos e episódios da zona das lavras diamantinas da Bahia; *Os Corumbas* (1933) e *Rua do Siriri*, narrativas sergipanas de Amando Fontes, que teve o mérito de chamar a atenção para o submundo das populações marginais urbanas do Nordeste; *História da Cidade Morta* (51) e *Terra de Caruaru* (60) de José Condé, escritor que mais recentemente preferiu bater a estrada do romance de costumes cariocas (*Um Ramo para Luísa*). O Ceará conta com prosadores que honram a tradição do romance naturalista que lá conheceu o alto exemplo de Oliveira Paiva e Domingos Olímpio, sem falar nos pais da literatura regional brasileira, Alencar e Franklin Távora. Depois de Raquel de Queirós, lembro Fran Martins, que escreveu contos (*Manipueira*, 1934; *Noite Feliz*, 1946; *Mar Oceano*, 1948) e romances (*Ponta de Rua*, 1937; *Poço dos Paus*, 1938; *Estrela do Pastor*, 1942; *O Cruzeiro Tem Cinco Estrelas*, 1950), Braga Montenegro (*Uma Chama ao Vento*, 1946) e João Clímaco Bezerra (*Não Há Estrelas no Céu*, 1948; *Sol Posto*, 1952). Também nordestinos: Paulo Dantas (*Trilogia do Nordeste*, 1953-61), Gastão de Holanda (*Os Escorpiões*, 1954; *O Burro de Ouro*, 1960), Permínio Ásfora (*Noite Grande*, 1947; *Fogo Verde*, 1951; *Vento Nordeste*, 1957), pernambucano. Um exemplo típico de romance-documento do fanatismo religioso sertanejo é *Emissários do Diabo* (1968) de Gilvan Lemos.

O contexto mineiro-goiano está fixado por Mário Palmério em dois romances de boa fatura: *Vila dos Confins* (1956) e *Chapadão do Bugre* (1965). De Goiás é Bernardo Élis, que já nos deu *Ermos e Gerais* (1944), *O Tronco* (1956) e *Veranico de Janeiro* (1966). Bernardo Élis representa hoje o ponto alto do regionalismo tradicional. Também goiano, Carmo Bernardes é narrador de veia fácil e bons recursos de humor em *Reçaga* (1972) e *Jurubatuba* (72). E mineira é a ambientação de *A Madona de Cedro* (1957), obra de Antônio Callado, que conta um caso de expiação religiosa passado em Congonhas do Campo.

Romances da vida rural paulista são *Recuo do Meridiano* de João Pacheco, *Raiz Amarga* de Lourdes Teixeira, *Chão Bruto* e *Filho do Destino* de Hernâni Donato, 1950.

O Extremo-Sul, que já dispunha de uma tradição cultural regionalista bem estruturada manteve-a com Darci Azambuja (*No Galpão*, 1951), Viana Moog (*Um Rio Imita o Reno*, 1939) e Guilhermino César (*Sul*, 1939), e, na linha do romance de intenção participante, Ciro Martins (*Porteira Fechada*, 1944) e Ivã Pedro Martins (*Fronteira Agreste*, 1944). De Santa Catarina é Guido Wilmar Sassi, autor de *Amigo Velho* e *São Miguel* (1962). Do gaúcho Luís Antônio de Assis Brasil é o excelente romance histórico *Um Quarto de Légua em Quadro*, de 1976.

Ao lado desse filão romanesco neoverista, alguns prosadores têm ensaiado sínteses formais novas que procuram dar ênfase nos aspectos humanos universais que a matéria provinciana ou rústica lhes propicia. O ciclo maranhense de Josué Montello (*Janelas Fechadas*, 1941; *A Luz da Estrela Morta*, 1948; *Labirinto de Espelhos*, 1952; *A Décima Noite*, 1955; *Os Degraus do Paraíso*, 1965; *Cais da Sagração*, 1971; *Os Tambores de São Luís*, 1975), combina de maneira sóbria e numa linguagem estritamente literária a fixação da velha São Luís e o cuidado do retrato psicológico nas fronteiras do psicanalítico. Mais radical como sondagem interior e mais denso nos seus resultados formais é o romance de Adonias Filho, para quem a zona cacaueira baiana tem servido de plataforma para uma incursão na alma primitiva que, para ele, se confunde com os próprios movimentos da terra. O telúrico, o bárbaro, o primordial como determinantes prévios do destino são os conteúdos que transpõe a prosa elíptica de *Os Servos da Morte* (1946), *Memórias de Lázaro* (1952) e *Corpo Vivo* (1963). No mesmo espírito foi elaborado *O Forte*, de ambientação urbana. Adonias Filho é o continuador de uma corrente ficcional que começou nos anos de 30 com escritores de formação religiosa inclinados ao romance de atmosfera: Lúcio Cardoso, Cornélio Pena, Jorge de Lima. A esse tipo de prosa ajustou-se bem o uso intensivo do monólogo à Faulkner e a armação de uma trama em que as personagens ficam, por assim dizer, suspensas nas mãos de um poder suprapsicológico, a Graça, o Destino. E é com os recursos do Expressionismo e do Surrealismo que a prosa de Adonias Filho busca ultrapassar as visadas de um realismo de convenção.

Menção à parte merece José Cândido de Carvalho que conseguiu, em *O Coronel e o Lobisomem* (1964), captar os conflitos e os anseios de um homem de mente rústica sem cair na cilada que espreita as tentativas desse gênero, isto é, sem enrijecer a sua personagem no puro tipo, o que, aliás, lhe seria fácil realizar com brilho, dados os pendores do ficcionista para explorar o ridículo das suas criaturas. Releva ainda notar a justeza expressiva da sua linguagem verdadeiramente clássica sem deixar de ser moderna.

Combinando lenda e humor, tradição popular e paródia, o dramaturgo paraibano Ariano Suassuna surpreendeu seu público com duas narrativas de fôlego, *A Pedra do Reino* (1971) e *O Rei Degolado* (1977).

João Guimarães Rosa (340)

O regionalismo, que deu algumas das formas menos tensas de escritura (a crônica, o conto folclórico, a reportagem), estava destinado a sofrer, nas

---

(340) João Guimarães Rosa (Cordisburgo, M. Gerais, 1908 — Rio de Janeiro, 1967). Filho de um pequeno comerciante estabelecido na zona pastoril centro-norte de Minas, aprendeu as primeiras letras na cidade natal. Fez o curso secundário em Belo Horizonte revelando-se desde cedo um apaixonado da Natureza e das línguas. Cursou Medicina

mãos de um artista-demiurgo, a metamorfose que o traria de novo ao centro da ficção brasileira. A alquimia, operada por João Guimarães Rosa, tem sido o grande tema da nossa crítica desde o aparecimento dessa obra espantosa que é *Grande Sertão: Veredas.*

---

e, formado, exerceu a profissão em cidades do interior mineiro (Itaúna, Barbacena). Nesse período estudou sozinho alemão e russo. Em 1934, fez concurso para o Ministério do Exterior. Ingressando na carreira diplomática, serviu como consul-adjunto em Hamburgo, sendo internado em Baden-Baden quando o Brasil declarou guerra à Alemanha. Foi secretário de embaixada em Bogotá e conselheiro diplomático em Paris. De volta ao Brasil ascende a ministro (1958). Um dos seus últimos encargos de profissional foi a chefia do Serviço de Demarcação de Fronteiras que o levou a tratar casos espinhosos como o do Pico da Neblina e o das Sete Quedas.

Da sua carreira de escritor, em grande parte afastado da vida literária, só obteve o reconhecimento geral a partir de 1956, quando saíram *Grande Sertão: Veredas* e *Corpo de Baile.* Mas publicadas estas obras, o reconhecimento cresceu a ponto de melhor chamar-se glória. Há traduções de suas obras para o francês, o italiano, o espanhol, o inglês e o alemão. G. Rosa faleceu de enfarte, aos cinqüenta e nove anos, três dias depois de admitido solenemente à Academia Brasileira de Letras.

Obra: *Sagarana* (contos), 1946; *Corpo de Baile* (ciclo novelesco), 1956; *Grande Sertão: Veredas* (romance), 1956; *Primeiras Estórias*, 1962; *Tutaméia: Terceiras Estórias*, 1967; *Estas Estórias* (póst., 1969). O ciclo de *Corpo de Baile* desdobrou-se, a partir da 3ª edição, de 1964, em três volumes: *Manuelzão e Miguilim, No Urubuquaquá no Pinhém, Noites do Sertão.* G. Rosa deixou inédito *Magma*, poemas. Consultar: *Diálogo nº 8,* novembro de 1957 (número dedicado a Guimarães Rosa); Cavalcanti Proença, *Augusto dos Anjos e Outros Estudos*, Rio, José Olympio, 1958; Eduardo Portella, *Dimensões I,* Rio, José Olympio, 1958; Antônio Cândido, *Tese e Antítese*, S. Paulo, Cia. Ed. Nacional, 1964; Adolfo Casais Monteiro, *O Romance. Teoria e Crítica*, Rio, José Olympio, 1964; Dante Moreira Leite, *Psicologia e Literatura*, S. Paulo, C. Est. de Cultura, 1964; Benedito Nunes, "O Amor na Obra de G. R.", *in Revista do Livro*, nº 26, set. de 1964; Roberto Schwarz, *A Sereia e o Desconfiado*, Rio, Civ. Brasileira, 1965; Luiz Costa Lima, *Por que Literatura,* Petrópolis, Vozes, 1966; Ângela Vaz Leão, Henriqueta Lisboa, Wilton Cardoso, Maria Luísa Ramos, Fernando Correia Dias, *Guimarães Rosa*, Belo Horizonte, Centro de Estudos Mineiros, 1966; Paulo Rónai, "Os Vastos Espaços", estudo preposto a *Primeiras Estórias*, a partir da 3ª ed., Rio, J. Olympio, 1967; Haroldo de Campos, *Metalinguagem*, Petrópolis, Vozes, 1967; Fábio Freixeiro, *Da Razão à Emoção,* S. Paulo, Cia. Ed. Nacional, 1968; Mary Daniel, *João Guimarães Rosa: Travessia Literária*, Rio, José Olympio, 1968; Vários, *Em Memória de J. G. R.*, Rio, J. Olympio, 1968; Walnice N. Galvão, *As Formas do Falso*, S. Paulo, Perspectiva, 1972; J. C. Garbuglio, *O Mundo Movente de G. Rosa*, S. Paulo, Ática, 1972; Willi Bolle, *Fórmula e Fábula*, Perspectiva, 1974; Wendel Santos, *A Construção do Romance em G. Rosa,* Ática, 1978; Suzi Frankl Sperber, *Caos e Cosmos*, Duas Cidades, 1976; Walnice Galvão, *Mitológica Rosiana*, Ática, 1978; Leonardo Arroyo, *A Cultura Popular em Grande Sertão: Veredas*, Rio, J. Olympio, 1984; A. Bosi, *Céu, Inferno,* Ática, 1988.

Após a sua leitura, começou-se a entender de novo uma antiga verdade: que os conteúdos sociais e psicológicos só entram a fazer parte da obra quando veiculados por um código de arte que lhes potencia a carga musical e semântica. E, em consonância com todo o pensamento de hoje, que é um pensar a natureza e as funções da linguagem, começou-se a ver que a grande novidade do romance vinha de uma alteração profunda no modo de enfrentar a palavra. Para Guimarães Rosa, como para os mestres da prosa moderna (um Joyce, um Borges, um Gadda), a palavra é sempre um feixe de significações: *mas ela o é em um grau eminente de intensidade* se comparada aos códigos convencionais de prosa. Além de referente semântico, o signo estético é portador de sons e de formas que desvendam, fenomenicamente, as relações íntimas entre o significante e o significado.

Toda voltada para as forças virtuais da linguagem, a escritura de Guimarães Rosa procede abolindo intencionalmente as fronteiras entre narrativa e lírica, distinção batida e didática, que se tornou, porém, de uso embaraçante para a abordagem do romance moderno. *Grande Sertão: Veredas* e as novelas de *Corpo de Baile* incluem e revitalizam recursos da expressão poética: células rítmicas, aliterações, onomatopéias, rimas internas, ousadias mórficas, elipses, cortes e deslocamentos de sintaxe, vocabulário insólito, arcaico ou de todo neológico, associações raras, metáforas, anáforas, metonímias, fusão de estilos, coralidade. Mas como todo artista consciente, Guimarães Rosa só inventou depois de ter feito o inventário dos processos da língua ([341]). Imerso na musicalidade da fala sertaneja, ele procurou, em um primeiro tempo (tempo de *Sagarana*), fixá-la na melopéia de um fraseio no qual soam cadências populares e medievais:

> As ancas balançam, e as vagas de dorsos, das vacas e touros, batendo com as caudas, mugindo no meio, na massa embolada, com atritos de couros, estralos de guampas, estrondos de baques, e o berro queixoso do gado junqueira, de chifres imensos, com muita tristeza, saudade dos campos, querência dos pastos, de lá do sertão...
>
> Um boi preto, um boi pintado,
> cada um tem sua cor.
> Cada coração um jeito
> de mostrar o seu amor.
>
> Boi bem bravo bate baixo, bota baba, boi berrando... Dansa doido, dá de duro, dá de dentro, dá direito... Vai, vem, volta, vem na vara, vai não volta, vai varando...
>
> (*Sagarana*, O Burrinho Pedrês)

([341]) Leiam-se, por exemplo, as notas de léxico que o novelista após ao texto de "Cara de Bronze" (*Corpo de Baile*).

Do mimetismo entre culto e folclórico de *Sagarana*, o escritor soube zarpar para ousadas combinações de som e de forma nas obras maduras, coalhadas de termos e grupos nominais como

essezinho, essezim, salsim, satanazim, semblar, fiúme, agarrante, levantante, maravilhal, fluifim (ad.), *gavioão, ossoso, vivoso, brisbrisa, cavalanços, refrio, retrovão, remedir, deslei, desfalar, a cismorro, de pouquinho em pouquim, o ferrabrir dos olhos, a brumalva do amanhecer, alemão-rana;*

ou frases e períodos como:

a bala beijaflorou; os passarinhos que bem-me-viam; os cavalos aiando gritos; rebebe o encharcar dos brejos, verde a verde, veredas...; *ao que nós acampados em pé duns brejos, brejal, cabo de várzeas; me revejo de tudo, daquele dia a dia; aí a gente se curvar, suspendia uma folhagem, lá entrava; resumo que nós dois, sob num tempo, demos para trás, discordas; e aí se deu o que se deu — o isto é; eu era um homem restante trivial; aí, de, já se arapuava o Gorgulho mestre na desconfiança;...*

O princípio fundamental da linguagem poética, genialmente intuído por Vico, é o da analogia, a arcana "lógica poética", lógica dos sentidos, que vincula a fala inovadora às matrizes de toda língua. Ora, o pensamento analógico é pensamento mítico. O que se passa com a linguagem de Guimarães Rosa no tratamento das unidades verbais (fonemas, morfemas), ocorre também no plano dos grandes blocos de significado: as suas estórias são fábulas, *mythoi* que velam e revelam uma visão global da existência, próxima de um materialismo religioso, porque panteísta, isto é, propenso a fundir numa única realidade, a Natureza, o bem e o mal, o divino e o demoníaco, o uno e o múltiplo.

O conflito entre o eu/herói e o mundo (que nos tem valido de fio de Ariadne no labirinto da ficção moderna) não desaparece no grande romance de Guimarães Rosa: resolve-se mediante o pacto do homem com a própria origem das tensões: o Outro, o avesso, "os crespos do homem". Quanto à dialética da trama (que se reconhece nas lutas entre jagunços, nas vinganças juradas, na relação ambígua entre Riobaldo e Diadorim) não se processa mediante a análise das fraturas psíquicas nem pela mimese de grupos e tipos locais: faz-se pela interação assídua da personagem com um Todo natural-cultural onipresente: *o sertão*. "O sertão é do tamanho do mundo." "O jagunço é o sertão." "Sertão é isto, o senhor sabe: tudo incerto, tudo certo." Nesse Todo positivo e negativo interpenetram-se o sensível e o espiritual de tal sorte que o último acaba parecendo uma intenção oculta da matéria ("Tem diabo nenhum, nem espírito"), que se manifesta nos modos pré-lógicos da cultura: o mito, a psique infantil, o sonho, a loucura. A alma desmancha-se nas pedras, nos bichos, nas árvores, como o sabor que não se pode abstrair do alimento.

As *Primeiras Estórias* e *Tutaméia* foram resultantes normais daquele processo à ordem mental do adulto civilizado branco que se instaurara na linguagem de *Grande Sertão: Veredas*. Neste romance a linguagem do mito rompia as amarras espácio-temporais:

> As coisas que não têm hoje e ant'ontem amanhã: é sempre.
> Ai, arre, mas; que esta minha boca não tem ordem nenhuma.
> Guerras e batalhas? Isso é como jogo de baralho, verte e reverte
> As pessoas e as coisas não são de verdade. A vida disfarça.

Sujeito e objeto opõem-se na aparência, mas no fundo partilham de algo infinitamente mutável: o devir:

> É e não é. O senhor ache e não ache. Tudo é e não é... Quase todo mais grave criminoso feroz, sempre é muito bom marido, bom filho, bom pai, e é bom amigo-de-seus-amigos! Sei desses. Só que tem os depois — e Deus, junto. Vi muitas nuvens.
>
> Mire veja: o mais importante e bonito, do mundo é isto: que as pessoas não estão sempre iguais, ainda não foram terminadas — mas que elas vão sempre mudando. Afinam e desafinam.

O mitopoético foi a solução romanesca de Guimarães Rosa. A sua obra situa-se na vanguarda da narrativa contemporânea que se tem abeirado dos limites entre real e surreal (Borges, Buzzati, Calvino) e tem explorado com paixão as dimensões pré-conscientes do ser humano (Faulkner, Gadda, Cortázar e o avatar de todos, James Joyce). E seria talvez fácil paradoxo lembrar que uma obra de tão aguda modernidade se nutre de velhas tradições, as mesmas que davam à gesta dos cavaleiros feudais a aura do convívio com o sagrado e o demoníaco.

É verdade que a interpretação da obra fundamental de Rosa está ainda em aberto. Riobaldo, o protagonista de *Grande Sertão*, é um homem que busca, no vaivém das suas memórias e reflexões, negar a existência real do demônio ("o que-não-há") com quem fez um pacto quando se propôs vencer o jagunço Hermógenes. E parece concluir que o Mal é um atributo do ser, um acidente que vicia o coração dos homens, uma fatalidade que se deve enfrentar com paciência e vida justa. *Entretanto, essa perspectiva, que dissolveria o puro mito em certo nível da consciência racional, não se sustém no conjunto da obra rosiana.* As *Primeiras* e as *Terceiras Estórias* parecem desaguar no desejo que os vaqueiros atribuem ao misterioso Cara de Bronze: "Não entender, não entender até se virar menino", ou, entregando-se ao jogo da imaginação: "Tudo no quilombo do faz-de-conta." Nas *Primeiras Estórias* é patente o fascínio do alógico: são contos povoados de crianças, loucos e seres rústicos que cedem ao encanto de uma iluminação junto à qual os conflitos perdem todo relevo e todo sentido. Há um apelo aberto ao lúdico e ao mágico em "A Menina de Lá", que nos fala de Nhinhinha, cujo silêncio de criança era um êxtase contínuo e cujos pensamentos se faziam milagrosamente realidade; em "As Margens da Alegria", história da viagem de um menino feita em estado de sonho onde as coisas surgem do opaco; em "Soroco, sua mãe, sua filha", onde a canção de duas loucas é o único sinal de realidade que restará no ar do vilarejo que a canta em coro; em "A Terceira Margem do Rio", em que se fala de um homem refugiado em uma canoa no meio do rio, onde em absoluto silêncio resiste ao tempo "por todas as semanas e os meses e os anos sem fazer conta do se-ir do viver", imagem da permanência no fluir eterno das águas. A linguagem como auto-expressão, jorro imediato do Inconsciente, válida em si mesma, aquém do esforço de significar o real, é, por sua vez, o núcleo de "Pirlimpsiquice", em que se narra a aventura de meninos fazendo teatro e, a certa altura, inventando, fora dos papéis a recitar, palavras de uma história nunca ouvida: "Cada um de nós se esquecera do seu mesmo, e estávamos transvivendo, sobreviventes, disto: que era o verdadeiro viver? E era bom demais, bonito — o milmaravilhoso — a gente voava, num amor, nas palavras: no que se ouvia dos outros e no nosso próprio falar." O mesmo reconhecimento do inefável aparece no epílogo de "Substância", quando o êxtase do amor se transfunde na sensação de ofuscamento que vem da branca matéria, o polvilho: "Acontecia o não-fato, o não-tempo, silêncio em sua imaginação. Só o um-e-outra, um em-si-juntos, o viver em ponto sem parar, coraçãomente, pensamento, pensamos. Alvos. Avançavam, parados, dentro da luz, como se fosse no dia de Todos os Pássaros." O conto "Meu Tio, o Iauaretê" (agora em *Estas Estórias*) culmina com a identificação — sonora e semântica — do homem com a onça. Enfim, em "O Recado do Morro" (*Corpo de Baile*), a voz que vem da terra em forma de presságio não será o próprio Inconsciente (matéria ou espírito?) que antecipa ao sertanejo o seu destino?

O baralhar dos tempos e dos lugares já em *Grande Sertão: Veredas* significava um desvio dos eixos da rotina, uma ruptura com a hora do relógio, um transcender as partições de geografia. Nos últimos livros o processo radicaliza-se e pede uma interpretação, que os prefácios amaneirados de *Tutaméia* entendem dar numa linha irracionalista: Guimarães Rosa aí escolhe abertamente a leitura que Dante chamava "anagógica" ou supra-sensível. Dê-se ou não importância às explicações do autor, o fato é que toda a sua obra nos põe em face do mito como forma de pensar e de dizer atemporal e, na medida em que leva a transformações bruscas, alógica. Volta-se ao ponto de partida. A obra de Guimarães Rosa é um desafio à narração convencional porque os seus processos mais constantes pertencem às esferas do poético e do mítico. Para compreendê-la em toda a sua riqueza é preciso repensar essas dimensões da cultura, não *in abstracto*, mas tal como se articulam no mundo da linguagem.

Outro problema seria o de situar a opção mitopoética do escritor na práxis da cultura brasileira de hoje. A transfiguração da vivência rústica interessa *principalmente* enquanto mensagem, ou enquanto código? O que ficará em primeiro plano na consciência do homem culto: a reproposição da vida e da mentalidade rural e agreste, ou o experimento estético? É certo que a crítica mais recente, escolhendo o ponto de vista técnico, no espírito do neoformalismo, tende a passar por alto a complexa rede de estilos de pensamento que serviram de contexto e subjazem à ficção de Rosa. Uma leitura que ignore essas vinculações pode resvalar em uma curiosa ideologia, espécie de transcendentismo formal, não menos arriscada que o conteudismo bruto que lhe é simétrico e oposto. Mais uma vez, impõe-se a procura do nexo dialético que desnuda a homologia entre as camadas inventivas da obra e os seus contextos de base. A invenção não é um dado autônomo, imotivado. "O discurso mítico — diz Lucien Sebag — como qualquer outro discurso humano, necessita uma matéria prévia que lhe sirva de suporte: encontra-a no meio natural e humano em cujo interior apareceu. Tende a resolver no plano simbólico as antinomias vividas como dificilmente conciliáveis no nível real." Até aqui, temos a plataforma para entender o que o antropólogo dirá adiante: "O discurso mítico só consegue resolver as antinomias *porque emprega de um modo mais radical a lógica subjacente à organização social*" (grifo meu) ([342]).

Teríamos nessas palavras o princípio que operou na elaboração do discurso mitopoético do grande escritor mineiro: a radicalização dos processos mentais e verbais inerentes ao contexto que lhe deu a matéria-prima da sua arte. Que não foi, nem poderia ter sido, regionalismo banal, cópia das superfícies com todos os preconceitos que a imitação folclórica leva à confecção do objeto literário.

É verdade, também, que a superação se deu, para Guimarães Rosa, na esfera da contemplação e da descida às matrizes naturais da comunidade sertaneja. Houve e há, por certo, outros meios de esconjurar o pitoresco e o exotismo de epiderme. Por exemplo, pondo a nu as tensões entre o homem e a natureza, como o fez Graciliano em *Vidas Secas*, e entre o homem e o próximo (o mesmo Graciliano, em *São Bernardo*, e Lins do Rego, em *Fogo Morto*). A "saída" Guimarães Rosa foi a entrega amorosa à paisagem e ao mito reencontrados na materialidade da linguagem. Não é a única para o escritor brasileiro de hoje. Mas (será preciso dizê-lo?), é a que nos fascinará por mais tempo e com mais razões.

A ficção entre os anos 70 e 90: alguns pontos de referência

O historiador do século XXI que, ajudado pela perspectiva do tempo, puder ver com mais clareza as linhas-de-força que atravessam a ficção brasileira neste fim de milênio, talvez divise, como dado recorrente, certo estilo de narrar bru-

---

([342]) L. Sebag, "Le mythe: code et message", *in Les Temps Modernes*, março de 1965.

tal, se não intencionalmente brutalista, que difere do ideal de escrita mediado pelo comentário psicológico e pelo gosto das pausas reflexivas ainda vigente na "idade de ouro do romance brasileiro" entre os anos 30 e 60. Mas para nós, contemporâneos, é a pluralidade das formas que impressiona à primeira vista e tacteamos ainda na procura da estrada real.

Sentimos as diferenças em relação à prosa dos pós-modernistas maiores (Guimarães Rosa e Clarice Lispector), mas não sabemos com precisão onde desenhar a linha do corte. Talvez porque o corte se tenha dado em mais de um nível.

Se a nossa história política nos ajuda a estabelecer o divisor das águas, este poderá passar pela fase mais negra da ditadura militar, entre 64 e 74, com toda a sua carga de opressão, exílio e censura. O seu contraponto simbólico veio a ser a literatura-reportagem, assim como o teatro se fez então denúncia e o cinema, depoimento. Tempo fixado em *Lúcio Flávio, o Passageiro da Agonia,* e em *Acusado de Homicídio*, de José Louzeiro, e, mais tarde, em *Sangue na Praça*, de Edilberto Coutinho. Quem percorrer as páginas literárias de um jornal de resistência da época, *Movimento*, compreenderá os motivos da urgência e as formas possíveis dessa escrita abertamente engajada.

Mas esses anos de arbítrio, que partilhamos com outros povos da América Latina, não se podem considerar tempos de isolamento cultural; ao contrário, coincidem com a explosão de maio de 68 na França e com os seus vários desdobramentos que atingiram em cheio formas de conduta individual e modos de expressão entre as gerações que sofreram o seu impacto. No Brasil a abertura cultural precedeu a abertura política e lhe sobreviveu.

Por essa razão, enquanto alguns escritores militantes, aguilhoados pelo desafio da situação nacional, refaziam a instância mimética, quase fotográfica, da prosa documental, já se começavam a sentir, principalmente entre os jovens, os apelos da contracultura que reclamavam o lugar, ou os múltiplos lugares, do sujeito, as potências do desejo, a liberdade sem peias da imaginação. A virada era internacional, como planetárias eram as transformações ideológicas que ela representava. O capitalismo avançado, combinando selvageria e sofisticação eletrônica, conquistava o monopólio dos bens simbólicos. Os desejos, ou melhor, as suas representações e as suas contrafações, convertiam-se em mercadorias sob a batuta dos meios de comunicação de massa. O abalo que esse processo causou na cultura letrada e, portanto, na produção narrativa, ainda está por estudar.

Já se observou que certas obras superficialmente rotuláveis como documentos imediatos do Brasil pós-64 (*Zero*, de Loyola Brandão; *A Festa*, de Ivan Ângelo; *Quatro-Olhos*, de Renato Pompeu; *O que é isso, companheiro*?, de Fernando Gabeira), na verdade introduziam no centro do seu olhar a crítica das informações públicas e a recusa dos estereótipos partidários, propondo antes questões a resolver do que soluções ideológicas de fácil administração (*).

O melhor da literatura feita nos anos de regime militar bateria, portanto, a rota da contra-ideologia, que arma o indivíduo em face do Estado autoritário e da mídia mentirosa. Ou, em outra direção, dissipa as ilusões de onisciência e onipotência do eu burguês, pondo a nu os seus limites e opondo-lhe a realidade da diferença.

Ao historiador cabe citar alguns nomes, que ilustram essa ou aquela vertente, correndo forçosamente o risco de omissões involuntárias.

Aparecem a partir dos anos 70 vários narradores para os quais é a apreensão das imagens do seu universo regional que lhes serve de bússola o tempo todo. Lembro João Ubaldo Ribeiro contando, em parte na esteira de Guimarães Rosa, os casos tragicômicos do seu Nordeste violentíssimo, minguado de recursos materiais, mas rico de memória e linguagem (*Sargento Getúlio*, sua melhor obra). Ou Moacyr Scliar, perseverando na bela reconstrução das figuras judaicas de Porto Alegre. Ou Josué Guimarães, ainda próximo do Érico Veríssimo muralista, narrando a saga do migrante nas pequenas cidades do Sul. Chama igualmente a atenção o gosto, que essa mesma concepção de literatura cultiva, de verticalizar a percepção do seu objeto examinando-o com um olhar em retrospecto; procedimento que dá um tom épico, ainda quando a intenção é antiépica, a obras entre si diversas como *Viva o Povo Brasileiro*, de João Ubaldo Ribeiro, ou a *Trilogia dos Mitos Riograndenses*, de L.A. de Assis Brasil, ou o *Memorial de Santa Cruz*, de Sinval Medina, ou ainda *Os Varões Assinalados* de Tabajara Ruas, os dois últimos também gaúchos. Belo cruzamento de sondagem das relações familiares e crônica dos tempos de Getúlio é *A República dos Sonhos* de Nélida Piñon.

Em outros narradores, o essencial da escrita acompanha os movimentos dos corpos que se atraem ou repelem em um clima de delírio: penso na prosa de João Gilberto Noll, riscando com estilete o desenho pesado da sexualidade do nosso urbanóide. Ou em *Estorvo,* de Chico Buarque de Holanda, mergulhando no subsolo aquoso de uma sensação de estranhamento e *nonsense* em meio às paisagens cariocas mais familiares.

Há os que submetem percepções e lembranças à luz da análise materialista clássica, dissecando os motivos (em geral, perversos) dos comportamentos de seus personagens que ainda trazem a marca de tipos sociais. É o caso de Rubem Fonseca, que vem dos anos 60 e demonstrou força e fôlego nas páginas cruéis de *O Caso Morel* (73), *A Grande Arte*, romance policial na linha do brutalismo ianque (83), *Bufo & Spallanzani* (86) e, sobretudo, *Agosto* (90), relato dos eventos que precederam o suicídio de Getúlio Vargas misturado com *flashes*

(*) Remeto o leitor às observações de Flora Süssekind em *Tal Brasil, qual Romance*? (Rio, Achiamé, 1984). Sobre os liames entre jornal e realismo, ver Davi Arrigucci Jr., *Achados e Perdidos* e, particularmente sobre Gabeira, *Enigma e Comentário* (Cia. das Letras, 1987).

da vida privada tanto de seus admiradores quanto de seus desafetos: quase-crônica política, quase-romance. A mesma gana de objetividade, mas centrada nos mecanismos entre fisiológicos e psíquicos das suas *personae*, confere ao romance de Zulmira Tavares Ribeiro (*O Nome do Bispo*, 85; *Jóias de Família*, 90) um ar de ensaio de análise social da mentalidade paulista quatrocentona em tempos de rápida e confusa modernização.

A potencialidade da ficção brasileira está na sua abertura às nossas diferenças. Não a esgotam nem os *bas-fonds* cariocas nem os rebentos paulistas em crise de identidade, nem os velhos moradores dos bairros de classe média gaúcha, nem as histórias espinhentas do sertão nordestino. Há lugar também para outros espaços e tempos e, portanto, para diversos registros narrativos como os que derivam de sondagens no fluxo da consciência.

Quem supunha, por exemplo, que da Amazônia só nos viessem episódios de seringueiros ou de índios massacrados, por certo recebeu com surpresa o texto em surdina de Milton Hatoum, *Relato de um certo Oriente* (89), em que a vida de uma família burguesa de origem árabe, enraizada em Manaus, se dá ao leitor como um tecido de memórias, uma seqüência às vezes fantasmagórica de estados de alma, que lembra a tradição do nosso melhor romance introspectivo.

A escrita apurada de um estreante como Milton Hatoum parece indicar (como o fizeram, nos anos 70, Raduan Nassar com *Lavoura Arcaica* e Carlos & Carlos Sussekind com *Armadilha para Lamartine*) que um certo ideal de prosa narrativa, refletida e compassada, que vem de Graciliano e chegou a Osman Lins, não é forçosamente fruto de um passado estético irreversível. Esse padrão resiste em meio aos cacos do mosaico pós-moderno e significa a vitalidade de um gosto literário sóbrio que não renuncia à mediação da sintaxe bem composta e do léxico preciso, sejam quais forem os graus de complexidade da sua mensagem. A idéia de arte como trabalho baqueou mas ainda não morreu.

É o que se dá nos contos ao mesmo tempo cristalinos e perturbadores de Modesto Carone, que aprendeu junto à escrita de Kafka — de que é excelente tradutor — o segredo de um realismo ardido e contido, capaz de enfrentar as pancadas do absurdo que cada um de nós sofre no mais banal dos cotidianos. Recomendo a leitura de *Aos Pés de Matilde* (85) e *Dias Melhores* (90).

E se o assunto é o trabalho da forma expressiva, sirva de fecho a este esboço de roteiro a menção de duas obras que abriram de modo promissor o último decênio do século: *Coivara da Memória* e *Os Desvalidos*, de Francisco J. C. Dantas. Regionalismo ainda? Pergunta que provoca outras, mais pertinentes: teriam, acaso, sumido para sempre as práticas simbólicas de comunidades inteiras que viveram e vivem no sertão nordestino, só porque uma parte da região entrou no ritmo da indústria e do capitalismo internacional? É lícito subtrair ao escritor que nasceu e cresceu em um engenho sergipano o direito de recriar o imaginário da sua infância e de seus antepassados, pelo simples fato de ele ser professor de universidade ou digitar os seus textos em computador? Mas basta abrir ao acaso a história forte e pungente contada em *Os Desvalidos* para entender a necessidade interna do seu trabalho de estilização da memória coletiva.

Na rede de uma cultura plural como a que vivemos, é a qualidade estética do texto que ainda deve importar como primeiro critério de inclusão no vasto mundo da narrativa; só depois, e em um matizado segundo plano, é que interessam o assunto ou a visibilidade dos seus referentes. Esta, por seu turno, parece depender, cada vez mais, da mídia, isto é, do mercado das comunicações.

O que conta e deve sobreviver na memória seletiva da história literária é o *pathos* feito imagem e macerado pela consciência crítica.

A POESIA

Foi a expressão poética a que mais pronta e mais radicalmente se alterou com a viragem modernista. Mário de Andrade, Manuel Bandeira e Oswald de Andrade haviam rompido com os códigos acadêmicos e incorporado à nossa lírica as formas livres com exemplos tão vigorosos e felizes que aos poetas dos anos de 30 não seria mister inventar *ex nihilo* uma nova linguagem.

De um modo geral, porém, pode-se reconhecer nos poetas que se firmaram depois da fase heróica do Modernismo a conquista de dimensões temáticas novas: a política em Drummond e em Murilo Mendes; a religiosa, no mesmo Murilo, em Jorge de Lima, em Augusto Frederico Schmidt, em Cecília Meireles. E não só: também se impõe a busca de uma linguagem essencial, afim às experiências metafísicas e herméticas de certo veio rilkeano da lírica moderna, e que se reconhece na primeira fase de Vinícius de Moraes, em Cecília Meireles, em Henriqueta Lisboa, em Emílio Moura, em Dante Milano, em Joaquim Cardozo, em Alphonsus de Guimaraens Filho.

A poética destes últimos, herdeiros maduros da experiência formal simbolista, continua de certo modo em poetas da década de 40, dentre os quais emergiu um grupo que deu um tom polêmico à própria consciência de já não mais repetir traços acidentais do Modernismo. É a chamada "geração de 45", na qual se tem incluído nomes díspares que apresentaram em comum apenas o pendor para certa dicção nobre e a volta, nem sempre sistemática, a metros e a formas fixas de cunho clássico: soneto, ode, elegia... ([343]). Enquanto grupo,

---

([343]) Entre outros, Domingos Carvalho da Silva, Péricles Eugênio da Silva Ramos, Geir Campos, Ledo Ivo, José Paulo Moreira da Fonseca, Thiago de Melo, Paulo Mendes Campos, Marcos Konder Reis, Bueno de Rivera, Geraldo Vidigal, Dantas Mota, Mauro Mota, Ciro Pimentel, Afonso Félix de Sousa, Paulo Bonfim...

esses nomes não tiveram influência duradoura; mas como tendiam à pes formal, repropuseram no meio literário brasileiro um problema básico: *concepção de poesia como arte da palavra,* em contraste com outras abordagens que privilegiam o material extra-estético do texto.

Os melhores poetas da segunda metade do século têm respondido de modo vário aos desafios cada vez mais prementes que a cultura e a práxis lançam ao escritor. E que se chamam, por exemplo, guerra fria, condição atômica, lutas raciais, corrida interplanetária, neocapitalismo, Terceiro Mundo, tecnocracia... E, vindos embora, em sua grande parte, do formalismo menor e estetizante que marcou o clima de 45, lograram atingir um plano mais alto e complexo de integração, de que são exemplos os poderosos poemas de Ferreira Gullar e de Mário Faustino, os elaborados experimentos da poesia concreta (Haroldo de Campos, Augusto de Campos, Décio Pignatari, José Lino Grünewald, José Paulo Paes, Pedro Xisto...) e da poesia-práxis (Mário Chamie), além de todo o itinerário do maior poeta brasileiro de nossos dias, João Cabral de Melo Neto.

Renovar a linguagem está no cerne das preocupações e dos projetos de todos. Mas subsistem divergências sensíveis sobre o modo de entender as fronteiras entre poesia e não-poesia, sobre o tipo de mediação que se deve propor entre o ato estético e os demais atos humanos (éticos, políticos, religiosos, vitais), ou ainda sobre as relações que se podem estabelecer entre o poema e o objeto de consumo, a imagem da propaganda, o *slogan* político, a canção popular e outras manifestações de uma cultura plural veiculada cada vez mais intensamente pelos meios de comunicação de massa. Nessa atmosfera saturada de consciência crítica e polêmica, assumem papel de extremo relevo conceitos de origem filosófica (alienação, práxis, superação, dialética), que cruzam armas com noções de Cibernética e da Teoria da Informação (entropia, redundância, emissor, receptor, código, mensagem). Ao mesmo tempo, o discurso sobre a arte se afasta do vocubulário existencial (angústia, autenticidade, opção, imaginário...) corrente nos anos do imediato pós-guerra. Uma sede de atualização técnica, um gosto — e às vezes um maneirismo — da impessoalidade, da coisa e da pedra, entram a compor a lapilosa mitologia do nosso tempo, correndo o risco de tomar por joio o trigo de valores que o homem vem há séculos arduamente conquistando.

Este é o universo mental onde estamos inseridos; e não parece de todo insensato, se descermos às razões da aridez que nos cerca, esperar das poéticas da dureza e da agressividade algo mais que a fátua complacência na dureza e na agressividade: a denúncia do que aí está e a procura de uma comunicação mais livre e inteligente com o semelhante.

Nos textos dos poetas estudados ou apenas referidos abaixo, o leitor reconhecerá os temas e as formas predominantes na poesia contemporânea.

Carlos Drummond de Andrade (344)

O primeiro grande poeta que se afirmou depois das estréias modernistas foi **Carlos Drummond de Andrade**. Definindo-lhe lucidamente o caráter, dis-

---

(344) Carlos Drummond de Andrade (Itabira, MG, 1902 — Rio, 1987). Descendente de povoadores e mineradores de ouro das Gerais, passou a infância numa fazenda de Itabira. Fez os estudos secundários em Friburgo e em Belo Horizonte, onde cursou Farmácia e foi professor de Geografia. Em 1925 fundou, com Emílio Moura, João Alphonsus e outros escritores mineiros, *A Revista* que, apesar da sua curta duração, foi o órgão mais importante do Modernismo no Estado. Transferindo-se para o Rio em 34, ocupou até 1945 a chefia de gabinete de Gustavo Capanema junto ao Ministério de Educação e Saúde. Fez sempre jornalismo colaborando assiduamente no *Correio da Manhã*. Obra: *Alguma Poesia*, 1930; *Brejo das Almas*, 1934; *Sentimento do Mundo*, 1940; *Poesias*, 1942; *A Rosa do Povo*, 1945; *Poesia Até Agora*, 1948; *Claro Enigma*, 1951; *Viola de Bolso*, 1952; *Fazendeiro de Ar & Poesia até Agora*, 1953; *Viola de Bolso novamente Encordoada*, 1955; *Poemas*, 1959; *Lição de Coisas*, 1962; *Versiprosa*, 1967; *Boitempo*, 1968; *Reunião* (com prefácio de Antônio Houaiss), 1969; *As Impurezas do Branco*, 1973; *Menino Antigo* (*Boitempo — II*), 1973; *O Marginal Clorindo Gato*, 1978. Em Prosa: *Confissões de Minas*, 1944; *O Gerente*, 1945; *Contos de Aprendiz*, 1951; *Passeios na Ilha*, 1952; *Fala, Amendoeira*, 1957; *A Bolsa e a Vida*, 1962; *Cadeira de Balanço*, 1966. Consultar: João Ribeiro, *Os Modernos*, Rio, Academia Brasileira de Letras, 1952; Agripino Grieco, *Evolução da Poesia Brasileira*, Rio, Ariel, 1932; Tristão de Ataíde, *Estudos*, 5ª série, Rio, Civ. Brasileira, 1935; Manuel Bandeira, *Crônicas da Província do Brasil*, Rio, Civ. Brasileira, 1937; Eduardo Frieiro, *Letras Mineiras*, Belo Horizonte, Os Amigos do Livro, 1937; Álvaro Lins, *Jornal de Crítica*, 1ª série, Rio, José Olympio, 1941; Mário de Andrade, *Aspectos da Literatura Brasileira*, Rio, Americ-Edit., 1943; Otto Maria Carpeaux, *Origens e Fins*, Rio, Casa do Estudante do Brasil, 1943; Álvaro Lins, *Jornal de Crítica*, 3ª série, Rio, J. Olympio, 1944; 5ª série, 1947; Roger Bastide, *Poetas do Brasil*, Curitiba, Guaíra, 1947; Sérgio Milliet, *Diário Crítico*, vol. IV, S. Paulo, Martins, 1947; Gilda de Mello e Souza, *Dois Poetas*, *in Revista Brasileira de Poesia*, S. Paulo, II, abril de 1948; Antônio Houaiss, "Poesia e Estilo de Carlos Drummond de Andrade", *in Cultura*, Rio, I/1, set./dez. de 1948; Othon Moacyr Garcia, *Esfinge Clara. Palavra-puxa-palavra em Carlos Drummond de Andrade*, Rio, Livr. S. José, 1955; Aires da Mata Machado F.º, *Crítica de Estilos*, Rio, Agir, 1956; Aurélio Buarque de Holanda, *Território Lírico*, Rio, O Cruzeiro, 1958; Antônio Houaiss, *Seis Poetas e um Problema*, Rio, MEC, 1960; Supl. Literário de *O Estado de S. Paulo* de 27 de outubro de 1962, em comemoração do 60.º aniversário do poeta; Hélcio Martins, *A Rima na Poesia de C. D. A.*, Rio, José Olympio, 1968; Luiz Costa Lima, *Lira e Antilira* (*Mário, Drummond, Cabral*), Rio, Civ. Bras., 1968; Gilberto Mendonça Telles, *Drummond. A Estilística da Repetição*, Rio, José Olympio, 1970; Antônio Cândido, *Vários Escritos*, S. Paulo, Duas Cidades, 1970; Affonso Romano de Sant'Anna, *Drummond, o "gauche" no Tempo*, Rio, Lia Ed., 1972; J. Guilherme Merquior, *Verso Universo em Drummond*, Rio, 1975; Iumna Maria Simon, *Drummond: uma Poética do Risco*, Ática, 1978.

se Otto Maria Carpeaux da sua obra que "expressão duma alma muito pessoal, é poesia objetiva" ([345]). Parece-me que "alma muito pessoal" significa, no caso, a aguda percepção de um intervalo entre as convenções e a realidade: aquele hiato entre o parecer e o ser dos homens e dos fatos que acaba virando matéria privilegiada do *humor*, traço constante na poesia de Drummond. A prática do distanciamento abriu ao poeta mineiro as portas de uma expressão que remete ora a um arsenal concretíssimo de coisas, ora à atividade lúdica da razão, solta, entregue a si mesma, armando e desarmando dúvidas, mais amiga de negar e abolir que de construir:

e a poesia mais rica
é um sinal de menos.

Os pólos coisa-razão, que fazem de Carlos Drummond um poeta reclamado pela vanguarda tecnicista, não se acham nele divididos por força de um programa. Há um tecido conjuntivo a uni-los e a sustê-los, o *sentimento do mundo* do poeta, também negativo na medida em que se ensombra com os tons cinzentos da acídia, do desprezo e do tédio, que tudo resulta na irrisão da existência.

O Drummond "poeta público" da *Rosa do Povo* foi a fase intensa, mas breve, de uma esperança que nasceu sob a Resistência do mundo livre à fúria nazi-fascista, mas que logo se retraiu com o advento da Guerra Fria. A civilização que se forma sob os nossos olhos, fortemente amarrada ao neocapitalismo, à tecnocracia, às ditaduras de toda sorte, ressoou dura e secamente no *eu* artístico do último Drummond, que volta, com freqüência, à aridez desenganada dos primeiros versos:

A poesia é incomunicável.
Fique quieto no seu canto.
Não ame.

A partir de *Claro Enigma* (1948-51), o desencanto que sobreveio à fugaz experiência da poesia política tem ditado ao poeta dois modos principais de compor o poema:

a) Escavar o real mediante um processo de interrogações e negações que acaba revelando o vazio à espreita do homem no coração da matéria e da História. O mundo define-se como "um vácuo atormentado, / um sistema de erros". Se há um existencialismo niilista codificado em poesia, ele se colhe da leitura de poemas aturadamente reflexivos como "A Ingaia Ciência", "Memória", "Morte das Casas de Ouro Preto", "Convívio", "O Enterrado Vivo", "Eterno", "Destruição", e se nos dá abertamente em certos fechos escritos sob o signo do *não*:

([345]) Em *Origens e Fins*, Casa do Estudante do Brasil, 1943, p. 331.

e nada resta, mesmo, do que escreves
e te forçou ao exílio das palavras,
senão contentamento de escrever,
enquanto o tempo, em suas formas breves
ou longas, que sutil interpretavas,
se evapora no fundo do teu ser?
(Remissão)

o agudo olfato,
o agudo olhar, a mão, livre de encantos,
se destroem no sonho da existência.
(A Ingaia Ciência)

De tudo quanto foi meu passo caprichoso
na vida, restará, pois o resto se esfuma,
uma pedra que havia em meio do caminho.
(Legado)

eis-me a dizer: assisto
além, nenhum, aqui,
mas não sou eu, nem isto.
(Sonetilho do falso Fernando Pessoa)

E calamos em nós, sob o profundo
instinto de existir, outra mais pura
vontade de anular a criatura.
(Fraga e Sombra)

Então, desanimamos. Adeus, tudo!
A mala pronta, o corpo desprendido.
resta a alegria de estar só e mudo.

De que se formam nossos poemas? Onde?
Que sonho envenenado lhes responde,
se o poeta é um ressentido, e o mais são nuvens?
(Conclusão)

É sempre nos meus pulos o limite.
É sempre nos meus lábios a estampilha.
É sempre no meu não aquele trauma.

Sempre no meu amor a noite rompe.
Sempre dentro de mim meu inimigo.
E sempre no meu sempre a mesma ausência.
(O Enterrado Vivo)

A alta freqüência com que o motivo ocorre convida a procurar uma integração numa das linhas centrais do pensamento moderno. Freud, retomando uma idéia-força de Schopenhauer, afirmou, em *Além do Princípio do Prazer*:

"Se, como experiência, sem exceção alguma, temos de aceitar que todo ser vivo morre por fundamentos internos, voltando ao inorgânico, poderemos dizer: *o objetivo de toda vida é a morte.* E com igual fundamento: o inanimado existia antes do animado" ([346]).

Outra não era a visão de Leopardi que recebera dos Setecentos o sensismo lucreciano calcinado pelo sorriso de Voltaire; outra não é a moral inerente à ontologia de Heidegger para a qual a vida autêntica é a que tem por horizonte único a certeza da morte.

A abolição de toda crença, o apagar-se de toda esperança trazem consigo o autofechamento do espírito que se crispa entre a sensação e a Coisa ([347]), recusando-se a operar o salto, a ruptura, a passagem, que lhe parecem apenas como ilusões a perder. Nas páginas finais de *Claro Enigma*, o momento da negatividade traduz-se pela dor do desgaste cósmico, como se a sina da queda não tivesse poupado nenhum ser vivo, condenando todo o existente a regredir ao silêncio do reino mineral:

> As mais soberbas pontes e edifícios,
> o que nas oficinas se elabora,
> o que pensado foi e logo atinge
>
> distância superior ao pensamento,
> os recursos da terra dominados,
> e as paixões e os impulsos e os tormentos
>
> e tudo o que define o ser terrestre
> ou se prolonga até nos animais
> ou chega às plantas para se embeber
>
> no sono rancoroso dos minérios,
> dá volta ao mundo e torna a se engolfar,
> na estranha ordem geométrica de tudo,
>
> . . . .
>
> e o absurdo original e seus enigmas,
> suas verdades altas mais que todos
> monumentos erguidos à verdade;
>
> e a memória dos deuses, e o solene
> sentimento de morte, que floresce
> no caule da existência mais gloriosa.
>
> (A Máquina do Mundo)

([346]) Em *Obras Completas*, trad. esp., Madrid, Bibl. Nueva, 1948, vol. II, p. 1104.

([347]) No poema em prosa "O Enigma", fecho dos *Novos Poemas* (1946-47), já aparecia a imagem pétrea da *Coisa*, síntese de um universo ocluso que barra o caminho a qualquer decifração.

b) Fazer as coisas e as palavras — nomes de coisas — boiar nesse vácuo sem bordas a que a interrogação reduziu os reinos do ser. Da poesia metafísica dos anos de 50 passa Drummond *à poesia objectual* de *Lição de Coisas* (1959-62), livro em que o processo básico é a linguagem nominal: "(o poeta) pratica, mais do que antes, a violação e a desintegração da palavra, sem entretanto aderir a qualquer receita poética vigente" (*Apresentação*).

De fato, Drummond aportou coerentemente a uma opção concreto-formalista radicalizando processos estruturais que sempre marcaram o seu modo de escrever. A atenção ao nome em si remonta a poemas de 1942 ("O Lutador") e de 1943 ("Procura da Poesia") e a afirmações críticas do livro de prosa *Confissões de Minas* (1944):

> À medida que envelheço, vou me desfazendo dos adjetivos. Chego a ver que tudo se pode dizer sem eles, melhor que com eles. Por que "noite gélida", "noite solitária", "profunda noite"? Basta "a noite". O frio, a solidão, a profundidade da noite estão latentes no leitor, prestes a envolvê-lo, à simples provocação dessa palavra "noite". (p. 218)

Na verdade, desde *Alguma Poesia* foi pelo prosaico, pelo irônico, pelo anti-retórico que Drummond se afirmou como poeta congenialmente moderno. O rigor da sua fala madura, lastreada na recusa e na contensão, assim como o fizera homem de esperança no momento participante de *A Rosa do Povo*, o faz agora homem de um tempo reificado até à medula pela dificuldade de transcender a crise de sentido e de valor que rói a nossa época, apanhando indiscriminadamente as velhas elites, a burguesia afluente, as massas.

A teoria do poema-objeto pode ser contestada por mais de uma filosofia; mas não se dirá, sem grave dano da verdade, que ela não corresponde com precisão à mentalidade que circula nos meios cultos do Ocidente desde os fins da década de 50. Impersonalismo, tecnicismo, instrumentalismo percorrem a mesma rota: um vaivém dos sentidos ao objeto, do objeto aos sentidos; quando o caminho se alarga, entrevêem-se os termos mais abstratos da razão e da forma; e ao empirismo inicial vem juntar-se uma forma refinada de neopositivismo que está, porém, sempre correndo o risco de regredir ao empirismo bruto e sem mediações de onde partiu. É dessa fronteira que se aproxima Drummond ao tocar o limite do poema-objeto em "Isso é aquilo", de *Lição de Coisas*:

> O fácil o fóssil
> o míssil o físsil
> a arte o infarte
> o ocre o canopo
> a urna o farniente
> a foice o fascículo

a lex o judex
o maiô o avô
a ave o mocotó
o só o sambaqui

A rima, final ou interna, a assonância, a aliteração, o simples eco, no fundo a repetição compulsiva do som-coisa, é a operação técnica que persiste depois de abolidos os liames com a sintaxe poética tradicional (e "tradicional" vai aqui até o verso livre). O nominalismo extremo dá as mãos ao extremo fisicalismo: as estruturas justapõem-se mostrando em si mesmas a impossibilidade do canto que, aceita, se erige em norma. Talvez seja esta a única forma de comunicação que o poeta Carlos Drummond de Andrade pôde oferecer a seu tempo: a antilira que corta os vínculos com a expressão transparente dos afetos, não para negá-los enquanto tal (o que seria paradoxo calculado ou simples traço esquizóide), mas para pôr em evidência a condição de absurdo feroz em que mais uma vez está submergido o vasto mundo. Mundo que lhe ditou *A Bomba*:

A bomba
é uma flor de pânico apavorando os floricultores
A bomba
é o produto quintessente de um laboratório falido
A bomba
é miséria confederando milhões de misérias
A bomba
é estúpida é ferotriste é cheia de rocamboles
A bomba
é grotesca de tão metuenda e coça a perna
. . . .
A bomba
amanhã promete ser melhorzinha mas esquece
A bomba
não está no fundo do cofre, está principalmente onde não está
A bomba
mente e sorri sem dente
. . . .
A bomba
não é séria, é conspicuamente tediosa
A bomba
envenena as crianças antes que comecem a nascer
A bomba
continua a envenená-las no curso da vida
. . . .
A bomba
é uma inflamação no ventre da primavera

A bomba
tem a seu serviço música estereofônica e mil valetes de ouro,
cobalto e ferro além da comparsaria
A bomba
tem supermercado circo biblioteca esquadrilha de mísseis, etc.
A bomba não admite que ninguém se dê ao luxo de morrer
de câncer
A bomba
é câncer
....
A bomba
com ser uma besta confusa dá tempo ao homem para que se
salve
A bomba
não destruirá a vida
O homem
(tenho esperança) liqüidará a bomba (*).

Murilo Mendes ([348])

Com Drummond de Andrade tem em comum o também mineiro Murilo Mendes a recusa às formas batidas e o senso vivíssimo da modernidade como

(*) Em obras posteriores (*Boitempo*, *As Impurezas do Branco*, *Menino Antigo*) o poeta renova-se paradoxalmente pelo franco apelo à memória da infância, matriz recorrente de imagens e afetos. Essa reabertura de um veio biográfico pode interpretar-se à luz da obra inteira de Drummond como uma alternativa à corrosão lancinante de sua poesia madura; mas pode também entender-se como sinal dos tempos: a década de 70 assistiu à retomada de um discurso lírico mais livre do que o proposto (ou tolerado) pelas vanguardas do decênio anterior. Em Drummond, porém, o tom reflexivo e os descantes humorísticos persistem como caráter distintivo que o estrema da mesma corrente em que parece deixar-se prazerosamente arrastar. [*Nota de 1979.*]

([348]) Murilo Monteiro Mendes (Juiz de Fora, MG, 1901 — Lisboa, 1975). Estudou na sua cidade e em Niterói, começou o curso de Direito, mas logo o interrompeu. Foi sempre um homem inquieto passando por atividades díspares: auxiliar de guarda-livros, prático de dentista, telegrafista aprendiz e, em melhores dias, notário e Inspetor Federal de Ensino. Não menos rica de experiência foi a sua vida espiritual e literária: tendo estreado em revistas do Modernismo, *Terra Roxa e Outras Terras* e *Antropofagia*, conheceu de perto a poética primitivista e surrealista que as animava; em 1934, converteu-se ao Catolicismo, partilhando com o pintor Ismael Nery (v.) o fervor por uma arte que transmitisse conteúdos religiosos em códigos radicalmente novos. Foi sempre assertor da liberdade política e estética. A partir de 1953 viveu quase exclusivamente na Europa e, desde 57, em Roma, onde ensinou Literatura Brasileira. Em todos

liberação. Mas o seu pensamento trilha veredas opostas às do enxuto minerador de *Claro Enigma*. É pensamento que não rói o real, mas multiplica-o, exalta-o e, com materiais tomados à fantasia, opera uma potenciação das imagens cotidianas. O efeito estético só não é do puro caos porque o poeta recompõe os mil estilhaços da sua imaginação em um vitral desmesurado de crente surrealista. Assim, a desarticulação da ordem convencional, que o aproxima do cético Drummond, é nele apenas um primeiro passo para a reconquista de um paraíso que, naturalmente, não terá o ar devoto de velhos ritualismos, mas se abre aos olhos do poeta como um universo aquecido pela Graça.

Murilo é poeta de aderência ao ser, poeta cósmico e social que aceita a fruição dos valores primordiais. Tendo mantido firme a sua ânsia libertária, ânsia que partilhou com o Modernismo anterior a 30, jamais cai em formas antiquadas de apologética. Místico, ele perfura a crosta das instituições e dos costumes culturais para morder o cerne da linguagem religiosa, que é sempre ligação do homem com a totalidade. Esse o sentido geral de sua obra, a que só escapa o ciclo de poemas humorísticos anteriores a 30, que fazem o giro piadístico de um Brasil morno e provinciano e ecoam a maneira inicial de Mário e Oswald de Andrade.

Com o *Visionário*, já entramos em cheio no clima onírico e alucinatório que envolveria sempre a sua poesia. Foi João Cabral de Melo Neto quem acer-

---

esses anos, M. Mendes revelou-se um dos nossos escritores mais afins à vanguarda artística européia, o que, no entanto, não o apartou das imagens e dos sentimentos que o prendiam às suas origens brasileiras e, estritamente, mineiras. Obra: *Poemas*, 1930; *História do Brasil*, 1932; *Tempo e Eternidade*, 1935; *A Poesia em Pânico*, 1938; *O Visionário*, 1941; *As Metamorfoses*, 1944; *Mundo Enigma*, 1945; *Poesia Liberdade*, 1947; *Contemplação de Ouro Preto*, 1954; *Poesias (1925-1955)*, 1959; *Tempo Espanhol*, 1959; *Convergência*, 1970; *Antologia Poética*, 1976; *Poemas* e *Bumba-meu-poeta*, 1990; *Poesia Completa e Prosa*, 1994. Em prosa: *O Discípulo de Emaús*, 1944; *A Idade do Serrote*, 1969; *Poliedro*, 1972; *Retratos Relâmpago*, s. d. Consultar: João Ribeiro, *Crítica. Os Modernos*, Rio, A. B. L., 1952; Agripino Grieco, *Evolução da Poesia Brasileira*, *cit.*; Tristão de Ataíde, *Estudos*, 5ª série, Rio, Civ. Bras., 1935; Andrade Muricy, *A Nova Literatura Brasileira*, P. Alegre, Globo, 1936; Mário de Andrade, *O Empalhador de Passarinho*, S. Paulo, Martins, 1946; Mário de Andrade, *Aspectos da Literatura Brasileira*, Rio, Americ-Edit., 1943; Álvaro Lins, *Jornal de Crítica*, 2ª série, Rio, 1943; 5ª série, 1947; Sérgio Milliet, *Diário Crítico*, S. Paulo, Brasiliense, 1944; Otto Maria Carpeaux, "Unidade de Murilo Mendes", *in Religião*, Recife, nº 11, 1949; Péricles Eugênio da Silva Ramos, "O Modernismo na Poesia", *in Literatura no Brasil*, *cit.*, vol. III, t. 1; Luciana S. Picchio, "La poesia in Brasile. Murilo Mendes", *in Revista di Letterature Moderne e Comparate*, XII/1, março de 1959; Laís Correia de Araújo, *Murilo Mendes*, Petrópolis, Vozes, 1971; João Alexandre Barbosa, *A Metáfora Crítica*, Perspectiva, 1974; Antônio Cândido, *Na Sala de Aula*, Ática, 1985; Júlio Castañon Guimarães, *Murilo Mendes*, Brasiliense, 1986.

tou no alvo quando reconheceu: "a poesia de Murilo me foi sempre mestra, pela plasticidade e novidade da imagem. Sobretudo foi ela quem me ensinou a dar precedência à imagem sobre a mensagem, ao plástico sobre o discursivo". Nessa caracterização reconhecem-se o processo futurista da *montagem* e o processo surrealista da *seqüência onírica*; a combinação de ambos faz-se pelo traço comum, associativo, que permite se justaponham sintática e simbolicamente os dados da imaginação. João Cabral viu com nitidez: de um lado, a *plasticidade*, isto é, o espaço poético cheio de formas e imagens; de outro, a *novidade*, isto é, as relações insólitas que emergem do fluxo pré-consciente:

A mulher do fim do mundo
Dá de comer às roseiras,
Dá de beber às estátuas,
Dá de sonhar aos poetas.

A mulher do fim do mundo
Chama a luz com um assobio,
Faz a virgem virar pedra,
Cura a tempestade,

Desvia o curso dos sonhos,
Escreve cartas ao rio,
Me puxa do sono eterno
Para os seus braços que cantam.

(Metade Pássaro)

O caos recebe carisma religioso em *Tempo e Eternidade*, escrito em parceria com Jorge de Lima, e abertamente votado a "restaurar a poesia em Cristo". A renovação da literatura cristã, que nos anos de 30 contou com os nomes de Ismael Nery, Jorge de Lima, Augusto Frederico Schmidt, Otávio de Faria, Vinícius de Moraes, Tristão de Ataíde e outros, teve, como se sabe, raízes neo-simbolistas francesas. Um Péguy, um Bloy, um Bernanos, um Claudel dariam temas e formas ao novo catolicismo latino-americano que neles e nos ensaios de Maritain viu uma ponte segura entre a ortodoxia e algumas formas modernas de pensamento (Bergson), de práxis (democracia, socialismo) e de arte. Veio de Murilo a manifestação literária mais radical dessa diretriz no Brasil. O versículo bíblico, valorizado por Péguy e Claudel, dá livre modulação à mensagem religiosa e satura-se de imagens terrestres que entram como signos de uma liturgia cósmica onde se cruzam planos díspares de espaço e tempo. Reaparece a rica simbologia das Escrituras: a mão do Eterno, a gênese do universo, Lúcifer-Serpente, Adão e Eva e a redenção projetam-se na história e compõem quadros de dimensões apocalípticas:

A Virgem deve gerar o Filho
Que é seu Pai desde toda a eternidade.
A sombra de Deus se alastrará pelas eras futuras.

O homem caminhará guiado por uma estrela de fogo.
Haverá música para o pobre e açoites para o rico.
Os poetas celebrarão suas relações com o Eterno.
Muitos mecânicos sentirão nostalgia do Egito.
A serpente de asas será desterrada na lua.
A última mulher será igual a Eva.
E o Julgador, arrastando na sua marcha as constelações,
Reverterá todas as coisas ao seu princípio.
(O Profeta)

As mesmas visões teológicas são interiorizadas pelo poeta que passa do epos bíblico à melopéia cristã:

Antes de eu nascer tu velavas sobre mim
E mandaste teu anjo substituir minha mãe morta.
Ele me continha quando eu corria a beira-mar
Ou quando me debruçava sobre o abismo,
Cantava serestas e acalantos
Para aplacar minhas horas de pedra.
(Novíssimo Jacó)

Nos seus livros principais, *A Poesia em Pânico*, *As Metamorfoses* e *Poesia-Liberdade*, Murilo Mendes objetiva a sua perplexidade em face de um mundo desconjuntado (sempre a obsessão do caos), que deve, porém, resgatar-se em vista dos valores absolutos: Eros e Liberdade. A palavra do poeta entende sacralizar todos os fenômenos como crê ter agido o Verbo ao penetrar no âmago da História. E há certos arrancos erótico-místicos que lembram a poesia prometeica de William Blake:

Vivi entre os homens
Que não me viram, nem me ouviram
Nem me consolaram.
Eu fui o poeta que distribui seus dons
E que não recebe coisa alguma.
Fui envolvido na tempestade do amor,
Tive que amar até antes do nascimento.
Amor, palavra que funde e que consome os seres,
Fogo, fogo do inferno: melhor que o céu.
(Amor-Vida)

Eu me encontrei no marco do horizonte
Onde as nuvens falam,
Onde os sonhos têm mãos e pés
E o mar é seduzido pelas sereias.

Eu me encontrei onde o real é fábula,
Onde o sol recebe a luz da lua,
Onde a música é pão de todo dia
E a criança aconselha-se com as flores,

Onde o homem e a mulher são um,
Onde espadas e granadas
Transformaram-se em charruas,
E onde se fundem verbo e ação.
(A Marcha da História)

A presença do eterno-feminino (a Mulher, Berenice, Eva) ora opõe-se ora une-se às aspirações religiosas; pode-se dizer mesmo que a tensão entre o profano e o sagrado, resolvida à força de rupturas ou de colagens violentas, dá o significado último desse momento central da poesia muriliana:

Há grandes forças de matéria na terra no mar e no ar
Que se entrelaçam e se casam reproduzindo
Mil versões de pensamentos divinos.
A matéria é forte e absoluta,
Sem ela não há poesia.

Desde os *Sonetos Brancos* (1948), a vocação para o real, tão forte que abraça também o real-imaginário, o supra-real, tem levado o poeta a avizinhar-se da paisagem e dos objetos em busca de formas e dimensões concretas. Tendência que é um dos sulcos mais fundos da poesia contemporânea e que aproxima poetas de línguas diversas (Pound e Montale, Ponge e Drummond, Murilo e Cabral de Melo Neto) enquanto repropõe à Estética a questão da objetividade e, nos casos-limite, da autonomia da palavra artística. A disciplina semântica e o recurso a metros exatos são os aspectos mais evidentes dessa diretriz não só nos *Sonetos Brancos*, como também nessa obra-prima de visão e ritmo que é *Contemplação de Ouro Preto*, até agora o ponto mais alto da carreira literária de Murilo Mendes. Nesta obra a história e a paisagem de Vila Rica desdobram-se em compactas séries de nomes e verbos para se fundirem depois na música envolvente da evocação. O poema procura colher a essência mesma do barroco mineiro — *tacteando ainda nos ternos labirintos, / palpando-se nos planos pensativos / das origens, de antigas estruturas,* — e da arte do Aleijadinho feita de espanto e de unção.

O acesso ao corpo da palavra, à sua matéria significante, dá-se no ciclo "A Lua de Ouro Preto" em que alternam as funções expressiva e metalingüística:

Lua, luar,
Não confundamos:
Estou mandando
A Lua luar.
Luar é verbo,
Quase não é
Substantivo.
. . . .
E tu és cíclica,

Única, onírica,
Envolverônica,
Musa lunar.

Ó lua plástica,
Ó lua aplástica,
Móvel, imóvel,
Pagã, cristã,
Lua de alcânfora,
Lua de enxofre,
E de alumínio,
Excêntrica e
Erocêntrica,
Ouvimos rápidos
Os teus cronômetros
No claro espaço
Microssoando.

Lua humanada,
Violantelua,
Lua mafalda
Lua adelaide
Lua exilanda
. . . .

Os trabalhos mais recentes de Murilo, *Tempo Espanhol, Exercício e Contactos,* compostos na década de 60, ratificam o seu ingresso na pesquisa experimental que vê no trato da linguagem o primeiro dever do escritor.

Jorge de Lima (349)

Este poeta, que, a certa altura da sua história espiritual, partilhou com Murilo Mendes o projeto de "restaurar a poesia em Cristo", conheceu uma

(349) Jorge de Lima (União, Alagoas, 1895 — Rio, 1953). Estudou Humanidades em Maceió e Medicina em Salvador e no Rio de Janeiro. Exerceu em sua terra e na ex-capital a profissão. Além de interessar-se vivamente pelas artes-plásticas (quadros, fotomontagens), foi professor de Literatura na Universidade do Brasil e fez política nos anos que se seguiram à queda da ditadura (vereador da Câmara do antigo D. Federal). Fatos capitais do seu roteiro espiritual foram o contacto com o Modernismo nacionalista em 1925 e, dez anos depois, a conversão a uma forma dramática e moderna de Catolicismo. Obra: *XIV Alexandrinos*, 1914; *O Mundo do Menino Impossível*, 1925; *Poemas*, 1927; *Novos Poemas*, 1929; *Poemas Escolhidos*, 1932; *Tempo e Eternidade* (em colab. com Murilo Mendes), 1935; *Quatro Poemas Negros*, 1937; *A Túnica Inconsútil*, 1938; *Poemas Negros*, 1937; *Livro de Sonetos*, 1949; *Obra Poética* (incluindo os anteriores, mais

acidentada evolução literária. Começou como sonetista neoparnasiano e chegou até a "príncipe dos poetas de Alagoas", título que lhe valeram os *XIV Alexandrinos*, dentre os quais um virou antológico, "O Acendedor de Lampiões". Mas o contato com o Modernismo em geral e, particularmente, com o grupo regionalista do Recife (Lins do Rego, Gilberto Freyre, Olívio Montenegro) ajudou o poeta a descobrir a sua vocação de artista de múltiplas dimensões (a social, a religiosa, a onírica), embora organicamente *lírico*, isto é, enraizado na própria afetividade mesmo quando aparente dispersar-se em notações pitorescas, em ritmos folclóricos, em glosas dos grandes clássicos. É importante ressalvar esse ponto, porque sem a sua inteligência poderiam soar gratuitas as mutações de tema e de forma que marcam a linguagem de Jorge de Lima, poeta sucessivamente regional, negro, bíblico e hermético.

O roteiro da sua produção foi pontuado pela descida às fontes da memória e do inconsciente. Na fase *horizontal*, o poeta deteve-se em um catolicismo sincrético, sertanejo e santeiro: nela o sentimento do sagrado vive à flor d'água e se mistura com o gosto da terra, do povo, dos vínculos sociais concretos. O processo de composição mais comum é o rapsódico, lembrando de perto as seqüências invocativas de Walt Whitman: os versos alinham, em geral, nomes

---

Anunciação e Encontro de Mira-Celi), 1950; *Invenção de Orfeu*, 1952; *Castro Alves — Vidinha*, 1952. Romance: *Salomão e as Mulheres*, 1927; *O Anjo*, 1934; *Calunga*, 1935; *A Mulher Obscura*, 1939; *Guerra Dentro do Beco*, 1950. Ensaio: *A Comédia dos Erros*, 1923; *Dois Ensaios* (*Proust* e *Todos Cantam a sua Terra*), 1929; *Anchieta*, 1934; *Rassenbildung und Rassenpolitik in Brasilien*, 1934; *D. Vital*, 1945; *Vida de S. Francisco de Assis*, 1942; *Vida de Sto. Antônio*, 1947. Deixou inéditos alguns textos para teatro (*A Filha da Mãe-D'Água*, *As Mãos*, *Ulisses*) e um argumento de filme, *Os Retirantes*. A ed. completa da sua obra poética saiu pela Aguilar, Rio, 1958. Consultar: João Ribeiro, *Crítica. Os Modernos*, Rio, A. B. L., 1952; Benjamin Lima, *Esse Jorge de Lima!*, Rio, Adersen, 1933; Agripino Grieco, *Gente Nova do Brasil*, Rio, J. Olympio, 1935; Nestor Vítor, *Os de Hoje*, S. Paulo, Cultura Moderna, 1938; Manuel Anselmo, *A Poesia de Jorge de Lima*, S. Paulo, Revista dos Tribunais, 1938; Tristão de Ataíde, *Poesia Brasileira Contemporânea*, Belo Horizonte, Paulo Bluhm, 1941; Roger Bastide, *Poetas do Brasil*, Curitiba, Guaíra, 1947; Artur Ramos, "A Poesia Negra e Jorge de Lima", *in Revista Acadêmica*, XIII/70, dez. de 1948; Otto Maria Carpeaux, Introdução à *Obra Poética* de J. L., Rio, Getúlio Costa, 1950; José Fernando Carneiro, *Apresentação de Jorge de Lima*, Rio, M. E. C., 1955; Mário Faustino, "Revendo Jorge de Lima", série de artigos para o *Jornal do Brasil* (28-7, 4-8, 11-8, 18-8, 25-8, 1-9 e 8-9-1957); Luís Santa Cruz, Apresentação às *Poesias*, Rio, Agir, 1958; Waltensir Dutra, "Descoberta, Integração e Plenitude de Orfeu", em *Obra Completa*, Rio, Aguilar, 1958; Euríalo Canabrava, "Jorge de Lima e a Expressão Poética", *ib.*; Péricles Eugênio da Silva Ramos, "O Modernismo na Poesia", em *A Literatura no Brasil*, *cit.*, vol. III, t. 1; Antônio Rangel Bandeira, *Jorge de Lima. O Roteiro de uma Contradição*, Rio, Livr. S. José, 1959; João Gaspar Simões, *Interpretações Literárias*, Lisboa, Arcádia, 1961.

ou expressões nominais que sugerem o embalo da evocação. Em *Poemas*, *Novos Poemas* e *Poemas Escolhidos*, Jorge de Lima vale-se dessa técnica para compor o vitral daquele Nordeste que seria o tema do painel social de Lins do Rego; como o narrador de *Menino de Engenho*, é a memória da infância o seu primeiro e mais forte móvel. Mas, por trás do mosaico ingênuo e colorido, o poeta vai reconhecendo as matrizes da sua emotividade que coincidem com a de tantos meninos brancos do Nordeste: o convívio com o negro, portador de marcas profundas tanto na conduta mítica quanto nos hábitos vitais e lúdicos. Os *Poemas Negros*, que incorporam tantas vozes e ritmos da linguagem afro-nordestina, nos dão pistas para uma decifração mais completa da religiosidade a um tempo *mística* e *terrena* de *Tempo e Eternidade*.

Mas a carga afetiva sublimada em prece não é o único traço de união entre a poesia negra e a poesia bíblico-cristã de Jorge de Lima: perpassa por ambas um sopro de fraternidade, de assunção das dores do oprimido, socialismo inerente a toda interpretação radical do Evangelho. Nos *Poemas Negros*, há momentos de ênfase dada à tensão entre escravo e senhor, aguçada pela oposição entre negro e branco:

> Os netos de teus mulatos e de teus cafuzos
> e a quarta e a quinta gerações de teu sangue sofredor
> tentarão apagar a tua cor!
> E as gerações dessas gerações quando apagarem
> a tua tatuagem execranda,
> não apagarão de suas almas, a tua alma, negro!
> Pai-João, Mãe-negra, Fulô, Zumbi,
> negro-fujão, negro cativo, negro rebelde
> negro cabinda, negro congo, negro ioruba,
> negro que foste para o algodão de U. S. A.
> para os canaviais do Brasil,
> para o tronco, para o colar de ferro, para a canga
> de todos os senhores do mundo;
> eu melhor compreendo agora os teus *blues*
> nesta hora triste da raça branca, negro!
>
> Olá, Negro! Olá, Negro!
>
> A raça que te enforca, enforca-se de tédio, negro!
> . . . .
> Não basta iluminares hoje as noites dos brancos com teus *jazzes*,
> com tuas danças, com tuas gargalhadas!
> Olá, Negro! O dia está nascendo!
> O dia está nascendo ou será a tua gargalhada que vem vindo?
> Olá, Negro!
> Olá, Negro!
>
> (Olá! Negro)

Em *Tempo e Eternidade* a nota social é integrada no ponto de vista da transcendência em que se coloca o poeta:

> Dividamos o mundo entre as máquinas:
> Vêm quinhentos mil escravos no bojo das fábricas,
> A metade morreu na escuridão, sem ar.
> Não dividamos o mundo.
> Dividamos Cristo:
> todos ressuscitarão iguais
>
> (A Divisão de Cristo)

A opção temática de *Tempo e Eternidade* levou Jorge de Lima a recorrer a novos códigos rítmicos, como o versículo claudeliano, e a novos conjuntos simbólicos, como as Escrituras (em particular os *Salmos* e o *Cântico dos Cânticos*) e o material litúrgico. Por outro lado, o salto do pinturesco ao musical substitui o texto-painel pelo texto-atmosfera e desloca o eixo literário do regionalismo rapsódico para a montagem surreal. Não foi por acaso que o nosso poeta ensaiou, algo canhestramente aliás, o romance surrealista e, com maior felicidade, a pintura de inspiração onírica e a fotomontagem voltada para o realismo mágico.

Nem sempre a poesia da fase engajadamente católica atinge nível satisfatório de expressividade e de rigor construtivo: uma ou outra descaída no retórico destoa daquele caráter que Mário de Andrade reconheceu como a razão da resistência do poeta Jorge de Lima: "a qualidade lírica da sua imaginação". De qualquer modo, cabe à análise textual distinguir com atenção a camada concreta, sensível, variamente melódica, que dá a medida do grande poeta, e a camada doutrinária que não soube resolver-se em imagem e música.

A Túnica Inconsútil, momento alto da poesia mística brasileira, foi considerada pelo autor "um poema único"; e, de fato, a sua leitura nos dá a imagem processional dos homens e das idades que, saindo "das profundezas do pecado original", caminham para a salvação em Cristo, e reconhecem na poesia a voz e a lanterna, signos da palavra verdadeira. Figuras aladas de Chagall, *clowns* de Rouault, anjos flamantes de Péguy compõem o quadro imagético desse livro, deliberadamente alegórico como o seu próprio título, do qual disse em feliz comentário Roger Bastide:

> A túnica é o largo e amplo vestuário do mundo, mas sem costura. Quer dizer que o poeta poderá continuar muito bem no mundo da multiplicidade, mas abolindo as fronteiras que separam os objetos para reencontrar assim, por meio de um subterfúgio indireto, a unidade essencial das coisas ([350]).

([350]) Roger Bastide, *op. cit.*, p. 104.

Não me parecendo conveniente citar trechos isolados do contexto, indicaria para leitura exemplar alguns dos poemas mais intensos do livro: "O Poeta no Templo", "Lâmpada Marinha", "A Morte da Louca", "O grande desastre aéreo de ontem", "Duas meninas de tranças pretas", "As palavras ressuscitarão" e essa obra-prima que é "A Ave".

Os processos de fatura de *A Túnica Inconsútil* reiteram-se em *Anunciação e Encontro de Mira-Celi*, ciclo de composições cujo *leitmotiv* é a imagem ubíqua de Mira-Celi que, como a Beatriz de Dante, é e não é mulher de carne e osso na medida em que pode aparecer como símbolo da Graça:

> Quando te aproximas do mundo, Mira-Celi,
> sinto a sarça de Deus arder, em círculo, sobre mim;
> então mil demônios nômades fogem nos últimos barcos.
> E as planuras desertas se ondulam volutuosas.
> Quando, porém, te afastas, os homens se combatem entre
> ranger de dentes;
> a vida se torna um museu de pássaros empalhados
> e de corações estanques dentro de vitrinas poentas;
> infelizes crianças, que nasceram em bordéis, escondem-se
> atrás dos móveis,
> com medo dos homens bêbados;
> paira no ar um cheiro de mulher recém-poluída;
> passam aviadores desmemoriados em cadeiras de rodas;
> vêem-se tanques transformados em gaiolas de pássaros;
> e submarinos apodrecendo em salmoura de suor.
> (Poema 6)

O canto de Mira-Celi compunha-se ainda com materiais dispostos em torno de uma simbologia fechada. No *Livro de Sonetos* e, principalmente, na última obra de Jorge de Lima, *Invenção de Orfeu*, dá-se a passagem a um nível mais alto de generalização dos conteúdos poéticos que já não serão unilateralmente regionais, negros ou bíblicos. A memória inteira da infância, as motivações fundas do *id*, toda a gama de valores humanos entra a constituir um tesouro de estímulos de onde o poeta, em plena madureza formal, extrai os sonetos exatos do *Livro* e as numerosas formas fixas da *Invenção*. A retomada dos metros antigos que, como se sabe, foi uma constante dos anos de 40, promoveu uma certa *barroquização* das correntes surrealistas com notáveis conseqüências na esfera do gosto literário moderno: o renascimento de um Góngora e de um Donne, revistos em uma perspectiva pré-mallarmaica, e, em termos mais genéricos, a difusão de uma consciência estética aguda da poesia como ofício de tratar com palavras. Os nomes de Rilke, Eliot, Salinas, Ungaretti, Montale, Pound e Dylan Thomas passaram a tutelar mais de perto os compositores de poemas, que, radicalizando as influências, quiseram chamar-se "puros" ou, com termo menos feliz, "herméticos". O *Livro dos Sonetos* é exemplo da absorção dessas tendências sem deixar de ser tratamento lírico do material que serviu de base à obra anterior de Jorge de Lima:

Há cavalos noturnos: mel e fel.
O cavalo que vai com Satanás
e o cavalo que vai com São Miguel
O cavalo do santo vai atrás.

E vai na frente a azêmola cruel.
Mas vão os dois e cada qual com um ás.
No cavalo da frente o atro anjo infiel
com façanhas de guerra se compraz.

São Miguel de la Mancha, D. Quixote,
Garcia Lorca viu-te, vejo-te eu
na luta igual com o ás da negação,

arremeter com lança em riste e archote.
E ao fim de tudo há um anjo, que venceu:
Tu, D. Quixote da Anunciação.

O equilíbrio métrico e estrófico rompe-se na febril "biografia épica" que é *Invenção de Orfeu*, poema em dez cantos ainda à espera de uma exegese capaz de descobrir a unidade subjacente ao vasto arsenal de signos e símbolos que o poeta organizou em torno de alguns motivos recorrentes: a viagem, o descobrimento da ilha, o subsolo da vida e do instinto, os círculos do Inferno e do Paraíso, Orfeu e a Musa de vário nome (Amada, Beatriz, Inês). As presenças de Camões e de Dante explicam-se pelo próprio desígnio de Jorge de Lima: construir uma epopéia centrada no roteiro do homem em busca de uma plenitude sensível e espiritual. E como experiência complexa de estilo, *Invenção de Orfeu*, leque de oitavas clássicas, tercetos e até complicadas sextinas, revela um mestre de linguagem, o último com que conta a poesia contemporânea em língua portuguesa.

Augusto Frederico Schmidt (351)

Schmidt também foi poeta de inspiração bíblica, mas, diversamente de Jorge de Lima, não assistia nele o dom do verso nítido ou o encanto da imagem

---

(351) Augusto Frederico Schmidt (Rio, 1906-1965). Obra: *Canto do Brasileiro Augusto Frederico Schmidt*, 1928; *Canto do Liberto Augusto Frederico Schmidt*, 1929; *Navio Perdido*, 1929; *Pássaro Cego*, 1930; *Desaparição da Amada*, 1931; *Canto da Noite*, 1934; *Estrela Solitária*, 1940; *Mar Desconhecido*, 1942; *Fonte Invisível*, 1949; *Mensagem aos Poetas Novos*, 1950; *Ladainha do Mar*, 1951; *Morelli*, 1953; *Os Reis*, 1953; *Poesias Completas*, 1956; *Aurora Lívida*, 1958; *Babilônia*, 1959; *O Caminho do Frio*, 1964. Em prosa: *O Galo Branco* (*Páginas de Memórias*), 1948. Consultar: Tristão

plástica. Era difusa a sua fala, romântica a melodia, derramado o estilo. Lidos isoladamente, alguns dos seus poemas sabem mesmo a retórica anacrônica; mas o conjunto é uno e deixa a impressão de que seus temas centrais (morte, solidão, angústia, fuga) não poderiam ser tratados fora daquela dicção intensiva que o poeta lhes deu.

Na história da poesia brasileira de 30 a 40, o papel de Schmidt, assumido com plena consciência, foi o de negar tudo o que marcava, a seu ver, certa gratuidade excessiva dos modernistas "heróicos": o coloquial indiscriminado, a piada pela piada, o gosto do pitoresco e do anedótico, o neo-indianismo como bandeira, etc.:

> Não quero mais o Brasil
> não quero mais geografia
> nem pitoresco.
> Quero é perder-me no mundo
> para fugir do mundo.

O poeta de *Canto da Noite* contrapunha às gaiatices de 22 o som grave do seu órgão catedralício, não receando cair na monotonia desde que fugisse à vulgaridade.

Se recorrermos a uma cortante, mas útil distinção de um grande crítico italiano do século passado, De Sanctis, poderemos pôr em dúvida as qualidades de *artista* de Augusto Frederico Schmidt, mas só por injustiça ou *parti-pris* lhe negaremos a vocação de *poeta.* Poeta naturalmente romântico, de todo entregue ao impulso da sua mensagem religiosa.

Leitor da Bíblia e dos poetas católicos franceses (Claudel, Le Tour du Pin e Péguy, em primeiro lugar), Schmidt tomou-lhes o andamento processional e a visão simbólica da natureza:

> Era um grande pássaro. As asas estavam em cruz, abertas
> para os céus.
> A morte, súbita, o teria precipitado nas areias molhadas.
> Estaria de viagem, em demanda de outros céus mais frios!
> Era um grande pássaro, que a morte asperamente dominara.
> Era um grande e escuro pássaro, que o gelado e o repentino vento sufocara.

---

de Ataíde, *Estudos*, 3ª série, I, Rio, A Ordem, 1930; Tristão de Ataíde, *Estudos*, 5ª série, Rio, Civ. Brasileira, 1935; *Revista Acadêmica*, nº 53, fev. de 1941 (nº dedicado a A. F. S.); José César Borba, "Presença de A. F. S.", *in Revista do Brasil*, 3ª fase, IV/36, junho de 1941; José Lins do Rego, *Gordos e Magros*, Rio, Casa do Estudante do Brasil, 1942; Mário de Andrade, *Aspectos da Literatura Brasileira*, Rio, Americ-Editora, 1943; Roger Bastide, *Poetas do Brasil,* Curitiba, Guaíra, 1947; Aurélio Buarque de Holanda, *Território Lírico*, Rio, O Cruzeiro, 1958.

Chovia na hora em que o contemplei.
Era alguma coisa de trágico,
Tão escuro, e tão misterioso naquele ermo.
Era alguma coisa de trágico. As asas que os azuis queimaram
Pareciam uma cruz aberta no úmido areal.
O grande bico aberto guardava um grito perdido e terrível.

(Poema)

E mesmo na veste de uma forma fixa (o soneto, mas branco), mal se represa a oratória fluente:

Que perfume de terra nos trazia
Este vento que vinha procurar-nos
Na alta janela de tua casa, Amada,
Enquanto, olhando o céu, de amor falávamos!

Que perfume de flores desgrenhadas,
De raízes, de folhas e de feno,
De natureza plena e frutos mortos,
De brotos virgens e raízes podres.

Era o vento de outono exasperado
Que chegava até nós como um gemido,
Como um longo gemido de agonia.

Era o vento de amor e de volúpia,
Era o hálito da terra misteriosa,
Da natureza-mãe, fecunda e triste.

Vinícius de Moraes ([352])

Os primeiros livros de Vinícius também foram escritos sob o signo da religiosidade neo-simbolista que marcou o roteiro de Schmidt; mas a urgência

---

([352]) MARCUS VINÍCIUS DE MELO MORAES (Rio, 1913-1980). Fez os estudos secundários com os jesuítas do Colégio Santo Inácio do Rio e formou-se em Direito. Entre 30 e 40 foi censor e crítico cinematográfico e estudou Literatura Inglesa em Oxford. Ingressando, em 1943, na carreira diplomática, veio a servir nos Estados Unidos, na Espanha, no Uruguai e na França. Nunca perdeu, porém, o contato com a vida literária e artística do Rio de Janeiro que nele tem uma das suas expressões mais típicas. Desde os fins da década de 50, com a afirmação da linha musical conhecida por "bossa nova", Vinícius tem-se dedicado a compor letras para canções populares, fazendo-o com a sua habitual mestria no manejo do verso. Obra: *O Caminho para a Distância*, 1933; *Cinco Elegias*, 1943; *Poemas, Sonetos e Baladas*, 1946; *Pátria Minha*, 1949; *Livro de Sonetos*, 1957; *Novos Poemas*, II, 1959; *Antologia Poética*, 1960; *Para Viver um Grande Amor*

biográfica logo deslocou o eixo dos temas desse poeta lírico por excelência para a intimidade dos afetos e para a vivência erótica. Vinícius será talvez, depois de Bandeira, o mais intenso poeta erótico da poesia brasileira moderna. Tratando-se, porém, de um sensualismo contrastado *ab initio* pelas reservas de uma educação jesuítica, o poeta oscila entre as angústias do pecador e o despejo do libertino. O fato em si mesmo, de resto banal como caso psicológico, não interessaria se não interviesse no modo de escrever de Vinícius, que passou do verbalismo túrgido de *Forma e Exegese* para a linguagem direta e ardente das *Cinco Elegias* e dos *Poemas, Sonetos e Baladas*; de uma e de outra obra pode dizer-se que traduzem, às vezes superiormente, as vicissitudes do amor na sua condição carnal.

Alguns de seus sonetos deram vida nova à forma antiga e povoaram de ecos camonianos o estilo de não poucos jovens estreados depois da guerra. Justamente antológico e sempre citável, o "Soneto da Separação":

De repente do riso fez-se o pranto
Silencioso e branco como a bruma
E das bocas unidas fez-se a espuma
E das mãos espalmadas fez-se o espanto.

De repente da calma fez-se o vento
Que dos olhos desfez a última chama
E da paixão fez-se o pressentimento
E do momento imóvel fez-se o drama.

De repente, não mais que de repente
Fez-se de triste o que se fez amante
E de sozinho o que se fez contente,

Fez-se do amigo próximo o distante,
Fez-se da vida uma aventura errante,
De repente, não mais que de repente.

A temática da sua poesia tem-se alargado nas últimas obras, abrindo-se, embora sem espírito de sistema, à valoração do trabalho humano e da consciência capaz de ver e denunciar ("Mensagem à Poesia"). Exemplo feliz de poesia participante que mantém alta a tensão formal é "O Operário em Construção", que fecha a *Antologia Poética*:

(poemas e crônicas), 1962; *Cordélia e o Peregrino*, 1965; *Obra Poética*, 1968. Teatro: *Orfeu da Conceição*, 1956. Prosa: *Para uma Menina com uma Flor*, 1966. Consultar: Otávio de Faria, *Dois Poetas*, Rio, Ariel, 1935; Mário de Andrade, *O Empalhador de Passarinho*, S. Paulo, Martins, 1946; Sérgio Milliet, *Diário Crítico*, V, S. Paulo, Martins, 1948; Otávio Melo Alvarenga, *Mitos & Valores*, Rio, INL, 1956; Renata Pallottini, "Vinícius de Moraes: aproximação", S. Paulo, Revista Brasiliense, 1958; Dora Ferreira da Silva, "A temática da poesia de Vinícius de Moraes", *in Diálogo*, nº 11, agosto de 1959.

E um grande silêncio fez-se
Dentro do seu coração
Um silêncio de martírios
Um silêncio de prisão
Um silêncio povoado
De pedidos de perdão
Um silêncio apavorado
Com o medo em solidão
Um silêncio de torturas
E gritos de maldição
Um silêncio de fraturas
A se arrastarem no chão.
E o operário ouviu a voz
De todos os seus irmãos
Os seus irmãos que morreram
Por outros que viverão.
Uma esperança sincera
Cresceu no seu coração
E dentro da tarde mansa
Agigantou-se a razão
De um homem pobre e esquecido,
Razão porém que fizera
Em operário construído
O operário em construção.

Cecília Meireles (353)

Com Cecília Meireles a vertente intimista, comum aos poetas que estamos estudando, afina-se ao extremo e toca os limites da música abstrata. Mas, en-

---

(353) Cecília Meireles (Rio, 1901-1964). Passou a infância no Rio junto à avó materna, açoriana. Formando-se professora primária, dedicou-se por longos anos ao magistério, de que foi fruto o belíssimo livro para curso primário *Criança, Meu Amor*. No início da sua carreira literária aproximou-se do grupo de *Festa* dirigido por Tasso da Silveira. Anos depois, preferiria trilhar caminhos pessoais, mais modernos. Ensinou Literatura Brasileira nas Universidades do Distrito Federal (1936-38) e do Texas (1940). Viajou longamente pelos países de sua predileção, México, Índia e sobretudo Portugal, onde viu reconhecido o seu mérito antes mesmo de consagrar-se no Brasil como uma das maiores vozes poéticas da língua portuguesa contemporânea. Obra: *Espectros*, 1919; *Nunca Mais e Poema dos Poemas*, 1923; *Baladas para El-Rei*, 1925; *Viagem*, 1939; *Vaga Música*, 1942; *Mar Absoluto*, 1945; *Retrato Natural*, 1949; *Amor em Leonoreta*, 1952; *Doze Noturnos da Holanda* e *O Aeronauta*, 1952; *Romanceiro da Inconfidência*, 1953; *Pequeno Oratório de Santa Clara*, 1955; *Pistóia*, 1955; *Canções*, 1956; *Romance de Santa Cecília*, 1957; *Metal Rosicler*, 1960; *Poemas Escritos na Índia*, 1961; *Antologia Poética*, 1963; *Solombra*, 1963; *Ou Isto ou Aquilo*, 1965; *Crônica Trovada da Cidade de Sam Sebastiam*, 1965. Prosa: *Notícia da Poesia Brasileira*, 1935; *O Espírito Vito-*

quanto Murilo, Jorge de Lima, Schmidt e Vinícius são líricos do ser e da presença (religiosa, erótica ou social), o poeta de *Solombra* parte de um certo distanciamento do real imediato e norteia os processos imagéticos para a sombra, o indefinido, quando não para o sentimento da ausência e do nada.

Apesar desses caracteres, não creio que se deva dar ênfase às ligações de Cecília Meireles com o grupo de *Festa* e com o neo-simbolismo que este pregava como fórmula para esconjurar o "perigo" modernista. Cecília esteve próxima do círculo de Tasso da Silveira e Andrade Muricy, compartilhando com eles o culto a Cruz e Sousa e a Alphonsus, então na penumbra; e, por certo, há ressonâncias de ambos nos seus primeiros versos, *Nunca Mais e Poema dos Poemas* e *Baladas para El-Rei*. Mas é também verdade que Cecília renegou essa fase ao excluí-la da sua *Obra Poética*, e que do programa de *Festa*, polêmico e confessional, nada restou na temática da poetisa, salvo, talvez, certo tradicionalismo nas opções estéticas da maturidade.

Mas há outro neo-simbolismo, aquele de que fala Cecil Bowra em *The Heritage of Symbolism*, filiado às sondagens líricas de um Antônio Machado, de um Lorca, de um Rilke, de um Tagore, que conceberam a poesia como "sentimento transformado em imagem", para usar a fórmula idealista de um Croce. Nas palavras da própria Cecília Meireles, "a poesia é grito, mas transfigurado". A transfiguração faz-se no plano da expressividade. E Cecília foi escritora atenta à riqueza do léxico e dos ritmos portugueses, tendo sido talvez o poeta moderno que modulou com mais felicidade os metros breves, como se vê nas *Canções* e no trabalhadíssimo *Romanceiro da Inconfidência*. Das primeiras transcrevo estas quadras bem cecilianas pela fusão de acordes sofridos e cadências gnômicas:

Quando meu rosto contemplo,
o espelho se despedaça:
por ver como passa o tempo
e o meu desgosto não passa.
Amargo campo da vida,
quem te semeou com dureza,
que os que não se matam de ira
morrem de pura tristeza?

---

rioso, 1959; *Rui*, 1949; *Problemas de Literatura Infantil*, 1951; *Giroflê, Giroflá*, 1956; *Panorama Folclórico dos Açores especialmente da Ilha de S. Miguel*, 1958; *Quadrante 1 e 2* (em colab. com outros cronistas), 1962, 1963; *Escolha o seu Sonho*, 1966; *A Bíblia na Poesia Brasileira*, s. d. Há ed. das suas poesias completas: *Obra Poética*, Aguilar, 1958. Consultar: Mário de Andrade, *O Empalhador de Passarinho*, S. Paulo, Martins, 1946; Álvaro Lins, *Jornal de Crítica*, 5ª série, Rio, José Olympio, 1947; Roberto Alvim Correa, *Anteu e a Crítica*, Rio, J. Olympio, 1948; Carlos Drummond de Andrade, "Retrato Natural", *in Jornal de Letras*, nº 1, julho de 1949; Natércia Freire, "Poetisas do Brasil", *in Atlântico*, Lisboa, 3ª série, nº 3, 1950; Darcy Damasceno, "Poesia do Sensível e do Imaginário", introdução à *Obra Poética*, *cit.* Vários, "Suplemento Literário" de *O Estado de S. Paulo* de 20-1-1965, dedicado a Cecília Meireles.

Do *Romanceiro*, evocação dos tempos do ouro e da Inconfidência, escolho este raro mas ardido exemplo de imprecação:

Ó grandes oportunistas,
sobre o papel debruçados,
que calculais mundo e vida
em contos, doblas, cruzados,
que traçais vastas rubricas
e sinais entrelaçados,
com altas penas esguias
embebidas em pecados!

Ó personagens solenes
que arrastais os apelidos
como pavões auriverdes
seus rutilantes vestidos,
— todo esse poder que tendes
confunde os vossos sentidos:
a glória, que amais, é desses
que por vós são perseguidos.
Levantai-vos dessas mesas,
saí das vossas molduras,
vede que masmorras negras,
que fortalezas seguras,
que duro peso de algemas,
que profundas sepulturas
nascidas de vossas penas,
de vossas assinaturas!

Considerai no mistério,
dos humanos desatinos
e no pólo sempre incerto
dos homens e dos destinos!
Por sentenças, por decretos
pareceríeis divinos:
e hoje sois, no tempo eterno,
como ilustres assassinos.

Ó soberbos titulares,
tão desdenhosos e altivos!
Por fictícia austeridade,
vãs razões, falsos motivos,
inutilmente matastes:
— vossos mortos são mais vivos;
e, sobre vós, de longe abrem
grandes olhos pensativos.

(Dos Ilustres Assassinos)

O "sábio ecletismo", que já Mário de Andrade notava em Cecília ao comentar *Viagem*, fê-la preferir algumas vezes o verso livre, manejando-o, porém, em consonância com o tom fundamental de fuga e de sonho que acompanha toda a sua lírica:

> Homem, objeto, fato, sonho,
> tudo é o mesmo, em substância de areia,
> tudo são paredes de areia, como neste solo inventado:
> mar vencido, fauna extenuada, flora dispersa,
> tudo se corresponde:
> zune o caramujo na onda com o mesmo som do lábio de amor
> e da voz de agonia.
> Os abraços, as nuvens, o outono pelo parque
> têm o mesmo gesto, grave, precário, fluido.
>
> Ah, e os louros cabelos cariciosos, e a luminosa pálpebra,
> e as raízes pertinazes, e os ossos foscos,
> e a minha deslumbrada vigília
> e a memória do universo
> tudo está ali, mais a luz confusa que envolve a lua,
> mais o clarão do pólo e as híbridas águas,
> e tudo se desfolha sobre lugares invisíveis
> num outro reino que apenas a noite alcança.
> (*Doze Noturnos da Holanda*, 7).

Outros poetas

O projeto de uma lírica essencial é comum a quase toda a poesia pós-modernista. Dele participaram, cada um a seu modo, poetas que têm escrito desde a década de 30, ou desde fins da década anterior, e que, apesar de menos conhecidos pelo público médio, devem figurar ao lado de um Drummond, de um Jorge de Lima e de uma Cecília Meireles, como vozes originais da literatura brasileira contemporânea. É o caso de Dante Milano (*Poesias*, 1948); de Henriqueta Lisboa, sutil tecedora de imagens capazes de dar uma dimensão metafísica ao seu intimismo radical (*Prisioneira da Noite*, 1941; *A Face Lívida*, 1945; *Flor da Morte*, 1949; *Lírica*, 1958; *Além da Imagem*, 1963; *O Alvo Humano*, 1973; *Miradouro e Outros Poemas*, 1976); de Emílio Moura que, vindo da Revista belo-horizontina de 1925, entrou pela porta estreita da lírica existencial, dando exemplos admiráveis de meditação interrogativa (*Canto da Hora Amarga*, 1936; *Cancioneiro*, 1945; *Poesia*, 1953; *Itinerário Poético*, 1968); de Mário Quintana, poeta que encontrou fórmulas felizes de humor sem sair do clima neo-simbolista que condicionara a sua formação (*Rua dos Cata-Ventos*, 1940; *Canções*, 1946; *Sapato Florido*, 1948; *O Aprendiz de Feiticeiro*, 1950; *Apontamentos de História Sobrenatural*, 1976); de Joaquim Cardozo, lírico forte e denso da sua economia de meios, e uma das raras vozes da nossa poesia capazes de soldar lisamente as fontes regionais (no caso, pernambucanas) e o humano universal (*Poemas*, 1947; *Prelúdio e Elegia de uma Despedida*, 1952; *Signo Estrelado*, 1960; *O Coronel de Macambira*, 1963; *Poesias Completas*, 1971); de Dantas Mota, que estreou com um livro ainda preso ao pitoresco nativista do modernismo provinciano (*Surupango*, 1932), mas absorveu, nos anos de 40 a 50, o clima da poesia pura, para ao cabo integrar neste o sentido da terra e do povo no seu melhor livro, *Elegias do País das Gerais* (1961); enfim, de um poeta que, vindo do modernismo mineiro, nos dá, tantos anos depois, a surpresa de uma poderosa vitalidade existencial e estética: Guilhermino César, com *Sistema do Imperfeito e Outros Poemas* (1977) (*).

Poesia e programa: a "geração de 45"

Nos poetas acima, como nos vultos centrais da década de 30, as cadências intimistas se resolviam amiúde em metros e em formas tradicionais (decassílabo, redondilho maior; soneto, elegia, ode...). A reelaboração de ritmos antigos e a maior disciplina formal nada continham, porém, de polêmico em relação ao verso livre modernista, mesmo porque as conquistas de 22 já estavam incorporadas à práxis literária de um Drummond, de um Murilo, de um Jorge de Lima. E o nosso melhor leitor de poesia até 1945, Mário de Andrade, secundava com simpatia e lucidez a renovada atenção ao trato da linguagem artística, sentindo nela ora o aprofundamento, ora a natural superação de certas aventuras modernistas.

No entanto, apesar desses elos evidentes, alguns poetas amadurecidos durante a II Guerra Mundial entenderam isolar os cuidados métricos e a dicção nobre da sua própria poesia elevando-os a critério bastante para se contraporem à literatura de 22: assim nasceu a geração de 45.

A atuação do grupo foi bivalente: negativa enquanto subestimava o que o modernismo trouxera de liberação e de enriquecimento à cultura nacional; positiva, enquanto repropunha alguns problemas importantes de poesia que nos

---

(*) A recente reedição, aumentada, da *Obra Poética* de Sosígenes Costa (Belmonte, 1901 — Rio, 1968), por obra de seu admirador e crítico, José Paulo Paes, veio chamar a atenção para um poeta original que, por ter vivido à margem dos principais grupos literários, sofreu um injusto esquecimento. Essa marginalidade deveu-se também a razões internas. O texto de Sosígenes é e não é modernista. Alia um gosto decadente por figuras coloridas e exóticas a um veio humorístico sutil, talvez paródico, que se insinua nos seus versos políticos escritos à maneira de Castro Alves. Ler J. P. Paes, *Pavão, Parlenda, Paraíso*, Cultrix, 1977.

decênios seguintes iriam receber soluções díspares, mas, de qualquer modo, mais conscientes do que nos tempos agitados do irracionalismo de 22.

O primeiro balanço feito pelo novo grupo, o *Panorama* da Nova Poesia Brasileira, de Fernando Ferreira de Loanda ([354]), trazia como nota do antologista a afirmação seguinte: "Somos na realidade um novo estado poético, e muitos são os que buscam um novo caminho fora dos limites do modernismo". A seleção incluía textos de Mauro Mota (n. 1912), Dantas Mota (1913), Manuel Cavalcanti (1913), Bueno de Rivera (1914), Domingos Carvalho da Silva (1915), Manuel de Barros (1916), José César Borba (1918), Alphonsus de Guimaraens Filho (1918), Paulo Armando (1918), Péricles Eugênio da Silva Ramos (1919), João Cabral de Melo Neto (1920), Paulo Mendes Campos (1922), Marcos Konder Reis (1922), Darcy Damasceno (1922), José Paulo Moreira da Fonseca (1922), Edson Regis (1923), Hélio Pelegrino (1924), Ledo Ivo (1924), Geir Campos (1924), Wilson de Figueiredo (1924), Fernando Ferreira de Loanda (1924), Afonso Félix de Souza (1925), José Paulo Paes (1926) e Fred Pinheiro (1925).

Aos nomes do *Panorama* devem-se acrescentar outros, também representativos de tendências formalistas e, *lato sensu*, neo-simbolistas, difusas a partir de 45: Lupe Cotrim Garaude, Hilda Hilst, Renata Pallottini, Paulo Bonfim, Antônio Rangel Bandeira, Ciro Pimentel, Homero Homem, Eliézer Demenezes, Lélia Coelho Frota, Celina Ferreira, Carlos Felipe Moysés, Ruth Sílvia de Miranda Sales, Geraldo Vidigal, Maria da Saudade Cortesão, Audálio Alves, Nauro Machado, Stella Leonardos e Carlos Pena Filho: este, falecido prematuramente em 1960, deixou uma bagagem de valor (*Livro Geral,* 1959), como tentativa de superar certo verbalismo abstrato que, de início, partilhava com os poetas da sua geração: diga-o o seu ponto alto, "Memórias do Boi Serapião".

Alguns dos poetas citados trilharam caminhos diversos depois de 1950 (*terminus ad quem* da antologia), passando da ênfase dada ao puro estetismo subjetivo a uma poética participante ou experimentalista. Mas o *Panorama* continua sendo um conjunto válido para documentar o momento poético dos novos entre 1940 e 1950.

Falar da linguagem comum a todos eles é lembrar que todo código simbolista assenta numa dualidade de natureza e espírito que se resolve, poeticamente, pelo processo que T. S. Eliot, um dos numes do pós-modernismo, chamou *correlato objetivo.* Na esfera psicológica, *habitat* ideal desse gênero visceralmente intimista de poesia, as *imagens* vêm a ser o correlato dos sentimentos e, numa fase mais avançada da condensação, os *símbolos* vêm a ser

([354]) Rio, Orfeu, 1951. A editora tomou o nome da revista que congregou a maior parte dos poetas elevados na relação que se segue. *Orfeu* publicou-se no Rio de 1948 a 1953. Outras revistas porta-vozes da nova poesia: *Joaquim* (Curitiba) e *Revista Brasileira de Poesia* (S. Paulo).

o véu que oculta e ao mesmo tempo sugere esses mesmos sentimentos. É claro que nos melhores poetas líricos anteriores ao grupo de 45, como Vinícius, Cecília Meireles e Jorge de Lima, se reconhecem tais modos de significação dos afetos (imagens, metáforas, símbolos), processos tão vetustos como a própria atividade mitopoética do homem. Mas o que caracteriza — e limita — o formalismo do grupo é a redução de todo o universo da linguagem lírica a algumas cadências *intencionalmente* estéticas que pretendem, por força de certas opções literárias, definir o poético, e, em conseqüência, o prosaico ou não-poético. Era fatal que a arte desses jovens corresse o risco de amenizar-se na medida em que confinava de maneira apriorística o poético a certos motivos, palavras-chave, sistemas, etc. Renovava-se, assim, trinta anos depois, a *maneira* parnasiano-simbolista contra a qual reagira masculamente a *Semana*; mas renovava-se sob a égide da poesia existencial européia de entre-guerras, de filiação surrealista, o que lhe conferia um estatuto ambíguo de tradicionalismo e modernidade.

Não podendo citar tudo, lembro, por exemplo, "O Ginecologista", de Bueno de Rivera, extraído de *Luz do Pântano* (1948), poema em que o medo encontra seu correlato nas imagens dos instrumentos de uma sala de operação:

Olho em volta, busco
a resignação.
Eis o fichário azul
repleto de minúcias
de ventres violados.
Frascos em silêncio,
lírios num copo,
uma tesoura impune.
O algodão voando,
ave do pavor
no pântano de sangue.

Em "Cântico", tirado de *Praia Oculta* (1949) de Domingos Carvalho da Silva, a estrutura se apóia em símiles fortes que resistem ao amaneiramento neo-simbolista latente nos primeiros versos:

Do teu corpo nasce um lírio
que se dissolve num lago
onde um cisne de marfim
persegue estrelas e carpas.
Onde o sol molha no frio
das águas o rosto ardente.
Onde os salgueiros mergulham
as pontas na rama verde.

Do lago desponta a noite,
com sua face de ardósia,
engalanada de círios
e perfumada de morte.
Da noite nasce um relâmpago
com sete pontas de luz:
sete espadas pra manchar
de sangue o ventre da lua.

Teu corpo é assim: como as ondas
de um mar rouco, em desvario,
de onde me assalta, em sua fúria,
o monstro do Apocalipse.
Cardo de agudos espinhos
ou sensitiva de carne,
teu corpo é um trigal de lanças
e morre ao toque dos lábios.

"Natureza Morta" de José Paulo Moreira da Fonseca (*Elegia Diurna*, 1947) já contém *in nuce* aquela virtude de abstrair as linhas e as cores essenciais da paisagem, que seria o traço constante desse poeta e artista plástico refinado:

No outro termo — a cor —
Terrosa, com lenhos obscuros
Onde resplandece (inércia)
Aquele fugaz rubor de pomos.

No outro termo — o espaço —
Nítido o espaço,
Curvas maçãs o constroem.

No outro termo — a linha —
Sonora em torno das coisas,
Em meio dos planos —
Inesgotável definido
Adormecendo metamorfoses.

"Urubu", de Geir Campos (*Rosa dos Rumos*, 1950), poemeto em decassílabos em que o poeta, um dos "virtuoses" da sua geração, logrou tirar proveito das vogais fechadas e dos sons nasais em função de um complexo estado de alma negativo:

Sobreviventes da pureza antiga,
as penas brancas, no debrum das asas,
pesam como remorsos a encurvá-las;
vírgulas negras duma negra história.

Como que o sentimento do pecado
neutraliza a intenção e trunca os gestos,

e o vôo — lento cair espiralado,
misto de hesitação e de abandono —
penetra fundo o cerne azul da tarde:
longa verruma de carvão e sono.

E outros textos mereceriam transcrição, como a "Canção de Cinzas" de Péricles Eugênio da Silva Ramos e o soneto "O tempo nasce em mim como exaustão", de José Paulo Paes, ambos plasmados sob o signo da sondagem psíquica que se resolve inteiramente em imagens incorpóreas e metros exatos.

Poesia, hoje(*)

A poética de 45, embora ainda anime escritores de valor, fiéis ao intimismo e a uma concepção tradicional de forma, não exerce influência decisiva na literatura de hoje. Outra é a direção que as pressões históricas têm dado à poesia: *a direção da objetividade*. Que pode ser entendida como:

a) procura de *mensagens* (motivo, temas...) que façam do texto um testemunho crítico da realidade social, moral e política;

b) procura de *códigos* que, rejeitando a tradição do verso, façam do poema um objeto de linguagem integrável, se possível, na estrutura perceptiva das comunicações de massa, medula da vida contemporânea.

Como opções críticas, uma e outra tendem a negar o valor estético da efusão do *eu* e a privilegiar o universo do trabalho, da técnica e das tensões ideológicas que operam no âmago da história; e ambas são poesia reflexa e polemicamente *cultural*.

A rigor, talvez não fosse o melhor caminho opor as soluções acima resumidas chamando à primeira "conteudística" e a segunda "formalista"; ou, com mais grave risco, batizando uma como "participante" e a outra como "lúdica"... Seria aceitar o jogo exclusivista em que se movem as polêmicas de poética com seu costumeiro rol de anátemas e excomunhões mútuas. Além do mais, na medida em que é válido o princípio de Maiakóvski, "Não há poesia evolucionária sem forma revolucionária", tocam-se no alto as melhores experiências da poesia dita participante e da poesia dita tecnicista, resultando em pura perda discutir, por exemplo, a que "ismo" pertence um João Cabral de Melo Neto ou um Ferreira Gullar. No processo vivo e concreto da elaboração do poema, não há conteúdos fora do jogo semântico que a palavra empreende com a outra palavra; por outro lado, as formas que se oferecem aos *sentidos* do leitor não terão nenhum *sentido* antes de serem descodificadas pela rede perceptual deste, condicionada por contextos culturais, morais, estéticos e políticos que devem ser afetados por essas formas. E um dos méritos das poéticas mais recentes está precisamente em dar ênfase ao processo global de criação-

---

(*) O autor escrevia em 1968-69.

transmissão-recepção do texto, o que, de início, abala velhos compromissos com a expressão intimista.

João Cabral de Melo Neto

Da "nova objetividade", qualificação superior a "neo-realismo", é alto padrão a poesia de João Cabral de Melo Neto ([355]).

A sua poesia, que se estende no arco de 1942 (*Pedra do Sono*) a 1966 (*Educação pela Pedra*) tem dado um exemplo fortemente persuasivo de "volta às próprias coisas" como estrada real para apreender e transformar uma realidade que, opaca e renitente, desafia sem cessar a nossa inteligência. Na esteira de Drummond e de Murilo Mendes, o poeta recifense estreou com a preocupação de desbastar suas imagens de toda ganga de resíduos sentimentais ou pitorescos, ficando-lhes nas mãos apenas a nua intuição das formas (de onde o geometrismo de alguns poemas seus) e a sensação aguda dos objetos que delimitam o espaço do homem moderno:

> Meus olhos têm telescópios
> espiando a rua,
> espiando minha alma
> longe de mim mil metros.
> (*Poema*)

Abandonando nos livros que se seguiram a *Pedra do Sono* os resquícios surrealistas deste, Cabral de Melo Neto passou a realizar, desde *O Engenheiro*

([355]) JOÃO CABRAL DE MELO NETO (Recife, 1920). Diplomata, exerceu funções consulares em Assunção, Barcelona e Dakar. Pertence à Academia Brasileira de Letras. Obra: *Pedra do Sono*, 1942; *O Engenheiro*, 1945; *Psicologia da Composição, Fábula de Anfion e Antiode*, 1947; *O Cão sem Plumas*, 1950; *O Rio*, 1954; *Duas Águas* (os anteriores e mais *Morte e Vida Severina, Paisagens com Figuras* e *Uma Faca só Lâmina*), 1956; *Quaderna*, 1960; *Dois Parlamentos*, 1961; *Terceira Feira*, 1961; *A Educação pela Pedra*, 1966; *Poesias Completas* (1940-1965), 1968; *Museu de Tudo*, 1975; *A Escola das Facas*, 1980; *Auto do Frade*, 1984; *Agrestes*, 1985; *Crime na Calle Relator*, 1987. Consultar: Othon Moacyr Garcia, "A Página Branca e o Deserto", *in Revista do Livro*, Rio, nºs 7, 8 e 9; Antônio Houaiss, *Seis Poetas e um Problema*, Rio, MEC, 1960; Décio Pignatari, "Situação Atual da Poesia no Brasil", *in Invenção*, nº 1, S. Paulo, 1962; L. Costa Lima, *Lira e Antilira (Mário, Drummond, Cabral)*, Rio, Civ. Brasileira, 1968; Benedito Nunes, *João Cabral de Melo Neto*, Vozes, 1971; Lauro Escorel, *A Pedra e o Rio*, Duas Cidades, 1973; João Alexandre Barbosa, *A Imitação da Forma*, Duas Cidades, 1975; Antônio Carlos Secchin, *João Cabral. A Poesia de Menos*, Duas Cidades, 1985.

e *Psicologia da Composição*, um verso substantivo e despojado que, se parecia partilhar com os formalistas de 45 o rigor métrico, na verdade instaurava um novo critério estético, o rigor semântico, pedra-de-toque da sua radical modernidade. Mallarmé, Valéry, Drummond e Jorge Guillén (aos quais se poderia juntar o não citado Montale) são os marcos que passam a nortear o seu universo claro, vítreo:

O lápis, o esquadro, o papel;
o desenho, o projeto, o número:
o engenheiro pensa o mundo justo,
mundo que nenhum véu encobre.

(Em certas tardes nós subíamos
ao edifício. A cidade diária,
como um jornal que todos liam,
ganhava um pulmão de cimento e vidro).

A água, o vento, a claridade,
de um lado o rio, no alto as nuvens,
situavam na natureza o edifício
crescendo de suas forças simples.
(O Engenheiro)

A esta nova poética não estaria alheio um certo maneirismo do descarnado, do ósseo, do pétreo, que se entende, porém, ao menos no momento em que apareceu, como necessidade de afirmar uma nova dimensão do discurso lírico.

E foi com instrumentos devidamente afiados que João Cabral passou de uma linguagem autocentrada (verdadeira metalinguagem, em *Antiode*) para o tratamento da substância natural e humana da sua província, dando em *O Cão sem Plumas* aquele "salto participante" que viria a ser, nas décadas de 50 e de 60, uma exigência ética sentida por toda a cultura brasileira.

Cão sem plumas (= pêlos) é o Capibaribe, rio que carreia os detritos dos sobrados e dos mocambos recifenses, rio que seria também matéria do complexo poema narrativo *O Rio, ou relação que faz o Capibaribe de sua nascente à cidade do Recife*, onde a poesia nasce de um sábio uso do prosaico, do polirrítmico, aderente às flutuações da linguagem coloquial:

Na vila da Usina
é que fui descobrir a gente
que as canas expulsaram
das ribanceiras e vazantes;
e que essa gente mesma
na boca da Usina são os dentes
que mastigam a cana
que a mastigou enquanto gente;
que mastigam a cana

que mastigou anteriormente
as moendas dos engenhos
que mastigavam antes outra gente;
que nessa gente mesma,
nos dentes fracos que ela arrenda,
as moendas estrangeiras
sua força melhor assentam.

O convívio com a meseta castelhana "dos homens de pão escasso" e com a poesia ibérica medieval, a um tempo severa e picaresca, acentuou em Cabral a tendência de apertar em versos breves e numa sintaxe incisiva o horizonte da vivência nordestina. *Morte e Vida Severina*, "auto de Natal pernambucano", o seu poema longo mais equilibrado entre rigor formal e temática participante, conta o roteiro de Severino, um homem do Agreste que vai em demanda do litoral e topa em cada parada com a morte, presença anônima e coletiva, até que no último pouso lhe chega a nova do nascimento de um menino, signo de que algo resiste à constante negação da existência:

E não há melhor resposta
que o espetáculo da vida:
vê-la desfiar seu fio,
que também se chama vida,
ver a fábrica que ela mesma,
teimosamente, se fabrica,
vê-la brotar como há pouco
em nova vida explodida;
mesmo quando é assim pequena
a explosão, como a ocorrida;
mesmo quando é uma explosão
como a de há pouco, franzina;
mesmo quando é a explosão
de uma vida severina.

Nas obras posteriores o poeta aguça o seu modo de ver e dizer a paisagem e os objetos, extraindo-lhes as formas mais duras (*Uma Faca só Lâmina*) e levando ao extremo o intuito de despir o poema de traços supérfluos e cadências sentimentais. Constrói assim uma poesia arduamente nominal, que se vale dos perfis do concreto para atingir a pureza da abstração. E têm alguma coisa das *rima pietrose* de Dante versos belamente ingratos como estes, de *Quaderna*:

1.1. Se diz *a palo seco*
o *cante* sem guitarra;
o *cante* sem; o *cante*;
o *cante* sem mais nada.
. . . .

1.3. O *cante a palo seco*
é um *cante* desarmado:
só a lâmina da voz
sem a arma do braço;

que o *cante a palo seco*
sem tempero ou ajuda
tem de abrir o silêncio
com sua chama nua.

. . . .

4.1. *A palo seco* canta
o pássaro sem bosque,
por exemplo: pousado
sobre um fio de cobre;

a palo seco canta
ainda melhor esse fio
quando sem qualquer pássaro
dá o seu assovio.

4.2. *A palo seco* cantam
a bigorna e o martelo,
o ferro sobre a pedra,
o ferro contra o ferro;

a palo seco canta
aquele outro ferreiro:
o pássaro araponga
que inventa o próprio ferro.

4.3. *A palo seco* existem
situações e objetos:
Graciliano Ramos,
desenho de arquiteto,

as paredes caiadas,
a elegância dos pregos,
a cidade de Córdoba,
o arame dos insetos.

4.4. Eis uns poucos exemplos
de ser *a palo seco*,
dos quais se retirar
higiene ou conselho:

não o de aceitar o seco
por resignadamente,
mas o de empregar o seco
porque é mais contundente.

("A Palo Seco")

Ferreira Gullar. A poesia participante

O relevo dado ao esforço construtivo, à invenção do poema, é também um dos traços diferenciais da obra de Ferreira Gullar (S. Luís do MA, 1930), que, em *A Luta Corporal* (1954) abriu caminho para a afirmação da poesia concreta no Brasil. Embora se trate de autor *in progress*, de quem a história literária a rigor ainda pouco pode dizer, o seu roteiro já permite detectar um estado de alta tensão psíquica, e ideológica que nem sempre se resolve na aturada diligência formal; de onde, o apelo a soluções surrealistas (como nos poemas em prosa "As Revelações Espúrias") ou, numa fase mais recente, à aberta profissão de fé na poesia social capaz de resgatar o individualismo sem peias da poética juvenil.

Inflectindo para a opção participante, Gullar deixou de lado os experimentos em que intervinha no corpo da palavra e passou a veicular a própria mensagem em códigos modernos, sim, mas organicamente presos à estrutura do verso que o concretismo iria esconjurar. Exemplos brilhantes desse momento são *João Boa-Morte*, *Cabra Marcado pra Morrer*, *Quem Matou Aparecida* (1962), que transpõem temas e ritmos da literatura de cordel, e alguns novos poemas apostos à segunda edição de *A Luta Corporal.*

Dentro da Noite Veloz (1975) e *Antologia Poética* (1976) reafirmam a vocação de um Gullar poeta do cotidiano vivido na dimensão ao mesmo tempo escura e vibrante do corpo: poeta da carência, do desejo, da mais cálida e sofrida oralidade. Os textos de Ferreira Gullar são participantes sejam quais forem os temas que ele trabalha: noticiando a morte do homem quase anônimo ou pranteando o fim de Che Guevara, é sempre a mesma voz que sopra em cada palavra o hálito da vida. Esse dom generoso ditou-lhe o *Poema Sujo* (1976), em que se tocam, imantados pelo discurso da evocação, o puro mito e a mais crua mimese. O *Poema Sujo* é uma longa fala da memória, e o seu objeto, real e imaginário, a cidade do poeta, São Luís do Maranhão. Memória-saudade e memória-desespero. Há tanto dilaceramento nessa reconstrução febril do passado que, lido o poema de um só lance, cala-se toda veleidade de rotulá-lo ideologicamente. A poesia reencontra aqui a sua vocação musical de abolir o tempo, não já contrafazendo as artes do espaço, mas explorando o próprio cerne da duração.

No sulco da poesia voltada para as tensões sociais, encontramos obras de valor desigual, mas que podem ser citadas em conjunto na medida em que definem uma das componentes centrais do clima literário nos anos 60: *Romanceiro Cubano* (1959), de Jamil Almansur Haddad; *Carta do Solo* (1961) e *Carta sobre a Usura* (1962), de Affonso Ávila; *Poemas Reunidos* (1961), de José Paulo Paes; *Proclamação do Barro* (1964), de Fernando Mendes Viana; *Canto para as Transformações do Homem* (1964) e *Um Poeta na Cidade e no Tempo* (1966), de Moacir Félix; *O Ofício das Coisas* (1964) e *O País dos Homens Calados* (1967), de Luís Paiva de Castro; *Joana em Flor* (1965), de Reinaldo Jardim; *Canto e Palavra* (1965), de Affonso Romano de Sant'Anna; *Faz Escuro mas Eu Canto* (1965) e *Canção do Amor Armado* (1965), de Thiago de Melo; *Os Catadores de Siris* (1966), de José Alcides Pinto; *Romanceiro do Canto Soberano* (1966), de Audálio Alves; *Em redor do A.* (1967), de Fernando Pessoa Ferreira; *Primeira Epístola de J. Jzé da Sva. Xér., O Tiradentes, aos Ladrões Ricos* (1967), de Dantas Mota; *Código de Minas e Poesia Anterior* (1969), de Affonso Ávila. E não se podem esquecer os três livrinhos da série *Violão de Rua* (1962-63), em que colaboraram desde clássicos da literatura contemporânea, como Joaquim Cardozo e Vinícius de Moraes, até poetas que estrearam em torno de 45, como Geir Campos e José Paulo Paes, e mesmo alguns mais recentes como Félix de Athayde, Moacir Félix, José Carlos Capinam e outros ([356]).

Mário Faustino

Outro poeta que antecipou e promoveu a experiência concreta foi Mário Faustino (Teresina, 1930), morto tragicamente em 1962 em desastre de avião. A coletânea póstuma das suas *Poesias* (Rio, 1966) reproduz *O Homem e sua Hora*, já publicado em 1955, e inclui esparsos e inéditos escritos mais tarde.

Como observou Benedito Nunes na lúcida apresentação às *Poesias*, Mário Faustino era mestre nas formas tradicionais e inventor de linguagens novas. Ao lastro neo-simbolista e surrealista, à influência que recebera de Blake, Rimbaud, Nietzsche, Dylan Thomas e do nosso Jorge de Lima, o poeta somara, na segunda fase da sua produção, a presença do imagismo de Pound e de Cummings. Daí a riqueza, subjetiva e inovadora, dos seus textos constelados de mitos dionisíacos e, ao mesmo tempo, centrados na exploração dos significantes.

O projeto existencial e estético de Mário Faustino era a construção de um poema longo, biográfico e cósmico, que, valendo-se embora dos recursos da sintaxe ideogrâmica, não perdesse as riquezas ainda exploráveis da sintaxe linear. Para tanto, planejara compor *fragmentos* altamente elaborados e integráveis naquele poema total que exprimiria, ao cabo, o próprio devir da sua consciência mitopoética. A morte prematura não lhe consentiu a rea-

([356]) Para uma visão histórico-literária dessa linha de poesia, cf. o ensaio, seguido de antologia, de Manuel Sarmento Barata, *Canto Melhor, uma Perspectiva da Poesia Brasileira*, Rio, Paz e Terra, 1969.

lização da nova epopéia, mas os fragmentos que deixou testemunham o esforço de colher no jogo das contigüidades e das metáforas uma cifra do destino humano:

> Túnel, pedra, tonel
> a mão sem luva,
> a mão com chaga.
> Mundo que sobe e desce,
> mundo que sofre e cresce.
> Mundo que principia, medra e finda,
> mundo de fel e mel,
> túnel, pedra, tonel.
>
> E as dobras fartas
> do manto sono
> tombando em torno
> do leito tempo —
>
> e os dobres fortes
> do pranto sino
> troando em turnos
> de luto e vento —
>
> No fim do túnel, o princípio do túnel.
> Na subida da pedra, a descida da pedra.
> O tonel não tem fundo, a mão não chega às uvas —
> Lida, caixão e sorte,
> vida, paixão e morte

A poesia concreta

A poesia concreta, ou Concretismo, impôs-se, a partir de 1956, como a expressão mais viva e atuante da nossa vanguarda estética.

O grupo de base já aparece coeso na antologia pré-concreta *Noigrandes 1* (1952) em que há poemas, ainda em verso, de Haroldo de Campos, Augusto de Campos e Décio Pignatari, escritores cujas obras de estréia têm ainda um ou outro ponto de ligação com o formalismo de 45. Preciosismo verbal, amplo uso dos metros tradicionais, imagética frondosa são traços de *O Carrossel* (S. Paulo, 1950), de Décio Pignatari, de *Auto do Possesso* (1950), de Haroldo de Campos e de *O Rei menos o Reino*, de Augusto de Campos (1951); em todos, porém, uma desenvoltura auto-irônica e um maior desembaraço no trato de motivos eróticos já diziam das suas diferenças em relação à poética de 45. Diferenças que logo se aprofundaram, na medida em que o grupo se põe a pesquisar numa linha de sintaxe espacial abandonando polemicamente o verso: é o que se vê nas antologias de *Noigrandes* nº 2 (1955), nº 3 (1956) e nº 4

(1958). Na última, aparece o *Plano-Piloto para Poesia Concreta*, texto que, ao lado da tese "Situação Atual da Poesia no Brasil" de Décio Pignatari ([357]), é a melhor introdução à inteligência da nova poética.

Aos nomes citados no parágrafo anterior cumpre acrescentar os de poetas que integram a antologia *Noigrandes* nº 5, publicada em 1962: José Lino Grünewald e Ronaldo Azeredo. E poetas que, paralelamente a estes, têm realizado experimentos concretos: Mário da Silva Brito (*Universo*, 1961), Edgard Braga (*Extralunário — Poemas Incompletos*, 1960), Pedro Xisto (*Haikais & Concretos*, 1960), Wladimir Dias Pino (*Sólida*, 1962) e José Paulo Paes (*Anatomias*, 1967).

Quanto ao material teórico, de leitura obrigatória no caso, pois se trata de uma poética que se formula em um nível complexo de referências, encontra-se principalmente na revista *Invenção* (1962...) e no volume *Teoria da Poesia Concreta* de H. e A. de Campos e D. Pignatari (S. Paulo, 1965) (*).

No contexto da poesia brasileira, o Concretismo afirmou-se como antítese à vertente intimista e estetizante dos anos de 40 e repropôs temas, formas e, não raro, atitudes peculiares ao Modernismo de 22 em sua fase mais polêmica e mais aderente às vanguardas européias. Os poetas concretos entendem levar às últimas conseqüências certos processos estruturais que marcaram o futurismo (italiano e russo), o dadaísmo e, em parte, o surrealismo, ao menos no que este significa de exaltação do imaginário e do inventivo no *fazer* poético. *São processos que visam a atingir e a explorar as camadas materiais do significante* (o som, a letra impressa, a linha, a superfície da página; eventualmente, a cor, a massa) e, por isso, levam a rejeitar toda concepção que esgote nos *temas* ou na realidade psíquica do emissor o interesse e a valia da obra. A poesia concreta quer-se abertamente antiexpressionista.

Em termos ainda genéricos: o Concretismo toma a sério, e de modo radical, a definição de arte como *techné*, isto é, como atividade produtora. De onde, primeiro corolário: o poema é identificado como *objeto de linguagem*: "O poema concreto é uma realidade em si, não um poema sobre" (Eugen Gomringer, *apud Teoria da Poesia Concreta*, p. 71).

Os teóricos do Concretismo dão como ponto de partida da sua poética o texto de Mallarmé "*Un coup de dés jamais n'abolira le basard*" (1897), primeiro poema em que a comunicação não se faz no nível do tema, mas no da

---

([357]) Tese apresentada ao II Congresso Brasileiro de Crítica e História Literária (Assis. Est. de S. Paulo, julho de 1961). Foi publicada nos Anais do Congresso e na revista *Invenção*, nº 1, ano I, 1962.

(*) Para os textos poéticos, ler Haroldo de Campos, *Xadrez de Estrelas*, 1977; *Signantia: Quasi Coelum*, 1979; *A Educação dos Cinco Sentidos*, 1985; *Galáxias*, 1984; *Finismundo: A Última Viagem*, 1990. Décio Pignatari, *Poesia pois é poesia*, 1977; Augusto de Campos, *Equivocábulos*, 1971; *Poemobiles*, 1974; *Caixa Preta*, 1975; *Poesia 1949-1979* (1979).

própria estrutura verbo-visual. Depois de Mallarmé, o futurismo de Klebnikov, de Maiakóvski, de Marinetti, de Apollinaire, de Soffici, o *imagismo* de Ezra Pound, de Marianne Moore, a *desintegração sintático-semântica* de Joyce, de Gertrud Stein, de Cummings e, em língua portuguesa, alguns poemas de Fernando Pessoa, de Carlos Drummond de Andrade e de João Cabral de Melo Neto (não se devendo esquecer um precursor só recentemente reposto em circulação, Sousândrade) constituem a linhagem mais próxima a que se filia o projeto concretista.

Projeto, aliás, não restrito à literatura, mas comum a correntes experimentalistas de outras artes também voltadas para a construção de objetos (sonoros, plásticos, cinéticos...) a partir de materiais brutos, que, na perspectiva tradicional, são submetidos a códigos mais ou menos estritos de expressividade. Na pintura, toda a linha abstrata, e depois geométrica, que vai de Picasso e Malévitch a Braque, Mondrian, Klee e Volpi; na escultura, um Giacometti, um Moore e, sobretudo, o Calder dos mobiles; no cinema, a lição da montagem de Eisenstein e a *nouvelle vague* de Resnais, Godard e Antonioni; na música, as experiências seriais de Webern e as composições eletrônicas (abertas ou não) de Stockhausen, Boulez e Cage; no desenho industrial, alguns dos princípios básicos dos grupos de Bauhaus e de Ulm. Cito apenas alguns mestres das respectivas artes, não cabendo aqui discriminar grupos e subgrupos formados sob a égide de cada uma das áreas e que dividem a cena das vanguardas atuais. O importante é frisar que os concretos brasileiros reconhecem e promovem uma tradição tecnicista como seu imediato ponto de referência histórico e estético.

Na medida em que o material significante assume o primeiro plano, *verbal* e *visual*, o poeta concreto inova em vários campos que se podem assim enumerar:

a) *no campo semântico*: ideogramas ("apelo à comunicação não-verbal", segundo o Plano-Piloto cit.); polissemia, trocadilho, *nonsense*...;

b) *no campo sintático*: ilhamento ou atomização das partes do discurso; justaposição; redistribuição de elementos; ruptura com a sintaxe da proposição;

c) *no campo léxico*: substantivos concretos, neologismos, tecnicismos, estrangeirismos, siglas, termos plurilíngües;

d) *no campo morfológico*: desintegração do sintagma nos seus morfemas; separação dos prefixos, dos radicais, dos sufixos; uso intensivo de certos morfemas;

e) *no campo fonético*: figuras de repetição sonora (aliterações, assonâncias, rimas internas, homoteleutons); preferência dada às consoantes e aos grupos consonantais; jogos sonoros;

f) *no campo topográfico*: abolição do verso, não-linearidade; uso construtivo dos espaços brancos; ausência de sinais de pontuação; *constelações* ([358]); sintaxe gráfica.

([358]) *Constelações*. Nome dado pelo poeta suíço-boliviano Eugen Gomringer aos seus experimentos espaciais, publicados em Berna, 1953.

Se procurarmos um princípio lingüístico geral subjacente a esses processos compositivos, ressaltará, sem dúvida o da substituição da estrutura frásica, peculiar ao verso, por estruturas nominais; estas, por sua vez, relacionam-se espacialmente, tanto na direção horizontal como na vertical.

Outra norma comum à maioria dos poemas concretos já compostos é a exploração das semelhanças sonoras (*paronomásia*), no pressuposto de que há relações não-arbitrárias entre o significante e o significado. O que é um dos fundamentos da teoria lingüística de Roman Jakobson e, ao que parece, uma hipótese de trabalho não desenvolvida, mas sugerida pelos cadernos de Saussure sobre paragramas ([359]).

Transcrevo alguns exemplos tomados à citada antologia *Noigrandes*, 5:

u m
m o v i
m e n t o
c o m p o n d o
a l é m
d a
n u v e m
u m
c a m p o
d e
c o m b a t e
m i r a
g e m
i r a
d e
u m
h o r i z o n t e
p u r o
n u m
m o
m e n t o
v i v o

beba coca cola
babe cola
beba coca
babe cola caco
caco
cola
c l o a c a

(Décio Pignatari)

([359]) V. J. Starobinski, "Les anagrammes de Ferdinand de Saussure, textes inédits", Mercure de France, fev. 1964, pp. 243-262; *idem*, "Les mots sous les mots": textes inédits des cahiers d'anagrammes de Ferdinand de Saussure", in *To Honor Roman Jakobson: Essays on Occasion of his Seventieth Birthday*, 11-10-1966, vol. III, Mouton, Haia, 1967, pp. 1906-1917.

cristal

cristal

fome

cristal

cristal

fome de forma

cristal

cristal

forma de fome

cristal

cristal

forma

poesia em tempo de fome
fome em tempo de poesia

poesia em lugar do homem
pronome em lugar do nome

homem em lugar de poesia
nome em lugar do pronome

poesia de dar o nome

nomear é dar o nome

nomeio o nome
nomeio o homem
no meio a fome

nomeio a fome

de sol a sol
soldado
de sal a sal
salgado
de sova a sova
sovado
de suco a suco
sugado
de sono a sono
sonado

sangrado
de sangue a sangue

(Haroldo de Campos)

o v o
n o v e l o
novo no velho
o filho em folhos
na jaula dos joelhos
infante em fonte
f e t o f e i t o
d e n t r o d o
centro

nu
des do nada
a t e o h u m
a n o m e r o n u
m e r o d o z e r o
crua criança incru
stada no cerne da
carne viva en
fim nada

o
p o n t o
onde se esconde
lenda ainda antes
e n t r e v e n t r e s
quando queimando
o s s e i s s ã o
p e i t o s n o s
dedos

no
turna noite
em torno em treva
turva sem contorno
morte negro nó cego
sono do morcego nu
ma sombra que o pren
dia preta letra que
s e t o r n a
sol

(Augusto de Campos)

d u r a s s o l a d o s o l u m a n o

p e t r i f i n c a d o c o r p u m a n o

a m a r g a m a d o f a r d u m a n o

a g r u s u r a d o s e r v u m a n o

c a p i t a l i e n a d o g a d u m a n o

m a s s a m o r f a d o d e s u m a n o

(José Lino Grünewald)

A teoria do poema concreto coincide com a atual viragem estruturalista dos estudos antropológicos: daí sofrer, da parte de outras correntes de pensamento e de arte, as mesmas contestações que vêm atingindo o estruturalismo (*).

O leitor crítico de poesia, porém, não deve partir de qualquer apriorismo. O seu primeiro passo é *sentir* a experiência concreta e depois *examinar* os seus princípios teóricos sem prévio assentimento nem apressada rejeição. Do ponto de vista estritamente estético (= formativo), a poesia concreta é uma reiteração coerente e radical das experiências futuristas e cubistas, *lato sensu*, modernistas, que pretenderam superar, uma vez por todas, a poética metafórico-musical do Simbolismo. Situando-se na linha evolutiva do Mallarmé de *Un Coup de Dés*, de um Pound, de um Cummings e de um Ponge, o atual objectualismo poético retoma, em face da *lírica pura* dos anos de 30 e 40, aquela negação dos ritmos tradicionais própria das vanguardas constituídas em torno da I Guerra Mundial.

O argumento de fundo é o mesmo e tem a chancela do mal-amado historicismo: os tempos que vivemos são outros, tempos da técnica e de comunicação maciça, tempos em que outra é a percepção da realidade (cf. o radical apóstolo da automação e dos *mass media*, Marshall McLuhan); logo, tempos em que já não faria sentido o uso da unidade versolinear nem o da frase.

Talvez as vanguardas concretistas tenham mais razão no que afirmam do que no que negam.

De um lado: é válido e, mais do que válido, necessário inovar, oferecendo alternativas à tradição multimilenar do ritmo frásico. A sintaxe espacial e o emprego da palavra ilhada, cuja forma-sentido se quer assim potenciar, parecem caminhos promissores enquanto rompem as barreiras tradicionais entre as artes sonoras e as artes plásticas, e convergem para uma percepção mais rica do todo espaciotemporal em que está imersa a nossa sensibilidade. E não só: vindo à tona o princípio estruturante do poema, resulta mais clara a especificidade (não confundir com autonomia) da produção estética. Nesse sentido, o concretismo é uma ponta avançada das tendências formalistas pós-românticas, que já se reconhecem na última fase do próprio Romantismo (em um Edgar Poe), e constitui uma justa reivindicação da liberdade artística na sociedade de hoje.

Por outro lado: a abolição sistemática do ritmo frásico (de que o verso é apenas um exemplo) resulta de uma atitude rija e unilateral. A fala humana é normalmente modulada, e os metros, fixos ou livres, não nasceram do arbítrio acadêmico, mas são possibilidades musicais da linguagem. Ainda aqui, o Simbolismo europeu acertou, dissolvendo os preconceitos fixistas do Parnaso e dando os primeiros exemplos de verso livre e de poema em prosa que explo-

---

(*) O Autor escrevia em 1968-69.

ravam desenvoltamente novas trilhas fonéticas. Nem se deve omitir a poesia folclórica, toda ela fundada na reiteração rítmica e sintática tão bem marcada nos metros breves.

Ora, na medida em que o objeto último do artista moderno é atingir algum grau de comunicação, não parece razoável negar *sic et simpliciter* uma das faixas possíveis da própria comunicação. O que ele pode é preferir e aprofundar uma vertente e experimentá-la até o fim, sem que a sua escolha implique o fechamento de outros caminhos. De resto, muito ensina a sobrevivência do verso na grande poesia de entre-guerras, posterior, portanto, à divulgação dos princípios futuristas: textos de T. S. Eliot, de Valéry, de René Char, de Paul Éluard, de Gottfried Benn, de Nelly Sachs, de Dylan Thomas, de Ungaretti, de Montale, de Quasimodo, de Umberto Saba, de García Lorca, de Jorge Guillén, de Pedro Salinas, de José Régio, de Manuel Bandeira, de Mário de Andrade, de Gabriela Mistral, de César Vallejo, aí estão, entre tantos outros, a indicar a possibilidade moderna de atingir um alto grau de informação estética com meios rítmico-sintáticos herdados do Simbolismo, quando não de correntes clássicas e populares.

De outra ordem é o problema, vivido por vários grupos da vanguarda de hoje, da relação entre a atividade estética e o empenho social. A poesia construtiva exprime, como toda linguagem, um modo de relacionar-se com as coisas e com os homens. O fato de recusar-se ao *tema* não significa de modo algum que ela seja carente de um conteúdo psíquico e ideológico, como sugerem às vezes, gratuitamente, os seu detratores. Não há processo lingüístico desprovido de significação: o próprio uso do *nonsense* significa que o poeta não vê sentido no seu mundo. E, na verdade, não é difícil reconhecer nos poemas concretos o universo referencial que a sua estrutura propõe comunicar: aspectos da sociedade contemporânea, assentada no regime capitalista e na burocracia, e saturada de objetos mercáveis, de imagens de propaganda, de erotismo e sentimentalismo comerciais, de lugares-comuns díspares que entravam a linguagem amenizando-lhe o tônus crítico e criador.

Ressalvada, pois, a existência desse nexo entre a poesia experimental e os *realia*, podem-se admitir níveis diferentes de aproximação de um projeto totalizante pelo qual a vanguarda

(a) valendo-se de estruturas estéticas originais, inspiradas na moderna cultura da imagem,

(b) consiga transmitir mensagens (informações semânticas) que possam pôr em crise os hábitos expressivos e cognitivos do receptor.

Esse projeto sustentaria a longo prazo uma poética de vanguarda radical e a impediria de resvalar na tentação do maneirismo que, expulso pela porta das teorias mais agressivas, entra pela janela da prática e se instala no coração do novo e cibernético *homo faber*.

Desdobramentos da vanguarda concretista

O grupo de base (Noigrandes) conheceu defecções e apoios vários. Já me referi, páginas atrás, à reação antiobjectualista do poeta Ferreira Gullar a partir de 1958. Ele susteve-a, quer com exemplos de verso e de teatro popular-participante, quer com uma teorização de fundo dialético no brilhante ensaio de sociologia da arte, *Vanguarda e Subdesenvolvimento* (360).

Dissidência mais próxima do projeto original é a da poesia-práxis que tem em Mário Chamie (*Lavra-Lavra*, 1962; *Indústria*, 1967; *Objeto Selvagem*, 1977) o poeta e o teórico mais atuante, e em Cassiano Ricardo a simpatia de um modernista de 22 cioso de renovar-se (361).

A poética do grupo práxis vincula a palavra e o contexto extralingüístico. Segundo M. Chamie:

> O autor práxis não escreve sobre temas. Ele parte de *áreas* (seja um fato externo ou emoção), procurando conhecer todos os significados e contradições possíveis e atuantes dessas áreas, através de elementos sensíveis que conferem a elas realidade e existência. Esses elementos sensíveis são levantados. Infra-estrutural e primordialmente são eles: o vocabulário da área (não o ensejado pela subjetividade dominadora do autor); as sintaxes que a manipulação desse vocabulário engendra; a semântica implícita em toda sintaxe organizada; a pragmática que decorre, de vez que, na mesma medida em que o autor partiu da área e de seu vocabulário para chegar a um texto, o leitor pode praticar o mesmo processamento a partir do levantamento de uma dada área (362).

Nessa linha foi escrito o poema rural "Lavra Dor":

I

LAVRA: Onde tendes pá, o pé e o pó,
sermão da cria: tal terreiro.

DOR: Onde tenho o pó, o pé e a pá,
quinhão da via: tal meu meio
de plantar sem água e sombra.

---

(360) Rio, Civilização Brasileira, 1969.

(361) Cassiano Ricardo, "22 e a poesia de Hoje", *in Anais do II Congresso de Crítica e História Literária* realizado em Assis, 1961, *cit.*

Alguns nomes ligados à poesia-práxis: Antônio Carlos Cabral, Armando Freitas Filho, Arnaldo Saraiva, Camargo Meyer, Carlos Rodrigues Brandão, Mauro Gama, Yvonne Giannetti Fonseca.

(362) De um depoimento do autor, *apud* Manuel Bandeira e Walmir Ayala, *Poesia da Fase Moderna. Depois do Modernismo*, Rio, Ed. de Ouro, 1967, p. 254.

LAVRA: Onde está o pó, tendes cãibra;
agacho dói ao rés e relva.

DOR: Onde, jaz o pó, tenho a planta
do pé e milho junto à graça
do ar de maio, um ar de cheiro.

LAVRA: A planta e o pé, o pó e a terra;
o mapa vosso; várzea e erva.

II

DOR: Onde o ganho alastra eu perco.
Perde o mapa a cor, fina réstea
de amanho em nós, nossa rédea
de luz lastro em casa, o raso
nosso e a fome clara verga
o corpo onde o ganho alastra.

LAVRA: A planta e o mapa, pó e safra.

DOR: Onde a morte perde, em ganho.
Ganha a casa amor, o pouco
de amanho em nós, já redobro
de paz aura em casa, o raso
nosso e a fome cava cede
ao corpo, onde a morte perde.

LAVRA: Mapa vosso, várzea e erva,
domingo e sol um vôo narra.

III

DOR: Onde é a mó, mais moeda má,
ardendo, ardente ira, nós,
o veio, nosso sangue, vaza.

LAVRA: Mapa vosso, várzea e safra.

DOR: Onde é o pó, cultivo raia.
Pó arroz outona. Acelera
o sol não o vôo mas a raiva
nossa, lenta mó que esmaga
a lavra a dor, a mão e o calo.

E orando, aramos, sem sombra,
se arados somos

no valo.

Enfim, alguns poetas mineiros grupados em torno das revistas *Tendência* (1957), *Ptyx* (1963) e *Vereda* (1964), todas publicadas em Belo Horizonte, contribuíram com exemplos de poesia concreta numa linha aderente ao grupo paulista de *Noigrandes* e *Invenção*. Merecem destaque os nomes de Affonso Ávila (*Código de Minas & Poesia Anterior*, 1969; *Código Nacional de Trânsito*, 1972; *Cantaria Barroca*, 1975), Affonso Romano de Sant'Anna (*Canto e Palavra*, 1965; *Poesia sobre Poesia*, 1975) e Henri Correia de Araújo.

Um poeta marcado, desde os seus primeiros textos, pelo signo do rigor semântico, à Valéry e à João Cabral, é Sebastião Uchoa Leite, que incorporou à sua escrita alguns procedimentos da poesia concreta (*Antilogias*, 1979), mas preservou uma dicção própria, corrosiva e auto-irônica, alheia às certezas dos manifestos de vanguarda.

Entre os poetas fiéis ao gosto e a certas cadências culturais do concretismo, cabe mencionar os nomes de Régis Bonvicino, Nelson Ascher, Duda Machado, Carlos Ávila e Frederico Barbosa.

Poesia ainda

Trabalhando uma linguagem em boa parte alheia aos programas experimentalistas, têm escrito desde as décadas de 50 e 60 alguns poetas diferentes entre si, mas aproximáveis pela sua concepção de lírica entre moderna e tradicional. Neles convive o discurso metrificado e o imaginário romântico ou surrealista com a presença, hoje quase indefectível, de uma forte autoconsciência literária. Muitos dos seus textos acordam em nós ecos musicais de Cecília Meireles, de Jorge de Lima, de Vinícius de Moraes, cortados por uma ou outra nota mais ríspida de Drummond ou de João Cabral. Vistos por um ângulo estreito da sobrevivência de certos hábitos estilísticos, o seu ponto de referência poderia ser ainda a poética da geração de 45. Mas prefiro ver neles o nosso veio existencialista em poesia.

A messe não é pequena; e as omissões, involuntárias. Cito:

Marly de Oliveira (*Cerco da Primavera*, *Explicação de Narciso*, *A Vida Natural*; *O Sangue na Veia*);

Laís Correia de Araújo (*O Signo e Outros Poemas*, *Cantochão*);

Renata Pallottini (*A Casa*, *Livro de Sonetos*, *A Faca e a Pedra*, *Noite Afora*, *Cantar meu Povo*);

Foed Castro Chamma (*Melodias do Estio*, *Iniciação ao Sonho*, *O Poder da Palavra*, *Labirinto*);

Stella Leonardos (*Poesia em Três Tempos*, *Poema da Busca e do Encontro*, *Rio Cancioneiro*, *Amanhecência*);

Walmir Ayala (*Antologia Poética*);

Octavio Mora (*Ausência Viva*, *Terra Imóvel*, *Corpo Habitável*, *Pulso Horário*);

Bruno Tolentino (*Anulações e Outros Reparos*);

Armindo Trevisan (*A Surpresa do Ser*, *A Imploração do Nada*, *Corpo a Corpo*, *O Moinho de Deus*, *Antologia Poética*);

Carlos Nejar (*Sélesis*, *Livro de Silbion*, *Livro do Tempo*, *O Campeador e o Vento*, *Danações*, *Ordenações*, *Canga*, *Casa dos Arreios*, *O Poço do Calabouço*, *Somos Poucos*);

Olga Savary (*Espelho Provisório*, *Sumidouro*);

Hilda Hilst (*Baladas de Alzira*, *Balada do Festival*, *Trovas de muito amor para um amado senhor*, *Ode fragmentária*, *Sete cantos do poeta para o Anjo*);

Armando Freitas Filho (*À Mão Livre*, *3 x 4*, *De Cor*);

Ivan Junqueira (*A Rainha Arcaica*, *O Grifo*);

Dora Ferreira da Silva (*Andanças*, *Talhamar*, *Retratos de Origem*);

Manuel Carlos (*Bicho Alado*);

Gerardo Mello Mourão (*O País dos Mourões*);

Gilberto Mendonça Telles (*Poemas Reunidos*);

Cláudio Willer (*Dias Circulares*, *Jardim da Provocação*);

José Geraldo N. Moutinho (*Exercitia*);

Rubens Torres Rodrigues Filho (*O Vôo Circunflexo*, *A Letra Descalça*, *Poros*);

Carlos Felipe Moisés (*Poemas Reunidos*, *Círculo Imperfeito*, *Subsolo*);

Orides Fontella (*Trevo*);

Adélia Prado (*Coração Disparado*, *O Pelicano*);

Alcides Villaça (*O Tempo e Outros Remorsos*, *Viagem de Trem*);

Jayro José Xavier (*Enquanto Vivemos*);

João Moura Jr. (*Páginas Amarelas*);

Ruy Espinheira Filho (*A Morte Secreta e Poesia Anterior*);

Antônio Fernando De Franceschi (*Tarde Revelada*, *Caminho das Águas*, *A Olho Nu*);

Fernando Paixão (*Fogo dos Rios*);

Augusto Massi (*Negativo*);

Alexei Bueno (*Poesias*, *Nuctemeron*, *A Decomposição de J. S. Bach*).

Embora só a leitura analítica de cada um desses textos possa fazer-lhes plenamente justiça, indicando o alcance de suas mensagens e o valor de suas conquistas formais, o conjunto dessas obras tem, para o historiador da poesia no Brasil, um significado irrecusável de permanência de uma determinada concepção de lírica: sondagem do tempo subjetivo (que se estende, em alguns casos, à vida social concreta) e articulação do tema em imagens e em ritmos que se gestam no interior da tradição do verso. Escrevendo em um período de drástica negação do discurso metafórico e musical, desvinculados das vanguardas e do seu esquema de sustentação ideológica, esses poetas têm dado exemplo de uma resistência às modas criadas pelo desenvolvimento tecnicista. A fragilidade extrema e, não raro, solitária dessa posição tem a força de um testemunho.

Enfim, os anos de 70 exigiriam um discurso à parte sobre a poesia mais nova que vem sendo escrita. De um modo geral as chamadas vanguardas mais programáticas de 1950-60 vivem a sua estação outonal de recolha das antigas riquezas; e a cultura erudita nacional e internacional já lhes deu a consagração a que fizeram jus seu empenho e engenho. Mas, como ficou dito em nota ao último Drummond, outras parecem ser as tendências que ora prevalecem e sensibilizam os poetas. Limito-me a mencionar três delas:

1) Ressurge o *discurso poético* e, com ele, o *verso*, livre ou metrificado — em oposição à sintaxe ostensivamente gráfica.

2) Dá-se nova e grande margem à *fala autobiográfica*, com toda a sua ênfase na livre, se não anárquica, expressão do desejo e da memória — em contraste com o desdém pela função emotiva da linguagem que o experimentalismo formal programava.

3) Repropõe-se com ardor o *caráter público e político* da fala poética — em oposição a toda teoria do autocentramento e auto-espelhamento da escrita. Subordina-se a construção do objeto à verdade (real ou imaginária) do sujeito e do grupo.

Exemplos desse renovado modo de conceber a poesia colhem-se no último Drummond, em todo Ferreira Gullar, e no menos conhecido mas não menos vigoroso poeta maranhense Nauro Machado. Como atitude de desafogo, mais do que como realização formal convincente, a nova poética exprime-se na lírica dita "marginal", abertamente anárquica, satírica, paródica, de cadências coloquiais e, só aparentemente, antiliterárias. Uma antologia representativa é *26 Poetas Hoje*, organizada por Heloísa Buarque de Holanda (Rio, Lidador, 1976).

Dois poetas que, desaparecidos em plena juventude, se converteram em emblemas dessa geração: Ana Cristina César (*Cenas de Abril*, *Luvas de Pelica*, *A Teus Pés*) e Cacaso, pseudônimo de Antônio Carlos Brito (*Grupo Escolar*). Em ambos, o lirismo do cotidiano e a garra crítica, a confissão e a metalinguagem se cruzavam em zonas de convívio em que a dissonância vinha a ser um efeito inerente ao gesto da escrita.

Um nome à parte que evoca uma presença irradiadora, não só poética mas cultural, é o de Paulo Leminski, que morreu, jovem ainda, em 1988. A sua trajetória breve e acidentada trouxe à luz as fraturas de toda vanguarda pós-68. Leminski tentou criar não só uma escrita, mas uma antropologia poética pela qual a aposta no acaso e nas técnicas ultramodernas de comunicação não inibisse o apelo a uma utopia comunitária. Deixou, entre outras obras, *Caprichos e Relaxos*, *Distraídos Venceremos* e *La vie en close*.

Em paralelo ao que aconteceu com a prosa de ficção que, de engajada e testemunhal, passou a individualista extremada, a poesia deste fim de milênio parece ter cortado as amarras que a pudessem atar a qualquer ideal de unidade, quer ético-político, quer mesmo estético, no sentido moderno de construtivo de um objeto artístico. Muitos dos seus textos encenam o teatro da dispersão pós-moderna e suas tendências centrífugas: atomizam-se motivos, misturam-se estilos e as sensibilidades mais agudas expõem ao leitor a consciência da própria desintegração.

Em face desse quadro, impensável sem a aceleração dos processos modernizantes do capitalismo e da indústria cultural, vale ressaltar, pelo contraste, a coerência vigorosa e serena da palavra de Manuel de Barros, nascida em contacto com a paisagem e o homem do Pantanal e trabalhada em uma linguagem que lembra, a espaços, a aventura mitopoética de Guimarães Rosa, sem ombrear, é certo, com a sustentada densidade estética do grande narrador. Conhecida de poucos durante longo tempo, a obra de Manuel de Barros só alcançou o êxito que merece depois que sopraram também no mundo acadêmico os ventos da ecologia e da contracultura. Escreveu *Compêndio para Uso de Pássaros*, *Arranjos para Assobio*, *Matéria de Poesia*, *O Livro de Pré-coisas*, *Guardador de Águas* e *Gramática Expositiva do Chão: Poesia quase toda*.

Quanto aos poetas veteranos, que estrearam em torno de 50, como Ferreira Gullar, Nauro Machado, José Paulo Paes, Haroldo de Campos e Augusto de Campos, continuam criando textos de boa qualidade literária dentro das suas respectivas concepções do fazer poético. Tomados em conjunto, dão exemplo da vitalidade de um entendimento moderno, *lato sensu*, da poesia como síntese de afeto e imagem, ritmo e pensamento: visão que já se propunha nos textos fundadores de Bandeira, Mário, Oswald e Drummond, e que, dialetizada por vozes tão diferentes entre si como as de Jorge de Lima, Murilo Mendes, Cecília Meireles, Vinícius de Moraes e João Cabral, trouxe à nossa literatura o melhor da lírica ocidental. O seu imaginário e a sua música já entraram para a nossa memória de leitores brasileiros: são parte de nossa história intelectual e moral.

Quanto à poesia que se está escrevendo aqui e agora, não pode ser objeto deste livro. Oxalá de cada novo poema se possa dizer a palavra de um poeta-filósofo:

> "Sempre uma tentativa de recomeço,
> um abalo para diante,
> embalo, impulso, empuxo —
> uma volta e revolta da experiência,
> reviravolta de dados para enfeitiçar o acaso"
> (Rubens Rodrigues Filho,
> "Ensaio", em *Poros*, 1990).

Traduções de poesia

A um tópico sobre a poesia brasileira não pode faltar a referência a algumas versões de grandes poetas estrangeiros que começaram a falar em português à nossa sensibilidade.

De traduções poéticas sempre se tende a fazer juízo severo, tal é a soma de soluções infiéis ou canhestras que a história literária tem registrado. No entanto, apesar dos fatais altos e baixos comuns a esse ingrato labor, contamos já com um número razoável de boas versões que de certo influíram na formação de um gosto literário moderno.

Sem pretender de modo algum ser exaustivo, lembro:

O Vento da Noite, de Emily Brontë, vertido livremente, mas com verdadeiro espírito bronteano, por Lúcio Cardoso;

Poetas de França, *Flores das Flores do Mal* de Baudelaire e *Antígona*, de Sófocles, em finas traduções de Guilherme de Almeida;

As Flores do Mal, vertidas na íntegra por Jamil Almansur Haddad;

Maria Stuart, de Schiller, algumas líricas de Hoelderlin e o *Rubayat*, que se destacam na ampla messe de versões exemplares feitas por Manuel Bandeira;

Rilke e Brecht vertidos sobriamente por Geir Campos;

Sonetos e *Hamlet*, de Shakespeare, por Péricles Eugênio da Silva Ramos, que soube encontrar para ambos felizes soluções rítmicas;

O Cemitério Marinho, de Valéry, por Darcy Damasceno;

Elegias de Duíno, de Rilke, por Dora Ferreira da Silva;

Poesias, de Rosalía de Castro, desconhecida e admirável poetisa galega, por Ecléa Bosi;

Trechos do *Purgatório* dantesco e líricas de Ungaretti, por Henriqueta Lisboa;

Poemas da Angústia Alheia (Poe, Wilde, Rimbaud...) por Gondim da Fonseca;

Três cantos do *Inferno*, por Dante Milano;

Festas Galantes, de Verlaine, por Onestaldo de Pennafort;

Poemas Ingleses de Guerra, por Abgar Renault;

24 Sonetos de Shakespeare, em edição bilíngüe, esplendidamente transpostos para um vernáculo enxuto e de corte clássico, por Ivo Barroso;

Cantos de Maldoror, de Lautréamont, por Cláudio Willer;

Vinte Canções de Amor e uma Canção Desesperada, de Pablo Neruda, por Domingos Carvalho da Silva;

A Canção de Amor e de Morte do Porta-Estandarte Cristóvão Rilke, de Rainer Maria Rilke, por Cecília Meireles, que também traduziu Tagore e, excelentemente, *Poesias de Israel*;

As *rime pietrose*, de Dante, em tradução/invenção de Haroldo de Campos que também verteu Maiakóvski (juntamente com Augusto de Campos e Boris

Schneidermann) e uma seleção de cantos de Ezra Pound (com A. de Campos, Décio Pignatari, J. L. Grünewald e Mário Faustino);

Poemas, de Saint-John Perse, em versão de Bruno Palma;

Poetas de Inglaterra, antologia bilíngüe organizada por Péricles Eugênio da Silva Ramos e Paulo Vizioli;

Mallarmagem, doze poemas de Mallarmé, na tradução-invenção de Augusto de Campos, que reuniu algumas de suas virtuosíssimas versões em *Verso, Reverso e Controverso*;

Seis Cantos do Paraíso de Dante, elaborada recriação de Haroldo de Campos.

O aparecimento de numerosas traduções de poesia nos anos 80 será talvez o fenômeno mais digno de atenção da nossa historiografia literária neste fim de século. O seu significado é amplo: vai da contínua internacionalização da cultura escrita (o livro de poesia é gato de sete fôlegos...) à crescente profissionalização do ofício de tradutor que o mercado contemporâneo propicia. Mas curiosamente esses fortes mecanismos extraliterários, próprios das sociedades industriais avançadas, não puderam alterar o caráter de todo artesanal que parece inerente à versão poética de textos poéticos. Assim, os bons tradutores continuam sendo poetas e ensaístas que já deram provas de concentrado labor textual em seus escritos originais. O que confere à tradução um estatuto bivalente de pesquisa lingüística norteada pelo valor da fidelidade (dever das almas doutas) e aventura pelos reinos da criação (prazer das almas belas).

Lembro o impecável trabalho de Sebastião Uchoa Leite ao verter concisamente poemas de François Villon; o *Cemitério Marinho* de Valéry recriado por Jorge Wanderley; algumas brilhantes soluções com que Ivan Junqueira fez Baudelaire e T. S. Eliot falarem em português; Emily Dickinson, traduzida por Idelma Ribeiro de Faria; a preciosa antologia da poesia francesa (do século IX ao XX), obra de Cláudio Veiga; a versão entre feliz e temerária dos textos mais árduos de Mallarmé cumprida por José Lino Grünewald; as cuidadosas edições bilíngües de Wordsworth e Blake preparadas por um *scholar*, Paulo Vizioli; enfim, a notável carreira de tradutor e pensador do seu ofício realizada por José Paulo Paes, que soube aliar a riqueza e a liberdade das suas escolhas ao rigor das soluções que encontra para recriar com brio estilos e tons diversos como os de Aretino e Éluard, W. C. Williams e W. H. Auden (este, em colaboração com João Moura Jr.), Hoelderlin e Rilke e *last but not least*, Konstantinos Kaváfis e os poetas neogregos, dos quais nos deu uma antologia exemplar.

Representando escolhas díspares, essas versões brasileiras entraram para o tesouro comum da poesia que transcende limites nacionais e ensina o homem a melhor conhecer o mundo e a si mesmo, construindo sobre o que é propriamente humano: a linguagem.

A CRÍTICA

O Modernismo, como uma lufada de ar entrando vigorosamente num quarto há muito fechado, arejou tudo, beneficiando também a crítica literária que, ressalvadas as exceções de Nestor Vítor e João Ribeiro, continuava a ser, em plena década de 20, uma fortaleza do academismo neoparnasiano.

Já vimos que saiu dos próprios modernistas uma nova prosa de idéias de que são exemplo artigos de Mário de Andrade, de Sérgio Buarque de Holanda, de Rubens Borba de Morais, de Sérgio Milliet e de outros, impressos nas revistas do período áureo do movimento. O nome que, entretanto, ficou simbolizando a reflexão madura das novas poéticas é o de **Tristão de Ataíde**, pseudônimo de Alceu Amoroso Lima, escritor que se manteve (apesar de todas as suas reservas filosóficas), fiel ao reconhecimento histórico e estético do Modernismo ([363]).

Leitor de amplos horizontes, soube definir a seu tempo as tendências e os limites irracionais do movimento (*Estudos*, 1927-1935) e deu à nossa história espiritual sínteses culturalistas amplas como a *Introdução à Literatura Brasileira* (1956) e o *Quadro Sintético da Literatura Brasileira* (1956).

Não se tratando de um espírito medularmente estético, Alceu Amoroso Lima retirou-se, desde a década de 30, da crítica literária militante passando a desenvolver cerradamente uma linha de estudos éticos e ideológicos. Creio que a vida mental do país só lucrou com o trânsito do crítico ao ensaísta. Atendo-se à sua postura religiosa básica, guia natural da Ação Católica desde a sua conversão às correntes progressistas da Igreja, Alceu Amoroso Lima vem refletindo, no dia-a-dia dos seus artigos de jornal, as posições mais abertas e democráticas em face das vicissitudes políticas do Brasil. É consolador ver num país de raízes ibéricas um homem de aberta confissão católica tomar o partido da liberdade e da tolerância: caminhos que, trilhados sem esmorecimento, o ajudaram a fixar uma constelação de valores extremamente fecunda para a práxis nacional: o socialismo cristão de Péguy e Mounier; a análise das conjunturas dos países do Terceiro Mundo, de Lebret; a visão hegeliana de Teilhard de Chardin e o apostolado da não-violência ativa como componente da dinâmica social, na esteira dos "profetas desarmados" como um Gandhi, um Charles Foucault e um Martin Luther King.

Entre os estudiosos de literatura de algum modo ligados a Tristão de Ataíde nota-se o pendor pelas idéias gerais no trato do fenômeno artístico. **Álvaro Lins** (1912-1970) foi, entre 40 e 60, um dos nossos críticos mais ativos

---

([363]) Consultar *Meio Século de Presença Literária de Alceu Amoroso Lima*, boa antologia dos seus textos críticos em cinqüenta anos de atividade intelectual (Rio, J. Olympio, 1969). Ler o belo depoimento de Otto Maria Carpeaux, *Alceu Amoroso Lima*, Rio, Graal, 1978.

e percucientes, muito próximo do modo de ler dos franceses pelo gosto da análise psicológica e moral (*Jornal de Crítica*, 8 vols.). O mesmo se pode dizer de Roberto Alvim Correa (*Anteu e a Crítica*). A **Afrânio Coutinho** coube o mérito de divulgar entre nós os princípios do *new criticism* anglo-americano (*Correntes Cruzadas*) e sistematizar idéias e informações sobre o Barroco, de que é no Brasil um especialista; além do que, coordenou a série *A Literatura no Brasil* (5 volumes), onde há estudos de valor desigual, mas que, ao menos no plano do seu orientador, deveria rever esteticamente todo o nosso passado literário. Pendendo ultimamente para a história de temas, Afrânio Coutinho escreveu um ensaio sobre a idéia de nacionalidade em nossa historiografia crítica (*A Tradição Afortunada*).

Em uma diretriz basicamente culturalista, mas temperada por fino gosto e variadíssima pesquisa literária, a obra de **Antônio Cândido de Mello e Souza** impôs-se, a partir de *Brigada Ligeira* (1945), como a síntese mais feliz de análise e interpretação que a nossa crítica tem conhecido neste século. Os seus ensaios sobre Graciliano Ramos e Guimarães Rosa, reunidos em *Tese e Antítese* (1964) integram harmonicamente a atenção dada aos fatores genéticos e a sondagem das estruturas propriamente literárias. Exemplos desse método em leque (já esboçado nas melhores páginas críticas de um Mário de Andrade) podem colher-se em toda a *Formação da Literatura Brasileira* (1959), ampla história da Arcádia, da Ilustração e do Romantismo nacional. Nas páginas introdutórias dessa obra, A. Cândido expôs os pressupostos do seu trabalho crítico retomando-os mais tarde com exemplar clareza em estudos teóricos de maior tensão conceitual (*Literatura e Sociedade*, 1965). Em ensaios posteriores confirma-se a sua vocação de mestre da análise narrativa capaz de dinamizar, no correr do texto, as melhores lições da Sociologia da Literatura: "Dialética da Malandragem" e "O Mundo-Provérbio" são estudos insuperáveis sobre as *Memórias de um Sargento de Milícias* e *I Malavoglia*, respectivamente. (*)

De um leitor-artista, **Augusto Meyer**, o ensaísmo brasileiro recebeu um estilo pessoal, reflexivo e irônico, em que os ecos de um Voltaire e de um Goethe iluministas se misturam às lembranças do adolescente gaúcho que escreveu também belos poemas de humor e melancolia (*Giraluz*, *Poemas de Bilu*). A tendência para a auto-análise levou esse crítico nato a sondar a psicologia machadiana em páginas que balizaram a fortuna do grande narrador (*Machado de Assis*, 1935). Outros livros seus: *Prosa dos Pagos* (1943), *À Sombra da Estante* (1947), *Preto e Branco* (1956), *Camões o Bruxo e Outros Ensaios* (1958).

Vindos dos tempos pré-modernistas, **Agripino Grieco** foi um dos mais atentos e vivos leitores críticos da nova literatura: o *Boletim de Ariel* que dirigiu, na década de 30, e seus numerosos ensaios reunidos em *Evolução da*

(*) Outras obras de Antônio Cândido: *Brigada Ligeira*, 1945; *O Observador Literário*, 1959; *Vários Escritos*, 1970; *Teresina etc.*, 1980; *Na Sala de Aula*, 1985; *A Educação pela Noite e outros ensaios*, 1987; *Recortes*, 1993.

Poesia Brasileira (1932), *Evolução da Prosa Brasileira* (1933), *Gente Nova do Brasil* (1935) renovam o estilo da crítica aliando o velho impressionismo a um juízo estético em geral seguro.

Os estudos comparatistas devem a Eugênio Gomes alguns achados de valor: foi o estudioso baiano o primeiro a detectar com precisão fontes inglesas em vários escritores nossos, rastreando-as com especial atenção na obra de Machado *(Espelho contra Espelho)*. Coligiu seus melhores ensaios em *Prata de Casa, Visões e Revisões* e *Aspectos do Romance Brasileiro.*

Em todo o período pós-modernista assistiu-se a uma renovação e a uma ampliação da história literária brasileira que já conta com monografias e estudos de conjunto respeitáveis, tornando-se difícil não cometer pecados de omissão ao se arrolarem autores e obras. Lembro, no campo das monografias: *Machado de Assis* e *Vida de Gonçalves Dias*, de Lúcia Miguel-Pereira; *Vida e Obra de Monteiro Lobato*, de Edgard Cavalheiro; *Revisão de Castro Alves*, de Jamil Almansur Haddad; *Introdução ao Método Crítico de Sílvio Romero*, de Antônio Cândido; *Sílvio Romero*, de Carlos Süssekind de Mendonça; *Tobias Barreto*, de Hermes Lima; *Euclides da Cunha*, de Sílvio Rabelo; *Machado de Assis*, de Astrojildo Pereira; *Gonçalves Dias*, de Manuel Bandeira; *Como era Gonzaga?*, de Eduardo Frieiro; *Manuel Bandeira*, de Emanuel de Moraes; *Augusto dos Anjos e Outros Ensaios*, de Cavalcanti Proença; *Vida de Lima Barreto*, de Francisco de Assis Barbosa; *José de Alencar na Literatura Brasileira*, de Cavalcanti Proença; *Psicologia e Estética de Raul Pompéia*, de Maria Luísa Ramos; *Ficção e Confissão — Estudo sobre a Obra de Graciliano Ramos*, de Antônio Cândido; *José Lins do Rego — Modernismo e Regionalismo*, de José Aderaldo Castello; *O Universo de Raul Pompéia*, de Ledo Ivo; *Graciliano Ramos — Ator e Autor*, de Rolando Morel Pinto; *Vida e Obra de Raimundo Correia*, de Waldir Ribeiro do Val; *Tempo e Memória em Machado de Assis*, de Wilton Cardoso; *Experiência e Ficção de Oliveira Paiva*, de Rolando Morel Pinto; *Ilusão e Realidade em Machado de Assis*, de José Aderaldo Castello; *O Laboratório Poético de Cassiano Ricardo*, de Oswaldino Marques; *Estruturas — Ensaio sobre o Romance de Graciliano*, de Rui Mourão; *Guimarães Rosa* e *Clarice Lispector*, de Assis Brasil; *Jorge Amado: Vida e Obra*, de Miécio Tati; *João Cabral de Melo Neto*, de Benedito Nunes; *Murilo Mendes*, de Laís Correia de Araújo; *Drummond: A Estilística da Repetição*, de Gilberto Mendonça Telles; *Mário de Andrade: Ramais e Caminhos*, de Telê Porto Ancona Lopez (*).

De análises em profundidade de obras, talvez o caminho mais promissor para a revisão dos grandes textos do nosso passado, já há belos exemplos em: *Roteiro de Macunaíma*, de Cavalcanti Proença; *História e Interpretação de*

(*) A presença de uma crítica diretamente ligada à produção universitária de teses e dissertações é muito forte em toda a década de 70: já foram mencionados, em notas bibliográficas de rodapé, alguns dos trabalhos publicados que me pareceram de consulta proveitosa.

Os Sertões, de Olímpio de Sousa Andrade; *Esfinge Clara. Palavra-puxa-palavra em Carlos Drummond de Andrade*, de Othon Moacyr Garcia; *O Preto no Branco. Exegese de um Poema de Manuel Bandeira*, de Ledo Ivo; *Cobra Norato: O Poema e o Mito*, de Othon Moacyr Garcia; *Morfologia de Macunaíma*, de Haroldo de Campos, não citando aqui, para evitar redundância, os ensaios dos mestres da crítica cujos nomes e obras foram consignados acima.

O estudo de fases histórico-literárias ou de gêneros isolados tem merecido a atenção de especialistas que concorrem para fixar um tipo de erudição objetiva que o crescimento do ensino superior propicia e reclama. É o caso específico da série *A Literatura Brasileira* para a qual colaboraram José Aderaldo Castello, com *Manifestações Literárias da Era Colonial*, Antônio Soares Amora (autor de uma apreciável síntese, *História da Literatura Brasileira*), com *O Romantismo*, João Pacheco com *O Realismo*, Massaud Moisés com *O Simbolismo*, e Wilson Martins, com *O Modernismo*. Desse último, historiador literário e crítico militante, que tem acompanhado com invulgar pertinácia o nosso movimento literário, lembre-se um trabalho pioneiro, *A Crítica no Brasil*. Wilson Martins escreveu também um vastíssimo repertório da produção intelectual brasileira, que confirma a sua infatigável erudição: é a *História da Inteligência Brasileira*, em 7 volumes (1976-1979).

Obras de fôlego no terreno da pesquisa documental são o *Panorama do Movimento Simbolista Brasileiro*, de Andrade Muricy, *A Vida Literária no Brasil, 1900*, de Brito Broca, a *História do Modernismo Brasileiro*, de Mário da Silva Brito, e *O Lúdico e as Projeções do Mundo Barroco*, de Affonso Ávila.

Sobre o romance já há alguns clássicos: *O Romance Brasileiro*, de Olívio Montenegro, e *Forma e Expressão no Romance Brasileiro*, de Bezerra de Freitas. Cortes sincrônicos são: *Prosa de Ficção (1870/1920)* de Lúcia Miguel-Pereira, *Modernos Ficcionistas Brasileiros* e *O Romance de 30*, de Adonias Filho; um bom levantamento é a *História Crítica do Romance Brasileiro*, em 3 vols., de Temístocles Linhares.

A história da poesia não se faz sem a análise e a apreciação de textos; coleções de ensaios ricas em notações estilísticas são: *O Território Lírico*, de Aurélio Buarque de Holanda; *O Observador Literário*, de Antônio Cândido; *O Amador de Poemas* e *Do Barroco ao Modernismo*, de Péricles Eugênio da Silva Ramos; *Seis Poetas e um Problema*, de Antônio Houaiss; *Crítica de Estilos*, de Aires da Mata Machado Filho; *Dimensões, I e II*, de Eduardo Portella; *O Espelho Infiel*, de Fernando Góis; *Apontamentos de Leitura*, de Osmar Pimentel; *Convívio Poético*, de Henriqueta Lisboa, e o volume modelar de Manuel Bandeira, *Apresentação da Poesia Brasileira*.

O teatro foi estudado por J. Galante de Sousa em *O Teatro no Brasil*, por Sábato Magaldi no *Panorama do Teatro Brasileiro*, e por Décio de Almeida Prado, na *Apresentação do Teatro Brasileiro* e em *João Caetano*.

Um ensaísmo livre das peias didáticas já amadurece entre nós graças ao vigor de alguns críticos jovens, sensíveis ao marxismo e ao estruturalismo que partilham hoje o espaço cultural que há vinte anos foi ocupado pelo existencialismo.

A leitura dialética é praticada nos complexos ensaios de Roberto Schwarz reunidos em *A Sereia e o Desconfiado* e nos estudos percucientes de José Guilherme Merquior (*A Razão do Poema*; *A Astúcia da Mimese*). Luiz da Costa Lima em *Por que Literatura*, Fausto Cunha em *A Luta Literária*, Fábio Lucas em *Compromisso Literário* e em *O Caráter Social da Literatura Brasileira*, e Eduardo Portella em *Literatura e Realidade Nacional* repropõem o tema do enraizamento do escritor: tema vigorosamente tratado em *Vanguarda e Subdesenvolvimento* de Ferreira Gullar.

A militância da opção experimental cabe aos poetas concretos de São Paulo dentre os quais superiormente dotado para a reflexão crítica é Haroldo de Campos, que reuniu algumas de suas pontas-de-lança de análise estrutural em *Metalinguagem* e *A Arte no Horizonte do Provável.*

Com Benedito Nunes (*O Mundo de Clarice Lispector*; *O Dorso do Tigre*), Anatol Rosenfeld (*Texto/Contexto*) e Vilem Flusser (*Da Religiosidade, Língua e Realidade*), a captação do estético faz-se mediante abordagens fenomenológicas. É sensível em Benedito Nunes a abertura à gênese existencial do texto, forma de ler que nele remonta ao Sartre das *Situations*; a Rosenfeld devemos a melhor compreensão do teatro brechtiano além de páginas iluminadoras sobre a estrutura da obra de arte na linha de Roman Ingarden (*O Personagem na Ficção*); quanto a Flusser, antes manipulador de idéias, que analista literário, mantém-se na intersecção do neopositivismo com a ontologia de Heidegger, tendendo a ver na travessia das formas lingüísticas um caminho do nada para o nada (*).

(*) *Nota de 1979.* Quanto à crítica produzida nos anos de 70, registre-se a tendência formalista e estruturalista vinda do decênio anterior e conservada de forma epigônica, mas tenaz, em muitos círculos universitários. Faz parte desse tipo de abordagem pôr em relevo a presença de certas figuras de linguagem como a paranomásia e os anagramas; realçar a função metalingüística e o correlato ensimesmamento do texto (o poema que fala do poema, o romance que se refere à sua própria estrutura, etc.); enfim, descobrir a intertextualidade: textos que entram em outros textos, ou deles saem, ou com eles se fazem ou desfazem, etc.

No entanto, uma viragem salutar deu-se, nos últimos anos, paralelamente à luta pela reabertura democrática e à crise dos valores tecnicistas que afetou a maior parte dos intelectuais brasileiros. Novas correntes contextualistas e marxistas de vários matizes solicitam uma leitura ideológica do texto, de tal modo que a crítica está vivendo um período em que se combina um enfoque ainda estrutural ou, mesmo, funcionalista, com mensagens e acenos da filosofia dialética.

Mas a vitória de um novo "historicismo de esquerda" longe está de ser tranqüila. Pois, em difuso contraponto, espraia-se com insistência o gosto de uma linguagem corpórea, descontraída, tendencialmente irracionalista, que desejaria cancelar do discurso crítico tudo quanto de regrado ou vinculante trazem em si o estruturalismo e o marxismo. Essa atitude, filiada a movimentos de contracultura, perdurará, creio, até que venha ancorá-la algum outro lastro de categorias e de valores. No momento em que escrevo, esse lastro parece vir de uma releitura da Psicanálise ainda oscilante entre os opostos magistérios de Freud e Jung.

Enfim, transcendendo os limites da história literária brasileira para a qual, porém, contribuiu como estudioso e orientador, a figura de **Otto Maria Carpeaux** (Viena, 1900 — Rio, 1978) aparece hoje como um divisor de águas entre modos de ler menores e, não raro, provincianos, e uma consciência crítica poderosa da literatura como sistema enraizado na vida e na história da sociedade.

A formação cultural de Carpeaux na Europa foi ampla, incluindo doutorados em Matemática, Filosofia e Letras. O historicismo alemão e italiano, que enformou a sua juventude, ensinou-o a ver nos múltiplos aspectos da cultura as partes de uma *totalidade*, como o faziam, submetendo a imensa erudição germânica a um critério filosófico, os seus mestres Dilthey, Croce, Weber, Sombart e Simmel. Paralelamente, é em Viena que se afirma, na fase de entre-guerras, outro sistema globalizante de entender o animal simbólico, a Psicanálise de Freud e de Jung; e no mesmo centro internacional de arte definem-se as linhas mestras da análise formal da pintura com Riegl e Dvórak e da nova música, com Schoenberg, Weber e Berg. E não esqueçamos que o então Império Austro-Húngaro foi um dos núcleos irradiadores de um estilo de angústia e crise, o Expressionismo, que pressentiu, nas páginas sombrias de Kafka e nas telas de Kokoschka, a deformação absurda da pessoa humana que iria atingir a Europa com o triunfo iminente do nazismo. O triunfo veio e começou por anexar a pátria de Carpeaux à Alemanha (o *Anchluss*, de 1938), forçando-o à fuga, primeiro para a Holanda, onde escreve o relato do fim da liberdade austríaca e, depois, para o Brasil, onde, radicado a partir de 1939, deu o melhor de si para a nossa cultura.

Colaborou intensamente em alguns jornais do Rio e de São Paulo, escrevendo artigos e ensaios sobre grandes escritores estrangeiros que aqui se conheciam pouco ou nada (Kafka, Borges, Antônio Machado, Hoffmannsthal, Stephan George, Croce, Vico, Alfieri, Leopardi) e fazendo circular problemas de sociologia do conhecimento e da arte que até hoje estão no cerne da vida intelectual do Ocidente.

É de 1942 o seu primeiro livro em português, *A Cinza do Purgatório*, a que se segue *Origens e Fins*, no qual já se espelha o convívio com o Brasil e o discernimento com que soube apreciar valores da nossa literatura; aí estão análises penetrantes de Graciliano Ramos e Carlos Drummond de Andrade, que, somados a seus prefácios a Lins do Rego, Jorge de Lima e Manuel Bandeira, formam o núcleo da sua brasiliana moderna. A prática assídua das letras nacionais levou o seu espírito sistemático a elaborar a *Pequena Bibliografia Crítica da Literatura Brasileira*, trabalho pioneiro até hoje não superado.

Com o mesmo rigor metódico, aquecido por uma verdadeira devoção à beleza do *opus humanum*, que ele sabe tocar fundo, trabalhou nesse monumento de erudição e inteligência que é a *História da Literatura Ocidental* ([364]), em que se mantém fiel à abordagem culturalista, mas desloca, em certos casos-limite, o eixo da interpretação do historicismo idealista para o dialético, dando o necessário peso às motivações sociais, conforme a lição de Gramsci, Lukács, Walter Benjamin e Adorno.

A maturidade do grande crítico não o levou a um augusto fechamento sobre a própria obra. Nos últimos anos (ver *Brasil no Espelho do Mundo* e *A Batalha da América Latina*) realizou lucidamente aquela passagem da teoria à prática que para o velho hegeliano Croce era o destino de todo espírito que ousou pensar para agir em consonância com o Espírito.

([364]) Rio, O Cruzeiro, 8 volumes, 1959-1966, mas escrita a partir de 1944. *A História* reeditou-se, revista pelo Autor (Ed. Alhambra). Outras obras de Carpeaux: *Respostas e Perguntas*, 1953; *Presenças*, 1958; *Uma Nova História da Música*, 1958; *Livros na Mesa*, 1960; *A Literatura Alemã*, 1964; *A Batalha da América Latina*, 1965; *Vinte e Cinco Anos de Literatura*, 1968; *Alceu Amoroso Lima*, 1978; *Reflexo e Realidade*, 1978; *Sobre Letras e Artes*, 1993.

BIBLIOGRAFIA

A lista de obras que vai a seguir compreende apenas trabalhos de introdução à Literatura Brasileira e a seus momentos principais. Não me pareceu necessário alongá-la com títulos de ensaios específicos sobre gêneros e autores, pois estes já se acham consignados nas notas de rodapé com as devidas indicações bibliográficas.

I HISTÓRIAS DA LITERATURA BRASILEIRA

AMORA, Antônio Soares — *História da Literatura Brasileira* (Séculos XVI-XX). São Paulo, Saraiva, 1955.

BEZERRA DE FREITAS — *História da Literatura Brasileira*. Porto Alegre, Globo, 1939.

CARVALHO, Ronald de — *Pequena História da Literatura Brasileira*. 5ª ed. Rio, Briguiet, 1953. A 1ª ed. é de 1919.

CORTES DE LACERDA, Virgínia — *Unidades Literárias. História da Literatura Brasileira*. S. Paulo, Companhia Editora Nacional, 1944.

COUTINHO, Afrânio (org.) — *A Literatura no Brasil*. Rio, Editorial Sul-Americana, vol. I, t. 1 (Barroco, Neoclassicismo, Arcadismo), 1956; vol. I, t. 2 (Romantismo, 1956); vol. III (Realismo, Naturalismo, Parnasianismo), 1955; vol. III, t. 1 (Simbolismo, Impressionismo, Modernismo), 1959.

DENIS, Ferdinand — *Résumé de l'histoire littéraire du Portugal et du Brésil*. Paris, Lecointe et Durey, 1826.

LIMA, Alceu Amoroso — *Introdução à Literatura Brasileira*. Rio, Agir, 1956.

LIMA, Alceu Amoroso — *Quadro Sintético da Literatura Brasileira*. Rio, Agir, 1956.

MARTINS, Mário R. — *A Evolução da Literatura Brasileira*. Rio, s. e., 1945, 2 vols.

MARTINS, Wilson — *História da Inteligência Brasileira*. S. Paulo, Cultrix, 1976-1979, 7 vols.

MELLO E SOUZA, Antônio Cândido — *Formação da Literatura Brasileira*. Momentos Decisivos. 2ª ed., S. Paulo, Martins, 1959, 1964, 2 vols.

MELLO E SOUZA, A. C. e CASTELLO, J.A. — *Presença da Literatura Brasileira*, 3ª ed., São Paulo, Difusão Européia do Livro, 1968.

MERQUIOR, José Guilherme — *De Anchieta a Euclides. Breve História da Literatura Brasileira*. Rio, J. Olympio, 1977.

MOISÉS, Massaud — *História da Literatura Brasileira*, Cultrix/Edusp, 1983-1989, 5 vols.

OLIVEIRA, José Osório de — *História Breve da Literatura Brasileira*. Lisboa, Inquérito, 1939; 2ª ed., Martins, 1956.

PICCHIO, Luciana Stegagno — *A Literatura Brasileira. Das Origens a 1945*. S. Paulo, Martins Fontes, 1988.

PUTNAM, Samuel — *Marvelous Journey, a Survey of Four Centuries of Brazilian Literature*. Nova Iorque, Knopf, 1948.

ROMERO, Sílvio — *História da Literatura Brasileira*. Rio, Garnier, 1888, 2 vols.; 3ª ed., Rio, José Olympio, 1943, 5 vols.

ROMERO, Sílvio e RIBEIRO, João — *Compêndio de História da Literatura Brasileira*. 2ª ed. Rio, Francisco Alves, 1909.

SODRÉ, Nelson Werneck — *História da Literatura Brasileira. Seus Fundamentos Econômicos*. S. Paulo, Cultura Brasileira, 1938; 5ª ed., Civilização Brasileira, 1969.

SOTERO DOS REIS, Francisco — *Curso de Literatura Portuguesa e Brasileira*. São Luís do Maranhão, 1866-1873, tomos IV e V.

VERÍSSIMO, José — *História da Literatura Brasileira*. Rio, Francisco Alves, 1916; 3ª ed., Rio, José Olympio, 1954.

WOLF, Ferdinand — *Le Brésil littéraire*. Berlim, Asher, 1963. Há tradução para o português: *O Brasil Literário*, versão, prefácio e notas de Jamil Almansur Haddad. S. Paulo, Companhia Editora Nacional, 1955.

II A CONDIÇÃO COLONIAL

ABREU, João Capistrano de — *Capítulos de História Colonial (1500-1800)*. 4ª ed., revista, anotada e prefaciada por José Honório Rodrigues. Rio, Briguiet, 1954. A primeira edição é de 1928.

ANDRADE, Almir de — *Formação da Sociologia Brasileira. Vol. I. Os Primeiros Estudos Sociais no Brasil (sécs. XVI, XVII e XVIII)*. Rio, José Olympio, 1941.

BORBA DE MORAIS, Rubens — *Bibliografia do Período Colonial*. Universidade de S. Paulo, Instituto de Estudos Brasileiros, 1969.

BOSI, Alfredo — *Dialética da Colonização*. S. Paulo, Cia. das Letras, 1992.

BUARQUE DE HOLANDA, Sérgio — *Raízes do Brasil*. Rio, José Olympio, 1936. 5ª ed., revista, 1969.

BUARQUE DE HOLANDA, Sérgio — *Visão do Paraíso. Os Motivos Edênicos no Descobrimento e Colonização do Brasil*. Rio, José Olympio, 1959.

BUARQUE DE HOLANDA, Sérgio (dir.) — *História Geral da Civilização Brasileira*. S. Paulo, Difusão Européia do Livro, 1960. Tomo I. *A época colonial*, 2 vols.

BUARQUE DE HOLANDA, Sérgio — *Capítulos de Literatura Colonial*. S. Paulo, Brasiliense, 1991.

CARVALHO FRANCO, Maria Sylvia — "Organização Social do Trabalho no Período Colonial", *in Discurso*, nº 8. Ed. Hucitec, 1978.

CASTELLO, José Aderaldo — *A Literatura Brasileira. Vol. I. Manifestações Literárias da Era Colonial.* 2ª ed. S. Paulo, Cultrix, 1965.

FURTADO, Celso — *Formação Econômica do Brasil.* Rio, Editora Fundo de Cultura, 1959.

GORENDER, Jacob — *O Escravismo Colonial.* S. Paulo, Ática, 1977.

LEITE, Serafim, S. J. — *História da Companhia de Jesus no Brasil.* Lisboa-Rio de Janeiro, 1938-50, 10 vols.

MOTA, Artur — *História da Literatura Brasileira.* S. Paulo, Cia. Ed. Nacional, 1930, 2 vols.

NOVAIS, Fernando — *A Estrutura e a Dinâmica do Antigo Sistema Colonial.* S. Paulo, Brasiliense, 1974.

OLIVEIRA LIMA, Manuel de — *Aspectos da Literatura Colonial Brasileira.* Leipzig, Brockhaus, 1896.

PERIÉ, Eduardo — *A Literatura Brasileira nos Tempos Coloniais* (séculos XVI-XIX). Buenos Aires, Ed. Perié, 1885.

PRADO Jr., Caio — *A Formação do Brasil Contemporâneo. Colônia.* S. Paulo, Brasiliense, 1942.

SODRÉ, Nelson Werneck — *Formação Histórica do Brasil.* S. Paulo, Brasiliense, 1962, 5ª ed., 1968.

VARNHAGEN, Francisco Adolfo de — *História Geral do Brasil.* 4ª ed. S. Paulo, Cia. Ed. Nacional, 1948. A 1ª edição é de 1854-57.

III ECOS DO BARROCO

Os livros citados no tópico II, mais:

AMORA, Antônio Soares — *Panorama da Poesia Brasileira. Vol. I. Era Luso-brasileira.* Rio, Civilização Brasileira, 1959.

ÁVILA, Affonso — *O Lúdico e as Projeções do Mundo Barroco.* S. Paulo, Ed. Perspectiva, 1971.

AYALA, Walmir — *Antologia dos Poetas Brasileiros. Fase Colonial.* Edições de Ouro, 1967.

BUARQUE DE HOLANDA, Sérgio — *Antologia dos Poetas Brasileiros da Fase Colonial.* Rio, Instituto Nacional do Livro, 1952, 2 vols.

COUTINHO, Afrânio — *Aspectos da Literatura Barroca.* Rio, s. e., 1950.

COUTINHO, Afrânio — *Introdução à Literatura no Brasil.* Rio, Livr. São José, 1957.

GOMES MACHADO, Lourival — *O Barroco Mineiro.* S. Paulo, Ed. Perspectiva, 1969.

MELO FRANCO, Afonso Arinos de — *Mar de Sargaço.* S. Paulo, Martins, 1944.

MORAIS FILHO, A. Melo — *Parnaso Brasileiro.* Rio, Garnier, 1885.

SILVA RAMOS, Péricles Eugênio da — *Poesia Barroca. Antologia.* S. Paulo, Melhoramentos, 1967.

VARNHAGEN, Francisco Adolfo de — *Florilégio da Poesia Brasileira*. Rio, Academia Brasileira de Letras, 1946, 3 vols.

IV ARCÁDIA E ILUSTRAÇÃO

AUTOS DE DEVASSA DA INCONFIDÊNCIA MINEIRA. Rio, Ministério de Educação, 1936-37. 7 vols.

BRAGA, Teófilo — *Filinto Elísio e os Dissidentes da Arcádia*. Porto, Lello, 1901.

BUARQUE DE HOLANDA, Sérgio — *Capítulos de Literatura Colonial*. S. Paulo, Brasiliense, 1991.

DUTRA, Waltensir e CUNHA, Fausto — *Biografia Crítica das Letras Mineiras*. Rio, Instituto Nacional do Livro, 1956.

FRIEIRO, Eduardo — *O Diabo na Livraria do Cônego*. Belo Horizonte, Cultura Brasileira, 1945.

MARTINS DE OLIVEIRA — *História da Literatura Mineira*. Belo Horizonte, Itatiaia, 1958.

MELLO E SOUZA, Antônio Cândido — *Formação da Literatura Brasileira*. S. Paulo, Martins, 1959, 2 vols.

MOTA, Carlos Guilherme — *Atitudes de Inovação no Brasil — 1789-1801*. Lisboa, Livros Horizonte, 1971.

OLIVEIRA LIMA, Manuel de — *D. João VI no Brasil*. 2ª ed. Rio, J. Olympio, 1945, 3 vols.

RIZZINI, Carlos — *O Livro, o Jornal e a Tipografia no Brasil*. Rio, Kosmos, 1946.

SILVA RAMOS, Péricles Eugênio — *Poesia do Ouro*. S. Paulo, Melhoramentos, 1946.

SODRÉ, Nelson Werneck — *A Ideologia do Colonialismo*. 2ª ed. Rio, Civilização Brasileira, 1965.

SOUSA, Otávio Tarquínio de — *Introdução à História dos Fundadores do Império do Brasil*. Rio, MEC, 1957.

VÁRIOS — *Brasil em Perspectiva*. S. Paulo, Difusão Européia do Livro, 1968.

V ROMANTISMO

ABREU, J. Capistrano de — *Ensaios e Estudos*. I. Rio, Briguiet, 1931.

AMORA, Antônio Soares — *O Romantismo (1833/1838 — 1878/1881)*. S. Paulo, Cultrix, 1967.

BANDEIRA, Manuel — *Antologia dos Poetas Brasileiros da Fase Romântica*. Rio, Instituto Nacional do Livro, 1949.

BROCA, Brito — *Românticos, Pré-Românticos e Ultra-Românticos*. Brasília, Polis, 1979.

BUARQUE DE HOLANDA, Sérgio — *História Geral da Civilização Brasileira*. S. Paulo, Difusão Européia do Livro, 1960-1964. Tomo II. O Brasil Monárquico.

CASTELLO, José Aderaldo — *A Introdução do Romantismo no Brasil*. S. Paulo, tese mimeografada, 1950.

CAVALHEIRO, Edgard — *Panorama da Poesia Brasileira. II. O Romantismo*. Rio, Civilização Brasileira, 1959.

CUNHA, Fausto — *O Romantismo no Brasil*. Rio, Paz e Terra, 1971.

FERREIRA, M. C. — *O Indianismo na Literatura Romântica Brasileira*. Rio, Imprensa Nacional, 1949.

GINSBURG, Jacob (org.) — *O Romantismo*. S. Paulo, Perspectiva, 1978.

HADDAD, Jamil Almansur — *O Romantismo e as Sociedades Secretas do Tempo*. S. Paulo, Indústria Gráfica Siqueira, 1945.

HAZARD, Paul — "De l'ancien au nouveau monde: les origines du romantisme au Brésil". *In Revue de Littérature Comparée*. Paris, jan.-março de 1927. Traduzido *in Revista da Academia Brasileira de Letras*, nº 69, set. de 1927.

MELLO E SOUZA, Antônio Cândido — *Formação da Literatura Brasileira*. S. Paulo, Martins, 1959, 2 vols.

MOTTA FILHO, Cândido — *Introdução ao Estudo do Pensamento Nacional. O Romantismo*, S. Paulo, Helios, 1926.

PARANHOS, Haroldo — *História do Romantismo no Brasil*. S. Paulo, Cultura Brasileira, 1937-38, 2 vols.

PIRES DE ALMEIDA — *A Escola Byroniana no Brasil*. S. Paulo, Comissão Estadual de Literatura, 1962.

RAEDERS, Georges — *Les Origines du Romantisme Brésilien*. Tese, Paris, s. d.

SALES CAMPOS, Antônio de — *Origens e Evolução dos Temas na Primeira Geração de Poetas Românticos Brasileiros*. S. Paulo, tese universitária, 1945.

SILVA RAMOS, Péricles Eugênio da — *Poesia Romântica*. Antologia. S. Paulo, Melhoramentos, 1965.

SILVA RAMOS, Péricles Eugênio da — *O Verso Romântico*. S. Paulo, Comissão Estadual de Literatura, 1959.

VERÍSSIMO, José — *Estudos de Literatura Brasileira*. Rio, Garnier, 1901.

VI REALISMO, NATURALISMO, PARNASIANISMO

BANDEIRA, Manuel — *Antol. dos Poetas Bras. da Fase Parnasiana*. Rio, I. N. L., 1938.

BEVILACQUA, Clóvis — *Épocas e Individualidades*. Recife, Quintas, 1889.

BILAC, Olavo e PASSOS, Guimarães — *Tratado de Versificação*. 8ª ed. Rio, Livr. Francisco Alves, 1944.

BROCA, Brito — *Naturalistas, Parnasianos e Decadentistas*. Unicamp, 1991.

CAMINHA, Adolfo — *Cartas Literárias*. Rio, s. e., 1895.

CARA, Salete de Almeida — *A Recepção Crítica*. S. Paulo, Ática, 1983.

CARVALHO, Aderbal de — *O Naturalismo no Brasil*. S. Luís do Maranhão, J. Ramos, 1894.

MAGALHÃES, Valentim — *A Literatura Brasileira (1870-1895)*. Lisboa, Antônio Maria Pereira, 1896.

MIGUEL-PEREIRA, Lúcia — *Prosa de Ficção (1870-1920)*. Rio, José Olympio, 1950.

MONTALEGRE, Duarte — Ensaio sobre o Parnasianismo Brasileiro. Coimbra, Coimbra Editora, 1945.

PACHECO, João — *O Realismo (1870-1900)*. S. Paulo, Cultrix, 1963.

RODRIGUES ALVES FILHO, F. M. — *O Sociologismo e a Imaginação no Romance Brasileiro*. Rio, José Olympio, 1938.

ROMERO, Sílvio — *O Naturalismo em Literatura*. S. Paulo, Tipografia da Província, 1882.

SILVA RAMOS, Péricles Eugênio da — *Poesia Parnasiana*. S. Paulo, Melhoramentos, 1967.

SODRÉ, Nelson Werneck — *O Naturalismo no Brasil*. Rio, Civilização Brasileira, 1965.

SOUZA LIMA, Mário Pereira de — *Os Problemas Estéticos na Poesia Brasileira do Parnasianismo ao Simbolismo*. S. Paulo, tese, 1945.

OLIVEIRA, Alberto de — *Conferências*. S. Paulo, Sociedade de Cultura Artística, 1916.

OLIVEIRA TORRES, João Camilo de — *O Positivismo no Brasil*. 2ª ed. Petrópolis, Vozes, 1957.

VII SIMBOLISMO E PRÉ-MODERNISMO

ATAÍDE, Tristão de — *Primeiros Estudos. Contribuição à História do Modernismo. O Pré-Modernismo*. Rio, Agir, 1948.

ARARIPE Jr., Tristão de Alencar — *Literatura Brasileira. Movimento de 1893*. Rio, Democrática, 1896.

BANDEIRA, Manuel — *Antologia dos Poetas Brasileiros da Fase Simbolista*. Rio, Edições de Ouro, 1967.

BELLO, José Maria — *História da República*. Rio, Civilização Brasileira, 1961.

BOSI, Alfredo — *O Pré-Modernismo*. São Paulo, Cultrix, 1966.

BROCA, Brito — *A Vida Literária no Brasil, 1900*. 2ª ed. Rio, José Olympio, 1960.

CARONE, Edgar — *A Primeira República (1889-1930). Texto e Contexto*. S. Paulo, Difel, 1969.

CARVALHO, Elísio de — *As Modernas Correntes Estéticas na Literatura Brasileira*. Rio, Garnier, 1907.

GÓIS, Fernando — *Panorama da Poesia Brasileira. Vol. IV. O Simbolismo*. Rio, Civilização Brasileira, 1959.

GÓIS, Fernando — *Panorama da Poesia Brasileira. Vol. IV. O Pré-Modernismo*. Rio, Civilização Brasileira, 1960.

MARTINS, Wilson — *Introdução ao Estado do Simbolismo no Brasil*. Separata de *Letras*, 1. Curitiba, 1953.

MOISÉS, Massaud — *O Simbolismo (1893-1902)*. S. Paulo, Cultrix, 1966.

MURICY, Andrade — *O Suave Convívio*. Rio, Anuário do Brasil, 1922.

MURICY, Andrade — *Panorama do Movimento Simbolista Brasileiro*. Rio, Instituto Nacional do Livro, 1952, 3 vols.

MURICY, Andrade — "Da crítica do Simbolismo pelos Simbolistas". *In Crítica e História Literária*, Anais do I Congresso Brasileiro de Crítica e História Literária. Rio, Tempo Brasileiro, 1964.

PEREGRINO JR. — *Origem e Evolução do Simbolismo*. Rio, Academia Brasileira de Letras, 1957.

RIO, João do (pseud. de Paulo Barreto) — *O Momento Literário*. Rio, Garnier, s. d. [1911].

SILVA RAMOS, Péricles Eugênio da — *Poesia Simbolista*. S. Paulo, Melhoramentos, 1965.

VERÍSSIMO, José — *Estudos de Literatura Brasileira*. 6 séries. Rio, Garnier, 1901-1907.

VÍTOR, Nestor — *Crítica de Ontem*. Rio, Leite Ribeiro & Maurílio, 1919.

VÍTOR, Nestor — *Cartas à Gente Nova*. Rio, Anuário do Brasil, 1924.

VÁRIOS — *À Margem da História da República* (Ideais, Crenças e Afirmações). Depoimentos da Geração Nascida com a República. Rio, Anuário do Brasil, 1924.

VÁRIOS — *Sobre o Pré-Modernismo*. Rio, Casa de Rui Barbosa, 1988.

VIII MODERNISMO E TENDÊNCIAS CONTEMPORÂNEAS

ATAÍDE, Tristão de — *Estudos*. 5 séries. Rio de Janeiro (I, A Ordem, 1927; II, Terra de Sol, 1928; III, A Ordem, 1930; IV, Centro Dom Vital, 1931; V, Civilização Brasileira, 1933).

ANDRADE, Mário de — *O Movimento Modernista*. Rio, Casa do Estudante do Brasil, 1942.

ANDRADE, Oswald de — *Ponta de Lança*. S. Paulo, Livraria Martins ed., s. d. (1945).

ÁVILA, Affonso (org.) — *O Modernismo*. S. Paulo, Perspectiva, 1975.

BANDEIRA, Manuel e AYALA, Walmir — *Antologia dos Poetas Brasileiros da Fase Moderna. Depois do Modernismo*. Rio, Ed. de Ouro, 1967.

BARBOSA, Francisco de Assis — *Testamento de Mário de Andrade e Outras Reportagens*. Rio, Ministério de Educação e Cultura, 1954.

BOPP, Raul — *Movimentos Modernistas no Brasil*. Rio, Livr. S. José, 1966.

BORBA DE MORAIS, Rubens — *Domingo dos Séculos*. Rio, Candeia Azul, 1924.

BOSI, Alfredo — "As Letras na Primeira República", em *História Geral da Civilização Brasileira* (org. por Boris Fausto). *O Brasil Republicano*, 2º volume. S. Paulo, Difel, 1977.

BOSI, Alfredo — "Moderno e Modernista no Brasil", em *Céu, Inferno*. S. Paulo, Ática, 1988.

CAVALHEIRO, Edgard — *Testamento de uma Geração*. P. Alegre, Globo, 1944.

CHAVES, Flávio Loureiro *et alii* — *Aspectos do Modernismo Brasileiro*. Porto Alegre, UF-RGS, 1970.

CHIACCHIO, Carlos — *Modernistas e Ultra-Modernistas*. Bahia, Progresso, 1951.

COUTINHO, Afrânio (dir.) — *A Literatura no Brasil*. 2º vol. V. *Modernismo*, Rio, Ed. Sul-Americana, 1970.

FERREIRA DE LOANDA, F. — *Panorama da Nova Poesia Brasileira.* Rio, Orfeu, 1951.

FREYRE, Gilberto — *Manifesto Regionalista.* Recife, Ed. Região, 1952.

GOMES MACHADO, Lourival — *Retrato da Arte Moderna do Brasil.* São Paulo, Depto. de Cultura, 1948.

GRAÇA ARANHA — *Manifestos de Marinetti e seus Companheiros.* Rio, Pimenta de Mello, 1926.

GULLAR, Ferreira — "Situação da Poesia Brasileira", *in Cultura Posta em Questão.* Civ. Brasileira, 1965.

GULLAR, Ferreira — *Vanguarda e Subdesenvolvimento.* Rio, Civ. Brasileira, 1969.

LAFETÁ, João Luís — *1930: A Crítica e o Modernismo.* S. Paulo, Duas Cidades, 1977.

LESSA, Luís Carlos — *O Modernismo Brasileiro e a Língua Portuguesa.* Rio, Agir, 1966.

LINS, Álvaro — *Jornal de Crítica.* 6 séries. Rio, José Olympio, 1941-51.

MARTINS, Wilson — "50 anos de Literatura Brasileira". Em *Panorama das Literaturas das Américas (De 1900 à Atualidade)*, sob a direção de Joaquim de Montezuma de Carvalho. Angola, Nova Lisboa, 1958. vol. I.

MARTINS, Wilson — *O Modernismo.* S. Paulo, Cultrix, 1965.

MASSI, Augusto — *Artes e Ofícios da Poesia.* S. Paulo, Secretaria Municipal de Cultura, 1991.

MELLO E SOUZA, Antônio Cândido — "Movimento Geral da Literatura Contemporânea no Brasil", *in O Tempo e o Modo do Brasil.* Lisboa, 1967.

MIGUEL-PEREIRA, Lúcia — *Cinqüenta Anos de Literatura.* Rio, MEC, 1952.

MILLIET, Sérgio — *Panorama da Moderna Poesia Brasileira.* Rio, MEC, 1952.

MOTA, Carlos Guilherme — *Ideologia da Cultura Brasileira* (1933-1974). S. Paulo, Ática, 1977.

MURICY, Andrade — *A Nova Literatura Brasileira.* P. Alegre, Globo, 1936.

NEME, Mário — *Plataforma da Nova Geração.* P. Alegre, 1945.

PEREGRINO JR. — *O Movimento Modernista.* Rio, MEC, 1954.

PIGNATARI, Décio — "Situação Atual da Poesia no Brasil". Em *Anais do II Congresso Brasileiro de Crítica e História Literária*, Faculdade de Filosofia de Assis. S. Paulo, 1963. O Congresso realizou-se em 1961.

SENNA, Homero — *República das Letras.* Rio, Livraria S. José, 1957.

SILVA BRITO, Mário de — *História do Modernismo Brasileiro. I. Antecedentes da Semana de Arte Moderna.* S. Paulo, Saraiva, 1958.

SILVA BRITO, Mário da — *Poesia do Modernismo.* Rio, Civil. Bras., 1968.

SILVA RAMOS, Péricles Eugênio — *Poesia Moderna.* S. Paulo, Melhoramentos, 1967.

SILVEIRA, Tasso da — *Definição do Modernismo Brasileiro.* Rio, Forja, 1932.

SIMON, Iumna Maria — "Esteticismo e Participação". *In Novos Estudos*, Cebrap, nº 26, março de 1990.

TELLES, Gilberto Mendonça — *Vanguardas Européias e Modernismo Brasileiro*, 3ª ed., Vozes, 1976.

VITOR, Nestor — *Os de Hoje. Figuras do Movimento Modernista Brasileiro.* S. Paulo, Cultura Moderna, 1938.

IX BIBLIOGRAFIAS. DICIONÁRIOS DE LITERATURA

CARPEAUX, Otto Maria — *Pequena Bibliografia Crítica da Literatura Brasileira.* 3ª ed. Rio, Letras e Artes, 1964.

DICIONÁRIO DAS LITERATURAS PORTUGUESA, BRASILEIRA E GALEGA, dirigido por Jacinto do Prado Coelho. Porto, Livraria Figueirinhas, 1960.

LUFT, Celso Pedro — *Dicionário de Literatura Portuguesa e Brasileira.* Porto Alegre, Globo, 1967.

MARTINS, Wilson — *História da Inteligência Brasileira.* 7 vols. S. Paulo, Cultrix, 1976-78.

MENEZES, Raimundo de — *Dicionário Literário Brasileiro.* Rio, Livros Técnicos e Científicos Editora, 1979.

PEQUENO DICIONÁRIO DE LITERATURA BRASILEIRA, organizado e dirigido por José Paulo Paes e Massaud Moisés. S. Paulo, Cultrix, 1967.

SACRAMENTO BLAKE — *Dicionário Bibliográfico Brasileiro.* Rio, Tipografia Nacional, 1883-1902. 7 vols.

SILVA, Inocêncio Francisco da — *Dicionário Bibliográfico Português. Estudos Aplicáveis a Portugal e ao Brasil.* Lisboa, Imprensa Nacional, 1858-1923. 22 vols.

AGRADECIMENTO

Agradeço a José Paulo Paes e a Celso Frederico, amigos a quem devo inúmeras sugestões bibliográficas; e a minha mulher, Ecléa, pela paciente e inteligente leitura dos originais.

A. B.

Deixo consignada minha gratidão aos colegas da Universidade de São Paulo, Zenir Campos Reis, Antônio Dimas e José Jeremias de Oliveira Filho, pelas preciosas indicações bibliográficas.

A. B.

ÍNDICE DE NOMES